D0539663

PRZEKŁAD ELŻBIETA MICHALAK

Amerykańska opowieść

ANATOLIJ ROZOWSKI

ABENKA
Redakcja Literacka Bellony
Warszawa 2005

Tytuł oryginału:
Amerikanskaja istorija

Projekt okładki i strony tytułowej:
Magda Bartkiewicz

Redakcja:
Anna Szymanowska

Redaktor prowadzący:
Bartłomiej Zborski

Korekta:
Teresa Kępa

Redaktor techniczny:
Małgorzata Katarzyna Ślęzak

Dom Wydawniczy Bellona prowadzi sprzedaż wysyłkową
swoich książek za zaliczeniem pocztowym
z 20-procentowym
rabatem od ceny detalicznej.
Nasz adres: Dom Wydawniczy Bellona
ul. Grzybowska 77, 00-844 Warszawa
(Dział Wysyłki): tel. (22) 45-70-306, 652-27-01,
fax (22) 620-42-71
e-mail: biuro@bellona.pl
Internet: http://www.bellona.pl
www.ksiegarnia.bellona.pl

ISBN 83-11-10129-9

Mojej Mamie

1.

Ostatnio zauważyłam u siebie dziwną rzecz – coraz częściej odczuwam potrzebę samotności, muszę chociażby przez chwilę pobyć ze sobą, z własnymi myślami, z własną duszą. Długo się zastanawiałam, dlaczego tak się dzieje, dlaczego w moim życiu pojawiła się taka potrzeba, analizowałam jej źródła i przyczyny, aż w końcu doszłam do wniosku, że prawdopodobnie przyszła ona wraz z wiekiem. A może takie dogłębne analizowanie w tym wypadku nie ma sensu? Jestem osobą publiczną, całe dnie spędzam wśród ludzi, z ludźmi, cały czas jestem na widoku, to męczy, pochłania siły i energię, po prostu się wypalam, dlatego od czasu do czasu muszę uciec w głąb siebie, uporządkować myśli, zastanowić się, co jest dla mnie ważne, spokojnie wszystko przemyśleć, żeby znów iść dalej, rozpoczynając wędrówkę od nowego, najistotniejszego w danej chwili punktu odniesienia. Każdy mój dzień od rana do wieczora wypełniają spotkania, wizyty, telefony, terminy, koledzy, pacjenci i inne bardzo ważne osoby, słowem, setki pilnych spraw i obowiązków. Jedynym miejscem, w którym mogę się bezpiecznie schronić przed całym światem, jest łazienka.

To zastanawiające, że właśnie łazienka jest najbardziej odizolowaną częścią każdego mieszkania, ale dzięki temu daje schronienie od natarczywych spojrzeń, natrętnych dźwięków, od tego, czym nieustannie nęka nas ciekawski, wiecznie podsłuchujący i rozpraszający myśli świat. Szum płynącej z kranu wody tak doskonale tłumi dźwięki, wdzierające się z zewnątrz, jakby to było jego najważniejsze zadanie, jakby służył przede wszystkim takiemu celowi.

Mój wzrok błądzi po lśniącej tafli lustra, by już po chwili skoncentrować się w jednym punkcie – teraz patrzę sobie prosto w oczy – i powoli ogarnąć resztę mojej twarzy, do której przez tyle lat wciąż nie mogę się przyzwyczaić. Ta twarz za każdym razem wprawia mnie w zdumienie, chociaż już wiem, że to na pewno jestem JA, dawno to sobie wytłumaczyłam.

Jednak uporczywe pytania powracają: Czy lustrzane odbicie to JA?, zastanawiam się, nadymając lewy policzek. Wpatruję się w nowy kształt mojej twarzy, starając się wygładzić zmarszczkę, którą odkryłam koło nosa. Czy lekko zdziwione, wesołe spojrzenie, dyskretny garbek na nosie i nieco spuchnięta dolna warga definiują MNIE w świadomości innych ludzi? Dlaczego tylko ja, we własnej świadomości, wciąż nie potrafię w pełni utożsamić tych cech z moją osobą?

Jestem zdziwiona, że ludzie kojarzą mnie z takim wizerunkiem, traktując lepiej lub gorzej, w zależności od stopnia jego akceptacji. Dla mnie to lustrzane odbicie jest nadal mało rozpoznane, niekiedy bywa wręcz obce, nie utożsamiam go z SOBĄ. To jakiś absurd! Tę twarz, która według wszelkiego prawdopodobieństwa jest MNĄ, ja, jej pełnoprawna właścicielka, widuję rzadziej niż ktokolwiek inny, i tylko w lustrze, najczęściej rano, i to pod warunkiem, że czas mi na to pozwala. Czy z tego wynika, że ludzie znają mnie lepiej niż ja znam siebie?

Wiem, że twarz, w którą się teraz wpatruję – ten nieskomplikowany trójwymiarowy twór – nie jest tak jednoznacznie MNĄ. Nigdy nie uprościłam siebie do jej niewymyślnej formy – jakże ta biedaczka swoim ograniczonym zestawem środków mimicznych mogłaby wyrazić głębię mojego JA? Jestem przekonana, że nawet moja znacznie wyżej od niej zorganizowana świadomość nie podjęłaby się tak trudnego zadania.

Ejże, chyba tym razem za daleko się zagalopowałaś, koleżanko, strofuję siebie, czy ciągle musisz tak wszystko analizować, zostaw swoją świadomość w spokoju, nie komplikuj prostych spraw, niech będą jak najprostsze. Przed kim się tak popisujesz? Nikogo tu nie ma. No tak, wzdycham, oto co wyczynia z człowiekiem przyzwyczajenie, do czego zdolne jest nas doprowadzić. Nawet nie mogę sobie szczerze porozmawiać z własnym odbiciem, cały czas zachowuję się tak, jakbym wygłaszała wykład. Czy nie za dużo tej dydaktyki?

Na szczęście mój wzrok nie reaguje na tę słowną kokieterię, nie rozprasza się i metodycznie, centymetr po centymetrze, zgłębia moją twarz. A może moja własna twarz dlatego wydaje mi się taka obca, że jest tylko narzędziem, osobistym przyrządem, za którego pomocą oglądam świat? Jasne! Nie powinnam oceniać jej tak surowo, przede wszystkim muszę się nią umiejętnie posługiwać. Przecież po to siebie mamy.

Z zaciekawieniem wpatruję się w swoje odbicie, może uda mi się odkryć w nim coś, czego jeszcze nie wiem? Czy to możliwe, zastanawiam się, że niedługo skończę trzydzieści pięć lat? Dziwne uczucie. Nie czuję się nawet na trzydzieści lat, co najwyżej na dwadzieścia siedem, no, może na dwadzieścia osiem, nie więcej. Sama nie wiem, dlaczego gdzieś tam w środku wciąż jestem młodą dziewczyną, i cały czas muszę się mocno kontrolować, żeby się nie zdradzić z niełatwym do ukrycia brakiem powagi: nie śmiać się za głośno, nie palnąć jakieś gafy. Cały czas staram się wyglądać poważnie, mówić poważnie, chociaż, oczywiście, nie z taką śmiertelną powagą jak cała reszta moich rówieśników. Ale to już cecha indywidualna, taki mam sposób bycia.

Przyglądam się mojej twarzy z rosnącym zainteresowaniem. No, kochana, spuść nieco z tonu, karcę siebie kolejny raz, spójrz, pod okiem masz nową zmarszczkę, a i czoło nie ma już dawnej gładkości, o, tu, na szyi, też coś się pomarszczyło, jeszcze ledwie dostrzegalnie, trzeba by się mocno wpatrywać, żeby dostrzec tę drobną fałdkę, ale nie zmienia to faktu, że lat raczej ci nie ubywa. Ciekawe, co by na to powiedział Mark, gdybyśmy się spotkali, a ściślej mówiąc, co by pomyślał, oczywiście, jak zawsze, natychmiast bym odgadła.

Wielkie rzeczy, trzydzieści pięć lat, próbuję się pocieszać. Mark też miał tyle, kiedy się poznaliśmy, czternaście lat temu. Czternaście lat temu – jak to dawno, aż trudno w to uwierzyć, nie potrafię tego czasu wtłoczyć w obszary własnej percepcji. Jest prawie nierealny, czysta abstrakcja.

Mark. Wystarczy, bym o nim pomyślała, a od razu zmienia mi się nastrój – czuję smutek. Dlaczego kiedy o nim myślę, kiedy zamykam oczy albo odpływam gdzieś spojrzeniem i przypominam sobie jego głos, spokojny, dobitny, czasami wręcz chłodny, w moje ciało wbija się jakaś niedorzeczna igiełka, wwierca się boleśnie w to miejsce, gdzie zaczyna się oddech. To niemiłe uczucie i dosyć kłopotliwe.

– Nadal go kocham, to jasne – mówię głośno, starając się, aby te słowa wwierciły się w moje źrenice, wniknęły w nie głęboko.

Na pewno kocham go inaczej niż wtedy, kiedy byliśmy razem. Po tym, co się wydarzyło, bardzo się zmieniłam, mój stosunek do Marka też jest dziś inny, to oczywiste. Niemal mistyczny obraz Marka w mojej świadomości, prawie święty, a jednocześnie tak bliski, mój, codzienny, rozsypał się, spłowiał, zostały z niego strzępy.

Dziś już nie myślę o nim w taki sposób, jak myślałam kiedyś, nie czuję go tak, jak czułam dawniej. Moja miłość jest inna. Czy silniejsza, od kiedy go straciłam, czy słabsza za sprawą niedobrych wspomnień i czasu, który minął? Nie wiem, chyba jednak nie.

Trudno porównywać miłość do pokrętła głośności w radioodbiorniku, ruch w prawo – dźwięk narasta, ruch w lewo – milknie. Miłość nie zmienia się w pionie ani w poziomie. Ona tylko przekracza wymiary czasu.

Nie pamiętam, kto to powiedział, że od miłości do nienawiści jest tylko jeden krok, ale Napoleon – i to wiem na pewno – uzupełnił tę sentencję słowami: „niczym od wielkości do śmieszności". Co robić, jeżeli ten krok skurczył się do małego punkcika, do maleńkiej chwilki, jest już tylko biciem serca?

Co robić, jeżeli miłość i nienawiść, wielkość i śmieszność, *sacrum* i *profanum* splątały się, jeśli utraciły nad sobą kontrolę i tak niedorzecznie się pomieszały? Kocham go, powtarzam na głos, a moja lustrzana źrenica zwęża się odruchowo, jest teraz małą czarną kropką, łebkiem szpilki. I nienawidzę. Ubóstwiam go i mam w pogardzie. Wiem, że wszystko mu zawdzięczam, to wszystko, co udało mi się w życiu osiągnąć, wiem i pamiętam, że poświęcał mi czas – lata – swój talent, dar tworzenia, energię, serce. Nigdy, do końca życia tego nie zapomnę, zawsze będę mu za to wdzięczna.

Wystarczy jednak, że sobie przypomnę, co naprawdę kryło się za jego poświęceniem, a moja naiwna wdzięczność topnieje w obezwładniającej wzgardzie. Kolejny raz dociera do mnie, że każdy jego krok, każdy gest, słowo, spojrzenie były obliczone tylko na to, by to Mark mógł osiągnąć swój wielki cel, tak precyzyjnie od samego początku zaplanowany.

Czy miłość Marka, jego uczucia do mnie też były tak fałszywe, wyrachowane, tak precyzyjnie, z premedytacją obmyślane, jak cel, który sobie postawił? Ta myśl nie daje mi spokoju. Nie, odpowiadam sama sobie. Myślę, że nie, jestem pewna, że nie. Kiedyś wierzyłam w jego miłość, a co najdziwniejsze, dalej w nią wierzę. Wszystko się zagmatwało, niczego już nie potrafię rozwikłać.

Właściwie dlaczego to, co teraz czuję, nie może być poplątane i pełne sprzeczności, tak jak Mark? Czy uczucie do drugiego człowieka nie jest – co z tego, że subiektywnym – odzwierciedleniem osobowości tego człowieka? Przywodzi mi to na myśl puzzle, misterną układankę z setek czy tysięcy kolorowych, różnokształtnych elementów. Gdy się je odpowiednio poukłada, powstaje jednolity obrazek. Tak jest z Markiem. Tak jest z moją miłością do Marka. Tylko jak te nieregularne kawałeczki do siebie dopasować? Czasami wydaje mi się to niemożliwe.

2.

Tematem tych zapisków nie jest moja emigracja, dlatego tylko wspomnę, że z Rosji wyjechałam w dziewiętnastym roku życia. Zanim poznałam Marka, od dwóch lat mieszkałam w Bostonie, sama, bez rodziców, którzy nie zdecydowali się na rozstanie z Moskwą. Marka spotkałam na prywatce, na którą zaprosili mnie koledzy ze studiów. Kłębiło się tam międzynarodowe towarzystwo i właściwie nikt nikogo nie znał.

Wzięłam z sobą Katkę, przyjaciółkę z czasów moskiewskich. Któregoś dnia, przypadkowo i ku wielkiemu zaskoczeniu, spotkałyśmy się w Bostonie, natychmiast przylgnęłyśmy do siebie i stałyśmy się już na zawsze nierozłączne. Związała nas wspólna przeszłość, a przede wszystkim teraźniejszość. Jak kiedyś, w Moskwie, nazywałam ją Katką, a ona mnie Marinką. Te zdrobnienia naszych imion, na które nikomu innemu byśmy nie przyzwoliły, świadczyły o łączących nas więzach serdecznej przyjaźni.

Katka, piękna dziewczyna z bujną, rudą czupryną, niezbyt wysoka, ale postawna, dorodna, rozkosznie obfita, miała okrągłą twarz i nieprawdopodobne oczy, opalizujące najczystszym odcieniem zimnego błękitu. Uroda nie przewróciła jej w głowie, mimo że ani na chwilę nie dawała o sobie zapomnieć, o czym świadczyły niemilknące telefony i łakome spojrzenia mężczyzn. Mimo to Katka traktowała swoją urodę ze stoickim spokojem. „A czy to moja zasługa, taką mnie Pan Bóg stworzył”, ucinała krótko.

Człowiek, który posiadł niepospolity dar albo talent – urodę zaliczam do kategorii talentów niepospolitych i szczególnych, podobnie jak piękny głos czy słuch absolutny – nawet jeżeli na pozór wcale o niego nie dba, podświadomie stara się go pielęgnować, zwrócić nań uwagę otoczenia, to naturalne, kto z nas nie lubi eksponować swoich mocnych stron. Jednocześnie, co też jest zrozumiałe, kładąc nacisk na swój największy atut, nieświadomie zaprzepaszcza inne skarby, nie przywiązując do nich należnej wagi. Trwoni je, deprecjonuje, wykorzystując służebnie, na rzecz daru, który uznał w sobie za przewodni. Szkoda. To psuje naturalną harmonię, człowiek bezmyślnie skupia się na jednym, jedynym talencie, nie rozwijając innych, równie pięknych i cennych.

Podobnie jest z urodą, powiedziałabym, zwłaszcza z urodą. Urodę, bardziej niż inne dary natury, testuje czas. Jest ona talentem najbardziej ulotnym, nieustannie wystawianym na widok publiczny. Nie da się ukryć ani za parawanem wykonywanego zawodu, ani za zasłoną osobistych fascynacji i pasji, dlatego z trudem wybaczamy jej utratę komuś, kto taki dar posiadł, i spoglądamy z filozoficzną zadumą na ludzi, którym nie udało się ocalić zewnętrznego piękna – ot, co wyprawia z człowiekiem życie i czas.

Katka nie była istotą obojętną wobec własnej urody, traktowała ją jednak z pobłażliwą wyrozumiałością, nieco z wysoka, protekcjonalnie, jakby z przymrużeniem oka, nie dopuszczając, by uroda zdominowała jej osobowość i uzależniła od swoich kaprysów. Przepełniony autoironią stosunek mojej przyjaciółki, zarówno do siebie, jak i do życia w ogóle, nie pozbawiony pewnej dozy moskiewskiego cynizmu, był tym nostalgicznym magnesem, który, pomijając inne ważne okoliczności, bardzo nas do siebie przyciągał.

Na Uniwersytecie Łomonosowa w Moskwie Katka studiowała prawo, tutaj, na obczyźnie, myśl o karierze zawodowej budziła w niej pusty śmiech. Nie do końca bezpodstawny, gdyż Katka intuicyjnie czuła, że co innego jest jej przeznaczone, dążyła do tego celu konsekwentnie, nie precyzując, na czym miałby polegać, a przynajmniej się z tym nie zdradzała.

Siedziałyśmy na kanapie, plotkując, dla bezpieczeństwa po rosyjsku, o każdym z gości – wyznam, że nie czyniłyśmy tu wyjątków – aż w końcu skupiłyśmy się na Marku. Chyba wtedy mój wzrok po raz pierwszy zatrzymał się na nim dłużej.

Mark rzucał się w oczy swobodnym sposobem bycia, jego charakterystyczny luz mimowiednie przeniósł się na całą jego postać, nawet na jego ubranie. Nie miałam wątpliwości, że było to świadomie rozegrane i przemyślane w najdrobniejszym szczególe. Rzeczy, które Mark miał na sobie, nie były tanie. Z grona krótko ostrzyżonych, schludnie ubranych młodych mężczyzn wyróżniały go także długie, pofalowane włosy.

Często opowiadałam, że zakochałam się w Marku właśnie tamtego wieczoru, od pierwszego wejrzenia, ale nie była to prawda. Tamtego wieczoru jednak skupił moją uwagę. Był inny. Wydawało mi się, że jest dużo od nas starszy, oceniłam go na trzydzieści lat, jak się później okazało, miał nieco więcej. Różnica sześciu czy siedmiu lat jest w tym wieku istotna, a chociaż przyciągała ku niemu zainteresowane spojrzenia, nie świadczyła na jego korzyść. Starsi mężczyźni – kobiety zresztą też – na młodzieżowych imprezach zawsze traktowani byli nieufnie i podejrzliwie.

Katka dyskretnie szturchnęła mnie kolanem, obrzucając Marka powłóczystym spojrzeniem – nie przejmowała się, że ktoś mógłby to zauważyć – i powiedziała głośno to, co ja ledwie odważyłam się pomyśleć:

– Widzisz tego tajemniczego przystojniaka? Trudno się nie domyślić, że przyszedł rwać małolaty. Hmm, może i mnie się poszczęści – westchnęła.

Nasze podejrzenia sprawiły, że obie zwróciłyśmy na Marka szczególną uwagę, starając się nie przeoczyć chwili, kiedy Mark się uaktywni, co dla postronnego obserwatora zawsze ma posmaczek niezłej zabawy. W końcu nam się znudziło. Jeśli przyszedł na podryw, robił to niemrawo – przez cały wieczór nie odezwał się ani słowem, najczęściej stał oparty o ścianę, z butelką piwa w ręku, uczestnicząc w rozmowach jedynie nieśmiałym półuśmiechem.

Dziś nie potrafię obiektywnie ocenić jego urody, zbyt długo byłam w nim zakochana, zawsze jednak uważałam go za przystojnego mężczyznę i nadal tak uważam. Był naprawdę interesującym mężczyzną, chociaż nie miał urody fotomodela z reklamy męskich perfum. Zresztą, jak powiedziałam, nie umiem ocenić urody Marka.

Wszystko na tym świecie jest subiektywne. Osobowość, charakter, sposób bycia mogą fascynować, zachwycać, zniewalać, jeżeli się daną osobę kocha, i przeciwnie – nie wywoływać żadnej reakcji czy drażnić, jeśli ktoś jest nam uczuciowo obojętny.

Pamiętam, jak kiedyś Mark zachorował. Leżał w gorączce, spocony, nieogolony, z czerwonym nosem, spuchniętym od kataru, rozrzucając dokoła siebie stosy zużytych chusteczek higienicznych. Zbierałam je niemal z rozkoszą, myślę, że zasługującą na głęboką psychoanalizę, pielęgnowałam go z nie znanym mi wcześniej poświęceniem. Lubiłam pochylać się nad nim, pieścić ustami jego rozpalone czoło, a przy tym czułam macierzyńską tkliwość: był mój, najbliższy mi, najdroższy, najlepszy, jedyny na świecie, wzruszał mnie swoją dziecięcą bezradnością, ale ponieważ nie był małym chłopcem, lecz dojrzałym, silnym mężczyzną, moja – w czasie tej choroby – fizyczna nad nim przewaga zmieniała się w zniewalające poczucie całkowitej przynależności do Marka, w pełnię oddania.

Myślę, że gdyby zamiast Marka wtedy w tamtym łóżku leżał jakiś inny chory, z błyszczącymi od gorączki oczami, zarośnięty, na pewno też bym się o niego troszczyła, współczuła, ale obowiązek pielęgnowania takiego osobnika, zbieranie jego zasmarkanych chustek nie wywoływałyby we mnie czułości, ale raczej pretensję, kto wie, może nawet złość: do czego to podobne, żeby swoje obrzydliwe chustki rozrzucać gdzie popadnie.

W stronę kanapy, na której rezydowałyśmy obie z Katką, zmierzało dwóch młodych mężczyzn, dobrze ubranych, starannie ostrzyżonych, roztaczając mocne zapachy męskich perfum. Nie miałam wątpliwości, że ci anglojęzyczni młodzieńcy przyszli na wieczorek z nadzieją poznania dziewcząt, a teraz za cel upatrzyli sobie mnie i moją przyjaciółkę. Zatrzymali się nieopodal naszej kanapy i, pochłonięci rozmową, rzucali w naszą stronę szacujące spojrzenia, trzeba przyznać, pełne sympatii, chyba nie bardzo wiedzieli, jak nawiązać z nami rozmowę.

Nagle zaczęłam się denerwować. Sama nie wiem, dlaczego poczułam dziwne napięcie, zupełnie jak zwierzyna na odgłosy nadciągającej nagonki. Ogarnął mnie niepokój, poczucie zagrożenia i lęk, że mogą mnie upolować, a także, co już najbardziej mnie zaskoczyło, silne podniecenie. Jeden z chłopaków odważył się nas zagadnąć:

– Dziewczyny, przepraszam, jaki to język?

– Rosyjski – uświadomiła go moja przyjaciółka, obojętnie, bez cienia kokieterii, raczej z nutką melancholii w głosie.

– Dlaczego nie rozmawiacie po angielsku? – Natarczywy amant starał się podtrzymać rozmowę.

– Dlatego, że rozmawiamy o was – rzuciłam zalotnie. Szczerze mówiąc, kiepsko mi to wyszło.

Chłopcy ożywili się, jakby usłyszeli komendę: „Do ataku!”.

– Aha, plotkujecie – inteligentnie domyślił się drugi amant.

– Trafiłeś w dziesiątkę, bracie. – Przechyliłam zalotnie głowę, uśmiechnęłam się niewinnie, unosząc brwi, jak zwierzę, umykające przed pogonią, które nagle przystaje, zamiera, osłupiałe wlepia wzrok w prześladowcę, jakby chciało się upewnić: „Czy ktoś naprawdę chce mnie schwytać?".

– Patrz, Steve, te spryciary wszystko rozumieją, a my nie mamy bladego pojęcia, o czym one plotkują. No cóż, musisz przyznać, że są od nas lepsze – odezwał się jeden z chłopaków.

Co za celna uwaga, uśmiechnęłam się.

– Dlaczego lepsze, z nikim nie mamy zamiaru konkurować – uspokoiłam go. – Chociaż muszę przyznać, że jest to niezły azyl, tak właśnie rozumiem azyl. – Zorientowałam się, że nasi nowi znajomi nie bardzo chwytają, co mam na myśli, więc dodałam: – Moim zdaniem, azyl to sytuacja, kiedy człowiek rozumie wszystkich, sam nie będąc rozumiany, no i może to robić, kiedy tylko zapragnie.

Chłopak posłał mi przyjazny uśmiech.

– Och, my też byśmy tak chcieli – powiedział z zalotną zazdrością, po czym, już całkiem poważnie, zapytał: – Powiedzcie, czy trudno jest się nauczyć obcego języka od podstaw do normalnego poziomu?

– A na czym ten normalny poziom miałby polegać? – wyraziłam wątpliwość, czując, że nasi rozmówcy znów nie mogą się zorientować, o co mi chodzi. – Język to nieskończoność, wiesz, to jest tak jak ze wszechświatem, wchodzisz na jeden poziom i już masz nad sobą następny, zdobywasz go, patrzysz, a tam jest jeszcze jeden i jeszcze jeden. Możesz sobie zdobywać coraz wyższe poziomy, ale wciąż będziesz miał przed sobą nieskończoność.

Katka milczała jak zaklęta. Chyba stwierdziła, że nie musimy tym obcym chłopakom niczego tłumaczyć, i z najwyższą obojętnością wpatrywała się to w kieliszek z winem, który trzymała w ręku, to w swoje długie, starannie wypielęgnowane paznokcie, od czasu do czasu rzucając beznamiętne spojrzenia w przestrzeń. Czułam, że już ma na końcu języka kilka wyrafinowanych złośliwostek, którymi chętnie uraczyłaby naszych niezbyt rozgarniętych nowych znajomych, a przede wszystkim mnie. Mina Katki w jednej chwili sprowadziła mnie na ziemię. Rzeczywiście, wdałam się w zbyt poważny dialog w towarzystwie, które wcale nie oczekiwało ode mnie powagi. Zreflektowawszy się, posłałam chłopakom szeroki uśmiech, machnęłam włosami, klasnęłam w dłonie, jak gdybym chciała skupić ich rozproszoną uwagę, i zaproponowałam:

– Jeśli chcecie, mogę wam opowiedzieć coś wesołego o języku. – Rozejrzałam się po sali, szukając wsparcia.

Nie zawiodłam się. Ktoś kiwnął głową, ktoś inny posłał mi życzliwe spojrzenie, Mark uśmiechnął się swoim tajemniczym półuśmiechem, może tym razem z nieco większą uwagą.

– No więc tak – zaczęłam – historia będzie długa, zajmie trochę czasu, dlatego bardzo was proszę, żebyście mi nie przerywali, bo mogłabym stracić wątek. – Wzięłam głęboki oddech. – Mam kumpla, nazywa się Lio, to jego nowe imię, wcześniej nazywał się Lonia. Katka, ty wiesz, o kim mówię, kiedyś chciał ze mną chodzić... – tu zawiesiłam kokieteryjnie głos – ... no i raz zaprosił mnie do kasyna, było to w Connecticut. Wchodzimy... i już od progu nas ścięło. Nigdy w życiu nie byłam w kasynie. Jak się później wyjaśniło, Lio też debiutował w tym przybytku hazardu. Wiecie, jak wygląda kasyno, więc nie będę tego dokładnie opisywać, rząd automatów do gry, krupierzy w uniformach, z muchami pod szyją, tasują karty, tłum gości miota się od stołu do stołu, wszyscy podekscytowani, z błędnym wzrokiem i wypiekami na twarzy, postukują nerwowo kostkami palców.

Mój kumpel, chłopak rezolutny, przeznaczył niewielką sumkę na to ogłupiające zajęcie, ale w kasynie połknął bakcyla, poczuł dreszczyk hazardu.

Usiedliśmy nieco na uboczu, a on mi mówi, że ni cholery nie rozumie, o co chodzi z tymi automatami i ruletkami, bo zna tylko jedną starą rosyjską grę, „oczko", która, jak się wkrótce okazało, zapuściła mocne korzenie także w amerykańskich kasynach. Muszę się, mówi, zorientować w tutejszych zasadach, bo może nie do końca są takie, jakie znam od dziecka. Po co bez sensu wyzbywać się skromnych kapitałów.

Rozglądamy się, patrzymy, nieopodal nas stoi krupier, w służbowym uniformie, z muchą, zgrabny, szczuplutki, jak spod igły, wyelegantowany, wychuchany. Lio, całkowite jego przeciwieństwo, chłopisko szerokie w barach, z kijowską pewnością siebie (Kijów to miasto na Ukrainie, wyjaśniam niezorientowanym geograficznie kolegom) rusza wprost na niego, i słyszę, jak zaczyna po angielsku, z silnym ukraińskim akcentem, wypytywać o szczegóły gry. Mężczyzna w uniformie grzecznie, z uprzejmym uśmiechem, wyjaśnia, niestety, ku niezadowoleniu Lio, mówi wzorcową angielszczyzną.

Do dziś zachodzę w głowę, dlaczego ściąga się tu krupierów z Wielkiej Brytanii, czyżby ich mało było w Ameryce? Ale do diabła z nim. No więc stoją tak i widzę, że zupełnie nie mogą się dogadać. Lio, zawzięte chłopisko, nie odpuszcza facetowi: „Po ile u was *king*?, A po ile *queen*?". Śmiem twierdzić, że stali bywalcy kasyn uznaliby te pytania za bardzo niefachowe, ale ja zrozumiałam, o co Lio pytał. Biedaczysko, nie wiedział, jak inaczej wyrazić nurtujące go kwestie w obcym, słabo przyswojonym języku, dlatego zdecydował się na sformułowania rodem z kijowskiego bazaru.

Mimo to dopiął swego. Rozmowa ożywiła się. Nagle zdarzyło się coś niesamowitego, aż się przestraszyłam, że jeszcze chwila, a nie zdołam opanować śmiechu, musiałam stoczyć ze sobą nie lada walkę, żeby nie spłoszyć najpiękniejszej chwili w życiu!

Słucham i własnym uszom nie wierzę. Lio pyta krupiera: „A po ile tu as?", ale zamiast *ace*, wymawia *arse*! Nie miał nic złego na myśli, po prostu nie poradził sobie z subtelną różnicą w wymowie, ukraińskie ucho nie przywykło do takich niuansów. Nie w tym rzecz, żeby nie wiedział, co znaczy *arse,* słyszał, że „as" mniej więcej tak właśnie brzmi po angielsku. Pewnie sobie wtedy pomyślał: co za zwariowany język, w którym powszechnie znane słowo na „d" i słowo „as" wymawia się jednakowo.

Pyta więc Lio chudzielca: „Po ile tu d...?", święcie przekonany, że pyta o asa.

Twarz faceta z muchą wyciąga się, przybierając kształt długiego, wąskiego kieliszka do szampana, a ja nie mogę się zorientować, czy chudzielec poczuł się dotknięty, czy też za chwilę wybuchnie śmiechem, ale facet, również nie dowierzając własnym uszom, próbuje grzecznie wyjaśnić nieporozumienie: „Przepraszam, nie zrozumiałem, o co pan pytał?". Lio, bez cienia wątpliwości, tłumaczy mu, że interesuje go tylko jedna kwestia: „Ile kosztuje d...?".

Widzę, że faceta wparło w podłogę. Zrozumiałam, że gotów jest wyświadczyć usługę za darmo, widać nie był jeszcze tak zepsuty. Zdecydowana postawa Lio zaskoczyła go. „Słucham?", powtarza, nie rozumiejąc, widzę, że Lio za chwilę się wścieknie. Niemożność dogadania się z personelem kasyna zburzyła wyobrażenia mojego kumpla o wyższości społeczeństwa amerykańskiego. Wykrzykuje z irytacją rozkapryszonego gościa: „Czego nie rozumiesz?! Ile d... kosztuje?!".

Przykucnęłam, trzęsąc się ze śmiechu, nie ufałam własnym nogom.

Mężczyzna w uniformie chyba czekał na potwierdzenie pełnych nadziei domysłów, bo nagle, ku zaskoczeniu Lio, rozciągnął wargi w przyjaznym uśmiechu i przedstawił się: „John". To zupełnie zbiło Lio z tropu. Żeby nie zrobić wrażenia tępego gbura, Lio również wyciągnął rękę i coś tam bąknął.

Facet chwycił jego dłoń i ściskając ją, zatrajkotał z jeszcze silniejszym angielskim akcentem. Mój kumpel tyle tylko zrozumiał, że dla wyjaśnienia tak delikatnej sprawy facet zaprasza go na piętro, do swojego gabinetu.

Niezdolny do właściwej oceny sytuacji, podświadomie jeżąc się na dźwięk słowa: „Chodźmy", które, mimo że wypowiedziane po angielsku, skojarzyło mu się z czymś nieprzyjemnym, Lio zmienionym głosem wydusił z siebie: „Dokąd?".

– Jak to... – John nie zrozumiał i nadal głaskał wielkie, owłosione łapsko Lio. – ... do mojego gabinetu. – Uśmiechając się przymilnie, starał się dać Lio do zrozumienia, że takich spraw nie załatwia się publicznie, to głupio i nieprzyzwoicie, co sobie goście pomyślą. Lio – chłopak nie tyle podejrzliwy, co ostrożny, na pewno nigdzie z nikim by nie poszedł, zanim nie wyjaśniłby celu wizyty. Pyta więc przymilającego się Johna: „A dlaczego tam ma być lepiej niż tutaj?".

Z trudem doczołgałam się do najbliższego automatu – resztką sił próbowałam znaleźć stabilne oparcie. W oczach Johna zobaczyłam przerażenie pomieszane z przedsmakiem ekscytujących doznań. Nie bardzo wiedząc, jak ma się zachować, postanowił zadać nowemu partnerowi kilka pytań: „Bardzo przepraszam – powiedział – pan mówi z obcym akcentem, nie potrafię się zorientować, z jakim. Jeżeli to nie tajemnica, proszę mi powiedzieć, skąd pan pochodzi". – „Ja?" – Mój kumpel zastanowił się i rzekł zdecydowanym tonem: – „Z Ukrainy".

– „Z Ukrainy..." – wyszeptał facet, a z jego wilgotnych ust wyrwał się jęk rozkoszy.

Tu muszę wyjaśnić przyczynę nagłej metamorfozy mojego znajomego. Lio doznał olśnienia. Już wiedział, dlaczego facet mu się przedstawił, dlaczego i po co ciągnie go na górę, a przede wszystkim, dlaczego tak nagle zainteresował się jego ojczyzną.

Lio odczytał identyfikator na piersi Johna i wytłumaczył sobie, oczywiście na swój sposób, że facet musi być niezłym psychologiem, skoro natychmiast rozszyfrował skrywaną przed całym światem tajemnicę pochodzenia Lio, a teraz chce go wciągnąć w pośrednictwo przy rozkręcaniu kasynowego biznesu na Ukrainie.

Lio już się nie bronił przed wizytą w gabinecie na piętrze. Poważnych interesów nie załatwia się przecież publicznie, wśród rzężenia i zgrzytu automatów do gry. „Dobrze, chodźmy" – zgodził się i w tej samej chwili zobaczył mnie, siedzącą w kucki na podłodze, nieprzytomnie rozbawioną. – „Marina, nic ci nie jest, wszystko w porządku?" – zainteresował się Lio.

John, widząc mnie w tak dziwnej pozycji, wyraźnie się spłoszył, może pomyślał o konkurencji płci, wypuścił dłoń Lio, zamachał rękami i niemal bezgłośnie wyszeptał: „Ona też?". Mój kumpel, interpretując po swojemu zaistniałą sytuację, odczytał rozpaczliwe gesty faceta w uniformie jako rozdawanie kart i, szczęśliwy, wstawił się za mną: „A co? Dlaczego ona ma być gorsza?".

Odwieczne pytanie: skąd, co i dlaczego? Resztką sił, dusząc śmiech, drżącym głosem wyrzuciłam z siebie: „A dlaczego ja mam być gorsza? Moja *arse* jest tyle samo warta, co twoja. Ja też jestem z Ukrainy, prawda, Lio?". – „Tak" – potwierdził mój kumpel, tłumacząc sobie, że celowo zmieniłam kraj pochodzenia, żeby też uczestniczyć w zyskach z kasynowego biznesu na Ukrainie.

„Z Ukrainy... – powtórzył John jak zahipnotyzowany. Burza namiętności odebrała mu resztki zdrowego rozsądku. – No to chodźmy – wychrypiał i ciężko dysząc, powtórzył: – Do mnie, na piętro".

„Chodź, Marina" – zarządził Lio, a w tym momencie automat do gry, który mnie podtrzymywał, przesunął się, a ja runęłam jak długa na podłogę, wbijając sobie z całej siły obie pięści w żołądek i wymachując tak energicznie nogami, że pogubiłam pantofle. Mój długo powstrzymywany śmiech zagłuszył trzaski i zgrzyty wszystkich automatów w kasynie.

Zrobiło się zbiegowisko. John gdzieś się ulotnił. Wezwano lekarza, który podetknął mi pod nos jakiś środek trzeźwiący, po czym wyprowadzono mnie na dwór. Obsługa kasyna postanowiła się mnie pozbyć, żebym nie odwracała uwagi gości, których poddawano tu dyskretnie procesowi rozstawania się z fortuną.

Lio śmiertelnie się na mnie obraził. Uwierzył, że moje nieodpowiedzialne zachowanie zamknęło mu drogę powrotu do Żytomierza i okolic w charakterze hrabiego Monte Christo. Z tej niedorzecznej przyczyny diabli wzięli także naszą rodzącą się przyjaźń. Przykro mi, że mój kolega nigdy się nie dowie, ile mi zawdzięcza. Bo przecież należy mi się choćby odrobina zwykłej ludzkiej wdzięczności.

Wzięłam głęboki oddech i rozejrzałam się po twarzach słuchających, dając do zrozumienia, że zakończyłam swoją opowieść. Moi słuchacze, zwłaszcza dziewczyny, dyskretnie chichotali. Od czasu do czasu musiałam przerywać opowiadanie, bo zagłuszały je dudniące, basowe śmiechy mężczyzn. Reakcja sali była krzepiąca, myślę, że się zrehabilitowałam za nadmierną powagę.

Całą tę historię dobrze sobie opracowałam. Opowiadałam ją kilku osobom, chyba z sześć czy siedem razy, nieustannie coś w niej zmieniając, cyzelowałam zdania, słowa i intonacje. Jak widać, praca nie poszła na marne. Wygłosiłam historyjkę jednym tchem, jak z nut, z drobnymi potknięciami. Sala zanosiła się od śmiechu, angielski chłopak, który pierwszy do nas zagadał, teraz podszedł do mnie i tonem znawcy oświadczył:

– Powinnaś zostać satyrykiem.

Starając się ukryć radość, podniosłam wzrok i z miną niewiniątka zapytałam:

– Aż tak ci się podobało?

– Jasne... – Chciał jeszcze coś dodać, ale ktoś z głębi sali nie dał mu dojść do głosu:

– Marina, czy to się zdarzyło naprawdę?

Czekałam na to pytanie.

– Oczywiście, że nie. – Spuściłam wzrok z udawanym poczuciem winy. – Wszystko wymyśliłam. – A po chwili namysłu dodałam: – Tutaj, na poczekaniu, specjalnie dla was.

To niewinne kłamstewko również dobrze przemyślałam.

– A więc to była improwizacja? – mój rozmówca był najwyraźniej zaskoczony.

– Czyżbyś się nie domyślił? – Roześmiałam się, dumna z siebie.

Zadanie zostało wykonane na piątkę, teraz można było odpocząć.

Angielski student, który pierwszy do nas przemówił, usiadł na kanapie obok mnie i przedstawił się:

– Mam na imię Steve. Ty jesteś Marina, prawda?

Tym razem w jego głosie nie było nachalnych tonów myśliwego-zdobywcy.

Resztę wieczoru spędziliśmy we czwórkę – ja, Katka, Steve i jego kolega. Rozmawialiśmy. Od czasu do czasu zerkałam na salę i za każdym razem, mimo woli, na ułamek sekundy, zawieszałam wzrok na Marku. Stał w tej samej pozie, oparty o ścianę, z nieodłączną butelką piwa, i tylko jego spojrzenie nie błądziło już po sali, lecz skoncentrowało się w jednym punkcie. O czymś intensywnie myślał. Oczy miał teraz ciemnoszare, co nadało jego twarzy jeszcze większej wyrazistości.

Raz jeden nasze oczy się spotkały. Odwróciłam spojrzenie. Nie miałam ochoty go zachęcać ani w czymkolwiek z nim rywalizować. Nie zauważyłam, kiedy do mnie podszedł. Nagle usłyszałam swoje imię, wypowiedziane niemal bezbłędnie po rosyjsku, bez angielskiego zniekształcania drogich mi dźwięków, z twardym „r" i właściwym akcentem.

Podniosłam wzrok. Spojrzał mi prosto w oczy. Zobaczyłam dwie symetryczne zmarszczki, biegnące od nosa do kącików ust. Jego oczy, teraz jasnoszare, z lekką domieszką błękitu, próbowały mnie hipnotyzować. „No, dalej, zobaczymy, kto kogo. Może to ja ciebie zaczaruję, przecież mam czarne oczy" – pomyślałam zirytowana.

– Wybaczcie, moi drodzy – odezwał się. – Czy mógłbym do pani zadzwonić, Marino?

„A jednak Katka się nie pomyliła – skonstatowałam zdenerwowana. – Przyszedł na podryw". Wzruszyłam ramionami z nieukrywaną obojętnością.

– Bardzo proszę, mój numer znajdzie pan w książce telefonicznej, strona dwieście sześćdziesiąta dziewiąta, czwarty wiersz od góry. – Nagle nabrałam wątpliwości, czy na pewno chcę, żeby zadzwonił, więc pospiesznie dodałam, tak na wszelki wypadek, asekurując się chyba: – Tylko że ja cały czas jestem bardzo zajęta.

Nie odrywał ode mnie wzroku. Jego oczy były teraz niebieskie. Pomyślałam, że mam władzę nad ich barwą. Nagle pożałowałam ostatniego zdania, chyba bez sensu je palnęłam.

Mark uśmiechnął się wyrozumiale. Jego twarz złagodniała, głos nieco zmiękł, ale wciąż był zdecydowany.

– Obiecuję, że zadzwonię wtedy, kiedy pani na pewno będzie miała czas. Jeszcze raz przepraszam – powiedział i oddalił się.

Zobaczyłam, jak żegna się ze znajomymi i wychodzi, nie spojrzawszy w moją stronę. Steve i jego kolega chyba wściekli się z powodu tak nagłego wtargnięcia rywala, ale nie dali tego po sobie poznać. Żegnając się, zgodnie potwierdziliśmy chęć spotkania w tym samym gronie.

Wiedziałam już, że jeśli kiedykolwiek do takiego spotkania dojdzie, to na pewno odbędzie się ono bez mojego udziału.

Mark zadzwonił cztery dni później i rzeczywiście mnie zastał. Czytałam książkę, półleżąc na starej, zniszczonej kanapie w moim małym, jednopokojowym mieszkanku, które pomimo moich usilnych starań nie wyzbyło się piętna bezosobowego lokalu do wynajęcia.

Nie spędzałam czasu w tępym oczekiwaniu na zapowiedziany telefon. Życie zdążyło mnie już nauczyć zdrowego stosunku wobec takich obietnic, nie wpadałam w przygnębienie, kiedy aparat milczał jak zaklęty. Myślałam o Marku, lecz bardziej jak hazardzistka, która postawiła na nieznanego, czyli niepewnego konia: dobiegnie do mety – czy nie dobiegnie, zadzwoni – czy nie zadzwoni. Kiedy usłyszałam jego głos (od razu go poznałam), poczułam radość i lekkie zdenerwowanie, które falami wypłynęło z dwóch miejsc w moim ciele: jedna fala zaczynała się w okolicy serca, druga – z tyłu głowy, obie zbiegły się w okolicy krtani.

– Dzień dobry, mówi Mark – odezwał się głos w słuchawce.

– Mark? – Zdziwiłam się, słysząc jego imię.

– Pamiętasz? Poznaliśmy się w sobotę. Byłaś z koleżanką i dwoma kolegami, umówiliśmy się, że zadzwonię.

– Umówiliśmy się? – podałam w wątpliwość tak kategoryczne stwierdzenie.

– No, coś w tym rodzaju. – Mark łatwo przystał na kompromis. – Mam na imię Mark.

– A więc to jest imię tajemniczego nieznajomego – powiedziałam, bo nic lepszego nie przyszło mi do głowy.

– Postaram się zrekompensować ci mój niedawny brak elokwencji, chociaż nie mam pewności, czy potrafię ci dorównać. – I nagle zapytał: – Masz jakieś plany?

– Na kiedy?

– Jak to na kiedy? Na dziś.

– Sama jestem zdziwiona – odpowiedziałam – ale nie mam. To mój pierwszy wolny dzień od trzech tygodni. Jak się o tym dowiedziałeś?

– Czułem to – wyjaśnił Mark i po chwili dodał: – Myślę, że naprawdę cię czuję.

– Ciekawe rzeczy mówisz – odpowiedziałam, żeby jakoś zareagować na ten banał.

– No to co? Spotkamy się?

Głos Marka był opanowany, ale pobrzmiewała w nim jakaś niepewność. Nie usłyszałam w nim żadnej z tych bezczelnawych nutek, tak charakterystycznych dla pierwszej rozmowy telefonicznej. Był to jakby głos starego przyjaciela, który nagle po latach się odezwał.

– Dobrze – zgodziłam się, rezygnując ze zbędnej kwiecistości słów, tego swoistego rodzaju samoobrony w chwilach niepewności i zdenerwowania.

Spotkaliśmy się w taniej włoskiej restauracji. Byłam trochę zdziwiona, że Mark o nic mnie nie pytał, ani gdzie studiuję, i czy w ogóle studiuję, ani gdzie pracuję, ani o moje plany na przyszłość. Nie zadał mi ani jednego pytania i nie powiedział ani słowa o sobie.

Nasza prawie dwugodzinna rozmowa nie miała konkretnego tematu, gawędziliśmy o wszystkim i o niczym. Mark przeskakiwał z tematu na temat, nie ulegając pokusie rozwijania któregoś z nich, ale wprowadził do naszej rozmowy atmosferę lekkości i beztroski. Podtrzymywanie takiej pogawędki jest trudniejsze niż rozmowa na wybrany temat, wymaga inwencji i fantazji. Nawet kiedy oboje zamilkliśmy, stało się to w sposób naturalny, bez męczącego nawisu pauzy, która nieuchronnie wdziera się do rozmowy, w której brak jest porozumienia. Nasza pauza była chwilą odpoczynku dla gardeł, potwierdzeniem dobrego kontaktu, podobnie jak spojrzenie, uśmiech czy przyjazny gest.

Było mi z Markiem lekko i ciekawie. Byłam mu wdzięczna za ten wieczór. Kiedy zatrzymaliśmy się pod moim domem, pomyślałam, że jeśli Mark będzie chciał mnie pocałować, odpowiem mu tym samym. Chciałam poczuć smak jego lekko zaciśniętych warg. Ale Mark nie wyraził takiej chęci, a może jej nie dostrzegłam? Podaliśmy sobie dłonie, umawiając się na spotkanie za kilka dni, po pracy.

3.

Zaczęliśmy się spotykać niemal codziennie. Mark czekał na mnie pod moim domem albo pod sklepem, w którym pracowałam wieczorami, po zajęciach na uczelni – musiałam przecież z czegoś opłacać mieszkanie. Szliśmy do restauracji albo do kawiarni i siedzieliśmy tam tak długo – ostatni goście w pustej sali – aż senna kelnerka zaczynała popatrywać na nas wymownie, jak na osobistych wrogów. Jej wzrok natychmiast przywoływał nas do porządku, przerywaliśmy rozmowę i opuszczaliśmy lokal. Kiedy kończyłam pracę bardzo późno i ze zmęczenia nie miałam nawet siły myśleć o jedzeniu, spacerowaliśmy nocnymi ulicami Bostonu, Mark trzymał mnie za rękę i rozmawialiśmy bez końca. Ogarniał mnie błogi spokój, mijało zmęczenie, czułam się szczęśliwa.

Mark nie tylko coraz częściej wypełniał moje wieczory, pełne Marka stały się moje myśli, a z mojego życia ulotniła się nuda codzienności. Dzięki niemu moje życie nabrało głębszego sensu.

Wkrótce wieczory spędzane z Markiem stały się najważniejsze, niezbędne jak powietrze, odsuwając na dalszy plan studia, pracę, koleżanki i całą resztę spraw. Mark rozrastał się w moim życiu, aż nagle zdałam sobie sprawę, że oprócz niego nic więcej nie istnieje. Nasz związek zacieśniał się, ale spotkania wciąż były takie same, nie ewoluowały, nie nabierały jakichkolwiek akcentów erotycznych, przynajmniej z jego strony.

Brak seksu nie stanowił dla mnie problemu, nie zakłócał mi życia. Miałam dwadzieścia dwa lata i zdążyłam już odkryć, a nawet zrozumieć, że seks dla samego seksu wcale mnie nie pociąga. Nie sprawiały mi kłopotu kontakty z chłopakami bez tej dodatkowej podniety.

Poznałam już siebie na tyle, że wiedziałam, iż przyjemność i satysfakcję z bliskiego, intymnego kontaktu z mężczyzną umiem przeżywać tylko wtedy, kiedy jestem w nim zakochana i kiedy on też czuje się ze mną związany uczuciowo, akceptuje mnie nie tylko w łóżku, ale w życiu. Miłość fizyczna jest szczególnym rodzajem partnerstwa i żeby się powiodła, wymaga wzajemnej wiedzy o sobie, umiejętności subtelnego wyczuwania drugiego człowieka, partnera.

Trzymając się takich zasad, bardziej pragmatycznych niż moralnych, nie byłam zwolenniczką przypadkowych kontaktów seksualnych, nie stawiałam sobie za cel zdobywania nowych partnerów, zaliczania mężczyzn. Kiedy zdecydowałam się na ten pierwszy raz z mężczyzną, który bardzo mi się podobał i z którym wiązałam pewne nadzieje, nie mogłam się pozbyć niepokoju. Ten niepokój rozstrajał mnie, nie pozwalał skupić się na przeżywaniu miłości, ciągłe analizowanie i zastanawianie się odbierało mi zdolność odczuwania.

Potrafiłam ocenić walory nowego partnera, wiedziałam, czy jest dobrym kochankiem, ale była to czysta konstatacja, z dystansu, z boku, jak bym to nie ja była obiektem *ars amandi*. Bardzo się starałam ofiarować mu moją pieszczotę, zaspokoić go, usatysfakcjonować, sprostać mu technicznie, ale tylko się starałam. To pragnienie wypływało z głowy, było wynikiem operacji intelektualnych: tak i tak powinnam się zachować, w tym i w tym momencie zrobić to i to, nie przeżywałam nagłego, szalonego uniesienia, którego źródło biłoby w moim sercu, nie znałam smaku zniewalającego zmysły pożądania i słodkiej rozkoszy spełnienia.

Z miłością jest tak jak z poczuciem humoru, żartowałam, zwierzając się przyjaciółkom. Człowiek słyszy jakąś zabawną historyjkę i myśli: ale to śmieszne i wcale nie wybucha śmiechem, ba, trudno mu się nawet zdobyć na lekki uśmiech. Ocenia jej walory komiczne jedynie teoretycznie, nie dając się porwać żywiołowi śmiechu. Musiałaby to być sublimacja dowcipu, której sobie jeszcze w pełni nie uświadamiamy, kiedy śmiech wyrywa się z trzewi.

Porównywanie aktu seksualnego do poczucia humoru może się wydać idiotyczne, ale nie jest całkowicie pozbawione sensu; to prawda, żeby podczas aktu miłosnego umysł mógł się uwolnić od analizowania, trzeba czuć partnera. Kochankowie muszą poznać swoje najdelikatniejsze, ledwie wyczuwalne, najsubtelniejsze reakcje ciała i duszy, każde ich drgnienie, nauczyć się odczytywać odpowiedzi na niewypowiedziane słowa, na bezgłośne szepty, poczuć niesłyszalne westchnienia, rozumieć ich mowę. To przychodzi z czasem, jest wynikiem doświadczenia i niekończącego się poznawania samego siebie, jest możliwe tylko wtedy, kiedy wypływa z miłości.

Wszystko to bajki, rozbuchana wyobraźnia pisarzy romantyków, męska próżność, że kobieta najlepiej pamięta swojego pierwszego partnera i kocha go przez całe życie. Ten mit nie ma uzasadnienia, jest pozbawiony elementarnej logiki. Co dziewczyna, kobieta, może przeżyć podczas pierwszego razu oprócz bólu, lęku, zdenerwowania, od takich przeżyć pamięć pragnie się jak najszybciej uwolnić. Tak przynajmniej było ze mną.

Pierwszego mężczyznę wybrałam przypadkowo, z jasno postawionym celem – tylko na tę pierwszą noc w życiu. I nie dlatego, żebym go nieprzytomnie zapragnęła czy chciała się kochać. Po prostu zaczęło mi ciążyć dziewictwo, wpadłam w kompleksy i z premedytacją postanowiłam się go pozbyć.

Potem, na krótko i raczej z ciekawości zainspirowanej opowieściami doświadczonych koleżanek, postanowiłam rzucić się w wir życia erotycznego, zasmakować tego, o czym do tej pory tylko słyszałam, zmieniałam partnerów, kochałam się często i intensywnie. To mi wystarczyło. W pewnej chwili zdałam sobie jednak sprawę, że tracę coś cennego i że mogę to na zawsze utracić. Wczesne doświadczenia seksualne nie przyniosły mi szczęścia i zadowolenia, nie zapisały się na trwałe w pamięci. Zaczęłam mieć wątpliwości, czy wszystko jest ze mną w porządku, czy nic nie brakuje mojej fizjologii, czy przypadkiem nie jestem kobietą oziębłą, ale pierwszy dłuższy związek z mężczyzną uwolnił mnie od podobnych lęków. ON bardzo dużo mnie nauczył, był na tyle w moim życiu ważny, że zaczęłam marzyć o stałym, spokojnym, unormowanym związku z mężczyzną, dzięki NIEMU odkryłam własną kobiecość, ugruntowałam swoje własne rozumienie miłości fizycznej, jej piękna, wiedziałam już, czego pragnę.

Z Markiem wszystko było inaczej. Mark nie tylko nie nadawał naszym relacjom jakiegokolwiek odcienia erotyzmu, ale robił na mnie wrażenie mężczyzny, którego seks w ogóle nie interesuje, dlatego do niego nie dąży. Było to trochę dziwne i coraz bardziej mnie intrygowało. Od miesiąca się spotykaliśmy, a on wciąż całował mnie w policzek, kiedy żegnał się ze mną pod moim domem.

Czy czekałam na coś więcej? Trudno mi powiedzieć, ale ten nietypowy, obcy mi rozwój wypadków wzbudzał we mnie coraz większe podejrzenia, powodował, że coraz częściej zastanawiałam się nad możliwościami Marka jako mężczyzny czy wręcz ich niedostatkiem. Chciałam się nawet zwierzyć Katce z moich obaw i podejrzeń, pewnie w innej sytuacji tak bym postąpiła, ale w tej konkretnej, z Markiem, coś mnie powstrzymywało. Wkrótce zdałam sobie sprawę, że moja nagła skrytość i niechęć do ujawniania sprawy Marka ma głębsze przyczyny, zaczęłam podejrzewać coś niepokojąco poważnego, i tak oto stanęłam przed odwiecznym pytaniem: czyżbym się zakochała?

Absurdalne było i to, że im dłużej się spotykaliśmy i im dłużej nic się nie działo, a Mark nie wykazywał typowej dla mężczyzn aktywności, tym silniej mnie podniecał – jego głos, sposób bycia, wygląd – i tym intensywniej o nim myślałam, coraz częściej przeżywając nasze miłosne zbliżenia dzięki sile wyobraźni.

Snułam erotyczne fantazje, z nimi zasypiałam i budziłam się. Kiedy się spotykaliśmy, wystarczyło, by Mark niechcący mnie dotknął, a całe moje ciało przenikał dreszcz pożądania, z coraz większym trudem nad sobą panowałam, tylko siłą woli dusiłam w sobie jęk rozkoszy, zaciskałam powieki i do bólu napinałam mięśnie, próbując uciszyć drżenie całego ciała. Zaczęło mnie prześladować natrętne pragnienie fizycznej bliskości z Markiem. Mój mózg wypełniała jedna myśl. Jego głos, przelotne spojrzenie sprawiały, że coraz częściej podczas spotkań z nim popadałam na chwilę w stupor, coraz gorzej znosiłam udrękę długotrwałego, niezaspokojonego pożądania.

Siedzieliśmy w maleńkiej restauracyjce. Była sobota. Przytulną salkę wypełniał gwar rozmów i wesołe śmiechy. Mark coś mi opowiadał. Nie wiem, czy to jego głos, jak zwykle przyciszony, o pięknym tembrze, rozpłynął się w zgiełku innych głosów, czy to ja tak bardzo skoncentrowałam się na jego ustach, przywarłam do nich oczami, że przestało być ważne, co do mnie mówi, nie słyszałam jego słów ani rozgwaru sali. Nie wiem, jak długo wpatrywałam się w niego, nie wiem nawet, czy o czymś wtedy myślałam, kiedy nagle poczułam, jak porywa mnie słodka fala rozkoszy, rozlewa się po całym moim ciele i zmierza wprost do gardła, siłą woli zdusiłam krzyk rozkoszy.

Nie wiedziałam, co się ze mną dzieje, co się wydarzyło, przestałam istnieć, cały świat odpłynął w niebyt i gdzieś się zapadł. Wyzwalając się z zamętu uczuć i nierozpoznanych, zniewalających doznań zmysłowych, zdałam sobie sprawę, że moje uda, skrzyżowane i mocno zaciśnięte, rytmicznie uciskają krocze, napinając je i rozluźniając; te rytmiczne ruchy zgrały się w zgodnym takcie z moją wyobraźnią i to one wyzwoliły we mnie reakcję erotycznej rozkoszy i niosącego ulgę spełnienia. Kiedy odzyskałam zdolność rozumowania, wpadłam w popłoch – moje reakcje fizjologiczne, a właściwie całe moje ciało po raz pierwszy wymknęły mi się spod kontroli, poczułam niemiły przypływ bezwiednego, kobiecego wstydu – do czego to podobne, co ja wyrabiam?! Odkrywając przy okazji, jak sama mogę sobie w prosty sposób pomóc, pomyślałam, że coś z tym problemem muszę zrobić, i to jak najszybciej, zanim zacznę się regularnie samozaspokajać w miejscach publicznych.

Kiedy wyszliśmy na ulicę, Mark jak zwykle skierował się w stronę mojego domu. Chwyciłam go za rękę.

– O, nie, Mark, dzisiaj ja chciałabym cię odprowadzić – powiedziałam, zagadkowo się uśmiechając. Uniósł brwi z zaskoczenia. – Przecież nie ma w tym nic złego, prawda? Podobno w tym kraju jest równouprawnienie. Dlaczego tylko tobie wolno mnie odprowadzać? No chodź, niech ja też raz odholuję cię do domu – upierałam się.

Zdawałam sobie sprawę, że to, co mówię i robię, jest niemądre i do naiwności jednoznaczne, że Mark wie, czego od niego chcę, ale nie miałam czasu na zastanawianie się i dlatego nic lepszego nie przyszło mi do głowy.

Tramwajem dojechaliśmy prawie pod dom Marka.

Mieszkał w bardzo snobistycznej dzielnicy Bostonu. Piękne wille z czerwonej cegły schodziły prosto ku rzece, niskie, stare latarnie, niegdyś gazowe, później przerobione na elektryczne, rozświetlały sympatyczne uliczki, tworząc uroczysty, baśniowy nastrój. Nie wiedziałam, że Mark mieszka w tak eleganckiej części miasta, ale teraz nie miało to znaczenia. Ogarnęła mnie nowa, gwałtowna fala pożądania i porwała wraz z głową i wszystkimi myślami, rozsądek mógł mi już tylko podpowiadać przekleństwa, którymi karciłam swój szalony pomysł.

Przystanęliśmy pod bramą domu Marka. Nasza nienaturalna próba pożegnania była tak sztuczna i wymowna, że Markowi nie pozostawało nic innego, jak zaprosić mnie na kawę, zgodziłam się i wsiedliśmy do windy.

Mieszkanie Marka znajdowało się na czwartym piętrze, było nieduże, ale wystarczająco przestronne jak dla jednej osoby, gustownie umeblowane, z oknem na całą ścianę, z którego roztaczał się widok na rzekę. Wszystko było tu wysmakowane i w dobrym stylu. Zdążyłam się już odzwyczaić od pięknych, przytulnych wnętrz, dlatego zaskoczyła mnie spora liczba bibelotów, które miały niebagatelny udział w tworzeniu tej uroczej atmosfery domowego zacisza. Drobny nieporządek dodawał królestwu Marka jedynie dodatkowego wdzięku i lekkości. Ze wstrętem pomyślałam o mojej nędznej stancji i nawet się ucieszyłam, że Mark nigdy nie był natarczywy i nie nalegał na wizytę u mnie.

Podeszłam do okna i spojrzałam na rzekę, kołysały się na niej światła odbite z drugiego brzegu. Nie zauważyłam, kiedy Mark stanął za mną, jego delikatny dotyk przeszył mnie silnym dreszczem. Mark objął mnie i przytulił. Serce na chwilę stanęło mi, a potem zaczęło walić jak oszalałe, wstrzymałam oddech, prawie tracąc przytomność, świat zakołysał się i odpłynął, wtuliłam się w Marka, przerażona, z niemym błaganiem, wbiłam rozpaczliwe spojrzenie w jego rozszerzone źrenice. Oczy Marka pociemniały. Usłyszałam tylko jego szept: „Od dawna cię pragnę”.

Takiej siebie nie znałam. To była chwila. Mark nawet się nie zorientował, czułam jego cudowną obecność w sobie, zamknęłam oczy, świat znów zawirował i odpłynął, a ja wraz z nim.

Poruszał się we mnie gwałtownie, inaczej, z nikim jeszcze się tak nie kochałam, nie było to płynne, rytmiczne kołysanie, ale jakieś spazmatyczne, mocne i bolesne szarpnięcia. Niespodziewanie przyspieszał tempo, zwalniał, zamierał, by w najbardziej nieoczekiwanej chwili wbić się we mnie z wielką siłą, wyrywał ze mnie nie tylko jęk rozkoszy, lecz chyba i wnętrzności.

Pchnięcia stawały się coraz mocniejsze, szybsze, a kiedy zaczynałam poddawać się ich szalonemu rytmowi, zestrajać się z nim, nagle zastygał we mnie. Moje biodra rozkładały się szeroko na jego przyjęcie, spięte, rozdygotane, gotowe poddać się kolejnemu uderzeniu, na które na próżno czekałam, więc mięśnie rozluźniały się, i w tej najmniej spodziewanej sekundzie, zaskakując mnie, on znów napierał, atakował krótkimi, mocnymi, obezwładniającymi dźgnięciami, nieprzygotowana na nie, jęczałam głośno, przerażona swoim własnym krzykiem: „Nie, nie", ale Mark nie usłyszał, nie zrozumiał.

I znowu na krótką chwilę przerywał, uspokajał się, nieruchomiał we mnie, potem zmieniał rytm i kąt uderzenia, rozpierał mnie teraz okrężnymi ruchami, z wielką siłą, rytmicznie ugniatając ściankę mojej pochwy tylko w jednym miejscu, moje ciało wyprężyło się, wstrząsane gwałtownym przypływem pierwotnej rozkoszy, penis Marka obracał się teraz w drugą stronę, szukając nowego punktu na ściance mojej pochwy, którego jeszcze nie pieścił, odnajdował go, a mnie znów przenikał dreszcz atawistycznej rozkoszy... i wszystko zaczynało się od początku... i jeszcze raz...

Poddawałam się temu nieznanemu rytmowi i odpływałam w niebyt, nagle ciało Marka, które mocno obejmowałam, wygięło się, uniosło, szaleńczy rytm nabrał jeszcze większego przyspieszenia, przeszedł w gwałtowne drżenie, Mark wyprężył się... i wybuchł we mnie silnym, gorącym strumieniem... spletliśmy się i zespolili w jedno, Mark miażdżył mnie w żelaznym uścisku, z jego gardła wyrwał się ni to krzyk, ni to jęk... połączył się z moim krzykiem... zdążyłam go dogonić...

Leżeliśmy w ciemnościach, półprzytomni, bezgłośnie, bez oddechu, bez sił, potrzebowaliśmy czasu, żeby wrócić na ziemię. Kiedy odzyskałam zdolność myślenia, dotarło do mnie, że moja miłość do Marka od tej chwili nabrała innego wyrazu, wzbogacając się pełną najwyższego oddania wdzięcznością za rozkosz, której Mark pozwolił mi doświadczyć, potem przypłynęła bezbrzeżna tkliwość, nieznane wzruszenie i radość – ja też mogłam mu podarować szczęście.

Odwróciłam się na bok, pochyliłam głowę nad leżącym na plecach Markiem i zajrzałam mu w twarz. Poczuł mój wzrok, otworzył oczy i z powagą, bez cienia uśmiechu, powiedział:

– Doprowadzasz mnie do szaleństwa...

Uniósł ciężką ze zmęczenia rękę, objął mnie i przyciągnął do siebie.

– To ty doprowadzasz mnie do szaleństwa, jesteś niezwykły – wyszeptałam. Moje spuchnięte od pocałunków i rozkoszy usta nie miały siły dotknąć warg Marka. – Tak cudownie kończysz...

Nie widziałam jego twarzy, ale intuicyjnie czułam, że się uśmiecha.

– Ty też.

To była największa pochwała, jaką kiedykolwiek w życiu usłyszałam.

– Zostaniesz u mnie?

– Zostanę, ale rano będę musiała cię opuścić – odpowiedziałam.

Była to pierwsza, ale nie jedyna noc, którą spędziłam u Marka. Zostawałam z nim zawsze, kiedy nie musiałam wstawać o świcie, niestety, nie zdarzało się to tak często, jakbym tego chciała, może dwa razy w tygodniu.

Rano szliśmy do pobliskiej kafejki, piliśmy tam kawę, jedli wspaniałe bułeczki z rodzynkami, rozmawiali i patrzyli na siebie oczami przepełnionymi miłością. Z wielką czułością zwracałam się do Marka, chciałam go pieścić, znów znaleźć się w jego łóżku, spędzić tam cały dzień, do następnego śniadania, ale było to niemożliwe, czekało na nas mnóstwo zwykłych, codziennych spraw.

Wieczorem, jak zawsze, Mark przychodził po mnie do pracy, i znów byliśmy razem, godzinę, dwie. Jeżeli nie mogłam do niego pojechać, Mark nie nalegał, odprowadzał mnie pod dom, a ja nie mogłam oderwać od niego ust, bałam się każdej nocy bez niego, zmuszałam się, by spędzić ją samotnie, powtarzając sobie, że żegnamy się tylko na parę godzin, do jutra. A jutro wszystko zaczynało się od nowa. Tak upływały dni i tygodnie, miesiąc, potem drugi. Czułam się lekka i szczęśliwa. Nic nie zakłócało naszego szczęścia, nie budziło wątpliwości, niczego nie musieliśmy sobie wyjaśniać i tłumaczyć.

4.

Dziś już nie pamiętam, kiedy Mark zainteresował się tym, co studiuję i spytał mnie, kim chciałabym zostać w przyszłości, wtedy nie zwróciłam uwagi na tak nieistotne pytanie. Było to chyba w kawiarni. Wypiliśmy kawę i zjedli ulubione bułeczki z rodzynkami, na stole stały puste filiżanki i talerzyki z resztkami ciasta.

– Studiuję ekonomię na Uniwersytecie Bostońskim – odpowiedziałam.

– Co to znaczy? Chodzi mi o to, co będziesz robiła potem?

– Prawdę mówiąc, jeszcze się nie zastanawiałam. Może zatrudnię się w jakimś koncernie, może będę naliczać podatki albo zostanę doradcą finansowym, w każdym razie coś w tym rodzaju.

– I to ci odpowiada?

Spojrzałam na Marka, zaskoczona pytaniem, którego się nie spodziewałam.

– Czy to mi odpowiada? Nie wiem – za wszelką cenę chciałam uniknąć odpowiedzi na niewygodne pytanie, więc dodałam beznamiętnie: – To normalne.

– Dlaczego wybrałaś taki kierunek? – nalegał Mark.

– Dlaczego wybrałam taki kierunek? – powoli, bez entuzjazmu powtórzyłam pytanie, chcąc mu dać do zrozumienia, że ta rozmowa mnie nudzi. – A jaki miałam wybrać? Ekonomiści są potrzebni, nigdy nie zabraknie im pracy, czy wiesz, ile jest codziennie ogłoszeń w gazetach, z tej pracy można się utrzymać. Czego mi więcej trzeba? W życiu najważniejsze jest poczucie bezpieczeństwa i pewne jutro. – Starałam się obrócić nasz dialog w lekki żart, nie miałam ochoty podtrzymywać tego tematu, nie chciałam rozmawiać z Markiem o sobie i swojej przyszłości.

Mark uśmiechnął się lekko. Zawsze się tak uśmiechał, kiedy z kimś lub z czymś się nie zgadzał. Zrozumiałam, że nie uda mi się łatwo wymigać.

– Skoro ci się nie podoba...?

– Tego nie powiedziałam. Powiedziałam „to normalne". Czy muszę się zachwycać debetami, kredytami i innymi operacjami finansowymi? Czy ktoś w ogóle czymś takim może się zachwycić?

Rozmowa nie była mi na rękę, zaczynała mnie coraz bardziej irytować.

– Myślę, że są ludzie, których ten zawód naprawdę pasjonuje, na pewno ktoś taki by się znalazł – stwierdził Mark. Mówił powoli, ważąc każde słowo. – I takim nigdy nie dorównasz, zawsze będziesz się ciągnęła w ogonie.

Byłam coraz bardziej zdumiona. Mark nigdy nie rozmawiał ze mną tonem nie znoszącym sprzeciwu, nie dającym możliwości odwrotu, nigdy tak na mnie nie naciskał, nie domagał się odpowiedzi.

– Zrozum, Mark, nie mam ochoty z nikim rywalizować. To chyba dobrze, że znajdzie się ktoś ode mnie lepszy, wtedy jest szansa, że podniesie na jeszcze wyższy poziom waszą gospodarkę.

– Jaki jest sens brać się do czegoś, wiedząc, że czeka nas porażka? – Mark skierował to pytanie bardziej do siebie niż do mnie i zamyślił się. – To tak jakby piłkarz, wychodząc na boisko, z góry zakładał, że przegra mecz. Tylko że twoja porażka da ci poczucie straconego czasu i ciągłe niezadowolenie, a wtedy nie będzie można już nic zmienić...

– W porządku – przerwałam mu. – Skąd wiesz, że jestem skazana na porażkę? Myślisz, że jestem tumanem? Pragnę cię poinformować, że jestem jedną z lepszych studentek na roku.

– Maleńka, nie denerwuj się – powiedział przyjaźnie – po prostu rozmawiamy, zastanawiamy się. Wiem, że jesteś zdolna, co więcej, na pewno jesteś zdolniejsza od wielu innych osób, które znam, a musisz wiedzieć, że znam niemało wybitnych osobistości.

Gdyby nie mówił tego tak poważnie, pomyślałabym, że ze mnie zakpił.

– Zrozum, kiedy mówimy o ludziach najlepszych, wybitnych, musimy pamiętać, że w ich środowisku obowiązują inne prawa. To tak jak z prawem Newtona, które sprawdza się tylko na Ziemi, a poza jej granicami już nie działa, w kosmosie, obowiązują prawa Einsteina i geometria Łobaczewskiego, a nie Euklidesa.

– Ale poza granicami Ziemi nie istnieje życie – stwierdziłam.

– To ci się tylko tak wydaje – odpowiedział, wyraźnie nie chcąc zmieniać tematu. – Podobnie jest wśród ludzi twórczych, oni kierują się innymi zasadami – zawiesił głos, starannie dobierając słowa – zasadą szczęścia, harmonii, miłości – to inny świat i inne prawa, inny też jest między nimi rodzaj konkurencji.

– A cóż to za inne prawa? – spytałam z sarkazmem.

Mark znów lekko się uśmiechnął.

– Wszystkich nie znam, o wielu nie ma sensu teraz opowiadać, ale najprostsze, elementarne jest to, o którym właśnie rozmawiamy. – Mark zamyślił się. – Człowiek jest dobry w tym, co lubi, co go interesuje, a lubi to, w czym jest dobry.

– To proste.

– Tak, to proste. – Mark albo naprawdę nie zrozumiał ironii, albo udawał, że jej nie rozumie. – Paradoks polega na tym, że rzeczy banalnie proste z powodu swojej prostoty najczęściej umykają z pola widzenia.

Nie miałam już wątpliwości, że zrozumiał.

– Ale nie o tym chciałem mówić. To jest klasyczne sprzężenie zwrotne – im bardziej pasjonuje cię to, co robisz, tym jesteś w danej dziedzinie lepsza. A im jesteś lepsza, tym bardziej to lubisz. W ten sposób przekraczasz siebie, wznosisz się na wyższe poziomy, doskonalisz siebie i swój talent, jesteś bezkonkurencyjna, nie masz sobie równych.

Uświadomiłam sobie, że bardziej niż temat mojej przyszłości drażnił mnie jego nieprzyjemny ton. Mark traktował mnie jak małe dziecko – pouczał, strofował, przemawiał do mnie ogólnikami, nie były to odkrywcze myśli, lecz stare, wyświechtane prawdy. Postanowiłam bardziej zdecydowanie zaprotestować i przerwać tę nikomu niepotrzebną rozmowę, już miałam na końcu języka ostrą replikę, ale w ostatniej chwili ugryzłam się w język. Wybrałam nonszalancki, moskiewski ton, który zawsze mi pomagał w trudnych sytuacjach.

– To bardzo romantyczne. Wysokie ideały, pasja, zainteresowanie. Totalna bzdura! Ja przede wszystkim muszę myśleć o tym, jak przeżyć następny miesiąc – wyrzuciłam z siebie z nieukrywanym rozdrażnieniem. – Ty nawet nie wiesz, jak ja żyję, w jakiej norze mieszkam! Haruję od świtu do nocy, żeby nie umrzeć z głodu, pracuję, uczę się po nocach, śpię co najwyżej cztery godziny na dobę!

Poniosły mnie emocje. Wybuchłam, wylewając z siebie całą gorycz, która się we mnie przez lata gromadziła – zmęczenie, rozczarowanie, bezsensowne wyczekiwanie nie wiadomo na co, nieustanne ograniczenia, wyrzeczenia, niedostatek.

– Czy wiesz, kiedy ostatni raz miałam czas, żeby się przejrzeć w lustrze? Kiedy się ostatni raz umalowałam? – Czułam, że za chwilę się rozpłaczę. – Dobrze, że w tym kraju nie każą się malować, że nikogo to nie interesuje, jak wyglądam. – Chyba plotę straszne bzdury, zganiłam siebie w myślach. – Gdybym się tutaj urodziła, może, podobnie jak ty, zajmowałabym się tym, co najwyższe, kosmosem, duszą, ideałami, a nie tym, jak zapłacę za mieszkanie i za co wyleczę ząb, który od tygodnia mnie boli.

Starałam się powściągnąć emocje i napływające łzy, ale rozczuliłam się nad sobą, przede wszystkim z powodu tego nieszczęsnego zęba.

– Mark, czy ty chociaż przez chwilę się zastanowiłeś, do kogo to wszystko mówisz? Twórczość! Tak możesz sobie dyskutować ze swoimi kumplami z Yale, ze mną rozmawiaj o bardziej przyziemnych sprawach, na przykład, gdzie można kupić tak głośny budzik, żebym nie zaspała i wstała o wpół do szóstej.

Umilkłam. Kiedy wyrzucałam z siebie te wszystkie słowa, Mark nie spuszczał ze mnie wzroku, patrzył mi prosto w oczy, już się nie uśmiechał, podparł tylko głowę dłonią. Jego spojrzenie nabrało ciepła, oczy rozniebieściły się, patrzył na mnie z czułością.

„Po co to wszystko powiedziałam, tak mi wstyd" – myślałam zgnębiona.

– Zadzwonię do ciebie jutro o wpół do szóstej, obudzę cię – powiedział z powagą.

Uśmiechnęłam się, to miło z jego strony. Jak dobrze, że się nie rozbeczałam, wyszłabym na kompletną idiotkę. Milczeliśmy oboje. Próbowałam się uspokoić, wyciszyć, opanować irytację.

– Rozumiem cię – odezwał się wreszcie. – Dobrze znam to uczucie. Musisz wiedzieć, że przeżywa się je nie tylko jako reakcję na ciężar emigracji, może się ono pojawić również z innych powodów, w różnych sytuacjach kryzysowych.

Spuścił głowę, nadal podpierając dłonią podbródek, i wbił wzrok w miękisz ciasta, z którego dwoma palcami formował małe kulki.

– Widzisz – mówił teraz bardziej do siebie niż do mnie – każdy decydujący krok w życiu zawsze bywa okupiony, nierzadko coś na zawsze tracimy, z czymś innym świadomie musimy się rozstać. Nie tylko emigracja, ale także narodziny dziecka, zmiana zawodu, ślub – każda przełomowa decyzja, którą się podejmuje, w jakimś sensie zawraca nas do punktu wyjścia, coś nam bezpowrotnie odbiera. Albo każe porzucić dotychczasowy styl życia, do którego przez lata zdążyliśmy się przyzwyczaić, albo jakieś ważne sprawy, wartości, plany, nadzieje, coś przekreśla. Przychodzi chwila, kiedy wydaje się, że na próżno traciliśmy czas, siły, że już się nigdy nie pozbieramy, nie wrócimy do punktu wyjścia, nie odzyskamy pozycji, że nie starczy już życia. Ale to błędne myślenie, i nawet nieważne jest to, czy ktoś podnosi się szybciej, a ktoś inny powoli, ważne, by wyjść z tych doświadczeń wzmocnionym wewnętrznie. Ci, którzy powracają z takiego życiowego zamieszania, są już na wyższym poziomie, przeskakują na nową orbitę.

– Zupełnie jak Mongolia, która z epoki feudalizmu dokonała nagłego skoku w epokę socjalizmu – wtrąciłam, bo przypomniała mi się lekcja historii w moskiewskiej szkole.

Byłam coraz bardziej rozdrażniona. Dlaczego Mark tak uparcie drąży ten temat?

– Co powiedziałaś? – nie zrozumiał.

– Nic, nic – pokręciłam głową.

– Niektórych rezygnacja i wyrzeczenia na zawsze wysadzają z siodła, innych z kolei wzbogacają, rozwijają, wynoszą ponad tych, którzy nigdy nie poczuli goryczy porażki.

– O jakiej porażce mówisz? Kto tu jest pokonany? – Nie mogłam opanować złośliwości.

– No dobrze, zostawmy ten temat. – Mark nareszcie zrozumiał, że dalsza rozmowa nie ma sensu.

– Zostawmy to, ale mam jedno pytanie.

– Proszę, pytaj – zgodził się Mark w swej naiwności.

– Przyznaj się, ile dzieci zrobiłeś tym swoim licznym i legalnym żonom?

Wzruszył ramionami, nie rozumiejąc mego pytania.

– Mark, masz tak dużo do powiedzenia o rezygnacji, wyrzeczeniach, trudnych decyzjach, skąd to wszystko wiesz? Tyle przeżyłeś?

W tym momencie uświadomiłam sobie, że wylewa się ze mnie najprymitywniejsza wściekłość. Mark też się zorientował, w jakim jestem stanie ducha.

– No już dobrze, skończmy tę rozmowę – zgodził się, po czym zapytał: – Pójdziesz do mnie?

– Nie – odpowiedziałam – lepiej będzie, jeżeli dzisiejszą noc spędzę u siebie, spróbuję pobyć z moją rezygnacją i wyrzeczeniami, dawno nie przekraczałam własnych granic, nie podnosiłam się na wyższe poziomy. Chodźmy już.

Chciałam jak najszybciej znaleźć się w domu, czułam, że kłótnia wisi w powietrzu i że to ja pierwsza pokłócę się z Markiem. Wstaliśmy od stolika i ruszyliśmy do wyjścia. Pod moim obskurnym domem Mark objął mnie i szepnął z czułością:

– Wiem, że nie byłem dziś delikatny i taktowny. To, co ci powiedziałem, jest bardzo bolesne, ale musiałem ci to powiedzieć. Popełniasz wielki błąd, jestem o tym głęboko przekonany. Obiecaj mi, że spokojnie przemyślisz to wszystko, o czym dziś rozmawialiśmy, dobrze?

– Rozkaz – rzuciłam i odwróciłam się. Wie, że sprawia mi ból, ale cały czas mnie dręczy, myślałam. Czułam, że Mark nie spuszcza ze mnie wzroku. Otworzyłam drzwi, nie obejrzawszy się już na niego.

5.

Następnego ranka Mark rzeczywiście zatelefonował do mnie o wpół do szóstej. Jego zaspany głos był ciepły i przyjazny.

– Pora wstawać, jest wpół do szóstej – powiedział niewyraźnie.

– Ojej – przeciągnęłam się – jeszcze z dziesięć minut...

– Mówiłaś, że musisz wstać o wpół do szóstej – ponaglił.

– Dobrze, już wstaję, zazdroszczę ci, że jeszcze możesz sobie pospać.

– Mogę. O tej porze wstają tylko szaleńcy albo maniacy.

– No to ja chyba jestem maniaczką – dokonałam wyboru.

– Aha, posłuchaj – jego głos zabrzmiał normalnie, nie był już zaspany – postaraj się o wolną sobotę. Mamy zaproszenie na pewien wieczór.

– Na pewien wieczór? – zdziwiłam się. Nigdzie do tej pory nie bywaliśmy razem. – Do kogo? – Rozsadzała mnie ciekawość.

– Czy to ważne? Mamy zaproszenie, niech ci to wystarczy. No, wstawaj, bo się spóźnisz. Całuję.

– Całuję – odpowiedziałam, odkładając słuchawkę.

A jednak ta idiotyczna rozmowa z kawiarni wciąż nie dawała mi spokoju. Może dlatego, że Mark po raz pierwszy był wobec mnie tak nieprzyjemny, napastliwy, wręcz agresywny, powiedział mi zbyt wiele bolesnych słów, zranił mnie. „A jeżeli... jeżeli Mark ma rację”?... – To pytanie pojawiło się nieoczekiwanie.

Ekonomia, którą studiowałam, nie była dokuczliwym ciężarem w moim życiu, traktowałam ją dosyć obojętnie, bez emocji. Szczerze mówiąc, nigdy się nad tym nie zastanawiałam, że już do końca życia będę się musiała zajmować czymś tak nudnym. Nie to, żeby refleksja była obca mojej naturze. Po prostu nigdy jeszcze nie zdarzyło mi się myśleć w kategoriach całego życia, tak odległej przyszłości. Teraz studiuję, za parę lat, po studiach, pójdę do pracy, zacznę zarabiać – to wszystko. Tu moja wyobraźnia się kończyła. Kończyły się marzenia. Nawet dzień, w którym miałabym otrzymać dyplom, ginął w niedostępnej przyszłości. Rozmyślanie o niej równałoby się chyba tylko rozmyślaniom o drugim życiu, w którym może będę kretem, a może wiewiórką, to byłoby niezłe, przynajmniej miałabym piękny, puszysty ogon.

Rozmowa z Markiem uświadomiła mi, jak może wyglądać moja przyszłość. Rzeczywiście, czy do końca życia miałabym się zajmować śmiertelnie nudną buchalterią? Niechby się nawet szumnie nazywała ekonomiką czy finansami, albo jeszcze inaczej, to bez znaczenia. Poczułam obrzydzenie. Chyba jednak wolałabym zostać kretem albo wiewiórką. Teoretyzowanie Marka o wysokich, twórczych lotach, wznoszeniu się ponad codzienność nie tyle mnie zainspirowało, ile nieoczekiwanie rozszerzyło horyzont moich życiowych planów. Ku swemu zaskoczeniu wyobraziłam sobie siebie w takim miejscu, o którym nigdy wcześniej nie myślałam.

„A z drugiej strony – zastanawiałam się – co mnie nie nudzi, co mnie tak naprawdę pasjonuje i co porywa?".

Uczciwie przyznałam, że nic. Po prostu nie ma takiej dziedziny.

W szkole byłam dobrą uczennicą, nauka nie sprawiała mi kłopotu, ale nic mnie szczególnie nie zainteresowało, no, może w dziesiątej klasie – kosmetyki.

W Moskwie wybrałam uczelnię, na której miałam znajomości. Romantyczna idea wielkiej misji, którą równie skutecznie wpajano nam w szkole, jak i pozostałe świątłe ideologie, nie rozpaliła mojego umysłu. Dla „przyszłej kobiety" idea ta wydawała się w moim kraju absurdem.

Na uczelni z zazdrością obserwowałam niepozorną grupkę informatyków, którzy z wypiekami na twarzach dyskutowali o jakichś tranzystorach i innych fragmentach komputera, ale była to zwykła ciekawość, nic więcej. I chociaż my, zwyczajni, mieliśmy dla ich pasji dużo szacunku, to zawsze podejrzewałam, trudno mi powiedzieć dlaczego, że oni skrywają jakieś kompleksy, już na pewno brak poczucia własnej wartości.

W sobotę, zanim Mark po mnie przyjechał, moje nowe plany życiowe przedstawiały się mniej więcej tak: nie chcę się dłużej zajmować znienawidzonym buchalteryjnym nudziarstwem. Ale czego chcę?

Na razie nie miałam pojęcia ani też żadnego pomysłu.

Głos Marka w moim domofonie był taki jak dawniej, jakbyśmy się kilka dni temu o nic nie pokłócili. Kiedy stanął w drzwiach, mało nie zemdlałam z wrażenia. To, co zobaczyłam, wprawiło mnie w najwyższe zdumienie.

– Mark? – wydusiłam z siebie. – Czy to na pewno jesteś ty?

Mark uśmiechnął się przepraszająco i tylko rozłożył ręce. Miał na sobie piękny, czarny frak, śnieżnobiałą koszulę z żabotem i, co mnie najbardziej rozczuliło, muszkę.

– Czy to aż tak poważna impreza? – spytałam zaniepokojona.

Nigdy nie widziałam Marka aż tak wytwornego. Na nasze spotkania przychodził w dżinsach, w koszuli albo w swetrze, w zależności od pogody. Sprawiał wrażenie człowieka, który nie przywiązuje wagi do ubrania i wyglądu zewnętrznego. Nie mogłam go sobie nawet wyobrazić w garniturze z krawatem, a co dopiero we fraku. Wygląd Marka kojarzył mi się nieco ze stylem artystycznym, do czego zdążyłam już przywyknąć. Teraz stał przede mną inny mężczyzna – model z agencji reklamowej albo arystokrata z telewizyjnego serialu z życia wyższych sfer – wytworny, elegancki, światowy, rzucający się w oczy. Zupełnie nie pasował do ubogiego wystroju mojej wynajętej klitki.

– Mark – szepnęłam, powoli dochodząc do siebie – chyba nie mamy szczęścia.

– Dlaczego? – spytał ze smutkiem.

– Nie pasujemy do siebie. Nie mam szans, by ci dorównać.

– Kupimy ci frak i wtedy się przekonamy, dobrze? – zaproponował.

Trochę się uspokoiłam, podeszłam do niego, wspięłam się na palce i zarzuciłam mu ramiona na szyję.

– Nie, nie schylaj się – uprzedziłam jego zamiar – poradzę sobie – powiedziałam, tuląc się do jego twarzy. – Mark, a co będzie, jeśli nie znajdziemy damskiego fraka? Czy to koniec? Musnęłam go przelotnie wargami, rozplotłam ręce, jedną ręką pieściłam teraz jego włosy, druga moja ręka powędrowała niżej, dotknęła piersi Marka, a potem zaczęła się zsuwać coraz niżej, badając każdy jego mięsień, dzieliła się z nim nagromadzoną we mnie przez czas naszej rozłąki energią i ciepłem.

– O której musimy tam być? – spytałam konspiracyjnym szeptem.

– Jesteś cudowna – odpowiedział. – Tak się za tobą stęskniłem. – Pochylił się. Jego usta delikatnie pieściły moją szyję. – Musimy już jechać, nie możemy się spóźnić.

– Ani chwilki? – wyszeptałam.

Pokręcił głową.

– Musimy jechać – powtórzył.

Opuściłam ręce i dałam krok do tyłu.

– Oto przykład pragmatycznej Ameryki. Mądrzy i bardziej doświadczeni przyjaciele uprzedzali mnie – powiedziałam głośno i zmieniając temat, dodałam: – Ja naprawdę nie mam się w co ubrać. Nie wiedziałam, że to aż tak uroczysty wieczór, nic mi nie mówiłeś. Zresztą, co za różnica, nawet gdybyś mi powiedział, to i tak nic by to nie zmieniło, po prostu nie mam co na siebie włożyć.

Nie była to kobieca kokieteria, lecz jakże przykra prawda. Kilkakrotnie przemierzałam drogę od szafy do łazienki, wyjmując jakieś dawno spisane na straty spódnice i bluzki, jeszcze raz szłam do łazienki, by je przymierzyć, starając się z tych starych, znoszonych ubrań skomponować coś atrakcyjnego.

– Niestety – stwierdziłam, opadając w rozpaczy na krzesło. – Nigdzie nie jadę.

– No cicho, uspokój się, już dobrze – powiedział Mark czule jak do małego dziecka.

Cały czas cierpliwie, ale i z zaciekawieniem przyglądał się rozpaczliwym wynikom moich daremnych starań.

– Sam widzisz, że nie mam się w co ubrać.

– Ile ty masz lat? – spytał nagle.

„Rzeczywiście, przecież on nawet nie ma pojęcia – pomyślałam. – Nigdy mnie nie pytał".

– Prawie dwadzieścia dwa – wyznałam niepewnie. – To dużo czy mało?

Uśmiechnął się. Odniosłam wrażenie, że jest zadowolony.

– Mało – stwierdził. – Na tyle mało, że w ogóle mogłabyś się nie ubierać – zażartował.

– Będzie mi zimno – jęknęłam.

– No to włóż tę czarną spódnicę, którą przed chwilą przymierzałaś, bluzkę z dekoltem i biały żakiet. Reszta kobiet jest od ciebie co najmniej o dwadzieścia lat starsza. Jesteś poza wszelką konkurencją.

– No co ty, ta spódnica jest za krótka.

– Nie przesadzaj, masz piękne nogi. Zaufaj mi, wszyscy będą się za tobą oglądać. Czy masz pantofle na wysokim obcasie?

– Nie doceniasz mnie – nadąsałam się. Miałam tylko jedne pantofle, które kupiłam jeszcze w Moskwie, tuż przed wyjazdem do Stanów. – Jak można nie mieć pantofli? Jeszcze nie jest ze mną tak źle! Ale całą odpowiedzialność za moje gołe kolana bierzesz na siebie, zgoda? – Pogroziłam Markowi palcem, zbierając rzeczy i jeszcze raz poszłam do łazienki.

– Oczywiście, zgoda – zawołał.

– Czy wolno mi się umalować? – spytałam w odpowiedzi.

– Obowiązkowo, tylko migiem, bo naprawdę się spóźnimy.

– No to już wiem, czym nadrobię braki – powiedziałam do siebie, stając przed lustrem.

Kiedy wyszłam z łazienki, ubrana i umalowana, Mark spojrzał na mnie z niedowierzaniem i radosnym błyskiem w oczach.

– A może rzeczywiście nigdzie nie pojedziemy? – spytał.

– Nie zgadzam się – odparłam zdecydowanie. – Dawałam ci szansę, ale nie skorzystałeś, no to zawieź mnie teraz na ten bal.

Zjechaliśmy windą. Mark otworzył drzwiczki niskiego porsche, który stał przy krawężniku.

– Czy to twój samochód? – spytałam oniemiała z zachwytu i zaskoczenia.

Znów się uśmiechnął, ale tym razem był wyraźnie zakłopotany.

– Ale z ciebie kapitalista – zawyrokowałam, nagle zdając sobie sprawę, że ta uwaga wcale nie była dowcipna. – Właściwie nic o tobie nie wiem. Kim ty jesteś? Neapolitańskim księciem, który uwodzi młode dziewczyny?

– A jeśli nawet, to co? Czy będziesz mnie bardziej kochała? – próbował uniknąć odpowiedzi na kłopotliwe pytania.

– Zawsze wiedziałam, że książęta to najbardziej zakompleksione towarzystwo... – zawiesiłam głos – ...naturalnie zaraz po księżniczkach.

Nagle uświadomiłam sobie, że naprawdę nic o Marku nie wiem, ani gdzie pracuje, ani z czego żyje. „Jakie to ma znaczenie?" – strofowałam siebie w myślach.

Długi czas jechaliśmy w milczeniu.

– Chciałam z tobą porozmawiać. – Zdecydowałam się w końcu przerwać ciszę.

Rzeczywiście miałam zamiar odbyć z nim tę rozmowę, i to przy najbliższej okazji.

– Pamiętasz? Rozmawialiśmy niedawno o moich studiach, o tym, że nie bardzo mnie interesują?

Mark kiwnął głową.

– Tak jak ci obiecałam, przemyślałam sobie wszystko, miałeś sporo racji.

Uśmiechnął się. Nie wiem, czy był zadowolony, że wywiązałam się z danej mu obietnicy, czy że przyznałam mu rację.

– Pewna sprawa wciąż mi nie daje spokoju, dlatego chcę cię o coś zapytać. Posłuchaj – mówiłam spokojnie, powoli, ważąc każde słowo, tak jak to zwykle robił Mark. – Załóżmy, że masz rację, że nie powinnam się poświęcać czemuś, co mnie nudzi, do czego nie mam serca, ale zrozum, wierzę, że po skończeniu ekonomii bez trudu znajdę pracę, zacznę na siebie zarabiać. Jest przecież tyle zawodów, które... – zawahałam się – ...które rozwijają osobowość, ale nie dają większych szans na znalezienie pracy...

– Oczywiście, masz rację – odpowiedział bez namysłu. – Na pewne specjalności jest duże zapotrzebowanie, i dlatego niektóre zawody przynoszą wyższe dochody niż inne, jednak jest tu pewien istotny szczegół. Chodzi o to, że ktoś wybitny w zawodzie nisko płatnym ma lepszą motywację do pracy, a to znaczy, że może lepiej zarobić, czasem dużo lepiej niż ktoś słaby zawodowo na stanowisku wysoko opłacanym.

Głos Marka nabrał dydaktycznych tonów. Mark mówił tak, jakby wygłaszał wykład do młodzieży, która wybrała ciernistą drogę życia, ale teraz drażniło mnie to znacznie mniej niż podczas naszej pierwszej rozmowy na ten temat.

– Powiem ci coś, co może ze społecznego punktu widzenia nie jest całkowicie słuszne, dlatego nie mówi się o tym głośno.

Oderwałam wzrok od jezdni umykającej w lusterku samochodu i, zaintrygowana, przeniosłam go na Marka. Czyżby fascynowały mnie rozwiązania społecznie niesłuszne?

– Twórczych osobowości jest stosunkowo mało. Pod tym określeniem rozumiem nie tyle wykształconych, inteligentnych erudytów i osobników wyjątkowo zdolnych, ile właśnie jednostki twórcze, czyli takie, które są w stanie wymyślić coś nowego, umieją coś stworzyć, potraktować problem oryginalnie, niestandardowo, krótko mówiąc, które bez zastrzeżeń zasługują na miano twórców.

Nie było to aż tak społecznie naganne, słyszałam w życiu o gorszych rzeczach, dlatego odważyłam się zapytać:

– Czy w tym wypadku talent i twórczość nie są po prostu synonimami? Dlaczego je przeciwstawiasz?

Mark znów się uśmiechnął.

– Każdy twórca ma talent, ale nie każdy człowiek obdarzony talentem zostaje twórcą, dlatego twórców jest mniej niż jednostek utalentowanych.

– Przyznam, że nie widzę tu różnicy – upierałam się.

Zdałam sobie sprawę, że i tym razem staram się Markowi udowodnić, że tylko częściowo się z nim zgadzam, chyba tak na mnie wpływał mentorski, nieznoszący sprzeciwu ton jego głosu.

– Dam ci przykład. Oto ktoś ma wrodzony talent sportowy – jest atletycznie zbudowany, ma szybki refleks i inne walory. Te cechy gwarantują, że może zostać piłkarzem. Ale nigdy nie stanie się w tym mistrzem, jeżeli brak mu osobowości twórcy, jeśli nie okaże się twórcą na boisku, w grze, nie wymyśli chociażby od czasu do czasu – za każdym razem może byłoby to trudne – czegoś nowego, zaskakującego, innego, czego nikt się nie spodziewał i nie mógł przewidzieć. No i mamy na tym samym boisku gracza, który może nie jest tak świetnie zbudowany, wolniej biega, ale ma twórczy umysł. Mogę się założyć, że właśnie temu drugiemu powiedzie się lepiej, i to nie tylko materialnie, niż wielu innym, zręczniejszym i lepszym od niego technicznie kolegom.

– To jasne – zgodziłam się dosyć niechętnie. – Chociaż muszę ci powiedzieć, że ten przykład z piłkarzem nie jest znamienny.

A jednak musiałam postawić na swoim!

– Wybacz – odpowiedział Mark. – Co to ja chciałem powiedzieć... – zamilkł, zbierając myśli. – ...aha, twórczych osobowości jest mało – przypomniał sobie swoją tezę wyjściową – ale jeszcze mniej znam ludzi, którzy odnaleźli się w życiu, odkryli takie miejsce, w którym ich potencjał twórczy mógłby się ujawnić w całej swej artystycznej pełni. Ci szczęśliwcy to doprawdy jednostki. Jeżeli komuś obdarzonemu takim potencjałem nie uda się odnaleźć siebie i swojego miejsca w życiu, to jest prawdziwy dramat. Jak sądzisz, dlaczego pod gabinetami psychiatrów są coraz dłuższe kolejki?

Wzruszyłam ramionami. O długich kolejkach do psychiatrów nic nie wiedziałam.

– Człowiek twórczy na właściwym miejscu to mimo wszystko rzadkość. Tak oto, maleńka, zbliżam się do końca odpowiedzi na twoje wątpliwości.

„Nareszcie" – pomyślałam, i zawahałam się: czy mam prawo powiedzieć to głośno? Niestety, powiedziałam. Na szczęście Mark zmilczał tę niemądrą uwagę. Co za niewyparzony język, mogłam sobie darować tę złośliwość.

– Osobnik twórczy w zawodzie o niewielkim prestiżu społecznym osiąga nieporównywalnie lepsze wyniki niż ktoś przeciętny w zawodzie o wysokim prestiżu, ponieważ przekracza ogólnie przyjęte ramy. Na przykład twórczy krawiec nie jest już zwykłym krawcem, lecz staje się kreatorem mody, znacznie lepszym niż ci, którzy od początku, z własnego wyboru, zostali projektantami i pomysłodawcami. W rezultacie osiąga więcej niż, powiedzmy, ekonomista, którego zawód jest z zasady wyżej opłacany.

Zamyślił się. Dalej jechaliśmy w milczeniu. W pewnej chwili Mark zahamował, bo zapaliło się czerwone światło.

– Jak się tam jedzie? Chyba w prawo – odpowiedział sam sobie. – Wiem, maleńka, że to zabrzmi bluźnierczo, ale uwierz mi, zresztą myślę, że kiedyś sama się o tym przekonasz – pieniądze są ważne, ale oprócz nich są jeszcze inne istotne sprawy, takie jak satysfakcja osobista czy zadowolenie z tego, że jesteś w dobrym towarzystwie, należysz do elity społeczeństwa. Zrozum i uwierz mi, jeżeli nie jesteś urodzonym, dajmy na to, programistą, zanudzisz się w środowisku programistów, z czasem zaczniesz się tam dusić, podobnie programiście zrobi się ciasno w środowisku na przykład historyków sztuki. To jest ważne, ponieważ w pracy spędzasz osiem godzin dziennie, czyli jedną trzecią doby, na pewno chciałabyś, żeby otaczali cię właściwi ludzie i odpowiedniej rangi sprawy.

Znów zrobił przerwę.

– Mark, wybacz – wtrąciłam – na pewno masz sporo racji, dziwi mnie tylko, że z tak niemiłosierną powagą wygłaszasz powszechnie znane prawdy.

Nie potrafię powiedzieć, dlaczego tak źle go oceniłam, pewnie chciałam się i tym razem zrewanżować za jego zbytnią pewność siebie. Nawet jeżeli dopięłam swego, Mark nie zdradził swoich emocji, zmilczał po raz kolejny moją uwagę. Dopiero po chwili zwrócił się do mnie, spokojnie, ale wciąż tym samym nieprzyjemnym tonem.

– Po pierwsze, w życiu wszystko jest proste. Przecież nie roztrząsamy tu problemów fizyki kwantowej czy zasady działania mikroprocesorów, ale mówimy o sprawach, nad którymi każe nam się zastanowić rozsądek. Poza tym rewolucyjne, epokowe myśli i idee rodzą się co najwyżej raz na sto lat albo jeszcze rzadziej, i to w umysłach takich ludzi jak Szekspir czy Einstein. Cała reszta jest w zasadzie prosta, to tylko docieranie się wielkich idei, Szekspirowskich bądź Einsteinowskich – nawet w naukach ścisłych jest podobnie. Ale ani ty, ani ja nie planujemy w tej chwili epokowych odkryć, ot, po prostu, rozmawiamy o życiu. Po drugie, nie traktuj rzeczy prostych i oczywistych tak bardzo z góry, to podstawowy błąd. Mało kto zastanawia się nad wagą spraw najprostszych. To smutne, że wiele osób popełnia błędy nie dlatego, że sytuacja okazała się za trudna, a zatem niedostępna poziomowi ich umysłów, wręcz przeciwnie, najczęściej sytuacja, w której te osoby się znalazły, nie wymaga umysłowości filozofa, tylko człowiek nie chce podjąć wysiłku i pomyśleć, nie chce przyjrzeć się jej, wyciągnąć wniosków, no i dokonuje nietrafnych wyborów.

Nagle Mark się uśmiechnął, jego głos stał się cieplejszy, znikły z niego te uprzykrzone nauczycielskie intonacje.

– Kilka lat temu – wydawało mi się, że całkiem się odprężył – a prawdę mówiąc, wiele lat temu, usłyszałem w radiu komentarz jakiegoś speca od hokeja: „Aby wstrzelić krążek w bramkę, należy go skierować w skrzydło bramki". Słucham i myślę, co za bzdury, przecież to wie każde dziecko: żeby strzelić gola, krążek musi trafić we wrota bramki, czy trzeba o tym informować przez radio, a do tego jeszcze szumnie przedstawiać się jako ekspert gry w hokeja, śmiechu warte. Ale z jakiegoś powodu ta oczywista prawda nie dawała mi spokoju, wracałem do niej myślami i tamten komentarz często mi się przypominał.

Pewnego dnia zrozumiałem, że to wcale nie jest takie oczywiste, ponieważ chodzi tu o strategię gry w hokeja. Technika gry, precyzja, umiejętność stosowania wybiegów, podejść, wprowadzania przeciwnika w błąd – to jedna sprawa. Może wprawiać w podziw, zachwycać, ale jeżeli pomimo tego zawodnik nie trafi do bramki, co nam po tym, że ma doskonałe finty, skoro cel gry – strzelenie gola – nie został osiągnięty. W tej sytuacji można zachować się inaczej: nie mędrkując, nie używając siły, po prostu go strzelić. Jeżeli uda ci się trafić prosto do bramki, to zobaczysz krążek w siatce.

Być może, myślałem, są lepsze i gorsze taktyki gry, ale na dobrą sprawę nie ma to większego znaczenia, ważne jest, że to na pozór oczywiste stwierdzenie, które usłyszałem w radiu, wytycza strategię gry, definiuje jej główną zasadę. Uświadomiłem sobie, że człowiek, który o tym mówił, jest niekwestionowanym zawodowcem i wielkim znawcą hokeja i że, o czym jestem głęboko przekonany, długo się nad tą kwestią zastanawiał, podczas gdy mnie nigdy nic takiego nie przyszło do głowy. Jak mogło przyjść, skoro nie jestem w tej dziedzinie ekspertem, nie znam się na tym. Wtedy zrozumiałem coś bardzo ważnego – rzeczy prostych nie wolno lekceważyć. To, co wydaje się oczywiste, często umyka z pola widzenia i nawet nie zdajemy sobie sprawy, ile zawiera głębokiej prawdy, od której często tak wiele zależy.

Przez cały czas, kiedy Mark mówił, teraz już spokojnie, miłym, ciepłym głosem, jakby opowiadał mi bajkę, nie spuszczałam z niego wzroku. Odkryłam, po raz pierwszy odkryłam i zrozumiałam, że człowiek, którego tak bardzo pokochałam jako towarzysza rozmów, kochanka i przyjaciela, z którym było mi dobrze, ma tyle doświadczenia i wiedzy, o co go do tej pory nie posądzałam. Zdałam sobie sprawę, że dzielą nas nie tylko lata, lecz także stosunek do życia i jego pojmowanie, że z pewnością zdarzyły się w jego życiu sytuacje, o których ja w ogóle nie miałam pojęcia, których nigdy nie przeżyłam, a nawet nie byłabym w stanie sobie ich wyobrazić. To daje mu prawo do zastanawiania się nad kwestiami, które mnie by nie przyszły do głowy, bo nie znalazły się jeszcze w polu moich doświadczeń.

Ogarnęło mnie tkliwe, nie znane mi wcześniej wzruszenie, przedziwnie bezbronne, i z tego powodu jeszcze bardziej dojmujące, gotowe wypłynąć w postaci jakiegoś działania, nie bardzo wiedziałam, jakiego, bo nie mogło ono na razie znaleźć odpowiedniego wyrazu.

– Dajesz mi takie infantylne przykłady, które wcale do mnie nie przemawiają – powiedziałam, uśmiechając się. – I terminologia jest taka dziwna, na przykład te hokejowe finty czy jak im tam.

Umilkłam. Nie miałam już siły panować nad burzą uczuć, zanurzyłam dłoń w jego włosach, nie znajdując lepszego sposobu na wyrażenie emocji.

– Dziwny z ciebie człowiek, wiesz?

Czy to moja ręka, czy głos zdradziły siłę wzruszeń, Mark ostro zahamował i samochód zatrzymał się przy krawężniku. Mark pochylił się w moją stronę. Słyszałam jego przyspieszony oddech.

Nie czułam jego warg, języka, zapachu, poczułam tylko zawrót głowy i nieznana, odurzająca, niemal fizycznie namacalna fala gorąca wypłynęła z mojego brzucha i uderzyła w skronie, zalewając mi oczy nieprzeniknioną mgłą, straciłam poczucie istnienia, moja świadomość rozpierzchła się po wszystkich komórkach ciała, substantywizując się w coś niemożliwego do określenia, porzucając właściwy sobie stan, do którego nie była zdolna powrócić nawet wtedy, kiedy Mark odsunął się ode mnie i opadł na fotel – równie oszołomiony jak ja.

6.

W swoim skromnym ubranku wyglądałam niedorzecznie pośród eleganckich gości, uczestników tego przyjęcia czy może balu, dostojnych mężczyzn we frakach, które upodobniały ich do siebie, i dam, z których każda zachwycała wzrok wyrafinowaną wieczorową toaletą. Kiedy znalazłam się w pięknej willi oplecionej bluszczem i w ułamku sekundy oceniłam sytuację, jako ze wszech miar dla siebie niekorzystną, ze złością szepnęłam Markowi do ucha:

– Zamorduję cię, jak tylko wrócimy do domu.

– Nie mogę się już doczekać – zażartował, chociaż mnie było daleko do żartów. Mark zorientował się, w jakim jestem stanie ducha, i dodał: – Nie przejmuj się aż tak bardzo, wyglądasz urzekająco, jesteś piękna, młoda, czarująca, co mam ci jeszcze powiedzieć, żebyś w siebie uwierzyła?

– Wszystko to ukartowałeś – szepnęłam, próbując dyskretnie obciągnąć spódnicę chociażby do kolan, uważając przy tym, by pasek nie opadł poniżej linii bioder. – Przyświecał ci jakiś nikczemny cel, chciałeś mnie wystawić na pośmiewisko – złościłam się.

– Maleńka, uspokój się – powtórzył Mark. – Jesteś tu najmłodsza i w ogóle naj... naj... czy wiesz, jakie ty masz nogi?! Zbrodnią byłoby je ukrywać. Jak myślisz, dlaczego wszystkie panie są w długich sukniach?

– Daruj sobie te brednie. – Wciąż nie mogłam się uspokoić.

Goście przyglądali mi się z uwagą, ale nie mogłam odgadnąć, co kryły te spojrzenia – podejrzliwą nieufność czy wesołe zainteresowanie, w każdym razie nie byłam nimi zachwycona.

Podeszliśmy do stołu, Mark podał mi koktajl. Jak się okazało, większość obecnych tu osób doskonale Marka znała, ale nic już nie było mnie w stanie zdziwić. Na jego widok przystawali, witali się, o coś go pytali. Mark mnie przedstawiał, ja wymieniałam uściski dłoni, mówiąc to, co należało w takiej sytuacji powiedzieć. Uśmiechałam się nienaturalnie szerokim uśmiechem, zaśmiewałam się z nie najlepszych dowcipów, starając się nie patrzeć w dół, na bezwstydną długość mojej spódniczki.

Goście byli w różnym wieku, od takich pod czterdziestkę po osoby naprawdę wiekowe. Co chwila zbijali się w ciasne gromadki i tylko wesołe śmiechy, dobiegające coraz to z innej strony, pozwalały sądzić, że nieustannie się przegrupowują.

Nie mogę powiedzieć, żebym się nudziła. Sytuacje wciąż się zmieniały, pojawiali się jacyś roześmiani, pogodni staruszkowie, ale trudno mi było oddać się tej powszechnej i jakże naturalnej beztrosce i wesołości.

W grupce, do której dobiliśmy, a właściwie to ja do niej dobiłam, ponieważ Mark natychmiast się w nią wtopił, jakiś przystojny mężczyzna, bardziej przypominający wyglądem kapitana, który samotnie przepłynął Atlantyk, niż naukowca, opowiadał o nowym znalezisku w piaskach Sahary – odkrył tam piramidę o wysokości stu pięćdziesięciu metrów, a także późniejsze fragmenty architektury. We wnętrzu piramidy, w sarkofagu, znajdowała się mumia pięknej królowej. Mężczyzna tak właśnie ją nazywał: „królowa”, ponieważ imienia mumii jeszcze nie ustalono ani nie wymyślono. Opowiadał o niej jak jej osobisty poddany czy wierny giermek. Ta niebywała poufałość i czułość, z jaką o niej mówił, nadawała jego relacji bardzo intymnego charakteru, jednoznacznie kojarząc królową z owym badaczem pustynnych piasków i rozpalając śmiałe domysły o łączącej ich zażyłości. Było to bardzo ciekawe. „Kapitan” osobiście uczestniczył w wykopaliskach, a opowiadał o nich z taką swadą, tak plastycznie, że aż mu pozazdrościłam tej egipskiej przygody. Miałabym ochotę poprosić go, by wziął mnie z sobą na następny sezon poszukiwań miejsc pochówku pięknych egipskich władczyń.

Mark włączył się do rozmowy, chwilami bardzo naukowej, naszpikowanej nie znaną mi terminologią, między innymi dotyczyła ona *prezerwacji* sarkofagów. Zdziwiło mnie, że i ta dziedzina nauki nie jest mu obca. Nie mogłam ocenić poziomu jego wiedzy, ale zauważyłam, że „kapitan" odnosi się do niego jeżeli nie z szacunkiem, to na pewno po partnersku. Byłam zaskoczona, że Mark powołuje się na jakieś fachowe czasopisma archeologiczne, o których istnieniu nie miałam pojęcia, wymienia nazwiska autorów, a jego rozmówca skrzętnie zapisuje coś w swoim notesie.

Dyskusja toczyła się spokojnie, była wyważona, rozmówcy nie skakali sobie do oczu, nie przekrzykiwali się, nie konkurowali ze sobą, a ja doszłam do wniosku, że Mark nie stara się w szczególny sposób zadziwić zawodowców swoim, jak sądziłam, hobbystycznym znawstwem tematu. Rozmowa trwała z pół godziny, po czym Mark wyprowadził mnie z tej zwartej grupki ludzi, którzy cały czas przestępowali z nogi na nogę.

– Za kwadrans podadzą obiad, ale przedtem musimy poszukać Rona, powinien gdzieś tu być.

– Mark, przyznaj się, skąd tyle wiesz o archeologii? – zażądałam wyjaśnień z udawaną surowością, a nie doczekawszy się odpowiedzi, dodałam: – Najpierw się dowiaduję, że rozbijasz się porsche, a teraz, że zjadłeś zęby na egipskich mumiach, ciekawa jestem, co jeszcze umiesz i co jeszcze masz w zanadrzu.

– Potem ci opowiem. – Mark uśmiechnął się, zadowolony, że zrobił na mnie takie wrażenie. – Chodź, poszukamy Rona.

Wziął mnie za rękę i pociągnął za sobą.

– No proszę, teraz wymyślił jakiegoś Rona. Przyznaj się, co cię łączy z tymi mumiami? Mów, gdzie to z nimi robiłeś?

W sarkofagu? A gdzie dzieciątko? Z matką? Oj, niedobrze... – Plotłam androny, a Mark się uśmiechał.

Rona znaleźliśmy w drugim końcu sali, również stał w jakiejś gromadce, tyle że górował tam zarówno wzrostem, jak i tuszą. Dominował nad pozostałymi nie tylko potężną figurą, ale także tubalnym głosem, dudniącym śmiechem i zamaszystą gestykulacją. Ta grupa tworzyła silnie naelektryzowane pole. Znalezienie się w jego zasięgu groziło dostaniem się pod wpływ magnetycznego uroku Rona. Od razu poczułam jego zniewalającą siłę i poddałam się jej bez cienia wątpliwości. Ron nie był gruby, to złe słowo, należało raczej powiedzieć: był masywny. Jego tusza rozkładała się równomiernie wzdłuż całej jego zwalistej sylwetki, zwieńczonej dużą głową z burzą kręconych gęstych włosów, przypominających wielką czapę nad twarzą o grubych rysach. Tubalny głos Rona był spokojny i zrównoważony. Zamaszystości jego gestów i całej potężnej postaci towarzyszył swoisty rodzaj ironii, która przede wszystkim koncentrowała się w jego jakby lekko zażenowanym uśmiechu.

Opowiadał najwyraźniej jakąś anegdotę, gdyż otaczający go tłumek zanosił się beztroskim śmiechem. Zresztą widok Rona, który miał w sobie coś z małego chłopca, mógł wyzwolić właśnie tylko taki rodzaj wesołości.

Kiedy podeszliśmy do tej grupki, Ron właśnie kończył opowiadanie. Pomachał do nas ręką, prosząc, byśmy chwilę poczekali.

– Czym ich tak rozbawiłeś? – spytał Mark, kiedy Ron opuścił wesołą gromadkę, a ludzie, którzy ją tworzyli, rozpierzchli się w różne strony, pozbawieni przyciągania Rona.

– Ot, poswawoliliśmy sobie co nieco. – Tu Ron zwrócił się do mnie i przedstawił mi się: – Ron, a pani chyba ma na imię Marina. Mark dużo mi o pani opowiadał.

– Mam nadzieję, że same dobre rzeczy. – Nic lepszego nie udało mi się na powitanie Rona wymyślić. Uścisnęliśmy sobie dłonie.

– Wyłącznie – potwierdził Ron.

– Oto masz przed sobą najbardziej niepoważnego matematyka w całych Stanach – zarekomendował przyjaciela Mark. – Chociaż lepiej będzie, jeżeli powiem: najbardziej niepoważnego osobnika wśród najpoważniejszych matematycznych sław.

– Nie słuchaj go, Marino. Taki niepoważny facet nie może być poważnym matematykiem, ale ponieważ rzeczywiście jestem osobnikiem niegrzeszącym nadmiarem powagi, więc i matematyk ze mnie niepoważny. No to co – zwrócił się do Marka – zaraz będziemy mieli wykład. Siedzimy na końcu, żeby jak najmniej słyszeć. Już się o to zatroszczyłem – pochwalił się.

– Ron nie znosi wykładów – wyjaśnił mi Mark.

– Nie znoszę. Wykładać lubię, ale słuchać nie bardzo – zgodził się Ron.

Zajęliśmy miejsca przy stoliku, który stał w samym końcu sali, prawie poza zasięgiem nagłośnienia. Część słuchaczy już siedziała, inni dopiero zajmowali miejsca. Na stolikach już rozstawiono półmiski z przystawkami.

– Co jest tematem wykładu? – spytałam.

– Nie mam pojęcia – powiedział Ron. – Dziś produkuje się Altman. Na pewno znów będzie sobie drwił ze swojej fizyki i prosił o pieniądze na nią.

– Na co? – nie zrozumiałam.

– Na fizykę – wyjaśnił Ron. – Zawsze podczas takich wystąpień apeluje o pieniądze na badania. Kręci się tu tłum dziennikarzy, jest kilka osób z departamentu edukacji narodowej, a także jakiś kongresman z komisji nauki.

– W końcu to noblista – zauważył Mark.

– Nikt tego nie kwestionuje – powiedział Ron, wiercąc się na krześle. – Jakieś małe te krzesełka – mruknął niezadowolony. – Mam nadzieję, że najpierw nas nakarmią, jak można słuchać Altmana o głodzie – wyrzucił jednym tchem, wpychając do ust różowy kawałek łososia. – Powszechnie przyjęło się uważać, że człowiek żyje jakby jednym ciągiem, płynnie przechodząc od jednego etapu rozwoju do następnego, z niemowlęctwa do dzieciństwa, potem do dojrzałości płciowej, młodości i tak dalej, prawda?

– W zasadzie tak – zgodził się Mark.

– Otóż nie.

– To śmiała teza, szczególnie w ustach sługi nauk ścisłych – wtrącił Mark.

– Ale nie dla mnie – odpalił Ron. – Porównaj siebie obecnego – ile masz lat? trzydzieści sześć? – z sobą dwudziestoletnim, i wyjaśnij mi, proszę, co was łączy oprócz świadomości. Inny jest już wasz stosunek do życia, inna percepcja życia, inna jego ocena, inne odczuwanie siebie, inne wartości, cele, sposoby ich realizacji, prawda? – postawił pytanie Ron.

– Mów dalej – zachęcił go Mark, jak gdyby Ron potrzebował jego akceptacji.

– Problemy, z którymi się wtedy borykałeś, już cię nie dręczą, kobiety, które ci się podobały, dziś też cię już nie interesują, co więcej, przestałeś je rozumieć, a jeżeli sobie którąś z nich przypomnisz, to dziwisz się sobie, co cię wtedy podkusiło zawiesić na takiej oko. No więc jeżeli porównasz tych dwóch Marków, zobaczysz, że jesteście dwoma zupełnie innymi mężczyznami. Zgadzasz się ze mną?

Marek kiwnął głową.

– Spróbuj teraz porównać Marka dwudziestopięcioletniego z Markiem piętnastoletnim. Znów wszystko jest inaczej. Zainteresowania, cele życiowe, percepcja i cała reszta. I znów się okazuje, że jesteście dwiema różnymi osobami. Ty obecny i ty piętnastoletni nie macie ze sobą nic wspólnego. Możemy sięgnąć jeszcze głębiej i udowodnić, że również Mark piętnastolatek i Mark pięciolatek nie mają żadnych cech wspólnych.

Ron zmiótł z półmiska ostatnią przystawkę, otarł usta serwetką i zaczął rozwijać swoją tezę dalej, teraz, zaspokoiwszy głód, z jeszcze większym zapałem.

– No to wprowadźmy termin: „życie człowieka", ale określimy go tutaj nie prymitywnymi wyznacznikami narodzin i śmierci, jak się to zwykle czyni, ale czymś bardziej złożonym – unikatowym zbiorem atrybutów życiowych, innymi słowy, zbiorem zasad życiowych. Na te atrybuty składa się zarówno zbiór zasad moralnych, jak i system wartości życiowych oraz pojęcie życia jako takiego, a oprócz tego bieżące kłopoty, sprawy, cele, plany ich realizacji i tak dalej. A więc powiedzmy to jasno, życie i jego unikatowość są definiowane właśnie przez ten niejednorodny zbiór, który, jeżeli zasadniczo się zmieni, to stworzy wtedy nowe przesłanki do zainicjowania nowego „życia człowieka". Jak z tego założenia wynika, to do dnia dzisiejszego przeżyłeś Mark nie jedno życie, ale, jak teraz wiemy, co najmniej cztery życia, w żaden sposób ze sobą nie powiązane.

Chyba Ron ma rację, pomyślałam. Co wspólnego mam *ja* dzisiejsza z *ja* moskiewską? Nic. Wszystko się we mnie zmieniło. Mariny piętnastolatki na dobrą sprawę zupełnie nie pamiętam. Kiedy wspominam tamte czasy, widzę siebie jakby z boku, z pozycji obserwatora. To moje widzenie jest jedynym elementem, który nas – mnie oglądającą i mnie oglądaną – łączy, a więc nie ma między nami nic wspólnego. Ron ma rację.

– A dalej – kontynuował Ron – metodą dedukcji możemy sformułować zależność, że tak powiem, niezależności naszych żyć, udowadniając, że skoro Marka trzydziestosześcioletniego nic nie łączy z Markiem piętnastoletnim, to nic go także nie łączy z Markiem szesnastoletnim. Teraz interpolujemy naszą zależność i, uważaj dobrze, dochodzimy do wniosku, że Mark dzisiejszy też nie ma związku z Markiem trzydziestoczteroletnim, co więcej, Mark dzisiejszy nie ma nic wspólnego z Markiem wczorajszym. Nasuwa się zatem wniosek, że Mark przeżył nie cztery, ale ogromną liczbę różnych żyć niezależnych od siebie, inaczej mówiąc, Mark co chwila umiera i co chwila rodzi się na nowo. A przy tym atrybuty życiowe, takie jak na przykład system wartości moralnych, ulegają zmianie, i na to proponuję zwrócić szczególną uwagę, bo właśnie tej kwestii dotyczy większość pytań, które mogą się przy tej okazji nasunąć. Rozważmy taki paradoks: jeżeli Mark sprzed tygodnia i Mark dzisiejszy są dwiema różnymi osobami, to czy Mark dzisiejszy może ponosić jakąkolwiek odpowiedzialność za czyny Marka sprzed tygodnia? Ale to już jest zagadnienie z obszaru prawodawstwa.

– Takie stanowisko bardzo mi odpowiada – stwierdził Mark.

– Jedynym, co łączy dyskretne życia danego człowieka – ciągnął Ron, nie zważając na tę dygresję – jest świadomość i fragmentaryczna wspólna pamięć. – Spojrzał ze smutkiem na puste półmiski i westchnął, rozczarowany. – Czy wreszcie podadzą nam jakiś obiad?

– Domyślam się, że pan porzucił swoje ostatnie życie, nie spożywszy w nim posiłku – wtrąciłam kąśliwie.

Ron popatrzył na mnie badawczo, ale nie bardzo mogłam zrozumieć, co to przenikliwe spojrzenie miało oznaczać, moją uwagę zignorował.

– Przedstawiłem to, oczywiście, w wielkim skrócie. Jak wiadomo, pełny zbiór zasad życiowych nie zmienia się co sekunda, lecz tylko podlega pewnym modyfikacjom, niedostrzegalnym, że tak powiem, dla oka. Pełniejsza zmiana atrybutów życiowych, prowadząca do przejścia w następne życie, dokonuje się w czasie, który też może ulegać zmianom w zależności od warunków, w jakich się to przejście odbywa. Ale idea jest przejrzysta. Co ciekawe, teoria całkiem prosto poddaje się formalizacji. Zbudowałem model, który pomógł mi dostrzec wiele interesujących zależności, na przykład współzależność pomiędzy wiekiem człowieka a cyklem pełnej zmiany atrybutów życiowych, czyli tego, co nazywamy zasadami życiowymi, i tak dalej.

Ron obrzucił nas kpiarskim spojrzeniem, a mnie ogarnęły wątpliwości, czy ten sympatyczny tłuścioch nie drwi sobie z nas. Podano obiad. Ron przesunął się nieco, robiąc miejsce kelnerowi, który postawił na stole wielki półmisek z gorącym daniem.

– No to co? Gotów jesteś poddać się krytyce? – spytał Mark. Ron skoncentrował się na jedzeniu. Było jasne, że zakończył prezentację swej zaskakującej teorii.

– Wal śmiało, stary, co ci leży na wątrobie – powiedział Ron, a ja znów nie mogłam się oprzeć myśli, że może sobie z nas zakpił albo tylko mnie chciał w ten oryginalny sposób zabawić.

– Po pierwsze, twoja teoria podoba mi się i jest dosyć wiarygodna, ale, niestety, ma parę nieścisłości. Całkowicie pomijasz fakt, że Rona w nowym życiu implikuje Ron ze starego życia. Jeżeli Ronowi ze starego życia coś się wydarza, niewątpliwie będzie to miało wpływ na Rona nowego, a tym samym po części go ukształtuje. Tak więc oprócz świadomości i pamięci istnieje jeszcze jedna współzależność między poszczególnymi życiami.

– To zależy, czy wierzysz w cechy dziedziczne, czyli w geny, czy w nabyte, czyli w wychowanie, środowisko i inne brednie o wpływie czynnika społecznego. Jeżeli, tak jak ja, wierzysz w genetykę, to chyba się zgodzisz ze mną, że wydarzenia z poprzedniego życia nie mają istotnego znaczenia w życiu przyszłym – wtrącił Ron, połykając dużego małża.

Odniosłam wrażenie, że temat wielokrotności życia przestał go już interesować, a przynajmniej zajmował teraz w mniejszym stopniu niż jedzenie, które łapczywie pochłaniał.

– To już według uznania. – Mark nie oponował. – Czy nie sądzisz, że pominąłeś jednak wpływ pamięci na świadomość? Czy nie wydaje ci się, że stan bieżący naszej pamięci, chodzi mi o to, jaki zbiór wspomnień zawiera ona w danej chwili, według wszelkiego prawdopodobieństwa determinuje naszą świadomość, albo, używając twojej terminologii, system atrybutów życiowych? W miarę posuwania się wzdłuż linii życia zawartość pamięci też się zmienia, coś się w niej zaciera, gubi, a w związku z tym zmienia się także nasza świadomość, no i w konsekwencji stan naszego życia. Na przykład depresję na pewno można diagnozować, analizując pewien wycinek pamięci, jeżeli byłoby to oczywiście możliwe, i odkryć tam wiele wspomnień negatywnych i bardzo mało pozytywnych.

– A czy przypadkiem nie jest odwrotnie? Czy to nie świadomość powoduje zmianę pamięci, i to właśnie w twoim przykładzie o depresji? – przerwał mu Ron.

– Trudno definitywnie ustalić, co jest pierwotne. Ważne jest to, że usprawniając pamięć, zmieniając jej zawartość, odświeżając utracone jej fragmenty i wymazując inne, możemy wpływać na świadomość, to znaczy na to, co ty nazywasz atrybutami życia.

„To coś nowego – pomyślałam. Czego ci uczeni nie wymyślą! Życie, którym człowiek żyje, nie jest jednorodne, a *ja* zdeterminowane jest tym, co zostało w pamięci. Nie wiem, czy dyskutują poważnie, czy tylko ze mnie kpią".

Spojrzałam na Marka. Nawet jeżeli kpił sobie ze mnie, robił to z miną niebudzącą najmniejszych podejrzeń co do jego wiedzy i kompetencji.

– To z kolei zdaje się wskazywać – ciągnął Mark – że nowe życie łączy się ze starym życiem dzięki istnieniu pamięci, a to znaczy, że oba życia nie tylko korzystają ze wspólnego banku pamięci, jak zakładasz, lecz powiązane są wzajemnie dosyć złożonymi współzależnościami.

– Jasne – lakonicznie stwierdził Ron. Nie miałam pojęcia, czy zgadzał się z Markiem, czy te uwagi w ogóle go nie interesowały. Może jego zainteresowanie tematem skończyło się wraz z zaspokojeniem głodu?

Przypomniałam sobie, że Mark zadzwonił kiedyś do mnie – było to w kilka dni po naszym spotkaniu – i powiedział, że przez wszystkie te dni wspominał, jak po wspólnie spędzonej nocy wyszedł rano pozałatwiać pilne sprawy, zostawiając mnie na kilka godzin samą. Kiedy wrócił, otworzyłam mu drzwi, byłam w jego koszuli (nie miałam szlafroka), którą włożyłam na gołe ciało. Koszula ledwie osłaniała moją nagość, ale on był tak pochłonięty poranną krzątaniną, a ponadto przeżycia nocy nie zdążyły się w nim jeszcze poukładać, że od razu poszedł do kuchni i zaczął przeglądać pocztę. Do tej pory wyrzuca sobie, że jego męska gruboskórność spowodowała, iż zaprzepaścił okazję, która, jak to okazja, już się nie powtórzy, nie rozumie, jak się to mogło stać. „Wszystkiemu winna jest sytość – wyjaśnił Mark. – Sytość przytępia zmysły".

„To prawda – pomyślałam, patrząc w tej chwili na Rona, ale nie próbowałam go sobie wyobrazić w kusej koszulce – sytość przytępia zmysły".

Kiedy dyskutowaliśmy, rozpoczął się wykład o fizyce kwantowej. Miał charakter popularny, ale trudny i zupełnie obcy mi temat sprawił, że nawet nie starałam się słuchać. Ron też reagował ospale, melancholijnie, jednak w przeciwieństwie do mnie starał się śledzić tok wywodu. Tylko Mark słuchał z wielkim zainteresowaniem, a nawet podał profesorowi Altmanowi karteczkę z pytaniem.

– Znasz się i na fizyce kwantowej? – nie potrafiłam ukryć zdziwienia. Kiedy Altman przystąpił do odpowiedzi na pytania, sala nieco się ożywiła, zrobiło się głośno, a ja poczułam się bezpieczniej, bo gwar zagłuszył moje szepty.

– Marina – odezwał się Ron, patrząc na mnie chyba z politowaniem – ten facet – ruchem głowy wskazał Marka – tym różni się od innych, że wie, jeśli nie wszystko, to prawie wszystko, z tego w końcu słynie.

– Skąd ty to wszystko wiesz? – spytałam Marka podejrzliwie, ale Mark nie odezwał się ani słowem.

– Czasami lepiej się nad czymś nie zastanawiać, lepiej od razu pogodzić się z faktami, przełknąć je, wchłonąć – wtrącił Ron, jak gdyby milczenie Marka dawało mu prawo do udzielenia odpowiedzi w imieniu przyjaciela.

Uderzyła mnie w tej wypowiedzi ironia, nie mogłam tego tak zostawić.

– Masz rację, jak tę gorącą ostrygę... – zawiesiłam głos, jakbym nie chciała, żeby Ron się oparzył, i kiedy ostryga wystygła, dokończyłam zjadliwie: – Włożyć prosto do ust i... połknąć, wchłonąć.

Zauważyłam, że Mark się uśmiechnął.

7.

W drodze powrotnej do domu odtwarzałam w myślach sceny z tego niesamowitego wieczoru. Był doprawdy niezwykły, mogłam zobaczyć tylu niepospolitych ludzi, przysłuchiwać się tylu interesującym rozmowom. Zdałam sobie sprawę, że wszyscy, z którymi się tam zetknęłam, są inni niż moi znajomi czy przyjaciele z codziennego życia. Nam nigdy by nie przyszło do głowy filozofować o nieciągłości życia, a gdyby nawet komuś taka idea zaświtała, wydałaby się nam jedną wielką bzdurą, była tak abstrakcyjna i właściwie do niczego nieprzydatna.

– Sądzisz, że on poważnie to wszystko mówił? – spytałam Marka.

– Kto? – Mark nie zrozumiał pytania.

– Ron. O nieciągłości życia.

– Poważnie. Olśniła go ta idea, może z filozoficznego punktu widzenia jest dosyć absurdalna, trudno mi wyrokować. Ale ważne jest to, że Ron się nad nią zastanawia, filtruje ją przez swój sposób widzenia świata – przez pryzmat modeli matematycznych. Może ta ekscentryczna teoria stanie się kiedyś warta szerszego zainteresowania?

– Nie mogę się jednak oprzeć wrażeniu, że w jego wykładzie cały czas przewijała się pewna doza ironii, mówił jakby z przymrużeniem oka – powiedziałam.

– Ma taki sposób mówienia. To rodzaj samoobrony. – Mark wzruszył ramionami. – Nie mam wątpliwości, że rozważał to bardzo poważnie.

– Jestem zaskoczona, że ktoś może drążyć takie sprawy.

– Dlaczego? Co w tym dziwnego? Życie stawia wiele pytań, nad którymi człowiek na co dzień się nie zastanawia. Na szczęście przynajmniej jedna osoba na świecie bada jakąś kwestię, która, zdaniem innych, jest absurdalna, dziwaczna, pozbawiona racji bytu, no i próbuje ją rozwikłać. Na tym polega rozwój myśli ludzkiej, rozwój nauki i cywilizacji.

Rozmowa urwała się.

– Mark, chciałabym cię jeszcze o coś zapytać – odezwałam się nieśmiało. – Dzisiaj, kiedy jechaliśmy na to spotkanie, mówiłeś o twórczości i jej implikacjach. Odniosłam wrażenie, że myślałeś o mnie. Powiedz mi, proszę, szczerze, jaki to ma związek ze mną. Zawsze mi się wydawało, że jestem zwykłą, bardzo przeciętną dziewczyną. W czymś jestem lepsza, w czym innym niewystarczająco dobra, ale nigdy nie czułam się jakoś szczególnie obdarowana niebanalnym talentem, a przynajmniej nie zauważyłam, żeby tak było, zresztą inni też tego we mnie nie odkryli.

Odpowiedział dopiero po chwili.

– Widzisz, maleńka, wydaje mi się, powtarzam, tak mi się wydaje, że masz w sobie iskrę Bożą. To nie jest jeszcze wysoki płomień, tylko mała iskierka, każdą iskierkę można rozniecić. Potrzeba na to czasu, no i wysiłku, pracy, ale to jest możliwe. Masz bardzo emocjonalny, pełen zaangażowania stosunek do życia, zaskakujące, celne spostrzeżenia, reagujesz bardzo impulsywnie, co niekiedy, to prawda, że nie zawsze, może świadczyć o dużym potencjale twórczym. Jestem przekonany, że jest w tobie coś niezwykłego, coś bardzo wartościowego. Szkoda by było taki skarb zaprzepaścić. Nie bój się, nic nie stracisz, jeżeli zaczniesz rozwijać swój potencjał.

– Nie rozumiem. Co miałabym stracić?

– Niezbyt jasno się wyraziłem. Poczekaj, postaram ci się jakoś inaczej to wytłumaczyć. – Przez chwilę się zastanawiał. – Życie ma wiele płaszczyzn, wiele poziomów, nie mówię o tym, czym dzielił się z nami Ron, chodzi mi o płaszczyzny społeczne. Nie odkrywam Ameryki, twierdząc, że styl życia na poszczególnych poziomach jest inny, zechciej mi uwierzyć, ludzie nie mają pojęcia, jak bardzo się od siebie różnią. Nie mam na myśli ich statusu materialnego, postrzegam to w znacznie szerszym aspekcie. Oto dobry przykład. – Te trzy słowa Mark wyrzucił z siebie jednym tchem, jakby w obawie, że „dobry przykład" zaraz mu się ulotni z głowy. – Przed chwilą pytałaś mnie, czy Ron nie żartował. W zwykłych, codziennych sytuacjach jego wywody są oczywiście niedorzeczne, ktoś, kto je wygłasza, naraziłby się na opinię dziwaka. Ale na jego poziomie są jak najbardziej uprawnione, ponieważ ludzie z jego poziomu często zastanawiają się nad czymś, co innym wydaje się nonsensowne. Co więcej, pozycja Rona, jego status naukowca, upoważnia go do wysuwania podobnych hipotez, jak również sprawdzania ich wiarygodności. Aby dowieść zasadności swojej idei, Ron może, na przykład, zbudować model matematyczny i przeprowadzić dowód. Prawdopodobnie teraz ta idea po prostu go bawi, ale Ron ma prawo się nią bawić, co więcej, może zaangażować do pomocy swoich studentów, poprowadzić na ten temat zajęcia fakultatywne i tak dalej. Później może tę ideę przedyskutować z kolegami, którzy poruszają się na podobnym poziomie abstrakcji, a więc nie będą uważać jej za wyimaginowaną. Mogą ją potraktować jako ciekawą czy wyrafinowaną grę umysłu, ale nigdy jako dziwactwo. Jeżeli Ron zechce, może ogłosić artykuł. Uprawnia go do tego status naukowca. Nikt w tej chwili nie wie, czy ta idea nie stanie się z czasem poważną teorią naukową.

Mark oderwał wzrok od pasma drogi i spojrzał na mnie.

– Czy wiesz, co ci chcę przez to powiedzieć? Poziom, na którym dana osoba się znajduje, implikuje jej zainteresowania, sposób zarządzania własnym czasem, kontaktami z innymi ludźmi, osobistymi celami, a w konsekwencji określa jakość jej życia. Ale tylko pewien poziom dopuszcza taką swobodę myśli i wolność intelektu. I tu dochodzimy do sedna sprawy. Ron znajduje się na wystarczająco wysokim poziomie, by taka nieograniczona gra intelektu była w jego przypadku naturalna, podczas kiedy dla innych jest tylko niedopuszczalną fanaberią.

Znów zapadła cisza. Może to było miejsce i czas na moje uwagi i wątpliwości, ale tym razem nie miałam nic do powiedzenia. Chciałam, żeby Mark mówił dalej.

– Cała tajemnica polega na tym, żeby od razu trafić na ten właściwy poziom. Trudno jest, a czasem to wręcz niemożliwe, by w tak konserwatywnym społeczeństwie jak nasze dokonać nagłego przeskoku. I właśnie do tego sprowadza się moja myśl: należy od razu ulokować się na tym poziomie, na którym będziesz się czuła najbardziej komfortowo, dokładność wstrzelenia się jest najważniejsza, od tego zależy całe twoje życie.

Mark znowu zrobił pauzę, ale i tym razem się nie odezwałam.

– Nie myśl, że wszyscy z poziomu Rona zostali obdarzeni talentem twórczym, nic podobnego. Ludzie są tam różni, zdarzają się jednostki niezwykle twórcze, ale to są wyjątki, chociaż w środowisku Rona procent osobowości twórczych jest mimo wszystko wyższy niż średnia w tej dziedzinie. Ale kiedy człowiek już się tam znajdzie, takie szczegóły tracą znaczenie. Ważne, że już się tam zaistniało. Dokonanie przeskoku jest znacznie trudniejsze. Dlatego każdy, kto się tam dostanie, będzie korzystał ze wszystkich przywilejów tego statusu społecznego. Wróćmy jednak do punktu wyjścia: jeżeli masz w sobie tego rodzaju iskierkę, a ja będę się upierał, że ją masz, twoje miejsce jest właśnie tam. Gdybym się mylił, to też nic strasznego się nie stanie, przebywanie w tym środowisku dostarczy ci dużo zadowolenia.

W dalszym ciągu milczałam, tak dojechaliśmy do domu. Dręczyło mnie nieokreślone, jeszcze niejasne wrażenie czegoś, czego w żaden sposób nie potrafiłam nazwać. Czułam dziwny niepokój, który stanowił mieszaninę determinacji i strachu, podobnie jak przed skokiem ze spadochronu. Taki stan duszy towarzyszył mi zawsze, ilekroć nie rozumiałam jeszcze, co się we mnie dzieje, ale intuicja już mi podpowiadała, że niedługo coś się w moim życiu zmieni i że nieświadomie już podążam tym tropem.

Ten wieczór wywarł na mnie wielkie wrażenie, i to bynajmniej nie z powodu światowej elegancji jego uczestników czy ich naturalnego, swobodnego sposobu bycia. Wspominając atmosferę tamtego spotkania, uświadomiłam sobie, że największe wrażenie zrobiła na mnie panująca tam beztroska.

Wiedziałam, że ci ludzie też mają swoje codzienne zmartwienia i kłopoty, ale wydały mi się one mimo wszystko inne niż kłopoty moje i moich przyjaciół. Co wypełniało moją wyobraźnię w tych krótkich chwilach, kiedy nie musiałam myśleć, z czego zapłacę czynsz albo czy położę się spać o trzeciej rano, czy może lepiej zrobić to o północy i obudzić się o czwartej, żeby się przygotować do zajęć? Telefon do Katki, ploteczki o wspólnych znajomych. Jeżeli Katki nie było w domu, mogłam sięgnąć po kiepski kryminał, żeby odpędzić przykre myśli, albo włączyć telewizor, nie przejmując się zbytnio ani tym, co czytam, ani tym, co oglądam, bo nie było to decydujące dla mojego życia.

Nigdy nie przyszło mi do głowy, żeby się zastanawiać nad ciągłością życia czy innych rzeczy. Wiedza o starożytnych piramidach czy kwantach nie mogła pobudzić mojego umysłu nie dlatego że był na to zbyt prymitywny, podobne tematy po prostu nie istniały w zasięgu mojej świadomości. Nie zdarzyło mi się też spotkać osób, które uprawiają tego rodzaju dociekania.

Teraz zrozumiałam, że to wszystko dzieje się na innych płaszczyznach, których przecięcie się z płaszczyzną, na której ja tkwię, jest niemożliwe. Nie chcę przez to powiedzieć, że na opowieści Katki o chłopakach szkoda mi już było czasu, to tylko inny poziom percepcji i nie tak abstrakcyjna wędrówka niczym nieograniczonej myśli, z którą obcowałam tamtego wieczoru.

8.

Zastanawiałam się przez dwa czy trzy tygodnie, starałam się zrozumieć, co tak naprawdę czuję, aż w końcu mgliste wrażenia przybrały konkretne kształty, układając się w prostą, ale jakże zaskakującą myśl: „Nie jestem tam, gdzie powinnam być".

Dopiero w wiele lat później, kiedy zaczęłam się zajmować analizą procesów myślowych, dowiedziałam się, w jaki sposób powstają i urealniają się moje własne myśli. Początkowo myśl jako taka nie istnieje, jest tylko nierozpoznane, niekonkretne, intuicyjne wrażenie, niesprecyzowane domniemanie, które się nagle pojawia, czy może pojawiło jako bezkształtna w pierwszej chwili, podświadoma synteza treści, które już we mnie zaistniały. Jest to zarodek nowej myśli, embrion. Nie powinnam się bać, że zniknie bez śladu, wessie się, ale też nie powinnam tej niejasnej myśli na siłę rozwijać – zarodek jest wewnątrz mnie i jak każdy embrion dojrzeje we właściwym czasie.

Ten delikatny refleks myśli może być w pewnej chwili niewyczuwalny, sprawiać wrażenie bezpowrotnie utraconego, ale nie ma powodu do obaw, bo on tylko przeszedł w stan utajenia, znów się pojawi, kiedy okrzepnie i dojrzeje. Przyczajone cichutko wrażenie poddawane jest wielu skomplikowanym procesom, toczącym się w świadomości, wytrawia się w jej sokach, jego drobinki, przeobrażane w toku różnorodnych reakcji psychicznych, wytrącają się z zawiesiny chaosu i opadają na dno. Stopniowo się tam nawarstwiają, wiążą jedna z drugą, by z czasem utworzyć jednorodną substancję nowej myśli.

Ta myśl, już ukształtowana w komórkach mózgu, jeszcze nie potrafi samoistnie wypłynąć na powierzchnię, zaistnieć w realnym świecie. Wtedy do pracy znowu włącza się świadomość. Ostrożnie, po omacku, jak ślepiec, próbuje wpisać myśl w początkowo toporną formę słowną, te pierwsze próby kończą się najczęściej niepowodzeniem. Dopiero później, gdy myśl oswoi się sama ze sobą, a potem z innymi myślami, odnajdzie tę jedyną ścieżkę, a właściwie sama ją wydepcze, na której może się w pełni przejawić.

Potrzebowałam dwóch czy trzech tygodni, bym którejś nocy – wtulona w Marka, odprężona, szczęśliwa, z głową wspartą na jego ramieniu w takiej pozycji, by nie utrudniała jego dłoni głaskać moich piersi, doprowadzając mnie tą pieszczotą do najwyższej rozkoszy – mogła mu wyszeptać:

– Nareszcie rozumiem. Nie jestem tam, gdzie powinnam być.

– A gdzie jesteś? – odezwał się sennym głosem. Jego myśli nie wyzwoliły się jeszcze z niedawnych przeżyć naszej miłości.

– Ja nie o tym i w ogóle nie o nas... Mówię o moim życiu. Nie jestem tam, gdzie powinnam być.

– Domyślam się, że nie chodzi ci o położenie geograficzne, prawda? – uściślił. Wiedziałam, że mnie zrozumiał.

– Nie chodzi – przytaknęłam.

– Tak, nie jesteś tam, gdzie powinnaś być – odparł.

Zapadło milczenie, ale byłam pewna, że Mark zaraz coś powie.

– Już ci mówiłem, nie jesteś tam, gdzie powinnaś być – powtórzył. – Wiesz, parę lat temu czytałem pewną przypowieść o ptaku, który chciał nauczyć się bardzo wysoko latać.

Ułożyłam się wygodniej na ramieniu Marka, czekałam na dalszy ciąg. Lubiłam jego opowieści, przyzwyczaiłam się do nich, a nawet się od nich w jakiś sposób uzależniłam. Nie chorobliwie, narkotycznie, chyba że mogłabym je nazwać miękkim narkotykiem.

– Ptak nieustannie coś wymyślał, żeby coraz wyżej i szybciej latać. Próbował inaczej układać skrzydła, zmieniał swoją aerodynamikę, starał się na różne sposoby przechytrzyć naturę. To długa historia. Nie wdając się w szczegóły, powiem ci tylko, że w końcu nauczył się latać tak szybko, że inne ptaki nawet nie mogły o tym marzyć. À propos, czy wiesz, że wygnały go za to ze stada, ale to tak przy okazji o tym wspominam.

Było mi dobrze na ramieniu Marka, koił mnie jego ciepły, spokojny głos, jego ręka pieściła moje ciało. Czułam błogi spokój, leżałam z szeroko otwartymi oczami, sen odleciał. Rześkie oceaniczne powietrze, lekko pachnące algami, przemieszane z zamierającymi odgłosami miasta, potęgowało urokliwy nastrój baśni, którą Mark opowiadał równym, mocnym głosem.

– Pewnego razu, podczas kolejnego treningu – ptak bezustannie trenował podniebne loty – poszybował z taką szybkością, że sam poczuł, iż gdzieś przepadł. Okazało się, że tam dokąd trafił, a było to w jakimś innym wymiarze, żyły już inne ptaki, było ich bardzo niewiele, pochodziły z różnych krańców świata, i dla nich idea najwyższych lotów była najważniejsza. Jeżeli któryś z ptaków nagle wzbijał się jeszcze wyżej, opuszczał ten wymiar i przemieszczał się w inny, tam dokąd docierały ptaki, które potrafiły latać z jeszcze większą prędkością. I trwało to tak długo, aż wybrańcy losu zaczęli przenosić się z szybkością myśli.

Mark przerwał opowieść o ptaku. Leżałam na jego ramieniu, wpatrując się w cienie tańczące na suficie. Myślałam, że atmosferę naszego cudownego wieczoru tworzy nie tyle ta wzruszająca przypowieść, ile piękny głos Marka, jego zachwycająca intonacja, spokojny rytm. W cieple tych uczuć, w klimacie miłości w mojej skórze otwierały się miliony kanalików i chłonęły melodię głosu Marka, jego spojrzenie, troskliwie ogarniające całą moją sylwetkę, delikatny dotyk dłoni i niepowtarzalny nastrój baśni, którą mi opowiadał.

Zrozumiałam, że właśnie na tym polega miłość i że miłość fizyczna nie sprowadza się do prymitywnego pobudzania sfer erogennych, nie wynika z pierwotnych czy wtórnych cech płciowych, lecz jest niezwykłym przeżyciem fizyczno-duchowym, kiedy w człowieku otwierają się wszystkie pory, by sycić się obecnością ukochanej osoby, jej energią, melodią głosu, spojrzeniem, ciepłem, wypełniającym pokój powietrzem – hipnotyczną, wibrującą bliskością. Tylko w taki sposób dokonuje się całkowite zespolenie dwóch ciał i dwóch dusz – przez pory dwóch istot ludzkich, kanaliki na skórze, które zdolna jest otworzyć tylko miłość.

– Główne przesłanie tej historii mówi o sztuce pracy nad sobą i wielkim samozaparciu – ciągnął Mark. – Ja odczytałem w niej jeszcze inną myśl. Oprócz wymiaru, w którym przebywamy, są jeszcze inne wymiary, których istnienia najczęściej się nie domyślamy. Pragnienie przeniknięcia w inny wymiar nie może być celem samym w sobie, bo wtedy byłoby właściwie nieosiągalne. Jedynym celem – Mark wpatrywał się w moją twarz – dla którego powinniśmy się uczyć podniebnych lotów, są właśnie podniebne loty. Rozumiesz? To jest cel podstawowy. Kiedy uda się nam go osiągnąć, przenosimy się w nowy wymiar, wraz z całym dobrem i szczęściem wypływającym z takiego przeskoku. Inaczej mówiąc, celem człowieka jest przekraczanie samego siebie, własnych ograniczeń, nieustanny rozwój osobowości. Tylko taki cel, jakkolwiek wydawałby się on czczą fantazją, zapewni nam wielki życiowy sukces.

– Już późno, śpij – szepnęłam. Czując ogarniającą mnie falę wzruszenia, pogłaskałam Marka po głowie. – Śpij, kochany – powtórzyłam, zdając sobie sprawę, że to pierwsze zdanie nie oddało mojej czułości, a drugie też nie poradziło sobie z jej ogromem. Uniosłam głowę, odrywając ją z cudownego miejsca na ramieniu Marka. Przywarłam do niego całym ciałem, wtuliłam się w niego. Każdą komórką czułam, jak silne, prężne ciało Marka poddaje się mojej pieszczocie, rozpuszcza się w niej, przeszył mnie słodki dreszcz, wypłynął z okolic kręgosłupa i ogarnął mnie całą. Delikatnie musnęłam wargami pulsującą żyłkę na szyi Marka, której nie ukryła ciemność nocy, nie zdołałam dosięgnąć jego ust.

Przytulił mnie jeszcze mocniej, prawie zmiażdżył, moje piersi boleśnie wbiły się w jego tors. Serce waliło mi jak oszalałe, nagle niepohamowany, gwałtowny impuls przeszył moje podbrzusze, szarpnęłam się konwulsyjnie, nadziewając boleśnie na biodro Marka. Ból rozpłynął się w ogarniającej moje ciało fali gorąca, która zmąciła świadomość i porwała mnie w inne wymiary.

– Nie zasypiaj jeszcze – poprosiłam.

9.

W parę dni później Mark czekał na mnie pod pracą. Spacerowaliśmy nocnymi ulicami Bostonu. Wille z czerwonej cegły, z piętnem starczych plam, świadczących o ich długiej historii, oplecione bluszczem, ozdobione zabawnymi ażurowymi balkonikami i okrągłymi basztami nadawały otaczającemu nas światu nierealnego klimatu baśniowości. Ulice były o tej porze puste. Tylko od czasu do czasu ostre światła mknących aut wprawiały w drżenie migotliwą poświatę sennych latarni. Rozmawialiśmy o mnie. Mówiłam Markowi, że wszystko dokładnie przemyślałam i zdecydowałam się, zaryzykuję. Do diabła z buchalterią. Przyjrzał mi się uważnie. Spytał, czy wiem, co chciałabym studiować. Tego jeszcze nie byłam pewna. Oboje wybuchnęliśmy śmiechem.

– Wiem tylko tyle, że nie mam ochoty zajmować się matematyką, fizyką, chemią i inżynierią – wyjaśniłam.

– Nie lubisz nauk ścisłych? – spytał Mark.

Zastanowiłam się. Trudno jest wyrazić słowami to, co bardziej się czuje, niż pojmuje intelektem.

– Nie o to chodzi – odpowiedziałam po chwili milczenia. – Są mi po prostu obojętne. Nie umiem patrzeć na życie przez definicje, formułki, wzory, funkcje.

Mark zgodził się ze mną, ale uchwyciłam w jego głosie zdziwienie. Powiedział, że mam rację, że dobrze to wyraziłam, pocałował mnie, co zapewne było dowodem jego akceptacji.

– Masz rację – mówił, cały czas intensywnie o czymś myśląc. – Człowiek powinien wyrażać swoje życie przez działania, oczywiście, jeśli zajmuje się czymś poważnie.

Po chwili dodał, że jestem mądra, dużo zrozumiałam, doszłam do tak interesujących wniosków, do jakich on nie doszedł, bo nigdy aż tak perspektywicznie nie myślał. Jego pochwały sprawiały mi przyjemność. Ot, próżność, zreflektowałam się, nigdy nie wiadomo, kiedy i kogo dopadnie.

– To prawda – powiedziałam zachęcona, rozwijając swą światłą myśl. – Kompozytor swoje widzenie świata wyraża za pośrednictwem dźwięków, muzyki, którą tworzy, muzyk, interpretując utwór, przekazuje słuchaczom własny odbiór, mówi, jak odczytał dzieło kompozytora. Podobnie krawiec. Ten swój odbiór świata wyraża strojami, które szyje. Matematycy wyrażają swoje światy wzorami matematycznymi, piłkarze – sposobem gry. – Tu trochę złośliwie powołałam się na ulubiony sportowy przykład Marka. – I tak dalej. Najważniejsze, by znaleźć środowisko, które pomoże przekazać to widzenie świata.

– Widzę, że zastanawiałaś się i nad tą kwestią – powiedział Mark, uśmiechając się do mnie. – Dobrze to przemyślałaś. To ważne odkrycia.

Odpowiedziałam, że tak rzeczywiście było. Okazałam się zdolną uczennicą. Mark skromnie zaoponował, że jego rola nie była aż tak duża, liczy się przede wszystkim mój własny, niestandardowy stosunek do życia, oryginalna, przemyślana interpretacja spraw, o których mówimy.

– Moim zdaniem najbardziej niestandardowa jest tu moja niewiedza – wtrąciłam, doczekawszy się końca pochwał. – Do tej pory jakoś nie udało mi się wymyślić, w jaki sposób chciałabym wyrażać swoje rozumienie świata. – Zatoczyłam bezradnie rękami kształt, jak gdyby obrysowując kulę ziemską.

Rozmawialiśmy o różnych dyscyplinach naukowych. Mark zapytał, co sądzę o naukach humanistycznych. Odpowiedziałam, że są mi bliskie, podobnie jak humaniści, ale nie bardzo mnie interesują, zawsze wydawały mi się nieco udziwnione, na przykład literaturoznawstwo.

Jaki sens ma zastanawianie się nad tym, co autor chciał powiedzieć w tym czy innym utworze? Myślę, że powiedział to, co chciał, adresat tego przesłania na pewno odczyta je właściwie, ktoś inny zinterpretuje po swojemu. Czy nie jest to próba podporządkowania sobie myśli czytelnika przez autora albo społeczności, której interesom autor służy?

Tu już sama poczułam, że przesadzam, ale nie potrafiłam nad sobą zapanować. Chciało mi się dyskutować, wymądrzać, popisywać się własną skłonnością do refleksji.

– Weźmy na przykład historię. Wiadomo, że historyk nagina przeszłość do subiektywnych poglądów, więc w ten sposób nigdy nie powstanie jednolita, wspólna historia, lecz wiele różnych jej wersji, dokładnie tyle, ile jest prac na dany temat. Wiesz, Mark – wzięłam głęboki oddech i w tej samej chwili dotarło do mnie, że posuwam się stanowczo za daleko w pasji demaskowania grzechów nauki – czym zawsze chciałam się zajmować? Filozofią, a właściwie teologią. Chciałabym nauczyć się arabskiego, hebrajskiego, studiować Talmud, Kabałę, zwoje znad Morza Martwego, ewangelie i inne źródła religijne i mistyczne, czytać o duszy, śmierci, sensie istnienia, jednym słowem, o sprawach wiecznych, ponadczasowych, uniwersalnych. Mieć taką wiedzę, jaką w książeczkach dla dzieci mają brodaci magowie, wróżbici i mędrcy. – Tak formułowałam swoje wyobrażenia o teologii.

– Jeśli dobrze cię zrozumiałem, chcesz być mędrcem? – powiedział Mark, uwalniając moją dłoń.

– Mędrcem? – Nagle ogarnęły mnie wątpliwości. – Czemu nie? Tak, chcę być mędrcem.

– Z brodą? – spytał Mark, przyglądając mi się podejrzliwie.

– Czy ja wiem? Nie wiem... Jeżeli tylko uda ci się wymyślić dla niej jakieś zastosowanie? Pewnie różne rzeczy można robić z brodą, szczególnie jeśli jest długa. W przeciwnym razie broda nie jest mi potrzebna. No bo do czego? Nie – ucięłam krótko. – Broda nie jest mi potrzebna.

– Masz rację. – Mark roześmiał się, po czym spytał: – Dlaczego akurat teologia tak cię pasjonuje?

– Nie potrafię na to odpowiedzieć – przyznałam się. – Może dlatego, że zawsze pociągała mnie wiedza o tajemnicy życia? Czułam dziwny niepokój, kiedy słuchałam wystąpień pisarzy lub uczonych albo kiedy czytałam książki filozoficzne. Sądziłam, że nagle odsłoni się przede mną coś, co da mi odpowiedź na nurtujące mnie pytania, sprawy natychmiast wrócą na swoje miejsce i nie będę już miała wątpliwości, skończą się te wszystkie: Jak? Dlaczego? Co potem? Byłam głęboko przeświadczona, że istnieje tylko jedno fundamentalne pytanie, najważniejsze, wobec którego inne są drugorzędne. Wiesz, w literaturze fantastycznonaukowej fizycy zawsze próbują odkryć uniwersalny model świata...

– To prawda, próbują, i nawet się zarzekają, że na pewno go odkryją – przerwał mi Mark.

Denerwowałam się i wpadałam w euforię, zapewne dlatego, że starałam się wyrazić raczej to, co czułam, niż to, co rozumiałam, to, o czym nigdy wcześniej nie miałam okazji rozmawiać. Bałam się, że nie potrafię znaleźć słów, przekazać uczuć, i nie chodziło mi już o Marka, lecz o samą siebie. Temat był na tyle abstrakcyjny i jednocześnie tak bardzo osobisty, że napawał mnie lękiem. Byłam do tego stopnia skoncentrowana na własnych myślach i adekwatnym ich wyrażeniu, że ostatnia wypowiedź Marka umknęła mojej uwagi.

– Tak? – Zareagowałam udawanym zdziwieniem, próbując zebrać myśli. – O czym to ja mówiłam? No tak, myśl mi się urwała, nie przerywaj mi. Zupełnie się pogubiłam.

– Mówiłaś o fundamentalnym pytaniu – naprowadził mnie Mark.

– Aha. Jeżeli rozwiążemy tę kwestię, pozostałe rozwiążą się same, i to w jednej chwili. Dużo czytałam, słuchałam, ale właściwie nie spodziewałam się zasadniczego wyjaśnienia, tylko jakiegoś tropu, śladu, drobnej aluzji, ukierunkowania.

Niestety, nikt mnie nie naprowadził, nikt mi niczego nie podpowiedział, no i nie poradziłam sobie z odkrywaniem tajemnic.

– Fizyka nie udzieli ci takiej odpowiedzi, oczywiście przy założeniu, że taka odpowiedź w ogóle istnieje – powiedział Mark.

– Ja też tak myślę, chociaż nie mam pojęcia o fizyce. Nawet gdybym przeczytała setki podręczników do fizyki czy wiele się na jej temat nasłuchała, to i tak nie zrozumiem fizyki, a już na pewno nie rozpoznam odpowiedzi. Mimo to intuicja podpowiada mi, że fizyka takiej odpowiedzi nie może nam udzielić. Już prędzej literatura, filozofia, teologia, zresztą, nie wiem.

Przerwałam na chwilę i nagle moje myśli gładko ułożyły się w zdania.

– Mark, a wielcy pisarze rosyjscy. Mimo że to tylko pisarze, każdy z nich był także filozofem, głosił własne poglądy, budował idee i koncepcje. Chociaż nie znaleźli ostatecznej odpowiedzi, cały czas próbowali jej szukać. Tołstoj, Dostojewski, nie ma znaczenia, czy lubisz Dostojewskiego, ja go nie lubię, ale trudno go pominąć. Czechow. Kto jeszcze? Bułhakow ze swoim „Mistrzem i Małgorzatą". Wszyscy stawiali fundamentalne pytania i lepiej czy gorzej starali się na nie odpowiadać. Chcę przez to powiedzieć, że wielka literatura rosyjska nierozerwalnie splotła się z filozofią.

– Dlaczego myślisz, że tylko rosyjska? – spytał Mark.

– Dlatego, że w żadnej innej literaturze nie spotkałam dotąd takiego nasycenia kwestiami filozoficznymi.

– A może to tylko ty nie spotkałaś? – zauważył Mark, akcentując „ty".

– Dlaczego tak sądzisz? – Poczułam się dotknięta jego pytaniem. – Dużo czytałam. – Zabrzmiało to infantylnie, jak w szkole, dodałam więc bardziej zdecydowanie: – No to zobacz, o czym u was piszą – morderstwa, pieniądze, i takie tam bzdety.

– Nie chcę się z tobą spierać – spokojnie odpowiedział Mark. – Jestem przecież po twojej stronie, ale powiem ci, że w każdym kraju piszą przede wszystkim kryminały, bo to najłatwiej. W Rosji takiej literatury też jest sporo. Pisarzy na miarę Tołstoja jest w literaturze światowej zaledwie kilku. Jeżeli już porównujemy, to, proszę, porównujmy tylko to, co można porównywać, inaczej nie będzie uczciwie.

– No to poproszę o jakiś przykład – natarłam na Marka.

– Przykład... – Mark zastanowił się. – To zależy także od wyrobienia i smaku literackiego czytelnika. Nie chcę niczego porównywać, mówię jedynie o geniuszach tej miary co Tołstoj, o tych, których interesowały tak zwane odwieczne pytania.

– Kto to taki?

– Przede wszystkim Szekspir. Ktoś powiedział, że po Szekspirze ludzkość nie ma już o czym pisać. A dalej Goethe, Dante. Z późniejszych twórców Proust, a z pewnością można by wymienić jeszcze kilku.

– Sama nie wiem. – Powoli traciłam pewność siebie. – W ostatecznym rozrachunku nie ma to znaczenia. Próbowałam ci tylko uświadomić, że wyrosłam na Tołstoju i Czechowie, może dlatego się nad tym wszystkim zastanawiam i wciąż dręczy mnie tyle pytań. Trudno mi powiedzieć.

Umilkłam, Mark też się nie odezwał. Przedłużająca się cisza sprowadziła nas na ziemię.

– Jeżeli chodzi o teologię, nie mam zdania – odezwał się w końcu Mark. – Wydaje mi się, że tą dziedziną człowiek powinien się zajmować od najmłodszych lat. Jest to nauka nie tylko bliska religii, ale jej naturalna kontynuacja, dalszy ciąg. Większość teologów, z którymi się zetkniesz, będzie miała nie tylko wiedzę, będą jeszcze doskonale czuć to, co ty obrałaś sobie za przedmiot studiów i dociekań, co wcale nie znaczy, że kiedyś nie uda ci się ich prześcignąć, ale jaki jest sens tak zaczynać i już na samym początku dawać innym fory?

Chyba mnie przekonał. Rozłożyłam bezradnie ręce i marszcząc czoło, oświadczyłam tonem rozkapryszonej pannicy, że w takim razie moja kariera wybitnej uczonej nie ma racji bytu z tej prostej przyczyny, że wyczerpały się interesujące mnie dyscypliny naukowe. Mark objął mnie i wpadając w mój żartobliwy ton, zaczął mnie uspokajać, solennie obiecując, że na pewno znajdziemy jakieś wyjście z tej przykrej sytuacji.

– A może byś coś zjadła? – spytał.

– Nie, ale do domu też mi się nie chce wracać – odpowiedziałam.

– Chodź, pójdziemy na lody. – Wskazał maleńką kawiarenkę, z trzema zaledwie stolikami.

Weszliśmy tam. Mark przyniósł lody i usiadł naprzeciw mnie, trzymając w jednej ręce wafel z lodami, w drugiej serwetkę. Odgryzł kęs zamrożonej kulki, jego wargi powlekła mleczna wilgoć. Pragnęłam je tak zapamiętać, z lekka muśnięte delikatną białą mgiełką.

– Jeżeli chcesz się wgłębić w istotę rzeczy – odezwał się po chwili – to może warto pomyśleć o psychologii? O ile wiem, bardziej się ona trzyma ziemi niż teologia czy filozofia, no i jest bardziej od nich „naukowa", to znaczy operuje większym konkretem, eksperymentem. Istota rzeczy to przede wszystkim człowiek, jego świadomość, psychika, dusza. Tym właśnie zajmuje się psychologia – świadomością i duszą. Oprócz tego, jak wiem, psychologia jako nauka tak naprawdę dopiero zaczyna się rozwijać. Ludzkość znacznie więcej wie o wszechświecie niż o człowieku. Zygmunt Freud ponad siedemdziesiąt lat temu stworzył podwaliny współczesnej psychologii. Mimo krytyki jego teorii nikomu do tej pory nie udało się wymyślić lepszego podejścia.

Urwał i zajął się lodami. Zamówił sobie melbę Cherry Garcija z wiśniami w alkoholu i kawałkami gorzkiej czekolady. To było dla Marka charakterystyczne: podejmował jakiś ważny temat, a po chwili przerywał wypowiedź i jak gdyby nigdy nic koncentrował się na jakimś konkretnym, przyziemnym drobiazgu, może chciał mi pokazać, że zwykłe codzienne sprawy też są ważne? Nie pozostawało mi nic innego, jak tylko uzbroić się w cierpliwość. Domyśliłam się, że Mark zbiera myśli i szuka słów, które pozwoliłyby mu mówić z jeszcze większym przekonaniem i mocniejszą argumentacją.

– To frapująca dziedzina. Nie uda ci się pewnie odkryć, w czym zawiera się istota człowieka, wątpię, czy kiedykolwiek uda się komuś to naprawdę zgłębić, mało prawdopodobne i raczej niemożliwe, ale może warto chociażby otrzeć się o wielką tajemnicę.

Odniosłam wrażenie, że pomysł z psychologią tak bardzo Marka zafascynował, iż sam gotów ją ze mną studiować.

– O ile się orientuję – ciągnął Mark – psychologia ma wiele kierunków badawczych, na przykład psychologia zachowań, psychologia myślenia, psychologia kliniczna, eksperymentalna i inne. Radzę ci, żebyś zapytała na swojej uczelni o psychologię kliniczną. Po pierwsze dlatego, że jest to najbardziej „ludzka" psychologia, nie bada myszy, gołębi i innej zwierzyny, ich reakcji i zachowań. To pewnie też jest zajmujące, ale nie ma bezpośredniego związku z człowiekiem. Po drugie, istotę rzeczy – bo przecież cały czas o tym rozmawiamy – najlepiej się poznaje badając wszelkie anomalie, a psychologia kliniczna zajmuje się ludzkimi duszami, cierpiącymi z powodu rozmaitych nieprawidłowości. Po trzecie, sama się nie spostrzeżesz, jak skończysz studia, zdobędziesz obszerną wiedzę, zaczniesz pomagać pacjentom, staniesz się pożyteczna dla innych i, co niezwykle istotne – zobaczysz konkretne rezultaty swojej pracy. Niewiele dziedzin dostarcza takiej satysfakcji jak psychologia kliniczna. Po czwarte, będziesz mogła otworzyć prywatną praktykę. Mimo że nie mówimy w tej chwili o korzyściach finansowych, prywatna praktyka da ci takie możliwości.

Słuchałam go z uwagą, niecierpliwiąc się jednak, że zbyt długo wylicza zalety własnego pomysłu.

– Po piąte – Mark nie ustępował. – Ja sam nie mam pojęcia o psychologii klinicznej, więc chętnie się czegoś nowego dzięki tobie dowiem.

Popatrzyłam na Marka z niedowierzaniem: „Bratku, a ty tu z jakiej racji" – pomyślałam zaskoczona i zapytałam:

– Mark, chyba nie zamierzasz wybrać się ze mną na psychologię?

– Ale cały czas będę się razem z tobą uczył. – Nachylił się nad stolikiem, pocałował mnie w sam środek czoła lodowatymi od melby wargami i zrobiło mi się zimno. – A potem zostanę twoim studentem – dorzucił, sadowiąc się wygodnie na krześle.

Dzisiaj już nie pamiętam, kiedy po raz pierwszy pomyślałam o psychologii jako o tej niezwykłej dyscyplinie naukowej, która ambitnie postawiła sobie za cel zgłębianie tajników ludzkiej duszy. Nawet gdyby ten cel okazał się nieosiągalny, to bardzo interesujący jest dokonujący się w niej postęp i ciągły rozwój, a każdy krok na drodze do wzniosłego celu wprawia umysł w stan twórczego niepokoju. Jeśli dobrze pamiętam, to właśnie tamten wieczór, który spędziłam w maleńkiej kawiarence wraz z Markiem, dyplomatycznie wtłaczającym mi do głowy swoje idee i niezwykłe pomysły, stał się w moim życiu ważnym punktem zwrotnym. To wtedy zaczęłam pełne samozaparcia zgłębianie tajemnicy.

Wtedy po raz pierwszy odczułam własnymi zmysłami, na czym polega ta ukryta, napawająca mnie lękiem siła psychologii, a także ludzi, którzy się jej poświęcili. Początkowo, kiedy miałam o niej nikłe pojęcie, wyobrażałam sobie, że jest ona w stanie rozwiązać odwiecznie nurtujące człowieka pytania i bolączki. Rozumując tak, nagle nabrałam wątpliwości, czy rzeczywiście chcę to rozwiązanie poznać.

Ludzie, którzy, jak sądziłam, zgłębili jej tajniki, wydawali mi się bogami o tysiącach oczu, którzy skrzętnie dbali także i o to, by ich tajemna wiedza nie wydostała się poza nieprzeniknniony krąg członków tego dziwnego zakonu. Gdy po latach sama do niego wstąpiłam, zrozumiałam, że pozorna potęga tej wiedzy, nawet najbardziej rozległej, solidnie przetrawionej, zdolna jest jedynie uzmysłowić daremność wysiłków, podejmowanych z myślą o osiągnięciu niemożliwego celu. Sam cel zaś nabrał w moim pojęciu jeszcze bardziej nadnaturalnych cech. I właśnie dlatego nie miało sensu jego bezpośrednie atakowanie, wydzieranie tajemnic na siłę, buńczuczne mierzenie się z nim. Jedynie próby zbadania patologii ludzkiej psychiki, tropienie anomalii zawiłych procesów psychologicznych pozwalały mieć nadzieję, dosyć złudną zresztą, na ogólne naszkicowanie metod odkrywania boskich zagadek ludzkiej duszy.

Wiele lat temu na jakiejś konferencji naukowej spotkałam dawnego kolegę ze studiów. Odnosił sukcesy w pracy klinicznej, a także wykładał na uniwersytecie stanowym w zachodniej części kontynentu. Po serii konwencjonalnych pytań, których nie ukrywaną intencją było jak najlepsze zaprezentowanie się, może nawet bez wyolbrzymiania własnych osiągnięć, lecz tylko podkreślenie najistotniejszych sukcesów zawodowych i osobistych – byliśmy oboje świadomi, jak można się niezręcznie poczuć z powodu infantylnych przechwałek – rozmowa zeszła na tematy ogólne. Kolega powiedział, że czytał moje prace i bardzo mu się podobały. Było mi przyjemnie słyszeć taką ocenę akurat z jego ust.

Miałam do niego zaufanie, przed wieloma laty spędzaliśmy długie godziny w bibliotece uniwersyteckiej. Dlatego kiedy zapytał mnie, co naprawdę sądzę o dziedzinie, którą wybrałam, odpowiedziałam szczerze i naiwnie, na wszystkie pytania, rezygnując z przyjętego w takich sytuacjach ironizowania, krytykowania i wyrażania wątpliwości. Wyjaśniłam, że nieustannie służę idei przewodniej mojego zawodu, próbując mu wytłumaczyć, dlaczego z taką konsekwencją używam terminów: „dusza”, „tajemnica”, „niepoznane”...

Nagle uchwyciłam jego spojrzenie, było bardzo nieufne, podejrzliwe i pełne obaw, czy przypadkiem z niego nie drwię. Kiedy próbowałam go przekonać, czując się niezręcznie w tej sytuacji, że wcale nie żartuję, a wszystko, co opowiedziałam, jest prawdą, zobaczyłam, że jego wzrok się zmienił – teraz mój dawny kolega patrzył na mnie z jawnym współczuciem. Przerwałam przydługi monolog, a kolega wyraził swoje wątpliwości. Powiedział, że nie podziela mojego zdania. Codzienne intensywne uprawianie zawodu nie sprzyja pamiętaniu o wzniosłych celach i ideałach, a już zwłaszcza wtedy, kiedy codziennie trzeba przyjąć dziesiątki pacjentów, kiedy ma się do czynienia z tępymi i nierozgarniętymi studentami, kiedy człowieka tyle rzeczy drażni, no i jeszcze na dodatek ta uprzykrzona biurokracja i papierkomania... Na koniec dodał, że im pewniej czuje się w zawodzie, tym więcej dostrzega w sobie zdrowego sceptycyzmu w stosunku do psychologii jako nauki, co ma korzystny wpływ na jego profesjonalizm. Powiedział też, prosząc, bym nie brała jego słów zbytnio do serca, że korzystając z prawa przysługującego starym kumplom, chce mi po przyjacielsku zwrócić uwagę, iż określenie „dusza" nie jest terminem naukowym, i że moja emfaza go dziwi, i że jest niezmiernie ciekaw, przy pomocy jakich trików udaje mi się pogodzić tak idealistyczne podejście do psychologii i człowieka z intensywną praktyką zawodową.

Nie podjęłam wyzwania, nie chciało mi się go przekonywać ani się z nim spierać, że nawet jeżeli nie każdy pacjent i nie każda sytuacja zawodowa pozwala doświadczać rzeczy wzniosłych, a na akademickie dysputy nie ma czasu i warunków, to mimo tych trudności nadrzędny cel może i powinien przyświecać ogólnemu kierunkowi naszych działań i wytyczać ich sens. Powiedziałam mu jedynie, wściekła na siebie, że się tak obnażyłam, iż go rozumiem, że częściowo ma rację, że wszystko zależy od każdego z nas, i że ja, jak dawniej, wciąż jestem zafascynowana i, może naiwnie, wierna tajemniczej potędze celu i wynikającym z niego zadaniom, o których wiem, że przekraczają nasze możliwości. Wzruszyłam ramionami, stary, nic nie poradzę, że tak to czuję.

Przyjrzał mi się badawczo. Jego przenikliwy wzrok zawodowego psychologa nie miał już w sobie wcześniejszej nieufności i współczucia. Najciekawszy był jednak finał tej historii. Parę tygodni później przysłał mi e-maila. Pisał, że długo myślał o naszym spotkaniu i rozmowie, nawet kilka nocy nie mógł z tego powodu spać, aż w końcu zrozumiał, że to on utracił prawdziwy związek z wykonywanym zawodem. A to, co dumnie nazywał profesjonalizmem, w konsekwencji zabiło w nim radość, przyznaje mi rację, rozumie, mając na myśli moją znakomitą metodologię, dlaczego dokonałam takiego a nie innego wyboru. Odpowiedziałam, że mogę być tylko szczęśliwa, iż nasza rozmowa pomogła mu w czymś ważnym i życzyłam, żeby udało mu się odnaleźć ten związek, o którym pisał.

Od chwili gdy słowo „psychologia" po raz pierwszy zagościło w moim umyśle minęło wiele lat. Dziś trudno mi powiedzieć, kiedy pojęcie to nabrało ostatecznych kształtów, uformowało się w poglądy, które wyznaję i konsekwentnie głoszę. Najpierw długo dojrzewało, później wchodziło w relacje z konkretną wiedzą, którą stopniowo zdobywałam, z doświadczeniem, z praktyką, z ciężką pracą – tak nabierało konkretnych treści.

To normalny proces – warstwy pamięci nakładają się, przenikają nawzajem. Jakieś odległe wspomnienie nagle wydobywa się na powierzchnię, a to, które towarzyszyło mu w tym czasie, nie wiadomo dlaczego zostaje wymazane, gubi się, zaciera. To, które się wyłoniło, często w zaskakujący sposób łączy się z innym, z jeszcze bardziej odleglejszej epoki, by stworzyć nowy, nieistniejący wcześniej, a teraz tak realny obraz przeszłości. Pamięć jest żywą tkanką – oddycha, pulsuje, trwa w nieustannym ruchu, wydobywając na powierzchnię, zgodnie z sobie tylko znaną zasadą, dawno utracone, jak się wydawało, pędy przeszłych zdarzeń, i bez żalu unicestwiając w swej bezbrzeżnej głębi to, co wydawało się najtrwalsze. Mark miał rację, kiedy mówił Ronowi, że istotę ludzką określa mozaika jej pamięci bieżącej, teraźniejszej – wystarczy, że zmienia się jej obraz, aura, a natychmiast dostrzegalne są zmiany w świadomości, dana osoba inaczej zaczyna odbierać otaczający świat, czy też, jak twierdzi Ron, zmieniają się atrybuty jego życia.

10.

Zatelefonowałam do Marka z uniwersytetu. Z automatu wiszącego na ścianie przy dziekanacie, gdzie przed chwilą odbyłam rozmowę z sekretarzem wydziału psychologii. Miałam jeszcze w krtani nieprzyjemny, uwierający gruzeł urazy i rozczarowania. Na szczęście Mark był w domu. Usłyszałam jego ciepły, spokojny głos.

– Mark – powiedziałam bez żadnych wstępów – przed chwilą rozmawiałam z sekretarzem. Musiałabym zaczynać wszystko od nowa, niczego mi nie zaliczą. – Głos drżał mi z wściekłości i zdenerwowania. – Nie będę się nigdzie przenosić. Już rok tu studiuję, mam za sobą dwa lata studiów w Moskwie. Nie ma sensu zaczynać wszystkiego od początku...

– Poczekaj – przerwał Mark. – Uspokój się, nic nie rozumiem. Rozmawiałaś z sekretarzem czego?

– Psychologii.

– Jasne, wydziału psychologii – uściślił Mark. – I powiedział ci, że gdybyś się przeniosła, to nie zaliczą ci przedmiotów, które zdawałaś na ekonomii, ani tych z Moskwy, czy tak?

– Sekretarzem jest kobieta, więc to nie „on", ale „ona" powiedziała – sprostowałam.

– Nieważne. Próbuję tylko ustalić, czy dobrze zrozumiałem.

– Dobrze – potwierdziłam.

– Kiedy masz przerwę?

– Teraz są dwa wykłady, a potem będzie przerwa, chyba półgodzinna.

– To świetnie – odpowiedział Mark. – Czekaj na mnie w kawiarni na trzecim piętrze, będę za dwie godziny, pogadamy. Tylko się uspokój i już się nie denerwuj. Coś wymyślimy.

– Dobrze – odpowiedziałam i, nie żegnając się z Markiem, odwiesiłam słuchawkę.

Zgodnie z obietnicą Mark zjawił się wraz z początkiem przerwy. Usiedliśmy przy stoliku w hałaśliwej i niezbyt schludnej kawiarni.

Zdążyłam się już uspokoić, a nawet zobojętnieć – psychologia, astronomia, księgowość, co za różnica, ale zaczynać studiów jeszcze raz, od początku, na pewno nie będę. Nie wiem, dlaczego znów się roztrzęsłam. Jeszcze tydzień temu nie myślałam o psychologii, nawet nie miałam pojęcia o istnieniu takiej nauki, a teraz z trudem hamowałam łzy.

Wiem, odpowiedziałam sobie, ostatnio zbyt dużo fantazjowałam, wyobrażałam sobie, że jestem znanym amerykańskim psychologiem, pomagam ludziom, wykładam na uniwersytecie, przeżyłam w marzeniach przemianę baśniowego Kopciuszka w księżniczkę – wszystkie dziewczyny mają takie marzenia, ale, w odróżnieniu ode mnie, zdarza im się to u zarania dojrzałości – a kiedy się okazało, że karety i piękne pałace są nie dla mnie, po prostu się rozbeczałam.

Uspokoiłam się, a właściwie do tego stopnia zobojętniałam, że gdyby to było możliwe, odwołałabym spotkanie z Markiem. Ale już nie mogłam tego zrobić, nie zdążyłam. Kiedy Mark się zjawił, nie chciało mi się nawet rozmawiać o psychologii.

– Co ci zamówić? – spytał, zmierzając w stronę bufetu.

– Kawę.

– Coś jeszcze?

– Nic, tylko kawę, nie chce mi się jeść – odpowiedziałam.

Mark pokręcił głową.

– Nie miałem pojęcia, że będziesz dziś na wydziale psychologii – powiedział, stawiając na stoliku dwie kawy i ciastko z makiem.

– A co by to zmieniło, gdybyś wiedział? – zaciekawiłam się.

– Pewnie nic, po prostu chciałem przedtem z tobą porozmawiać.

– I co by to zmieniło? – powtórzyłam z nieukrywaną ironią.

– Doprawdy nic. Byłabyś tylko trochę lepiej przygotowana do rozmowy, nic poza tym.

Wzruszyłam ramionami. Masz rację, stary, zawsze lepiej być przygotowanym, to nie zaszkodzi. Tylko co z tego.

– Marinka – odezwał się, nienaturalnie ciepło wymawiając moje imię. – Rozważmy to wszystko jeszcze raz, krok po kroku, tak jeszcze ze sobą nie rozmawialiśmy. Jeżeli zmienisz kierunek...

– Ale ja nie mam zamiaru – przerwałam mu. – Nie mam ochoty zaczynać wszystkiego od nowa i płacić za dodatkowy rok! – Ucisk w krtani ustąpił.

– Spokojnie, maleńka, ot, tak teoretyzujemy tylko, prawda?

– Hmm.

– No więc, załóżmy, że się przeniesiesz, ty czy ktoś inny...

– Na pewno nie ja.

– Dobrze, powiedzmy, że ktoś zaczyna studia na psychologii. – Mark zlekceważył moją uwagę. – Żeby dostać licencjat, potrzebuje czterech lat, potem jeszcze musi studiować dwa lata, żeby zrobić magisterium. Ale to nie koniec. Psycholog kliniczny powinien mieć doktorat, dodaj więc do tego pięć lat. Bez doktoratu nie można wykładać ani otworzyć prywatnej praktyki. Razem wychodzi nam jedenaście lat.

– Jedenaście lat? – zdumiałam się. – Miałabym wtedy trzydzieści trzy lata, chyba nie dożyję.

– Ponadto – ciągnął Mark – po zakończeniu studiów musisz napisać pracę, a potem jeszcze zdać bardzo trudny egzamin, żeby otrzymać licencję.

Nie traktowałam poważnie tego, co Mark do mnie mówił, słuchałam go jedynie z grzeczności. Jedenaście lat, łatwo mu powiedzieć – bez pieniędzy, bez pracy, a moje życie osobiste? Przykro mi, ale to nie dla mnie, niech Mark wbija to do głowy komu innemu, ale nie mnie.

– A teraz słuchaj uważnie. To jest konwencjonalny plan studiów, czyli nie dla nas.

– Nie rozumiem.

– Ja i ty jesteśmy niekonwencjonalni, więc to nas nie interesuje.

Uśmiechnęłam się sceptycznie i pokręciłam głową. Ciekawe, co jeszcze wymyśli. Jednak ku swemu zaskoczeniu zaczęłam słuchać.

– Na pewno zaliczą ci trzy semestry, ale ty masz za sobą sześć.

– Nie zaliczą! – niemal wykrzyczałam. – Przecież już ci mówiłam, nie zaliczą, przecież dziś się o to wykłócałam. Dziwny jesteś, cały czas ci to mówię, a ty swoje.

– Pozwól mi wreszcie coś powiedzieć – spokojnie poprosił Mark.

– Mów.

– Tę sprawę biorę na siebie, moja w tym głowa. Będziesz miała zaliczone trzy semestry. – Jego obietnica była bardzo tajemnicza, ale brzmiała wiarygodnie.

– Do licencjatu pozostanie ci dwa i pół roku, ale powinnaś go zrobić w dwa lata, a najlepiej po półtora roku.

– Jak to? – zaintrygował mnie.

– Będziesz zaliczać nie trzy czy cztery przedmioty, ale pięć albo sześć. To maksimum dwa lata studiów. Magisterium zrobisz w rok, a nie w dwa lata, to też jest możliwe. No to razem mamy trzy lata. Na pracę doktorską też masz trzy lata. To razem sześć. Potem obrona, to sześć i pół roku. Teraz masz dwadzieścia dwa lata, w dwudziestym ósmym roku życia dostaniesz licencję psychologa klinicznego. To nie jest szczególne osiągnięcie, to w zasadzie normalne.

– A szczególne osiągnięcie? – zainteresowałam się.

– Szczególne osiągnięcie – to w dwudziestym szóstym roku życia, czasami, ale to rzadkość, w dwudziestym piątym. Straciłaś trochę czasu przez tę swoją emigrację, ale dwadzieścia osiem lat to wiek w pełni satysfakcjonujący, później byłoby to nie do przyjęcia, liczy się wiek, w którym uzyskasz doktorat. Może to niezbyt mądre, ale jest to konkretny wskaźnik, zanim pojawią się inne – artykuły, prace naukowe i tak dalej. W twoim wypadku dwadzieścia osiem lat to bardzo dobry wynik. Środowisko zrozumie – jesteś Rosjanką, najpierw musiałaś się nauczyć języka, w Stanach zaczynałaś od zera, nie miałaś żadnego zaplecza, żadnego wsparcia, do wszystkiego dochodziłaś sama. To przemawia na twoją korzyść, zjedna ci sympatię, a więc minusy staną się twoim wielkim plusem.

Mark mówił to z takim spokojem, zwyczajnie, ze znawstwem tematu, zdecydowanie, że moje marzenia znowu się ożywiły, a może cały czas były ze mną, tylko na chwilę się przyczaiły? Ale nie mogłam tak łatwo wyrzec się kobiecych kaprysów.

– Co za różnica, dwadzieścia osiem czy dwadzieścia pięć lat? W moim wypadku jedno i drugie jest mało realne.

Mark uśmiechnął się.

– Oczywiście, maleńka, to nie będzie łatwe, czeka cię sześć bardzo ciężkich lat, ale dasz radę. Jeśli nie ty, to kto? – Popatrzył na mnie i dodał: – Zresztą masz mnie, ja ci pomogę.

Wpatrywałam się w jego twarz. Nie pierwszy raz pomyślałam, że Mark musiał wiele w życiu przeżyć, trudno mi nawet to sobie wyobrazić, tyle wie, tyle potrafi. Nagle zdałam sobie sprawę, jak bardzo Mark nie pasuje do tego studenckiego bufetu, hałaśliwego, brudnego, z jego beztroską, chaosem i jakąś tymczasowością. Zobaczyłam, jak wielki dystans dzieli go od tego studenckiego bractwa, które się tu kłębi. Ciekawe, dlaczego ja tego dystansu nie odczuwam, dlaczego nigdy o nim nie myślałam. Dopiero w tym niedorzecznym bufecie uświadomiłam sobie, że Mark ma po prostu taki styl – nie daje mi odczuć dystansu i dzielącej nas przepaści.

Przypomniałam sobie naszą wizytę u moich przyjaciół, sympatycznej pary, małżeństwa. Ona była w siódmym miesiącu ciąży i oboje tylko tym żyli. O niczym więcej nie rozmawiali. Mark, podtrzymując temat wychowania dzieci, powiedział, że chyba najważniejsza jest umiejętność zejścia do poziomu dziecka, niezależnie od wieku dziecka, przeżywania z nim jego pasji, kłopotów, zmartwień, radości. Rodzic, w miarę rozwoju dziecka, w miarę pojawiania się w jego życiu nowych tematów i zainteresowań, z poziomu swojej dorosłości powinien bezustannie się do dziecka dostrajać.

Dodał jeszcze, że jest to jedyna droga do skracania naturalnego dystansu pomiędzy rodzicami i dzieckiem. Tak właśnie to określił: „skracanie dystansu". Nie ma innego sposobu na to, by dobrze wychować syna czy córkę, dać im możliwość pełnego i niezakłóconego rozwoju osobowości. To jest lepsze niż moralizowanie, pouczanie, strofowanie i nieustanna kontrola. Dziecko powinno być przyjacielem, współtowarzyszem życia.

Jednak przede wszystkim, powiedział wtedy Mark, jest to jedyna, niepowtarzalna okazja przeżycia wszystkiego od nowa, jeszcze raz – dzieciństwa, młodości. Tylko teraz razem z małą istotką. Pamiętam, jak bardzo to zainteresowało moją przyjaciółkę. Spytała Marka, czy ma dzieci. Odpowiedział, że nie. Na pytanie dlaczego, tylko się uśmiechnął i bezradnie rozłożył ręce.

Przypomniałam sobie teraz tę rozmowę i doznałam olśnienia. Czy nie z takiego powodu Mark zniża się do mojego poziomu? Czy nie taki cel mu przyświeca? Czy nie chce jeszcze raz przeżyć tego rozdziału swego życia – od dwudziestu dwóch lat? Młodości?

Ta nieoczekiwana myśl spowodowała, że doznałam szoku. Zaczęłam go podejrzewać o realizowanie własnych marzeń i korzyści, nawet tak niedorzecznych jak ta. Postanowiłam natychmiast odpędzić tę niegodziwą myśl, tłumacząc sobie, że jeśli Mark ma taki cel, to na pewno wybrał go podświadomie i w żadnym wypadku nie działa z wyrachowania. A jeśli mimo wszystko dobrze to przemyślał? I co w tym złego? Przecież to go nie dyskredytuje, nie świadczy o nim źle i nie deprecjonuje jego stosunku do mnie, przeciwnie, nadaje mu tylko głębi.

Przyjrzałam mu się wnikliwie. Mark w swoich ulubionych dżinsach, w koszuli rozpiętej pod szyją. Ktoś mógłby pomyśleć, że jest młodym, liberalnym profesorem, który coś wyjaśnia swojej studentce, czyli mnie.

– Co powinnam teraz zrobić? – spytałam.

Byłam spokojna, niedawne wzburzenie minęło jak ręką odjął. Znów poczułam zdecydowanie i pewność siebie.

– Teraz musisz jeszcze raz wypełnić ankietę i napisać podanie z prośbą o zaliczenie ci jak największej liczby przedmiotów, a potem złożyć te dokumenty w dziekanacie wydziału psychologii.

– To nie jest takie trudne – skonstatowałam i uśmiechnęłam się do Marka.

Mark odpowiedział na mój uśmiech.

– Nie jest trudne.

11.

Stało się tak, jak Mark powiedział. Złożyłam w dziekanacie podanie o przeniesienie na wydział psychologii wraz z prośbą o zaliczenie mi przedmiotów, z których już zdałam egzaminy. Pisma opatrzyłam niezbędnymi załącznikami.

Po dwóch tygodniach otrzymałam pismo z uczelni z informacją, że moje podanie zostało rozpatrzone pozytywnie, czesne wyniesie tyle i tyle, jeżeli zamierzam się ubiegać o stypendium – moja sytuacja finansowa niewątpliwie mnie do tego upoważniała – to powinnam się stawić tam i tam z takimi a takimi zaświadczeniami. Najbardziej zaskakującą wiadomość – przyznam, że trochę się jej spodziewałam – dołączono na oddzielnej, niewielkiej kartce. Krótki tekst informował, że komisja wydziałowa po rozważeniu mojej sprawy podjęła decyzję o zaliczeniu mi przedmiotów, które zakończyłam egzaminem, a dalej wymieniano je wszystkie po kolei.

Chwyciłam kalkulator i po nieskomplikowanych rachunkach, chociaż wielokrotnie z powodu własnego niedowiarstwa powtarzanych, zamieniłam te przedmioty na seminaria, godziny, tygodnie, miesiące i semestry, by upewnić się ostatecznie, że zaliczono mi ni mniej, ni więcej tylko trzy semestry. Zadzwoniłam do Marka, ale nie zastałam go w domu, włączyła się automatyczna sekretarka. Może to lepiej, pomyślałam, niesktadne podziękowania czasem zręczniej jest powierzyć bezdusznej maszynie.

– Mark! Mark! Jesteś wielki! Może jeszcze mógłbyś namówić tych swoich profesorów, żeby dali mi trochę wyższe stypendium? Z miłości do wiedzy chyba do końca życia nie wyplączę się z długów– zdobyłam się na odwagę, i nim odłożyłam słuchawkę, dopowiedziałam już innym tonem, pełnym serdecznego ciepła: – Dziękuję ci, kochanie.

Wyszłam z domu. Kierując się naturalnym instynktem, zajrzałam do niedrogiego sklepiku, gdzie kupiłam taniutką koszulę w rozmiarze Marka, i dołączywszy do niej pocztówkę z uroczym kotkiem (kupioną w sklepie obok), zaniosłam paczkę na pocztę i wysłałam do Marka.

Mark zadzwonił następnego dnia. Powiedział, że wysłuchał nagrania i odebrał przesyłkę, której nie traktuje jako łapówki, lecz jako wyraz wdzięczności. Mówił to tak radośnie, wesoło, że i ja poczułam radość.

– Jaką przesyłkę? – udałam, że nie rozumiem, o czym Mark mówi. – A... tę... to drobiazg, wczoraj wszystkim przyjaciołom wysłałam takie koszulki. Aha, rozmiar dobry? Pasuje do koloru twoich oczu? – trajkotałam jak najęta, ciesząc się chyba bardziej niż Mark, że mogłam mu sprawić drobną niespodziankę.

– Maleńka – powiedział, kiedy zakończyliśmy temat „koszula” – wyjeżdżamy na tydzień do Cape Cod, w najbliższy poniedziałek, zarezerwowałem już pokój.

Słyszałam o Cape Cod, niewielkim uzdrowisku nad Atlantykiem, gdzie Golfstrom prawie omywa brzeg, wiedziałam, że ten raj jest całkiem niedaleko, trzy godziny jazdy z Bostonu, ale nigdy tam nie byłam.

– Nie, nie, kochanie. Nie mogę. Nie dostanę urlopu.

Zrobiło mi się okropnie smutno, niemal do łez, że ciepły Golfstrom nie opłucze mojego ciała, że sto lat się nie opalałam.

– Przecież odchodzisz z pracy. Jak to, jeszcze nie wiesz? – powiedział Mark.

– Mark, kochanie, chyba coś ci się pomyliło. Jeszcze nie jestem doktorem. Niewiele zarabiam, ale żyć bez tej pensji nie mogę.

– Co za wyrachowana osóbka! – Głos Marka był podejrzanie beztroski, co obudziło moją czujność. – Maleńka, pracujesz już gdzie indziej, masz nową pracę, zgodną z kierunkiem studiów.

– Mark, miły mój, błagam, zlituj się... za dużo tych rewelacji! Jaką pracę? Gdzie?

– Wybacz, ale to nie jest rozmowa na telefon. Spotkajmy się, to wszystko ci opowiem. O której kończysz pracę?

Kiedy się spotkaliśmy, Mark powiedział mi, że ktoś z jego przyjaciół, nazwiska nie wymienił, prowadzi dom opieki dla ludzi chorych psychicznie, niezdolnych do samodzielnego życia, którym jednak nie jest potrzebna hospitalizacja z pełnym reżimem, dlatego przebywają w takim pensjonacie, w warunkach zbliżonych do domowych, każdy pacjent ma tam własny pokój, chorzy żyją jakby w komunie, sami sobie gotują, sprzątają, krótko mówiąc, jeżeli byśmy odwołali się do analogii z mojego dzieciństwa, jest to mniej więcej obóz pionierów. Rozwijając dalej tę analogię, można powiedzieć, że na obozie był komendant, który sprawował opiekę nad dziećmi, przymykał oczy na palenie papierosów i całowanie się, jeśli wiek podopiecznych to dozwalał. Przyjaciel Marka zaproponował mi właśnie taką funkcję – komendantki obozu pionierów.

– Praca jest do wytrzymania – opowiadałam Katce te wszystkie nowości przez telefon. – Trzy razy w tygodniu, od ósmej wieczorem do ósmej rano, razem trzydzieści sześć godzin, w nocy można spać. Trzeba tylko pilnować pacjentów, żeby nic sobie nie zrobili i przyjmowali lekarstwa.

– A pensja? – zainteresowała się nietaktownie Katka.

– Nawet lepiej jak w sklepie – odpowiedziałam wymijająco.

– Nie „nawet lepiej jak”, tylko „znacznie lepiej niż”, jeżeli już padłaś ofiarą amerykanizacji, to ci podpowiadam – podsumowała Katka, ucinając ten temat.

12.

Kiedy skończyły się zajęcia na uniwersytecie, wyjechałam z Markiem do Cape Cod. Był początek lata, sezon dopiero się rozpoczynał, niewielki kurort, gdzie Mark wynajął dla nas mieszkanie, powoli wchodził w okres nerwowego podniecenia, przygotowując się na prawdziwą inwazję wczasowiczów, jeszcze nie nużył głośną wrzawą i zamieszaniem. Ulice i małe kawiarenki, które już rozstawiły stoliki i parasole, były jeszcze puste i ciche. Przemykające od czasu do czasu samochody nie zakłócały urlopowej idylli. Leniwą atmosferę miasteczka ożywiał rześki powiew oceanu.

Przez cały tydzień obrzydliwie leniuchowaliśmy. Co dzień spacerowaliśmy brzegiem wąskiej plaży. Przypływ oceanu przyniósł stęchłe zapachy wodorostów, wsłuchiwaliśmy się w huk wysokich fal, głuszący histeryczne krzyki mew. Kiedy upał stawał się nie do wytrzymania, żegnaliśmy się z oceanem do następnego ranka i snuliśmy się po krętych zaułkach, zaglądając do maleńkich galerii i sklepików, gdzie przymierzaliśmy kapelusze od słońca i panamy, oglądaliśmy wczasowe gadżety. Kiedy mieliśmy dosyć włóczenia się po sklepikach, siadaliśmy przy białym stoliku w którejś z lilipucich kawiarenek. Właścicielka, ciesząc się, że może z kimś zamienić parę słów, przynosiła nam po lampce koniaku, piwo albo sok.

Był to mój pierwszy urlop w Stanach. Nierealne miasteczko ze snu, z maleńką przystanią i łódkami kołyszącymi się na lekko falującej powierzchni wody, białymi jak wszystko tutaj, z bezwstydnie nagimi masztami bez żagli – wszystko to przypominało mi jakąś smutną baśń Aleksandra Grina, całkowicie zapomnianą, która nagle wychynęła z pamięci odległego dzieciństwa.

Brodząc po kolana w chłodnej wodzie, łowiłam kolorowe otoczaki i muszle o dziwnych kształtach, biegłam, żeby je pokazać Markowi, a potem, we dwoje, wybieraliśmy najciekawsze okazy, by zabrać je ze sobą do Bostonu. Oplatałam ramionami jego szyję, wspinałam się na palce i przywierałam ustami do jego rozgrzanego, pachnącego słońcem policzka.

Mark obejmował mnie wpół i mocno przytulał, unosząc nad ziemią, coś chrzęściło mi w kościach, traciłam oddech i rozpaczliwie chwytając powietrze, szeptałam: „Puść, bo mnie udusisz". Znajdowałam ustami jego usta, gryzłam je delikatnie, czułam lekki posmak koniaku, niemal wprasowana w jego ciało, próbowałam odchylić głowę, a wtedy moje oczy spotykały się z jego oczami, były tak blisko siebie, że niemal stapiały się w jedno drżące spojrzenie, zamykane naszymi złączonymi wargami. Nagle odrywałam się od Marka, osłabiona długim bezdechem, Mark obejmował moje nagie ramiona i znowu szliśmy na plażę, coś do mnie mówił, a ja się zastanawiałam: „Jeżeli to nie jest szczęście, to jak wygląda szczęście?".

Nigdy do tej pory nie kochałam się tak intensywnie, niemal bez przerwy. Może teraz było tak dlatego, że nic innego, żadne sprawy i troski nie zajmowały mojego cudownie zrelaksowanego umysłu, nie odrywały go od Marka, wciąż pragnęłam się z nim kochać. Niewyszukane krótkie pieszczoty, nagłe przejścia od pragnienia do spełnienia silnie mnie podniecały.

Ilekroć tylko zapragnęłam, w każdej chwili mogłam dać mu dyskretny znak zachęty, przesuwając paznokciem po jego dłoni, spojrzeć prosto w oczy i szepnąć: „Chcę ciebie", wtulić się w niego, poczuć całym ciałem jego gotowość i usłyszeć bardziej stwierdzenie niż pytanie: „Idziemy?".

Droga do domu tchnęła niecierpliwością oczekiwania na tę piękną chwilę, równie podniecającego jak miłość. Nogi przyspieszały, ale umysł starał się je spowolnić, pragnąc rozciągnąć w czasie jeszcze niewinne i dlatego coraz bardziej obezwładniające pragnienie. Wiedziałam, że się nie skończy, zanim dojdziemy do domu, będzie narastało, wniknie w każdą komórkę mojego ciała, wedrze się do mózgu, rozleje się rumieńcem podniecenia po policzkach, zamgli wzrok, dojdzie do zenitu, spinając mięśnie brzucha, już... już...

W pokoju, wyzwolone z miejskich konwenansów, nasze spragnione siebie ciała sprawnie, w ułamku sekundy wyplątywały się z plażowych spodenek, podkoszulków i skąpej bielizny, wtulały się w siebie, unosiła je nieokiełznana moc naszych dotyków, ocierań, pocałunków, nasze mózgi eksplodowały, niepotrzebne były nam żadne zalecane gry wstępne, miłosne preludia, książkowe porady i pomysły na spotęgowanie rozkoszy. Nasze ciała i dusze przebywały w naturalnym dla nich stanie nieważkości, łączyły się w jeden organizm, rozmywała się świadomość, instynktowna, żywiołowa praca naszych bioder wpadała w miłosny rezonans z ostatnim uczuciem, jakie jeszcze w nas zostało, a w którym zwarły się i stopiły wszystkie inne – czułość, pieszczota, uwielbienie, miłość – jedynym odczuciem, które jeszcze wiązało nas z rozkołysaną gdzieś w dole, pod naszymi stopami, kulą ziemską.

Dokonała się we mnie niezwykła przemiana: nie dążyłam już do naturalnego finału tej zniewalającej namiętności. Bałam się go, wiedząc, że zakończy, zniszczy i unicestwi szalony stan mojego ciała. Kiedy władcza, lecz ostrożna i delikatna dłoń Marka chwytała nagle moją nogę, unosiłam powieki i widząc nad sobą jego szmaragdowe błyszczące oczy, rozpaczliwie machałam głową, bo oduczyłam się słów, i dopiero po chwili, zmobilizowana zagrażającym niebezpieczeństwem, przypominałam sobie najprostsze ludzkie dźwięki, szeptałam, wiedziona instynktem, nie w pełni świadomie: „Nie, nie, jeszcze nie teraz".

Moje przeżywanie miłości wyostrzyło się i wzbogaciło o nieporównywalnie głębsze emocje, niż mógł mi je ofiarować ten finalny, ostatni wybuch namiętności, wieńczący nasze pożądanie i nasze miłosne zwarcie – orgazm, niechby i największy, najpotężniejszy, najdłuższy w życiu. Odraczanie tej chwili, odciąganie jej w czasie pozwalało mi doznawać znacznie więcej rozkoszy, coraz bardziej intensywnej, zaskakującej, nieznanej i dlatego zawsze owianej nową tajemnicą. Intensywność orgazmu też zresztą zależała od tego, jak długo udawało nam się nad nim zapanować.

Dopiero kiedy ciało Marka wyginało się w spazmie rozkoszy, kiedy jego twarde, napięte mięśnie podwajały wagę, boleśnie zagarniając mnie pod siebie, a jego ręka konwulsyjnie zaciskała się na mojej ręce, zadając ból, którego moje rozpalone zmysły nie mogły już poczuć, zamierałam cała, by za chwilę wybuchnąć, rozpaść się na miliony atomów... wtedy moje ciało nagle ulegało, poddawało się wszechogarniającej rozkoszy, nagłym szarpnięciem wychodziło na spotkanie drugiej rozkoszy, gotowe na jej przyjęcie, niezdolne do obrony, ostatkiem sił zdążyło już tylko zacisnąć się na twardym jeszcze penisie... i porywała mnie fala ognia, rozchodziła się od podbrzusza w górę, ogarniała całą resztę mojej ludzkiej i kobiecej istoty, mieszała się z krzykiem, przeszywała zaciśnięte boleśnie pięści...

Wrażliwe, podniecające koniuszki palców Marka biegły w dół, pieszcząc mój rowek, obrysowując najczulszym dotykiem jego kształt i granice, moje omdlałe, pozbawione skóry ciało, a może w tej nieprawdopodobnej chwili zrzucające skórę, wyrywające się z niej na wolność, odpowiadało na tę pieszczotę drżeniem i dygotem, podchodzącym aż pod samo serce, a wtedy serce niebezpiecznie zatrzymywało bicie...

Zniewalająca rozkosz przechodziła w gigantyczne zmęczenie, w osłabiające wycieńczenie, nie tylko cielesne, fizyczne, gdyż ogarniało ono również moje uczucia, emocje, wrażenia, wolę, pragnienia, myśli, obezwładniało nogi, znieczulało piersi, ręce stawały się jak z ołowiu, palce leżały bezwładnie na białym prześcieradle, mózg wypełniał się ołowiem... Wydawało mi się, że ten akt miłosny wyczerpał na zawsze wszystkie zapasy mojej energii, bo nie było już we mnie siły i pragnienia życia...

Każda komórka mojego ciała i mojej duszy oddawała mojej miłości tajemnicę życia, swoją życiodajną i życionośną cząsteczkę – tylko tak mogłam sobie wytłumaczyć to nieznane zmęczenie z pogranicza wędrówki w zaświaty.

Powiedziałam Markowi: „Kocham cię na poziomie komórkowym".

Była to prawda. Mark przeniknął do każdej mojej komórki. Czułam jego istnienie już nie fizycznie, nie dotykiem ręki, piersią, podbrzuszem czy inną częścią ciała, lecz wszystkimi komórkami jednocześnie, nawet położonymi najgłębiej, ukrytymi, schowanymi pod żebrami, w miąższu wątroby, w pęcherzykach płuc, i tymi z powierzchni skóry – z dołka pod kolanem, z żyłki pulsującej na szyi. Wszystkie moje komórki oddały mu się, bezwiednie składając siebie w ofierze, za nic mając moje potrzeby życiowe, każda z komórek, nie mając dla mnie litości, na pierwsze skinienie Marka oddawała mu moje życie, wymykając się mi spod kontroli.

Piękna, letnia baśń dobiegła końca. Siedziałam, przerażona, w Markowym porsche, pędzącym do Bostonu. Z rozpaczą myślałam o tym, że ten cudowny świat już nigdy się w moim życiu nie powtórzy, zerkałam ukradkiem na Marka, który z nie znanym mi dotychczas napięciem ściskał kierownicę samochodu. W pewnej chwili, nie odrywając wzroku od pasma szosy, odezwał się:

– Wiesz co, przeprowadź się do mnie.

Propozycja była tak nieoczekiwana, że doznałam wstrząsu. Nigdy nie myślałam o zamieszkaniu z Markiem. Naszą bliskość traktowałam jak boski dar niebios, cud, magię, nie zastanawiałam się, dokąd mnie ona zaprowadzi, co będzie z nami dalej. Nie myślałam o Marku jako o przyszłym mężu ani jako o przelotnym, niezapomnianym romansie, w ogóle nie określiłam jego statusu w moim życiu, upajałam się jego obecnością, nie płosząc jej pytaniami o codzienność – jak to się stało, dlaczego, co z nami będzie. Od dawna wiedziałam, że związek między dwojgiem ludzi, jak wiele innych spraw w życiu, rządzi się własną dynamiką, która go determinuje, ma wpływ na jego rozwój i treść. Kiedy dynamika zamiera, przechodząc w stan statyczny – relacje też się kończą, wypalają.

Wiedziałam, że związek między mężczyzną i kobietą musi mieć nieustanny dopływ powietrza, przeobrażać się, ewoluować w czasie, być w ciągłym rozwoju, w stanie wiecznego tworzenia. Rozumiałam to. Moja miłość do Marka jeszcze nie potrzebowała dodatkowych, zewnętrznych podniet, bo cały czas była wzmacniana tym nowym impulsem, tak zaskakującym w naszych wzajemnych kontaktach, w każdym słowie, spojrzeniu, geście. Chroniły ją nasze, za każdym razem przeżywane po raz pierwszy i z nową siłą, najgłębsze doznania zmysłowe, a przede wszystkim niekończące się opowiadania Marka – zaskakujące, pobudzające moją wyobraźnię, fantastyczne, z innego świata, no i moje, ciekawe i osobliwe dla niego, wspomnienia z dawnego życia.

Dopiero w wiele lat później zdałam sobie sprawę, że źródłem pozytywnej dynamiki w świecie pełnym kłopotów i braków, niezaspokojeń i trosk, niepokoju o przyszłość, teraźniejszość i przeszłość, w świecie, gdzie wszystko, także seks, poddaje się nudzie, staje szarą codziennością, traci czar – jedynym, wiecznie czynnym źródłem dynamiki, ciągłego ruchu do przodu, rozwoju – jest intelekt. To on, nieograniczony, jak seks, zestawem pozycji, technik lepszych i gorszych (mimo że ideałem byłoby uwolnienie od ograniczeń i ram), przełamując własne blokady i kordony, jak by się mogło czasem wydawać, nieistotne, przedzierając się przez wydarzenia codzienności, powszednie rozmowy, wnosi w monotonię życia świeżość myśli i wrażeń, stwarza tę nadzwyczajną, wieczną, życiodajną dynamikę – dynamikę stosunków międzyludzkich, relacji między kobietą i mężczyzną.

Kiedy wracałam do domu, Mark witał mnie w drzwiach do salonu, boso, z długopisem, nieodmiennie przypiętym skuwką ku górze do drugiego guzika rozpiętej pod szyją koszuli, i z książką w ręku, przyciskając wskazujący palec do stronicy, którą czytał. Dawałam mu usta do pocałowania i, zmęczona, wlokłam się do kuchni. Tam Mark nalewał herbatę, robił lekką kolację, siadaliśmy przy stole, jeszcze przez chwilę studiował moją twarz, po czym zadawał pytanie: „No to co? Opowiadaj!". Opowiadałam mu wydarzenia mojego dnia, streszczałam myśli i refleksje, pozwalając sobie nawet na niewinne ploteczki.

Kiedy jakaś myśl szczególnie go zainteresowała, zatrzymywał się na niej, interpretował ją na swój sposób, ujawniając jej nowy, nieznany aspekt, ta myśl rodziła inną myśl, na którą nigdy bym nie wpadła, niekiedy przecierającą drogi do nowych, ledwie uchwytnych idei. Czasami Mark zapisywał ją w dwóch, trzech słowach, zrozumiałych tylko dla niego, hasłowo, w notesie, który zawsze nosił w kieszeni spodni.

Potem opowiadał mi o swoim dniu, o wszystkim, co dotyczyło jego osoby, ubarwiając relację nagłym zmyśleniem, wzbudzającym w nas wesołość, śmieliśmy się razem, patrzyłam mu prosto w oczy i myślałam: „Wcale mi się z tobą nie nudzi, Mark".

Stopniowo opadało z nas zmęczenie. Jeżeli pora była niezbyt późna i nie mieliśmy pilnych spraw na następny dzień, siedzieliśmy tak z godzinę czy dwie, drążąc zawiłości problemu, nad którym on albo ja, a niekiedy oboje, pracowaliśmy, albo prowadziliśmy mniej lub bardziej abstrakcyjny dialog.

Dopiero później zrozumiałam, że te rozmowy tworzyły ową pozytywną dynamikę naszego związku i że to ona ubarwiała, dodając im specyficznego klimatu, nasze dni. Kiedy coś się w moim życiu wydarzało, zawsze zastanawiałam się, jak opowiem o tym Markowi i jak Mark zareaguje, co pomyśli. Zresztą, popijając herbatę, trudno dyskutować na bardzo poważne tematy, powaga wymaga spokoju, dlatego poświęcaliśmy jej inny dzień, kiedy nasze umysły nie były tak zmęczone.

13.

Ale to było później. Teraz Mark nagle zaproponował mi przeprowadzkę do swojego mieszkania. Odniosłam wrażenie, że w tej samej chwili przeraził się swojego własnego braku rozsądku, i dlatego nie od razu odpowiedziałam.

Jechaliśmy w napiętym milczeniu, które stawało się dla nas obojga coraz bardziej nie do zniesienia. Musiałam coś odpowiedzieć, żeby je przerwać.

– Dziękuję – wydusiłam – to miła propozycja, ale tak nieoczekiwana, że muszę się zastanowić, zanim odpowiem.

Nie była to kokieteria. Nie chciałam go także zwodzić. Naprawdę czułam jego przerażenie, dostrzegłam je w lekkim pochyleniu jego głowy, w dłoniach zaciśniętych na kierownicy.

W pierwszej chwili pomyślałam, że będę go teraz miała każdej nocy, nawet przez sen będę czuła ciepło jego oddechu, zawsze będzie w zasięgu moich warg, będę się wtulać w jego ramię, a kiedy rano otworzę oczy, na nim, moim ukochanym Marku, zatrzyma się moje pierwsze spojrzenie – i ta myśl oszołomiła mnie, była pierwszym zwiastunem nie znanego mi jeszcze szczęścia bez granic. Ale nie chciałam wykorzystywać słabości Marka, jego emocjonalnego zamętu. Wiedziałam, że teraz, po upajającym tygodniu naszej bliskości, nie będzie mu łatwo tak zwyczajnie podwieźć mnie pod dom, pocałować na pożegnanie i usłyszeć moje, już rutynowe: „Zdzwonimy się". Nie chciałam go stawiać w kłopotliwej sytuacji tak idiotycznego pożegnania, pomyślałam, że jeśli życzenie Marka wytrwa do rana, uwolni się od przelotnych nastrojów i emocji, to ja na pewno podporządkuję się mu jako jedynej szansie mojego istnienia.

– Dobrze – odezwał się Mark.

Resztę drogi odbyliśmy w milczeniu.

Mark zatrzymał samochód pod moim domem i sięgnął po moją małą walizkę, która leżała na tylnym siedzeniu. Poczułam, jak nagły zawrót głowy odbiera mi władzę w nogach, chyba nie uda mi się ich zmusić do pokonania tych kilku wydeptanych schodków do drzwi. Nie miałam siły pożegnać się z Markiem, opuścić jego ramion, dowlec się do tego bezsensownego miejsca – mojego mieszkania – zapaść w jego samotność, która miała woń starej, zdeptanej wykładziny podłogowej.

– Pomóc ci? – spytał, podając mi walizkę. Jego niezręczność świadczyła o wielkim zakłopotaniu.

– Nie, Mark, dziękuję. – Spróbowałam wykrzesać z siebie choć cień uśmiechu. – Dam sobie radę. Zadzwonisz? – Postanowiłam wziąć się w garść, podeszłam do niego i wspinając się na palce, musnęłam jego wargi. – Będę czekała, dobrze? – Chciałam, żeby potwierdził, że zadzwoni.

Mark uśmiechnął się i kiwnął głową. Mój przelotny pocałunek sprawił nam obojgu pewną ulgę, uświadomił, że nie tracimy siebie bezpowrotnie, lecz tylko się rozstajemy na tę jedną, krótką noc.

Nową pracę zaczynałam za dwa dni. Miałam przed sobą jeszcze jeden beztroski ranek, ale obudziłam się już o szóstej, pełna napięć i lęków, niestety, nie udało mi się dłużej pospać. Wstałam, narzuciłam na siebie szlafrok i poszłam do łazienki, wlokąc za sobą telefon. Sznur był za krótki, więc zostawiłam otwarte drzwi do łazienki, żeby usłyszeć dzwonek.

Kiedy później opowiadałam Markowi o moich porannych niepokojach, wyznał, że też otworzył oczy o świcie, chociaż nigdy tak wcześnie się nie budził, ale nie miał odwagi do mnie dzwonić, myślał, że jeszcze śpię.

Wzięłam prysznic. Kiedy opuszczałam łazienkę, dochodziła siódma. Podeszłam do okna, nie bardzo wiedząc, co o tej porze robić. Bałam się wyjść z domu. W tym czasie Mark mógł zadzwonić. Zaparzyłam kawę i zaczęłam przeglądać leżący na stoliku magazyn poświęcony modzie, który skądś znalazł się w moim ponurym domu. Wpatrywałam się w zdjęcia pięknych modelek, chociaż nieraz już studiowałam ich sylwetki, poczynając od wysokich obcasów po wymyślne fryzury – tak jak skrupulatny archeolog bada osobliwe wykopaliska.

Mark nie zadzwonił ani o ósmej, ani o dziewiątej. Pomalowałam paznokcie jaskrawoczerwoną emalią i zaczęłam się w nie tępo wpatrywać. Zastanawiałam się, kiedy i po co kupiłam ten wściekły lakier, przyniosłam z łazienki zmywacz, pokój wypełnił się duszącym zapachem acetonu. Był to chyba jedyny sposób, by usunąć z płuc stęchły zapach obrzydliwej wykładziny, na trwałe przyklejonej do podłogi.

O wpół do dziesiątej pomyślałam, że zadzwonię pierwsza. No i co z tego, że pierwsza, przecież prawie codziennie do niego dzwonię. „Jeżeli jego głos będzie taki jak zawsze, powiem, że przyjmuję propozycję i gotowa jestem się przeprowadzić" – pomyślałam. Podjęłam decyzję: odczekam jeszcze kwadrans i zadzwonię, ale później przesunęłam ten termin o następny kwadrans i o jeszcze następny.

Mark zadzwonił o wpół do jedenastej. Miałam mdłości. Nie wiem, czy spowodowane trzema filiżankami mocnej kawy, które wypiłam na czczo, czy nieprzyjemnym zapachem acetonu, a może ze zdenerwowania, które poczułam najpierw w żołądku, a potem w całym ciele. Głos Marka był irytująco radosny, wolny od wczorajszego zakłopotania, wręcz figlarny.

– Jak ci się spało? – spytał, jakby się domyślając mąk mojej bezsennej nocy.

– Dziękuję, tak sobie.

Postanowiłam niczego nie udawać, zresztą mój głos i tak by mnie zdradzał.

– Cały czas myślałaś? – pastwił się nade mną.

– Tak – przyznałam się.

Znów poczułam mdłości. Niepokój rozrastał się, mącił myśli, odbierał zdolność rozumienia najprostszych słów.

– No i co wymyśliłaś?

– Naprawdę chcesz, żebyśmy byli razem?

Zdobyłam się na ten akt kobiecej dyplomacji i świadomie powiedziałam: „żebyśmy byli razem", a nie: „żebym się do ciebie przeprowadziła". Chciałam mu dać do zrozumienia, że nie miejsce jest tu najważniejsze, ale to, że będziemy r a z e m, jak gdyby istniała jakaś inna możliwość – na przykład Mark wprowadzi się do mnie.

– Tak, chcę – odpowiedział.

Głos mu nie zadrżał. Mark był zdecydowany.

– Zgadzam się – wypaliłam nagle.

– Zaraz po ciebie przyjadę.

Jego błyskawiczna reakcja niewiele różniła się od mojej.

– Zaraz? – zdziwiłam się, nie wiem, czy z radości, że będziemy razem, czy z tak nagłego rozwoju wypadków.

– Tak, zaraz. Przecież jutro idziesz do pracy, dziś mamy dzień na przeprowadzkę. Poza tym bardzo się za tobą stęskniłem.

Wzruszyłam się. Mdłości i niepokój ustąpiły, a ich miejsce wypełniła potrzeba działania: muszę się ubrać, posprzątać, powitać Marka.

– Ja też się za tobą stęskniłam – odpowiedziałam radośnie. – Czekam na ciebie, zaraz zrobię ci śniadanie. – Co za niedorzeczny objaw miłości, pomyślałam.

– Zgoda – odpowiedział Mark i odłożył słuchawkę.

Zjawił się ze świeżymi bułkami.

Wyglądałam idiotycznie z oczami błyszczącymi ze szczęścia. Zawisłam na nim, wtuliłam się w niego i dosłownie wbijając głowę w jego klatkę piersiową, szepnęłam:

– To była moja najgorsza noc, wiesz?

Objął mnie wolną ręką, w drugiej wciąż trzymał torbę z bułkami.

– Nie miałem pojęcia, że przez tydzień można się odzwyczaić spać samemu, zupełnie nie wiedziałem, co mam zrobić z rękami – powiedział. – Ciągle mi się plątały.

Oderwałam głowę od jego piersi i obwiodłam go długim spojrzeniem. Jak żona. Jak ktoś najbliższy.

– Naprawdę nie wiedziałeś? Opowiedz mi o tym.

Uśmiechnął się. Chyba mu się podobała moja przenikliwość, ale wielkich tajemnic mi nie zdradził. Zaparzyłam kawę. Usiedliśmy do stołu. Przełamałam jedną z bułek i zobaczyłam w niej jakieś obce ciało, wydłubałam je, powąchałam, włożyłam do ust. Była to pestka słonecznika.

– Specjalnie pojechałem po nie do piekarni – pochwalił się Mark.

Odgryzłam niewielki kęs, na kawę nie mogłam już patrzeć, ale bułka była smaczna.

– Mark, jest jeszcze jedna sprawa... – zaczęłam.

– O co chodzi? – spytał.

– O przeprowadzkę. Nie obraź się, proszę, chciałabym opłacać chociażby część twojego czynszu za mieszkanie.

Roześmiał się.

– Posłuchaj... – nie dawałam za wygraną.

– Słucham.

– To przecież logiczne. Mieszkam tutaj i płacę, to mi weszło w nawyk, zaraz od pierwszego dnia. Bardzo chcę z tobą mieszkać, zdaję sobie sprawę, że twój czynsz jest dużo wyższy, nie stać by mnie było na opłacanie go w całości, dlatego...

Bardzo się denerwowałam, bo sprawa była niezwykle delikatna, nie miałam również pewności, jak to powiedzieć po angielsku. Zaplątałam się.

– Chcę płacić tyle, ile będę mogła. To nie w porządku, żebyś ty brał na siebie moje wydatki. To by mnie upokarzało... to...

Nie pozwolił mi dokończyć.

– Uspokój się, co ty wymyślasz? To jest moje własne mieszkanie, mam je od dawna, kupiłem, kiedy nie było jeszcze takie drogie. Jak mógłbym brać od ciebie pieniądze? Przecież nie wynajmuję ci mieszkania, chcę tylko, żebyśmy byli razem, rozumiesz?

Nie pomyślałam, że Mark może mieć własne mieszkanie. To jasne, że w takiej sytuacji głupio by było, gdyby brał ode mnie pieniądze. Nie chciałam jednak być na jego utrzymaniu. Mógłby podejrzewać mnie o wyrachowanie i materializm. Jednak wbrew mojej woli wdarła mi się do głowy niezbyt szlachetna myśl: gdybym uwolniła mój więcej niż skromny budżet od ciężaru opłat za mieszkanie, życie od razu stałoby się piękniejsze.

– Poczekaj – odezwałam się po chwili namysłu – przecież płacisz jeszcze rachunki za prąd, za telefon, za ogrzewanie, za co jeszcze? – Myślałam intensywnie, próbując sobie przypomnieć, za co jeszcze mogą płacić właściciele mieszkań.

– Tak, płacę – zgodził się Mark, nie doczekawszy się końca mojej wypowiedzi.

– No widzisz – ucieszyłam się – ile to wynosi?

Mark zastanowił się, po czym wymienił pewną kwotę, która stanowiła mniej więcej połowę czynszu za moją cuchnącą norę.

– No to od dziś nie będziesz się już musiał tym martwić.

– Maleńka... – próbował zaprotestować, ale nie dałam mu dojść do słowa.

– Nie kłóć się ze mną! To i tak będzie mniej, niż płacę za to mieszkanie.

Starałam się nie używać przy obcych słowa „nora”, nawet przy Marku. Mieszkanie na ile mogło, na tyle służyło mi przez te wszystkie lata tu, na obczyźnie. Nawet czułam do niego sentyment, chyba z powodu naszego rozstania.

– Jeżeli tak bardzo chcesz, to trudno, muszę się zgodzić. – Mark przystał wreszcie na moją propozycję.

– Tak, chcę – stwierdziłam zdecydowanie, jak gdyby sprawa dotyczyła przelotnego kaprysu, a nie świadomych wyrzeczeń finansowych.

14.

Przeprowadzka wymagała paru kursów. Do porsche nic się nie mieściło. Musieliśmy wynająć półciężarówkę. Na szczęście przeprowadzaliśmy się w dzień powszedni. Oprócz zwykłych obiboków nikt się w taki dzień nie przeprowadza, więc nie mieliśmy kłopotu z wypożyczeniem wozu.

Zawsze mi się wydawało, że nic nie mam. Kilka sukienek, dwie pary dżinsów, jakieś buty, trochę bielizny. Ale kiedy przyszło mi opróżnić każdy kąt, wysypać zawartość szuflad, zdjąć wszystko z półek, okazało się, że stos przeróżnych rzeczy utworzył całkiem pokaźną piramidę, może nie była to piramida Cheopsa, ale mimo wszystko byłam pod wrażeniem: skąd się tyle tego wzięło? Później się okazało, że i z poduszką trudno mi się rozstać, bo głowa się na niej dobrze układa, a pluszowy miś przypomina jakieś miłe zdarzenie albo sympatyczną osobę, więc nie można go zostawić? Reszta rzeczy też w zasadzie była zbędna, zresztą czy kiedykolwiek były mi potrzebne? No to dlaczego tak ciężko jest się ich pozbyć? „Jak można własnymi rękami zabić cząstkę pamięci tylko dlatego, że w puszce mózgowej już nie ma dla niej miejsca?" – pomyślałam. Niech to zostanie. I to jeszcze, i to... Znajdzie się miejsce. I miejsce się znajdowało.

Jestem sentymentalna. Przywiązuję się do rzeczy i mieszkań, a przede wszystkim do przeszłości. Wszystkie te przedmioty, jak domowe zwierzęta, tyle lat były mi wierne, służyły z oddaniem, dzieliły ze mną samotność, pomagały i dodawały otuchy. A kiedy udało mi się w życiu wspiąć na wyższy szczebel, zdradzam je, wyrzucam, nikomu już niepotrzebne skazuję na zagładę.

Zdawałam sobie sprawę, że moje dzbanuszki, talerze, pufy, a nawet stolik, nie mówiąc o innych przedmiotach, które tylko z powodu pewnej funkcjonalności zyskały prawo do nazywania ich meblami, nie miały racji bytu w domu Marka. Mimo to nie potrafiłam ich wyrzucić.

Mark doradził, bym sprzedała je za symboliczną opłatę, wystawiając przed dom. Ludzie wyprzedają różne niepotrzebne sprzęty sąsiadom czy przypadkowym przechodniom. Nie zgodziłam się. Może to snobizm. Może brak nawyku do podobnych akcji. Nie wyobrażałam sobie, bym mogła się rozsiąść pośród bliskich mi domowych sprzętów i ustalać na nie cenę. Stwierdziłam, że już lepiej dać ogłoszenie do miejscowej gazety: „Oddam w dobre ręce, najchętniej rodzinie z dziećmi, wierny, przyjazny puf", czym ubawiłam Marka.

Następnego dnia doznałam olśnienia. Zorganizuję wieczorek pożegnalny dla bliskich mi osób, Rosjan, na który będzie mógł przyjść każdy, kto się o tym dowie. Będzie to wieczór niespodzianek. Kto będzie chciał, może sobie wziąć nie więcej niż dwie rzeczy z mojego domu, które najbardziej mu się podobają (czy coś się tam mogło podobać?).

Mark pochwalił pomysł. Nigdy nie miał okazji zobaczyć moich rodaków w warunkach naturalnych, kiedy nie zwracaliby na niego uwagi, nie starali się przestrzegać etykiety, mówić ciszej, unikać wypowiedzi niepoprawnych politycznie, by nie urazić „tego miłego Amerykanina". Na moim wieczorku wszystko byłoby inaczej. Mark też mógłby się wmieszać w tłum, stopić z nim, szanując rosyjskie tradycje wspólnotowe.

Zadzwoniłam do Katki. Był to najprostszy sposób powiadomienia całej rosyjskiej społeczności o planowanej imprezie. Katka wysłuchała, po czym rezolutnie stwierdziła, że pomysł jest niebezpieczny i stanowi jawną prowokację wobec uczciwych, ale wojowniczych z natury obywateli. Może być nieprzyjemnie, jeśli rodacy wejdą w spór na przykład z powodu jakiejś wazy do zupy, która kilku osobom się spodoba.

– Nie przesadzaj. Akurat jest się o co bić. Mnie co innego przeraża, że nikt niczego nie zechce wziąć.

– Nasi? Coś ty! – zaoponowała Katka z cyniczną nutką rusofobii i antysemityzmu w głosie, postawy jakże typowej dla mieszkańców naszego rozległego kraju, niezależnie od ich narodowości. – Możesz być spokojna, wszystko zmiotą, czy się im coś spodoba, czy nie, tutaj względy estetyczne są bez znaczenia.

– Daj spokój, nie drwij sobie. Zawsze wszystkich mierzysz jedną miarką, a przecież ludzie się różnią. Może nikomu nic się nie przyda? – Wciąż jednak miałam wątpliwości.

– Bez obawy, zobaczysz, przyjdą tylko tacy, którym zawsze się coś przydaje. Chociaż nie. – Katka znalazła lepszą formułę. – Potrzebne, niepotrzebne, o tym będą decydować już we własnych domach. U ciebie odbędą się tylko zawody sportowe – kto pierwszy, ten lepszy. Kto najbardziej się obłowi i w porę da nogę, ten zwycięży. A jak sprawdzisz, ile kto złowił? Przecież nie będziesz deptać każdemu po piętach i zrzędzić: „Przepraszam, to już trzecia rzecz. Tak nie wolno, to nie wypada, proszę to zwrócić".

Cóż miałam na to odpowiedzieć?

– Słuchaj – odezwała się Katka, tym razem pojednawczo. Czuła, że wpadłam w popłoch. – O ile dobrze rozumiem, chcesz urządzić coś w rodzaju wieczorku pożegnalnego i rozdzielić pomiędzy gości swój dobytek, żeby cię zachowali w pamięci, tak? Nie chcesz robić targowiska?

Nareszcie do niej dotarło.

– Pewnie, że nie chcę – potwierdziłam.

Pogadałyśmy jeszcze chwilę, ustalając, że zapraszamy jedynie znajomych, bez względu na liczbę, niech przyjdzie nawet dwadzieścia albo trzydzieści osób. Zrobimy loterię. W czasach naszego dzieciństwa tak robiono w szkole. Na przykład obdarowywano dzieci, które miały tego dnia urodziny. Nasza wychowawczyni wymyśliła taki oto sposób: wzywała jakiegoś klasowego urwisa do tablicy i kazała mu stanąć plecami do fantów, a twarzą do solenizantów, ustawionych potulnie w rządku, brała do ręki pierwszy lepszy fant i pytała: „Komu mam to wręczyć?". Urwis podawał imię ucznia. Tak było sprawiedliwie, no i przede wszystkim pedagogicznie! Nawet Katka nie miała wątpliwości. A przecież u nas też miało być pedagogicznie, dlatego postanowiłyśmy się odwołać do światłych tradycji sowieckiej szkoły, mimo że zestaw uczestników był już nieco inny i warunki nieporównywalne.

Wieczór fantów zaplanowałyśmy w najbliższą sobotę. Goście zaczęli się schodzić przed siódmą. Nie robiłyśmy wielkiego przyjęcia. Było trochę piwa, kilka butelek wina, likier, kanapki z żółtym serem i kiełbasą i jeszcze jakieś gotowe zakąski z pobliskiej garmażerii.

Przyszli prawie sami znajomi, tylko paru osób nie znałam. Ktoś przyprowadził nowego chłopaka czy nową dziewczynę, nie śledziłam na bieżąco tych zmian. Od kiedy poznałam Marka, nie uczestniczyłam już w życiu rodaków. Goście na ogół byli młodzi, choć zdarzały się wyjątki, przeważnie płci męskiej, osobnicy wyraźnie bliżej czterdziestki. Przyprowadziły ich nasze rówieśniczki.

Katka zjawiła się z nowym kandydatem na męża, który, ściskając mi do bólu dłoń, powiedział, że ma na imię Matwiej. Był średniego wzrostu, drobnej budowy, miał jasne włosy i wesołe oczy. Wyglądał na trzydziestolatka. Od razu podjął z kimś dość głośną dyskusję, czym zwrócił na siebie uwagę. Katka, po starej przyjaźni, przyjechała dwie godziny wcześniej, by pomóc mi przy robieniu kanapek. Wyglądała urzekająco. Nigdy jej takiej nie widziałam. Schudła. Jej przyciągająca uwagę dostojna figura prezentowała się nadzwyczaj elegancko w obcisłej czarnej sukience, niemal prowokacyjnie przylegającej do ciała.

– Jak ci się podoba mój nowy *man*? – spytała. Pytanie, tak nietypowe dla Katki, którą niewiele interesowały cudze opinie, pozwalało mi sądzić, że tym razem sprawa jest poważna.

– Bardzo mi się podoba – pochwaliłam wybór, nie tylko z czystej dyplomacji. Według mnie Matwiej miał coś w sobie. Wyglądał na człowieka bardzo stanowczego i powściągliwego. – Skąd go wytrzasnęłaś? – zainteresowałam się.

Nie odpowiedziała. Machnęła tylko zdecydowanie głową. Kciuk jej dłoni, w której trzymała szklankę, uniósł się w porozumiewawczym geście. Wyraziłam uznanie, unosząc wymownie brwi, i spojrzałam na Matwieja, teraz już całkiem inaczej, z większą uwagą, na którą niewątpliwie zasługiwał.

– Jest wścieklica – dodała nagle Katka, a ja myślałam, że już oszacowałyśmy jej *mana* jak trzeba.

– Co masz na myśli? – zaniepokoiłam się.

Obrzuciła mnie wyniosłym spojrzeniem, tym razem chyba nie tylko z racji wzrostu, ale własnego wtajemniczenia.

– To znaczy kawał cholery! – wyjaśniła protekcjonalnie.

Postanowiłam nie wnikać w subtelności tematu.

Podszedł do nas Misza. Byliśmy starymi znajomymi, jeszcze z okresu naszych amerykańskich początków. Był sam. Ostatnio zawsze bywał sam. Kiedyś próbował startować do Katki. Wydaje mi się, że coś ich nawet przez krótki czas łączyło. Zresztą nie wiem dokładnie. Łączyły ich jakieś dziwne, moim zdaniem, zbyt konfidencjonalne stosunki.

Był artystą malarzem, chyba niezłym, a we własnym mniemaniu genialnym (który artysta ma o sobie inne zdanie?), po co miałby się wiązać ze sztuką, gdyby było inaczej. Czasami wystawiał swoje prace w galeriach, niestety, nie w tych renomowanych, ale głównie chałturzył – ilustrował książeczki dla dzieci. Żył bardzo skromnie, można powiedzieć biednie (widocznie ilustratorzy nie robią kokosów), ale ciekawie. To było jego motto życiowe: „Żyję biednie, ale ciekawie" – tak mawiał o sobie.

Rzeczywiście, był ciekawym i błyskotliwym mężczyzną ten nasz artysta Misza. Nie tylko sypał jak z rękawa mnóstwem zabawnych historyjek i dowcipów, ale jeszcze potrafił je z odpowiednim smaczkiem opowiedzieć, najnaturalniej w świecie ubarwiając treść siarczystym wulgaryzmem. Robił to z takim wdziękiem i tak niewinnie, że dosadne przekleństwa nikogo nie raziły. Opowiadał najróżniejsze bajki, zmieniając zabawnie głos. Improwizował, wymyślając na poczekaniu nowe zakończenia bajek, co słuchacze najbardziej lubili.

Kiedyś Katka opowiadała mi, że Misza miał długotrwały romans z jedną ze swoich wielbicielek, starą Amerykanką, dobrze po pięćdziesiątce, z którą się, z oczywistych powodów, nie afiszował. Katce, która nie mogła tego pojąć, powiedział, że to najfantastyczniejsza dupa i że nawet on, notoryczny moskiewski kobieciarz, nigdy czegoś takiego nie mógłby sobie wyobrazić. Dużo na ten temat z Katką przegadałyśmy, próbując zrozumieć, o co tu mogło chodzić, ale nie doszłyśmy do żadnych wniosków, zgadzając się tylko co do jednego: każdy w końcu ma to, na co zasłużył. Katka podejrzewała go jeszcze, choć może był to jej podświadomy żal do Miszy, o najróżniejsze patologie charakteru i nie tylko. Wszystko to jednak owiane było tajemnicą, dlatego całkiem świadomie zapytałam Miszę:

– A ty co taki sam jak palec?

– Kobitek brakuje – odparł ponuro. – Wszystkie już jesteście pozajmowane.

– Nie narzekaj – wtrąciła Katka. – Miałeś szansę, kiedyśmy były młode i bez przydziału.

– Słyszysz, Marin, twoja przyjaciółka wciąż nie może mi wybaczyć, że zaprzepaściłem taką szansę. – Puścił do mnie oczko.

Pomyślałam, że Misza ma chyba rację. Katka ciągle jest zazdrosna o tę podstarzałą kochankę. Nigdy o nikogo nie była zazdrosna, a tu masz, jakaś tajemnicza staruszka wciąż jej nie daje spokoju. Okazuje się, że łamanie norm obyczajowych też kryje w sobie niejedną zagadkę, a nawet może być powodem zazdrości, szczególnie dokuczliwej, kiedy chodzi o seks.

– Kobitki to tu są, w zasadzie tylko czekają. – Misza wypił łyk piwa z puszki, którą trzymał w ręku, i zaczął rozwijać temat. – W zasadzie z łatwością można je namierzyć w środowisku zbliżonym do natury, na przykład w samochodach, które cię mijają. Rzadziej w miejscach publicznych, na przykład w metrze, a już najrzadziej na ulicy, chociaż czasem i tam można którąś upolować. Ale na ogół tkwią w tych swoich tajemniczych przybytkach czy ostępach, sam nie wiem w czym, jakieś takie niezależne, same dla siebie, bez związku z rzeczywistością, z realnym światem, a już na pewno nie z moim światem.

– A może chodzi właśnie o ten twój świat? – spytała złośliwie Katka.

Misza nie zareagował na atak. Był zrezygnowany i melancholijny.

– Może tak naprawdę nie chodzi o żaden świat – sprostował. – Świat można przeniknąć, wślizgnąć się do niego czy też jeszcze jakoś inaczej się tam przedrzeć. Pewnie w tym obcym nam klimacie obowiązują inne, nie rozpoznane przez nas do końca systemy komunikacyjne, inne wzorce i obrazy.

„No to przyszła pora na obrazy – pomyślałam. – Jakże to tak – artysta i żadnych obrazów!".

– Zastanawiam się, dziewczyny, jak wam to najlepiej wytłumaczyć, bo nigdy nie przejawiałyście szczególnego zainteresowania aktami osobników płci przeciwnej, co najwyżej dotyczyło ono ich wyglądu zewnętrznego. Do niczego nie jest wam to w gruncie rzeczy potrzebne, tak się składa, że same jesteście obiektem takiego zainteresowania. Dlatego nie mam wiary, czy poruszą was męskie rozterki, albo inaczej mówiąc, czy domyślicie się, na czym polega mój problem.

Podobał mi się jego sposób mówienia – nieco nostalgiczny, jak w latach naszej wczesnej młodości, prawie już zapomnianej w tym innym życiu, bardzo moskiewski, w charakterystycznym moskiewskim slangu, co prawda już z lekka skażonym.

– No to opowiem o tych rozterkach – zaczął artykułować niezbyt jasną myśl. – Kiedy w pewnym wielkim rosyjskim mieście, gdzie spędzałem swój zbereźny wiek pacholęcy, namierzyłem jedną jałóweczkę, bezbłędnie potrafiłem skalkulować, czy nie spudłuję, co już, w rzeczy samej, znaczyło, że mi nie odmówi. Jeśli nic więcej się nie da, to przynajmniej znajomość pozostanie. Moja bezczelna pewność siebie nie brała się z powietrza. Prawdę powiedziawszy, sprawy były jasne, zanim jeszcze do niej podszedłem, wszystko ustaliliśmy dobrze nam obojgu znanym językiem obrazów. Spojrzałem w oczy, podchwyciła to spojrzenie i odpowiedziała spojrzeniem, z którego można już było sporo wyczytać, niekiedy wszystko. Kiedy chciałem się zabezpieczyć, to jeszcze były w odwodzie – tu kolejny łyk piwa – następujące środki: uśmiech, uniesione wysoko brwi, groźne spojrzenie, jakiś gest, na przykład, poprawianie włosów, kiedy była pewna, że padło na nią. Mnóstwo dróg stało otworem dla inteligentnego obserwatora, mniej inteligentny również potrafił rozpoznać sygnał: „Te, kolego, radzę ci, spłyń", albo zachętę: „Co się tak czaisz, nie bój się, kędziorku, twój honor na tym nie ucierpi". Ufałeś, więc honor nie cierpiał. Stare dobre zasady. Po co ja wam to opowiadam, dziewczyny, wiecie to nie gorzej ode mnie. Talent zostaje.

Katka uśmiechnęła się. Chyba wciąż się jej podobał ten chłopak, który nie dyskryminował kobiet z powodu wieku.

– No a tu, mam na myśli tak w ogóle, obrazowanie jest inne. Nieadekwatne do tego, czego się *tam* nauczyliśmy. To nie bariera językowa utrudnia życie, każdą barierę można pokonać, przeskoczyć, tu jest o niebo trudniej. Język niby ten sam, słowa jak trzeba, tylko sens jest inny, czasem zupełnie odwrotny, na tym polega nieszczęście. Pamiętacie taki dowcip, jak dzieciak prosi, żeby mu wyjaśniono wulgarne słowo, które gdzieś usłyszał? No i co mu rodzinka wciska do głowy, żeby zatuszować swój wstyd? Że to synonim „świetnie". I dzieciak recytuje w kółko, bez zająknięcia to paskudztwo w najmniej odpowiednich miejscach, a wszyscy się zaśmiewają.

Misza znów przyssał się do swojej puszki. Nie chciałyśmy mu zakłócać wątku, a krótka przerwa w tym miejscu aż się prosiła.

– Tak jest i tu – wrócił do swojej opowieści. – Wydaje ci się, że znasz słowo, posługujesz się nim, ale ono wcale nie oznacza tego, co masz na myśli, tylko że nikt się już nie śmieje. Pamiętam, że kiedy odważnie przybiłem na ten nieznany ląd – Misza wskazał palcem podłogę, żeby nie było wątpliwości, o jaki ląd chodzi – pomyślałem sobie, że przelecę tu wszystkie dziewuchy, tak na mnie, bestie, patrzyły. Idziesz sobie ulicą i nawet jeśli przez przypadek napotkasz wzrok takiej kobitki, to ona odpowie ci najczulszym spojrzeniem i najpiękniejszym uśmiechem. W Rosji takie spojrzenie, nie mówiąc o uśmiechu, oznaczałoby tylko jedną, najpokorniejszą prośbę: „Przeleć mnie, skarbie. Nie, nie czekajmy do wieczora, teraz, zaraz, tak jak stoisz". Jak miałem zareagować na to rozczulająco-naiwne zaproszenie? Ja, były student wydziału architektury, były komsomolec, były wedle wzrostu.

„Były wedle wzrostu" – dowcipnie to wymyślił.

– Przecież wypadało rzucić koło ratunkowe moim nowym amerykańskim rodaczkom, prawda? No więc podchodziłem do nich i zagadywałem z najszczerszym zamiarem udzielenia im pomocy. Zawsze jestem gotowy do pomocy, jeśli sprawa dotyczy kochania. Opowieści o ich reakcji wam daruję, domyślacie się. Zresztą reakcje się zmieniały, była ich cała gama, wariacje reakcji: od drobiazgowych pytań i chęci obdarowania mnie dolarem, kiedy myślano, że jestem nieszczęśliwym, bezdomnym rosyjskim emigrantem, po telefony na policję, po stójkowego, kiedy kobitka coś w końcu łapała z mojej angielskiej nawijki albo domyślała się z gestów, które jej demonstrowałem.

Wyobraziłam sobie Miszę jako maniaka seksualnego przed obliczem kostycznych amerykańskich policjantów, nieskorych do cackania się z kimkolwiek, i ogarnął mnie pusty śmiech. Katka też się śmiała. Rzuciłam kątem oka na pokój: goście, zbici w rozgadane gromadki, doskonale się bawili.

Uwagę zwracała duża grupa, w której rej wodził najnowszy *man* Katki. Z pasją hazardzisty i doświadczonego dyskutanta perorował donośnym głosem. Mark, jak zwykle, podpierał ścianę z nieodłączną butelką piwa w dłoni i, uśmiechając się, rozmawiał ze znajomą Katki, która wzięła na siebie nielekki obowiązek zabawiania tego interesującego tubylca. Pomyślałam, że chyba jednak nie uważa tego za obowiązek, ale za niezłą okazję.

– Najgorsze jest to – ciągnął Misza, z właściwą sobie melancholią, choć teraz wspierany i zachęcany naszym spontanicznym śmiechem – że wystarczą dwa, trzy takie incydenty, i koniec, żegnaj pewności siebie, witajcie kompleksy. Kiedy zdarza mi się być w jakiejś studenckiej knajpie i kiedy podchodzi do mnie schlana amerykańska studentka i w alkoholowym zamroczeniu ociera się o mnie wielkim cyckiem i teatralnym gestem oplata mi szyję giętkimi, pulchnymi ramionami, pcha w moje ucho swoje wydęte wargi i szepcze coś, czego nawet wstydzę się rozumieć, odczepiam ją od siebie twardym, zdecydowanym łapskiem doświadczonego sowieckiego stójkowego, i uciekam w drugi kąt sali, by być jak najdalej od grzechu. Jeżeli mimo to mnie prześladuje, opuszczam lokal, do diabła z pijanymi babami! Ewakuuję się nie dlatego, że obca mi jest ludzka natura i że trapią mnie erotyczne sny, ale przede wszystkim dlatego, że wcale nie jestem pewien, co znaczą ocierania wielkiego biustu i obleśny szept. Może kobitka w tak oryginalny sposób pragnie wysondować, co sądzę o ostatnim oświadczeniu senatora ze stanu Iowa. – Znów zwilżył usta łykiem piwa i po chwili dodał: – A swoją drogą mam dziwne przeczucie, że owa dama nawet nie podejrzewa istnienia takiej jednostki administracyjnej w dobrowolnym związku Zjednoczonych Stanów Ameryki Północnej.

Katka śmiała się na całe gardło, ja zresztą też. Wyobraziłyśmy sobie tę malowniczą scenkę, a w ogóle dobrze jest się czasem czegoś dowiedzieć o męskich rozterkach, i to z pierwszej ręki.

– No i tyle, drogie koleżanki, a wy powiadacie „obrazy" – podsumował Misza.

– No to, stary, masz kłopot – stwierdziłam tonem starego kumpla. – Wcale nie miałam ochoty, żeby cokolwiek podsumowywał. Chciałam go jeszcze słuchać.

– No właśnie! – zawołał Misza, przyjmując ufnie to kumpelskie wsparcie. – A czy zdajecie sobie sprawę, babeczki, co oznacza dla faceta taki stres płciowy?

Zorientowałam się, że Misza ma już nieźle w czubie, w końcu opróżnił ileś tam tych swoich puszek, tak sobie powolutku sącząc piwko i gawędząc z nami. Obie z Katką zmarszczyłyśmy czoła, próbując się domyślić, ale to nie pomogło. Stary, pojęcia nie mamy, na czym polega ten tajemniczy męski stres.

– No bo niby skąd miałybyście wiedzieć – orzekł Misza, nie byłyśmy tylko pewne, czy z głębokim współczuciem dla naszego niedorozwoju umysłowego, czy raczej ze skrytą pogardą dla naszej ignorancji. – Skąd. Wasze życie jest proste, wy nie macie takich zahamowań seksualnych, zresztą to was wybierają. To znaczy, my wybieramy, ale wy to akceptujecie.

Jako strona pasywna, nie ryzykujecie, że ktoś mógłby was odtrącić, ryzykujecie tylko byciem niewybraną, a to całkiem inna sprawa niż odrzucenie. Ryzyko odrzucenia dźwigamy na swoich barkach my, męska część ludzkości. Faceci. To bardzo szlachetne, jak każde ryzyko. Ale jakże nerwicorodne.

– Rozumiem, że mężczyzn przygniata brzemię ich odpowiedzialności, czy tak? – spytała Katka, z nadzieją, że jednak się myli.

Ale Misza pozbawił ją złudzeń.

– Dlaczego kobitki zawsze narzekają na swój los? Nikomu nie pozwalają podnieść na nich... to znaczy... – Chyba stracił wątek. – Czego podnieść? – spytał sam siebie, i nie znajdując odpowiedzi, machnął ręką. – Sam nie wiem, zresztą nieważne... – i dodał: – Oczywiście, chłopom jest gorzej, bo to aktywiści, a takim się nie popuszcza.

Uśmiechnął się, wyraźnie z siebie zadowolony. Do mnie to stwierdzenie jakoś nie trafiło, ale dałam spokój, czysta improwizacja Miszy, nie ma o co kruszyć kopii. Misza, widząc, że Katka wciąż ma wątpliwości, ostrzegł ją, podnosząc do góry palec wskazujący:

– Katiusza, zastanów się, weźmy twój przykład. Czy zdarzyło ci się kiedyś pójść do łóżka z facetem, który budził w tobie mieszane uczucia? To znaczy, facet jakoś nie do końca cię rajcował, ale do łóżka poszliście. – Misza nie dał Katce szansy wyjaśnienia tej kwestii. – Załóżmy, że tak było. – Widząc, że Katka próbuje zaprotestować, natychmiast dodał: – Dobrze, dobrze, teoretycznie przecież możemy założyć taką sytuację, no, w celach naukowych, prawda?

– Możemy. – Katka dała za wygraną.

– Zasadniczo nie musiałaś mu dawać, no nie? Nikt by ci tego nie miał za złe, nawet sam poszkodowany, masz prawo, które wynika z twojej babskiej pasywności, nie dajesz, jeżeli nie masz na to ochoty, i już. Powiem ci więcej, ty możesz dać z litości... Poczekaj, pozwól mi skończyć... – podniósł rękę, widząc, że Katka chce coś wtrącić. – Przecież to czyste te- o-re-ty-zo-wa-nie. – Udawał, że ma kłopoty z wymówieniem tego mądrego słowa. – Przecież wcale nie mówimy o tobie, no, nie obrażaj się. Rozważamy tu przypadek Katki przykładowej. No więc jeżeli ta przykładowa Katka dałaby facetowi, który jej się nie podoba, to nie musi od razu przeżywać orgazmu, bo dała mu ot, tak, odruchowo. A więc powtarzam – nikt by na nią nie podniósł ręki, to znaczy na ciebie, to jest nie na ciebie... na...

Rozumiałam, do czego Misza zmierza, ale słuchałam go.

– No to teraz wyobraź sobie, mamy odwrotną sytuację. Teraz nie jesteś Katką, i w ogóle kobitką, jesteś facetem, jakimś tam Wasią czy Borią. No i wyobraź sobie, że ty, Wasia, trafiasz, w podobnej sytuacji, do łóżka z jakąś przypadkową kobitką, która cię nie rajcuje. Wyobraź sobie, chociaż to trudne, że mówisz, to znaczy ten Wasia mówi, bracie, nie mam ochoty cię pieprzyć, prześpijmy się spokojnie do rana, no i od razu zasypiasz. Masz pojęcie, Waśka, co się dzieje, kiedy się rano budzisz? – Misza walnął Katkę w ramię, współczując nieszczęsnemu Wasi. – Afera na sto fajerek! Twoja przypadkowa znajoma, która z powodu twojego niedostatecznego upojenia alkoholowego nie spodobała ci się, jest śmiertelnie urażona. No i rozpowiada wszystkim dookoła o twojej małoduszności czy raczej niesprawności! Czy wiesz, ilu już masz wrogów? A jak zacznie opowiadać o tobie, stary – Miszy wyraźnie podobał się taki sposób zwracania się do mojej przyjaciółki – dosłownie wszystkim i każdemu z osobna, i to w najdrobniejszych, kompromitujących cię, szczegółach, że ci nie stanął i takie tam detale, fama o twojej ułomności rośnie, zatacza coraz szersze kręgi, chciałem zauważyć, paskudna fama, no i już cię wytykają paluchami, bezbronnego drania seksualnego. Kobitka, której miałeś czelność odmówić, nie jest w tym wypadku zła, nie, ona tylko została obrażona! Społeczeństwo nie ma dla ciebie taryfy ulgowej za taką obrazę! Boś chłop! Musisz zaspokoić kobitkę!

Misza przerwał monolog i otworzył następną puszkę piwa.

– A teraz najgorsze! Wyobraź sobie, brachu. – Położył rękę na ramieniu Katki i zaczął bawić się pasemkiem jej włosów. Katka na to przyzwoliła, a w każdym razie nie zaprotestowała. – Wyobraź sobie taką sytuację. Wiedząc, co ci grozi, jeśli nie staniesz na wysokości zadania, postanawiasz, zamykając oczy, wypełnić swoją męską powinność. Wasia, chłopie, nie wiem, czy to zrozumiesz, widzisz, stary, nie zawsze masz nad sobą pełną władzę, to znaczy nad własną fizjologią. Nie wiesz jeszcze, stary, że facet, mimo że jest zwierzęciem prymitywnym, simpleksem z jednym zwojem mózgowym i jednym zmysłem, czyli z tym swoim popędem płciowym, oprócz ptaka ma jeszcze duszę i jakieś uczucia. No i może się zdarzyć, że jego ptak czasem wejdzie w zmowę z tymi nieszczęsnymi uczuciami i wtedy klapa! Nie staje! Przecież nie zada gwałtu swojej sojuszniczce duszy.

Misza wlepił wzrok w Katkę, jakby ją zobaczył pierwszy raz w życiu. Jego dłoń nadal leżała na ramieniu dziewczyny i bawiła się jej włosami. Katka też, jak zahipnotyzowana, patrzyła mu prosto w oczy. Odniosłam wrażenie, że toczy się między nimi jakiś intymna, niema rozmowa.

– Jeszcze inaczej. – Misza wykonał taki ruch ręką, jakby chciał przekreślić wcześniejszy scenariusz wydarzeń. Z puszki, którą trzymał, piwo pociekło wąskim strumykiem na moją znienawidzoną wykładzinę, ale Misza tego nie zauważył. – Teraz inaczej, Wasilij, wyobraź to sobie odwrotnie. Zakochałeś się po uszy. Jak w powieści. Jesteś w łóżku ze swoją ukochaną. Dusza w gorączce. Jesteś zażenowany, niespokojny, przeżywasz. Serce ci wali, tyle w tobie tych uczuć się nazbierało. Powinieneś sobie spokojnie poleżeć, wyciszyć się, dojść do siebie. Tak byłoby najlepiej. Ale nie jest ci to dane, Wasilij, bo twoja jedyna już sapie, wywraca oczami z rozkoszy, wcale nie z tego powodu, że natychmiast chciałaby się z tobą kochać. Po prostu jej babska mentalność uważa, że właśnie tak powinna się zachować, żeby zasłużyć u ciebie na najwyższą ocenę. A ty cały czas, Waśka, masz jedno w głowie, że za Boga nie możesz dać plamy, i to jeszcze bardziej cię spina, przytłacza, boisz się, że nie sprostasz, i tak się dzieje. Nie wyszło ci. Nie stanął. Próbujesz tak i siak. Jeszcze raz. Nic z tego, stary. Albo coś tam ci w końcu wychodzi. Ech, ale jak! I co? Zaczniesz jej tłumaczyć, wyjaśniać? Że za bardzo ją kochasz, że to z powodu uczuć?

W tym momencie zdałam sobie sprawę, że powinnam ich zostawić, niech sobie sami wszystko powyjaśniają, beze mnie, mam nadzieję, że w końcu do czegoś dojdą. Chyba Katka nie pomyliła się, wydając Miszy taką opinię, jaką wydała, kiedy w wielkiej tajemnicy opowiedziała mi o jego dziwactwach i rozterkach.

Podeszłam do Marka, który cały czas rozmawiał z tą samą panienką, i objęłam go wpół, korzystając z przysługującego mi prawa własności.

– Jak tam, kochanie? Nie nudzisz się? – spytałam słodko.

– Ani trochę – odpowiedział, kładąc mi rękę na ramionach. Przytulił mnie, zapewniając tym czułym gestem, że nic złego się nie dzieje, tak sobie rozmawiał o wszystkim i o niczym, kiedy ja byłam zajęta.

– To dobrze – powiedziałam, wyswobadzając się tanecznym ruchem. – Pójdę do gości.

Nie miałam zamiaru ani ochoty go pilnować. Wystarczyło mi, że od czasu do czasu spojrzeniem czy przelotnym dotykiem zakomunikuję mu: „Pamiętam o tobie, jestem blisko, powiedz, kiedy ci będę potrzebna". Spojrzał na mnie i uśmiechnął się, jakby na potwierdzenie, że zrozumiał.

Dołączyłam już nie do kameralnej grupki, ale do zbiegowiska, w którym przewodził chłopak Katki. Matwiej w ferworze dyskusji albo nie zauważył intymnych kontaktów narzeczonej z Miszką, albo był tak pewny siebie, że nie uznał za stosowne przeszkadzać im w miłosnych sentymentach. Mówił rzeczowo, dobitnie, chwilami dosadnie, ale nie przekraczał dopuszczalnych granic. Widać było, że jest wzburzony. Nie wiadomo czym – wypitym alkoholem? temperaturą dyskusji? a może jeszcze czymś innym? Ważył każde słowo, ze znajomością rzeczy odpierając ataki oponentów.

Opozycję stanowiła cała reszta, mężczyźni i kobiety, z wypiekami na twarzach, równie podnieceni, a właściwie oburzeni. Byłam ciekawa, co ich tak nakręciło.

Matwiej miał nad nami zdecydowaną przewagę. Przy całej swojej niespożytej energii i popędliwości tylko on jeden w naszym gronie potrafił zachować zimną krew. Domyśliłam się, że sytuacja: jeden przeciwko wszystkim sprawia mu przyjemność. Chyba dlatego wszystkich prowokował, i robił to z premedytacją. Teraz zwracał się jakoby do Miti – wysokiego, delikatnego chłopaka koło trzydziestki, który wyglądał na znacznie starszego – ale tak naprawdę przemawiał do całego rozdyskutowanego tłumu, który go otaczał.

– Ależ nie – mówił Matwiej – co tu ma do rzeczy kraj, kraj jest piękny, nic mu nie można zarzucić, to system ekonomiczny jest tak skonstruowany, na zasadzie pułapki i przynęty. Tu biorą początek wszystkie kłopoty.

– Ja nie mam żadnych kłopotów – oświadczył Mitia.

– To ci się tylko tak wydaje. Ale masz dom. Zdążyłeś już go kupić.

– Ale ja mam dzieci – wyjaśnił Mitia, jakby chciał się usprawiedliwić, nie wiedząc, do czego jego przeciwnik zmierza.

– To znaczy, że spłacasz kredyt z procentem.

Mitia przytaknął.

– Samochód też spłacasz, jak rozumiem, oboje z żoną macie karty kredytowe. No to dałeś się nabrać.

– Na co nabrać? – spytał wesoły głos z tłumu.

– Przecież cały czas wam to wyjaśniam. Zwabiła cię przynęta, stary, i wpadłeś w potrzask. Te wnyki akurat na ciebie czekały. O tej przynęcie to tak powiedziałem, dla plastyczności obrazu. – Nikt mu nie przerywał. – Po prostu tutejsza ekonomika nastawiona jest na powszechną konsumpcję, zasada jest prymitywna: kupujesz coś i wpadasz w długi, bierzesz pożyczki, kredyty. Stając się dłużnikiem, musisz więcej pracować, żeby więcej zarobić i spłacić długi. Zarabiając coraz więcej, osiągasz psychiczną gotowość do nabycia nowej rzeczy, w tym celu musisz zaciągnąć następne kredyty, a w związku z tym jeszcze więcej pracować i tak dalej. A zatem coraz więcej pracując i coraz więcej konsumując, wspomagasz rozwój ekonomiczny tego kraju. Zobacz, że i kultura, masowa i wszelka inna, lansuje taki konsumpcyjny styl życia. Wtłacza klasy średnie w pułapkę konsumpcji.

Matwiej zawiesił głos, czekając na reakcję, ale żadne rzeczowe kontrargumenty nie padły.

– Zobaczcie tylko – ciągnął – te opery mydlane, musicale i cała reszta tutejszej rozrywki są obliczone przede wszystkim na gusta *middle class*. Nie twierdzę, że reprezentują poziom sztuki epok prymitywnych, ale do głębi przekazu jest im równie daleko, jak tamtej, a od wielkiej dramaturgii, teatru czy literatury dzieli je przepaść. Wytłumaczcie mi, proszę, dlaczego wszyscy mają teraz bzika na punkcie musicali. Że opera jest oparta na śpiewie, to jeszcze mogę pojąć, taki gatunek. Ale z jakiej racji mówisz normalnie, spokojnie, bez nerwów i nagle – bach! – prujesz się na całe gardło. Możesz sobie wyobrazić, że w tym miejscu biorę naraz wysokie „c" i śpiewam, ile sił w płucach, i dalej już na melodię... A ty, Mitia, ruszasz w pląs, bo wezbrały ci emocje. Ta cała wasza sztuka to jedna wielka bujda na resorach. I jeszcze ma pretensje, że wyraża prawdę o życiu.

– Co ma do tego sztuka? – Mitia nie zrozumiał. Widocznie w tym momencie nie miał ochoty na pląsy.

– A to, stary, że tu wszystko jest nastawione na zaspokajanie potrzeb i gustów klasy średniej. Niech się pławi we wszelkiej obfitości, niech pochłania coraz więcej, tylko niech siedzi cicho. Biedota nikogo nie interesuje, zresztą nie jest jej tak dużo. Bogaci też nie wzbudzają niepokoju, jak wiadomo, mają swoje dziwactwa, no i jest ich zaledwie garstka. Pozostaje jedna, niezachwiana klasa średnia. Radość i pociecha.

– Czy to znaczy, że ty sam nie zaliczasz się do klasy średniej? – spytał Mitia, podejrzewając Matwieja o zbyt wyniosły stosunek do społeczeństwa dobrobytu.

– Wiem, że to nie brzmi najlepiej, cóż, kiedy taka jest prawda, nie mam tu na myśli kwestii materialnych, ale nie bardzo pasujemy do klasy średniej.

– A do jakiej klasy pasujesz? Najwyższej? – naciskał Mitia. Był programistą. Dużo zarabiał i bardzo się tym szczycił.

– Czy to ważne? Powiedzmy, że jestem pozaklasowy, taka niezależna warstewka społeczna. W danym układzie ekonomicznym rzecz polega na tym, że pułapki, w które wpadamy, tak naprawdę nie na nas miały czyhać, ale jakoś niechcący na nie nadeptujemy. Jak długo już jesteś w Stanach, Mitia?

– Cztery lata – odpowiedział Mitia, czując w pytaniu Matwieja jakiś podstęp.

– A ile razy byłeś na urlopie?

„No to mamy podstęp” – pomyślałam.

– No, byliśmy w Kanadzie... – oczami szukał żony, potrzebował wsparcia.

– Nie, Mitia, mam na myśli normalny urlop, taki jak kiedyś, miesięczny.

– Proszę posłuchać – odezwał się ktoś z grupy. Głos miał nieco zirytowany, ale uprzejmy – nie bardzo rozumiem, do czego pan zmierza? Co pan chce nam udowodnić? Że niełatwo jest zaczynać wszystko od początku? A kto powiedział, że łatwo? Człowiek powinien mieć czas i na sprawy domowe, i na urlop, i na całą resztę.

– Czy ja dobrze słyszę? – spytał Matwiej. – O, to coś interesującego. Czy pan widzi, jak tu żyją miejscowi, ta klasa średnia? Przecież to kupa nieszczęśników, woły robocze, gdzie im tam w głowie odpoczynek. Dlaczego tak jest? Bo system ich doi: podatki, ubezpieczenia, kształcenie dzieci. Ciekaw jestem, jak tamten przedstawiciel klasy średniej sobie poradził? – tu wskazał Marka.

Przeraziłam się, że Mark da się wciągnąć w tę idiotyczną kłótnię.

– On nie wie, nie należy do *middle class* – szybko odpowiedziałam za Marka.

– OK, pani domu wie najlepiej. A pan jak długo zamierza czekać? – Matwiej zwrócił się do ostatniego oponenta. Dziesięć lat? Przecież połowę życia ma już pan za sobą.

– A pan jakie widzi wyjście? Rezygnacja z posiadania własnego domu, z pracy, z pieniędzy? – Uprzejmy głos był nieugięty. Nie znałam osobiście jego właściciela, był czyimś znajomym, przedstawiał się, ale nie zapamiętałam nazwiska.

– Oczywiście, tego bym nie polecał. Każdy sam musi podjąć decyzję. Wariantów jest sporo, co komu pasuje. Tylko że ja nie o tym mówię. Chciałem panu otworzyć oczy na głębsze przyczyny istniejącego stanu rzeczy. Wyjścia są różne, ale przyczyny podobne.

– A jakie, pana zdaniem, są te przyczyny? – spytał mężczyzna o uprzejmym głosie.

Mitia został wykluczony z gry. Matwiej znalazł nowego przeciwnika. Im tamten ostrzej atakował, tym bardziej rozpalał Matwieja.

– Przyczyny – zastanowił się Matwiej. – Widzi pan, tutaj status społeczny został całkowicie wyrugowany, zastąpiono go statusem materialnym. Zresztą tak jest teraz na całym świecie, nie tylko w Stanach. To powszechna tendencja. Trywializując problem, powiem, że w świadomości człowieka pieniądz bardziej się liczy niż poziom wykształcenia, prestiżowy zawód czy twórczy aspekt wykonywanej pracy. Zmienił się system wartości. A my, dosłownie z rozbiegu, wskoczyliśmy w to nowe, napakowaliśmy sobie nim głowy, odrzucając dobre, stare wartości, które były wartościami uniwersalnymi. Tu warto wspomnieć, że ci, którzy stoją na świeczniku, w dalszym ciągu hołdują dawnym wartościom, dla nich status społeczny nadal jest najważniejszy. Ale nie my. Chcę powiedzieć, że na tym etapie rozwoju akurat my daliśmy się poznać jako zaciekli zwolennicy pseudowartości. Podać panu przykład? – nieoczekiwanie zapytał Matwiej. – Proszę wybaczyć, a kim pan był w Rosji?

– Chemikiem

– I gdzie pan pracował? – dociekał Matwiej.

– W Akademii Nauk, w Moskwie.

– To znaczy, że ma pan doktorat? – domyślił się Matwiej.

– Mam – odpowiedział nieznajomy, a ja domyśliłam się, że wietrzy w tych pytaniach jakiś podstęp.

– A gdzie pan tutaj mieszka? Przepraszam, jak pan ma na imię?

– Anatolij – przedstawił się mężczyzna. – Mieszkam w Newton, ale co to ma do rzeczy?

– Zaraz się pan dowie. Przeprowadźmy analogię. Sztuczną, wymyśloną, to w tej chwili najmniej istotne. Załóżmy, że Nowy Jork jest odpowiednikiem Moskwy. – Zawiesił głos. Nikt nie zaprotestował. – Boston, jeśli chodzi o odległość, o liczbę mieszkańców byłby odpowiednikiem jakiegoś miasta prowincjonalnego, na przykład Riazania. – To wywołało sprzeciw, tłumek zaszemrał, ale Matwiej mówił dalej, nie zwracając uwagi na protesty: – Teraz, Anatoliju, mieszka pan w Newton. No to proszę sobie wyobrazić, że jakieś czterdzieści wiorst od Riazania leży wieś Podsołnuchy, ma pan ten swój Newton.

Tłumek zaszemrał jeszcze głośniej. Ktoś się nie zgadzał z Matwiejem, próbując przerwać jego wywód, ale Matwiej nie słuchał.

– Jednak oddajmy panu sprawiedliwość. Jest pan prawdopodobnie człowiekiem wykształconym, inteligentnym i tego miejsce zamieszkania pana nie pozbawi. Proszę więc sobie wyobrazić, że we wsi Podsołnuchy jest zakład przeróbki torfu, pracuje tam pewien inżynier, specjalista od torfu, automatyzacji czy czegoś tam jeszcze, a najlepiej niech to będzie chemik zajmujący się torfem, czyli pan. To właśnie jest Anatolij.

Ostatnie zdanie wzburzyło wszystkich, ludzie dosłownie się wściekli.

– To już czysta demagogia – zaprotestował Anatolij. – W Rosji, a także w całej Europie, stolica państwa to jego centrum. Nie tylko administracyjne, także ekonomiczne, kulturalne i inne. Nie tylko Moskwa w Rosji, lecz także Paryż we Francji różni się zasadniczo od prowincji. Nawiasem mówiąc, stąd pochodzi ta nazwa, z francuskiego. Londyn jest centrum Wielkiej Brytanii. Reszta Europy jest podobna. Tam mieszkali królowie, książęta, arystokracja. Ale w Stanach jest całkiem inaczej. Tu nie ma czegoś takiego jak centrum państwa. To znaczy jest podział, owszem, Nowy Jork jest centrum finansowym tego kraju, Waszyngton – administracyjnym, Los Angeles, na przykład, jest centrum przemysłu filmowego, a Boston, jak wiemy, to wielki ośrodek naukowy. Oto skąd się biorą te różnice, które pan próbuje nam wbić do głowy.

– Ech, Tola, wrzucasz wszystko do jednego worka. – Matwiej dzielnie zniósł atak. – Przecież nie dyskutujemy tu o geopolityce. Zresztą, co ona ma do rzeczy. Przykład, który podałem, nie dotyczył stolic i państw, ale ciebie i mnie. A skoro tak, to i ciebie, teraźniejszego Anatolija, chemika specjalistę od torfu, dokładnie tyle dzieli od amerykańskich analogii moskiewskiego Anatolija, ile chemika specjalistę od torfu ze wsi Podsołnuchy od rzeczywistego Anatolija, pracownika naukowego akademickiego instytutu w Moskwie. Krótko mówiąc, nie masz szans.

Zrobił się jeszcze większy harmider. Samotny głos nie mógłby się przezeń przebić. Matwiej tylko podniósł do góry obie ręce.

– Pozwólcie mi dokończyć, jeszcze chwilę.

– Niech skończy – poparł go Anatolij.

Hałas nieco się uciszył. Ludzie usłuchali Anatolija, głównej ofiary dyskusji.

– No więc – zaczął Matwiej. – Jeśli by nawet inżynier ze wsi Podsołnuchy zarabiał krocie, miał piękny dom, jeździł najnowszym modelem samochodu, to i tak nie ma się co mierzyć z Anatolijem, pracownikiem naukowym. Z jego środowiskiem, zainteresowaniami, zwyczajami, z kręgiem jego znajomych, układami towarzyskimi, koneksjami i tak dalej. Podobnie jest z nami tutaj, w tej rzeczywistości, nie mamy się co porównywać z nami dawnymi. Ale w przeciwieństwie do inżyniera z Podsołnuchów jesteśmy w znacznie gorszej sytuacji. Inżynier nie miał pojęcia, że jest jakieś inne życie – życie Anatolija z Moskwy, a nawet jeśli się domyślał, to nic go tam nie ciągnęło. Było mu dobrze w Podsołnuchach, co najwyżej mógł sobie pomarzyć o wyższym stanowisku w Riazaniu. My zaś mamy świadomość, że jest inne życie, i pragniemy się do niego dostać, bodaj we śnie, w marzeniu. Bo tak naprawdę właśnie z tego życia się wywodzimy.

– Panie Matwieju, pan to jak „trzy siostry" w jednej postaci, cały czas o... – próbował jeszcze coś skomentować Anatolij. Ale przerwał mu inny głos. Tym razem kobiecy, mocno wzburzony.

– I pan ma jeszcze pretensje do tego kraju?! Wstydziłby się pan...

– Nie, oczywiście, że nie, tu nie o kraj chodzi. Przecież mówiłem, że geopolityka nie ma tu nic do rzeczy, chodziło mi o odwrócenie skali wartości. Wszędzie tam gdzie takie przewartościowanie się dokonało, wyłaniają się podobne problemy. W Rosji, w Ameryce, wszędzie. Ja całkiem o czym innym mówiłem. O nas. O naszym życiu.

Przyjrzałam się uważnie Matwiejowi. Udawał chojraka. Nie wiem, dlaczego byłam absolutnie pewna, że nie miał zamiaru z nikogo zakpić, nikogo ośmieszyć ani też wyżywać się w czysto akademickich sporach. Zobaczyłam człowieka skrzywdzonego, cierpiącego. Zdałam sobie sprawę, że to, o czym Matwiej mówił, jest indywidualnym przypadkiem szerszego problemu, który nie tak dawno wyjaśniał mi Mark. Mark uogólnił problem, zinterpretował go z punktu widzenia wyższej idei, którą początkowo potraktowałam jako czystą abstrakcję, no i proszę, mamy przykład z życia, praktyczne zastosowanie teorii naukowej. Matwiej doszedł w zasadzie do podobnych wniosków, tyle że na podstawie analizy własnego życia, umiejętnie kamuflowanego bólu istnienia. A mimo to nie udało mu się, chociaż podejmował takie próby, uogólnić indywidualnego doświadczenia i zbudować teorii, tak jak to uczynił Mark.

Odnalazłam wzrokiem Marka. Wciąż stał pod ścianą i uśmiechał się. Nie podejrzewał, że spojrzenie, które przechwycił, oprócz tego co wyrażało zawsze, teraz pragnęło mu powiedzieć, że nareszcie mogłam należycie ocenić głębię jego przemyśleń.

– Wie pan, Matwieju – odezwałam się ku swemu zaskoczeniu. Nie miałam ochoty włączać się do dyskusji. – To jest pana problem, bardzo osobisty problem, inni niekoniecznie muszą się nim zajmować. Jeśli panu jest z tym źle, to nie znaczy, że innym nie może być dobrze, to, co panu doskwiera, wcale nie musi doskwierać innym. Tych innych mogą akurat zajmować bardzo przyziemne kłopoty, ich własne, które z kolei dla pana nie są warte uwagi.

Nie było to dyplomatyczne posunięcie. Postawiłam słup graniczny pomiędzy wzniosłymi poszukiwaniami przyjaciela Katki a potrzebami życiowymi jego przyziemnych rodaków. Teraz na mnie mogła runąć fala oburzenia. Chcąc się jakoś ratować, dodałam:

– Proszę mnie dobrze zrozumieć, nie chcę niczego generalizować. Chciałam tylko panu powiedzieć, że każdy problem ma bardzo osobisty aspekt. Mitia, na przykład, może być zadowolony, że kupił dom na kredyt i wychowuje swoje dzieci, to szczytny cel. Taki cel daje człowiekowi poczucie szczęścia, dodaje wiary w siebie, czyni życie człowieka pełnowartościowym.

Mitia, myśląc, że przyszłam mu z odsieczą, podziękował mi uśmiechem. Tłumek nieco przycichł, udzielając mi milczącego wsparcia w szlachetnej walce ze zgryźliwym Matwiejem, niektórzy mi nawet przytakiwali.

– Pan, Matwieju, próbuje wszystkim narzucić swoje osobiste odczucia, zmuszając ich, by przyjęli je za własne. Coś tu chyba jest nie tak. Większość z nas myśli i czuje inaczej. Pana problem polega na tym – ośmieliłam się sformułować diagnozę – proszę mi wybaczyć śmiałość, że pan jest po prostu n i e t a m, gdzie powinien pan być.

Z łatwością rozpoznałam dolegliwość Matwieja. Niedawno podobną odkryłam u siebie. Podniósł na mnie oczy. Wiedziałam, że trafiłam w dziesiątkę.

– Ci, którzy weszli już na pewien poziom, niestety, nie mają odwrotu, bo stamtąd nie można wrócić – dodałam, czerpiąc z Marka.

– I co w związku z tym? – spytał Matwiej. Bardziej chciał się ze mną przekomarzać, niż dowiedzieć się czegoś ciekawego.

Udałam, że nie słyszę jego ironii.

– Już pan sobie na to odpowiedział. Każdy ma inne wyjście, jeśli takie okaże się potrzebne. Wydaję mi się jednak, że przede wszystkim należy w ogóle wyjść poza system, poza kształtowane przezeń poziomy, po prostu go opuścić. Później może pan znowu przestąpić jego progi, ale wtedy już musi pan od razu dostać się na ten jedyny poziom, który da panu pełny komfort, ten, z którym pan się do końca zidentyfikuje.

Pomyślałam nagle, że gdybym jeszcze miesiąc temu usłyszała to, co teraz wygaduję, nie miałabym wątpliwości, że zwariowałam. Bo jak inaczej mogłabym sobie wtedy wytłumaczyć wylewające się z moich ust brednie? Jakże się wszystko zmieniło. I to w zaskakującym tempie.

– Jednak Matwiej w pewnym sensie ma rację – powiedział Anatolij. – Nie dlatego żeby się ze mną nie zgadzał, pewnie także myślał o jakiejś osobistej sprawie.

„Jeszcze jeden z problemami – pomyślałam. – Chyba długo musieli się szukać".

– Ona też ma rację – poparł mnie nagle Matwiej, wesolutki, jakby się nic nie wydarzyło, jakbym chwilę wcześniej nie odkryła w jego głosie nut goryczy i cierpienia.

Podeszłam do Katki. Misza gdzieś zniknął. Katka sprzątała ze stołu.

– A gdzie Miszka? – spytałam. Katka rozłożyła ręce. Pewnie taka odpowiedź była dla niej łatwiejsza. – No, ten twój Matwiej niczego sobie – wyznałam szczerze.

– Aha, więc jednak go doceniłaś?

Zabrzmiało to jak konstatacja.

– Gdzie ty ich znajdujesz? Co jeden to ciekawszy.

Było to jawne lizusostwo. Zasłużyła sobie na nie, uprzątnęła wszystkie brudne nakrycia.

– Są takie miejsca – zażartowała Katka. Nagle zrozumiałam, że jeszcze nie wróciła na ziemię.

Zjawił się Matwiej. Jego słuchacze rozpierzchli się w różne strony. Chyba temat dyskusji się wyczerpał. Katka od razu wzięła się w garść i wróciła na ziemię, do nas.

– I co tam u ciebie? – spytała.

Była nieco wyższa od Matwieja, może dlatego, że nosiła pantofle na obcasach.

– Znakomicie. Ale im dopiekłem, dali się podejść. – Ruchem głowy wskazał pokój. – Ale zjawiła się twoja przyjaciółka – tu posłał mi uśmiech – i popsuła całą zabawę.

Domyśliłam się, że Matwiej próbuje obrócić wszystko w żart. Postanowiłam mu w tym nie przeszkadzać. Zresztą, kto wie, może naprawdę żartował, co mnie to w końcu obchodzi.

– A co ty robiłaś? – spytał.

– Nic takiego, rozmawiałam – odpowiedziała wymijająco Katka.

– Widziałem te twoje rozmowy.

Spojrzałam na Matwieja. Ton jego głosu sprawił, że zainteresowały mnie jego oczy. Zrozumiałam, co Katka miała na myśli, mówiąc mi, że to wścieklica. Przeniosłam wzrok na Katkę i zobaczyłam w jej oczach lęk. Było to niesamowite. Nigdy do tej pory – a na przestrzeni naszej długiej znajomości widziałam Katkę w towarzystwie różnych mężczyzn, także poważnych, przystojnych, postawnych, zupełnie innych niż ten drobny chłopaczek – nie było w niej tyle lęku i tyle innych, równie silnych emocji.

Praktyczna część wieczoru, którą artysta Misza nazwał „rozdawaniem fantów", wydobywszy to określenie z naszej zamierzchłej przeszłości, przebiegła sprawnie. Impreza sprawiała wrażenie znakomicie przygotowanego spektaklu teatralnego. Przewidziano nawet przerwy na grupowe wybuchy śmiechu, kiedy jakiś przedmiot z mojej samotni, kończącej swój żywot, trafiał do którejś z moich rozbawionych przyjaciółek. Gromki śmiech rozlegał się także wtedy, kiedy jakaś jednoznacznie damska rzecz trafiała do osób, które miały ledwie pośredni związek z niuansami dziewczyńskiego życia.

W jakiś czas po tym wieczorze docierały jeszcze do mnie wieści o dalszych losach moich rzeczy, ale powoli cichły, znikając nawet z naszych telefonicznych pogaduszek. Zrozumiałam, że rzeczy oswoiły się z nowymi właścicielami, jak niegdyś ze mną, i jak ja stopniowo, dzień po dniu, oswajałam się z Markiem.

15.

Przeprowadzkę do Marka mogłabym porównać chyba tylko z wyjazdem do Stanów Zjednoczonych, tak bardzo zmieniła moje życie. Niemal całą dobę mówiłam teraz w innym języku niż rosyjski, ale nie to było najważniejsze. Nie chodziło i o to, że musiałam zmienić swój rozkład dnia i zwyczaje, dostosować je do przyzwyczajeń drugiego człowieka. Takiej konieczności byłam świadoma. W okresie dojrzewania przeczytałam sporo książek o życiu w małżeństwie. Nasze nieregularne do tej pory, sporadyczne kontakty seksualne stały się teraz czymś powszednim. Może straciły pewną ostrość, co jest naturalne, ale w zamian wzbogaciło je radosne oczekiwanie na tę chwilę. Ale to też nie było najistotniejsze.

Dużo się nasłuchałam o niesatysfakcjach z pożycia małżeńskiego, dlatego bałam się, że nasza fizyczna miłość stanie się rutyną, zaspokajaniem potrzeb fizjologicznych. Na szczęście wszystko było inaczej. Miłość weszła w nową fazę. Nasze współżycie seksualne, stanowiąc zaledwie cząstkę relacji między mężczyzną a kobietą, zmieniało się wraz z nowym charakterem naszego związku.

Kochaliśmy się teraz bardzo często, prawie codziennie, wzbogacaliśmy nasze dotychczasowe doświadczenia, co nie zakłócało psychicznych i duchowych aspektów łączącego nas uczucia, nie odbierało mu duchowości. Naturalnie, nie dręczyło nas już trudne niekiedy do opanowania pożądanie, jak zdarzało się to wcześniej, kiedy spotykaliśmy się po paru dniach niewidzenia. Nasze gry wstępne były bardziej powściągliwe, spokojniejsze, za to my sami staliśmy się bardziej wymagający, ważny był przede wszystkim nasz komfort – miejsce i sposób kochania się.

Dużo eksperymentowaliśmy. Instynktownie szukaliśmy nowych pozycji, od tyłu, bokiem, doświadczając zaskakujących przeżyć fizycznych, chociaż nie one wyznaczyły nowy rozdział naszego związku. Ciekawe, ile też wymyślnych pozycji i układów trzeba przećwiczyć, żeby poszukiwanie ich stało się jedynym celem współżycia, a pogoń za czystą techniką nie stępiła naturalnych reakcji zmysłów?

Subtelność i głębia naszych doznań wynikała nie z wyrafinowanych pozycji, a nawet nie z podniecających dodatków do miłości – bielizny, luster, opasek na oczy, ale z naszej fantazji, która pokonywała granice wstydu, ekspresji, sytuacji i słów.

Mark miał niezwykły dar rozpalania mojego pożądania do utraty zmysłów. Nie wiem, jak to osiągał ani dlaczego tak mocno na niego reagowałam. Było to w nim naturalne. Nie działał z premedytacją, jego żywiołowa seksualność poparta była dużą i mądrą wiedzą na ten temat, dojrzałą refleksją i głębią psychiczną. Namiętność i intelekt wzmacniały się wzajemnie, sprzęgały, prowadząc Marka do celu, którego, jak się domyślałam, był w pełni świadomy.

Moje pożądanie narastało powoli, stopniowo, rozchodziło się falami. Potężna, zagarniająca całą moją istotę fala rosła, wzbierała na sile, doganiała falę wcześniejszą, wchłaniała ją, tamta, pierwsza fala traciła energię, wygasała. Twarz Marka była często tak blisko mojej twarzy, że jego źrenice, zawsze w takich chwilach ciemnogranatowe, zlewały się w mojej świadomości w jeden niebiański przestwór.

Wchodził we mnie powoli, rozwierając moją waginę, rozchylając wargi sromowe, które nie od razu się poddawały prężnej sile jego członka, nieświadomie próbowały się bronić. Ich delikatny opór tylko go podniecał, rozpalał, zachęcał. Powoli, milimetr po milimetrze, wsuwał się we mnie coraz głębiej, pieszcząc i pobudzając najczulsze punkty mojej dziurki, nie pozwalając jej wessać siebie do końca. Jakimś jemu tylko znanym i niesamowitym sposobem udawało mu się wyprzedzić pożądliwą, zachłanną reakcję moich mięśni, na ułamek sekundy uwolnić od siebie moją waginę, pozwalając jej opanować podniecenie, by w tym samym ułamku sekundy znowu na nią naprzeć, rozewrzeć ją, jeszcze raz poczuć jej zmysłowy opór, a potem znowu powtarzać wszystko od początku.

Jego penis oswajał się z moim kobiecym wnętrzem, jakby się w nim usadawiał, mościł, jego ruchy stawały się bardzo rytmiczne, nie próbowały już penetrować mojej pochwy w poszukiwaniu kolejnego wrażliwego punktu. Ten rytm nie zaskakiwał mnie nagłym przyspieszeniem, nie spowalniał, nie wygasał, nie nabierał siły. Mark poruszał się we mnie miarowo, powoli, posuwał się w tym metodycznie rozkołysanym rytmie, prawie niewyczuwalnie, długo, spokojnie, a ja czułam zawrót głowy.

Jego ręce nie błądziły teraz po moim ciele, nie wpijały się nagłym chwytem w moje nogi, nie unosiły ich do góry, palce nie wędrowały ku miejscu, w którym połączyły się nasze ciała, nie pieściły, nie pocierały moich warg sromowych, ufnych, rozchylonych w pełnym oddaniu, nie wwiercały się z bolesną, słodką rozkoszą w mój odbyt. Dłonie Marka pieściły moją twarz, zagarniały ją, kierując mój znieruchomiały wzrok w oszałamiające przestrzenie błękitu.

Mark chwytał wargami moje usta i nie przerywając miarowych pieszczot mojej pochwy, wszeptywał we mnie: „Kocham cię", wdychając mój oddech, powtarzał: „Kocham cię". Jego wargi zostawały na moich wargach, chwytając je i kąsając w tym samym rytmie, w jakim jego twardy penis penetrował moją pochwę, bezustannie wtłaczając we mnie te dwa słowa, z których pierwsze łączyło się i zlewało w jeden wyraz z następnym pierwszym, nie byłam już w stanie ich odróżnić, zrozumieć, wyczuwałam je tylko, wdychałam.

To wszystko razem – rozkołysana miarowość ruchów jego członka we mnie, jego szeroko otwarte, urzekające oczy, niekończący się, najdłuższy pocałunek, wzrastający ciężar ciała, delikatność władczych dłoni – a najbardziej – te dwa słowa-zaklęcia, narkotyzujące mój mózg – zniewalało mnie, napełniało przedziwną, słodką niemocą i unosiło w niebiańskie przestrzenie.

Jego podniecające ruchy we mnie, wargi, pocałunki, słowa, spojrzenie, odrealniały się i zlewały w zaskakującą, jednorodną zmysłową materię, porywając mnie w inne światy, w rozedrganą nierzeczywistość. Pieścił mnie, szeptał najczulsze, niepojęte słowa i unosił mnie, unosił, unosił, porywał, coraz wyżej, w kosmiczne dale, gdzie nie istniała przestrzeń, czas, świadomość, materia, atomy... Był tylko ten nienazwany, zaczarowany świat – moja przystań, oaza, cel i sens istnienia – w którym się rozpływałam, dematerializowałam, nie istniałam, istniejąc inaczej, duch tego świata przez miliony kanalików w mojej skórze, rdzeń kręgowy, cebulki włosów, źrenice przenikał do każdej komórki mojej ludzkiej, kobiecej, cielesnej formy.

Początkowo moje biodra starały się wejść w zgodny rytm z ruchem jego bioder, poddać się tej miarowości, tempu i częstotliwości, wyprzedzić, uprzedzić, przyspieszyć, narzucić swoje tempo, przejąć inicjatywę. Ale czułam tylko przygniatający ciężar ciała Marka, ucisk w żołądku, drętwienie ud, słyszałam jego stłumiony szept, który chwilami wydawał się grozić: „Nie ruszaj się, ja sam". Później to zrozumiałam. Drobny, nieostrożny, nieopatrzny ruch, niepotrzebne słowo mogły zburzyć kosmiczną harmonię i czar naszego świata, utkanego z najgłębszych doznań, z wrażliwości naszych zmysłów. Tylko mój oddech mu nie zagrażał. Zlewając się z oddechem Marka, przejmował jego długość, przyspieszał, nabierał siły, by wybuchnąć moim: „Kocham cię”. Wszystko się mieszało, wirowało, splatało: „Jesteś moim szczęściem”, „Kocham”, i jeszcze raz, od nowa, od początku...

Odbierałam ciałem i duszą tę moją miłość, była delikatna i czuła jak świat, który mnie teraz otulał. Stała się niemal narkotycznym upojeniem, ale było w niej i wielkie duchowe uniesienie, była moją najgłębszą medytacją i moją modlitwą, moim wyzwaniem i moją ciszą, nieporuszeniem, nirwaną. Nie od dziś wiedziałam, że ośrodkiem moich zmysłów jest mózg, moja głowa, ale teraz mój mózg stracił kontakt ze świadomością – świadomość wypłynęła poza jego komórkową strukturę, uwolniła się, wyzwoliła, przekroczyła granice wymiarów, rozpadła się na drobne atomy, które rozpłynęły się w przestrzeniach mojego nowego świata, tworząc nowy gatunek kosmicznej materii.

Nie wiem, ile czasu trwaliśmy tak złączeni. Nieskończoność? Domyślałam się jakąś ostatnią komórką, zdolną jeszcze do wypełniania intelektualnych funkcji, że jakieś życie istniało do chwili, w której wzrok Marka zjednoczył się z moim. Nie podjęłam jednak próby połączenia ziemskiego czasu z kosmiczną wiecznością.

Przerywaliśmy nie dlatego, że dobijaliśmy do brzegu. Nasze podniebne loty żądały nowych pokładów energii – zmysłowych i fizycznych. Zmęczeni, nieobecni, ciężko dysząc, odpoczywaliśmy na mokrym, zgniecionym prześcieradle. Czy przeżywałam orgazm? Nie wiem. Nie pamiętam. Myślę, że tak. Nie to było najważniejsze. A nawet lepiej, gdyby go nie było. Lepiej bybłoby, gdyby moja świadomość już na zawsze pozostała w wyższym, pozaziemskim wymiarze.

Orgazm zawsze traktowałam z pewnym dystansem, a teraz niemal z wrogością. Coś we mnie niszczył, kończył, zatrzymywał, przerywał miłosne procesy duchowe. Starałam się, na ile mogłam, nie poświęcać mu uwagi, nie odrywać się od burzy doznań psychicznych, którą przeżywałam. Orgazm wybuchał sam z siebie. Był fizjologiczną reakcją czy też potrzebą organizmu. Nigdy nie zrozumiem, dlaczego miałby być celem sam w sobie, skoro wszystko kończył, nie pozwalał wzrastać najsubtelniejszym drgnieniom duszy, unosić się w rozkoszny niebyt.

Powszechnie panujące przekonanie, że orgazm jest istotą kontaktu seksualnego, fetyszyzacja dążeń do jego przeżywania wydała mi się skrajnie prymitywnym, wulgarnym uproszczeniem pojęcia miłości fizycznej, cielesnej. W końcu to tylko skurcz mięśni pochwy. Skurcz, którego można się nauczyć. Zarządzać nim świadomie, rozumowo, podobnie jak uczymy się kurczenia i rozluźniania dowolnego mięśnia. Czy miłość w swoich najwyższych porywach, rejestrowanych przez komórki układu nerwowego, ze wszystkimi fantasmagoriami, podniecającymi zapachami, odgłosami, dźwiękami, szeptami, z rozpaloną, wyostrzoną zmysłowością, mącącą rozum, ze swoją tajemnicą, uruchamiającą nieznane, niezbadane jeszcze funkcje ludzkiego organizmu, przekraczająca jego fizyczne wymiary, jednocząca ciało i duszę – czy taka miłość mogłaby się sprowadzać do kilkusekundowego skurczu jakiegoś mięśnia? Czy istotę seksualności, istotę miłości, którą nieudolnie próbuję wyrazić słowami i nie potrafię – ale nikomu wcześniej też się to nie udało – czy tę wzniosłą istotę najpiękniejszego ludzkiego uczucia można wytłumaczyć na poziomie prostej, zwulgaryzowanej reakcji fizjologicznej, na poziomie szkolnej wiedzy o działaniu organizmów?!

Mark zmierzał do orgazmu, jego męska fizjologia tak rozumiała logiczne zakończenie aktu miłosnego. Robił to w chwili, gdy czuł, że akt ten zbliża się do punktu kulminacyjnego, do końca. Nie zamierzał unosić się i odlatywać w kosmiczne wymiary.

Pomyślałam, że mężczyźni kończą akt miłosny wtedy, kiedy – świadomie czy nieświadomie – nie mają już ochoty się kochać. Szczytowanie jest dla nich jedynym do przyjęcia wyjściem z sytuacji, z której nie ma innego, lepszego wyjścia. Ta myśl zszokowała mnie. Wcześniej myślałam, zresztą jak i cała reszta, że im żądze bardziej są rozpalone, tym mężczyzna prędzej ma wytrysk. Okazało się, że jest zupełnie inaczej. Im jest mu przyjemniej, im większą osiąga satysfakcję, uprawiając miłość, tym dłużej będzie się starał zapanować nad orgazmem. Najmniejszy dyskomfort z kolei zmusi mężczyznę do ucieczki z łóżka, co w sposób naturalny doprowadzi go do zakończenia aktu seksualnego i wytrysku.

Podzieliłam się swoją refleksją z Katką, ale ona parsknęła jak kotka, broniąc się uszczypliwością: „Nie na próżno studiujesz psychologię". Zdałam sobie sprawę, że moje odkrycie zapewne nie dotyczy wszystkich, zresztą pewnie nie istnieją tu jednolite reguły, każdy przeżywa miłość po swojemu, co wcale nie pozbawia mojej refleksji wartości.

Zrozumiałam, że seksualność nie polega na zaangażowaniu męskich i żeńskich organów płciowych czy umiejętnym pobudzaniu sfer erogennych. To tylko forpoczta bardzo złożonych reakcji i doznań całego organizmu: psychiki, duszy, intelektu i ciała – można to porównać do ziarenka złota, które pojawiło się na powierzchni ziemi, by uświadomić poszukiwaczom, że w jej głębiach skrywa się potężna żyła złota – skromny łącznik pomiędzy objawami czysto fizycznymi, zewnętrznymi a ukrytym bogactwem, jego niepewna gwarancja, coś, co niezdolne jest zastąpić niewyrażalnych przeżyć aktu seksualnego zespolenia, aktu miłości psychofizycznej.

Głębia i intensywność wewnętrznego przeżycia są podstawą miłości fizycznej, wielką sztuką wprawiania w drżenie nie zewnętrznych, bodaj najbardziej erogennych, narządów czy punktów ciała, lecz niedostępnych rejonów duszy, świadomości, synaps, sztuką pobudzania fantazji i łączenia wszystkich poziomów odczuwania w wysokie nadprzewodnictwo zmysłowe.

Taki dar kochania posiadł niewątpliwie Mark. Pamiętam, jak kiedyś – było to późną nocą, w piątek czy w sobotę – wróciliśmy z jakiegoś spotkania towarzyskiego, oboje na lekkim rauszu, i natychmiast wskoczyliśmy do łóżka. (Cały wieczór z niecierpliwością i narastającym pragnieniem czekaliśmy na tę chwilę. Ocknęliśmy się z miłosnego upojenia wraz z pierwszym brzaskiem. Wtedy powiedziałam Markowi o jego talencie do miłości. Uśmiechnął się, zadowolony i szczęśliwy. Przyznał mi rację, że miłość można uprawiać z talentem, jak wszystko inne w życiu, i że talent może być naturalny, wrodzony, albo nabyty, dobrze wytrenowany. Różnie to bywa.

– Człowieka można nauczyć miłości, tak jak uczy się go innych rzeczy – powiedział. – Ale zawsze miło jest znaleźć kogoś rzeczywiście utalentowanego, twórczego, taki talent można szlifować, to znaczy udoskonalać i uszlachetniać – dokończył myśl, a ja odniosłam wrażenie, że mówił już o czymś zupełnie innym. Na chwilę zamilkł, po czym znowu się odezwał: – Sama widzisz, że w życiu wszystko opiera się na jednej zasadzie – także miłość.

16.

Seks nie był zasadniczą treścią moich nowych relacji z Markiem. Zaskakujące przemiany objęły całe moje życie, wszystkie jego sfery i dziedziny, po prostu zmienił się mój dotychczasowy styl życia. Wszystko zaczęło się jakby na nowo – pojawiły się nowe cele, ćwiczyłam nowe przyzwyczajenia. Powiedziałam kiedyś mojej przyjaciółce, że zmienił się *ogólny bieg mego życia*, odpowiadając w ten sposób na jej prowokacyjne: „Co tam u ciebie?".

Muszę przyznać, że seks był w moim nowym życiu raczej wytchnieniem, odpoczynkiem od nowego, przyspieszonego rytmu niż częścią tego życia. Uczyłam się jak nieprzytomna, opanowując dwa razy więcej przedmiotów niż reszta moich kolegów i niż było to przewidziane w programie studiów. (Mark poprosił kogoś ważnego i władze uczelni dały mi zgodę na indywidualny tok nauki). Trzy noce tygodniowo pracowałam w pensjonacie dla chorych psychicznie, pilnując, by pensjonariusze nic nie nabroili, a przede wszystkim nie wyrządzili sobie krzywdy.

Byli to mili, sympatyczni ludzie, doskonale zorientowani w specyfice swojej choroby, pogodzeni z losem, żyjący z jej ograniczeniami. Jednak kiedy objawy chorobowe nasilały się i wymykały spod działania leków, mogli zrobić coś niekontrolowanego, szalonego, co za każdym razem przyprawiało mnie o rozpacz i z czym nie potrafiłam się pogodzić. Załamanie ich zdrowia sygnalizowały nam próby samobójcze, które podejmowali w stanie ograniczonej świadomości, a więc nie mogli ich precyzyjnie zaplanować i skutecznie wykonać, dlatego zazwyczaj kończyły się one jedynie sporą ilością krwi.

Nie przywykłam do podobnych sytuacji i widoków, toteż za każdym razem wpadałam w panikę i histerię. Niekiedy próba samobójcza kończyła się utratą przytomności z powodu przyjęcia zbyt dużej dawki leków, na szczęście nigdy nie była to dawka śmiertelna. Przyjeżdżało pogotowie, zjawiali się ludzie w białych kitlach, niedoszłą ofiarę odwożono do szpitala, gdzie często poddawano ją długiej hospitalizacji. Dwa, trzy dni po takim incydencie – wiedziałam, że wcześniej nie ma sensu – odwiedzałam swego podopiecznego czy podopieczną. Chory był już przytomny, ale bardzo zmieniony, wyciszony, przerażony nie tyle tym, co zrobił, ile nieoczekiwanym nawrotem choroby.

Podobne wypadki przytrafiały się niezbyt często i nie każdemu z pensjonariuszy. Takie incydenty zdarzały się raz na kilka miesięcy. Czasami przez pół roku nic się nie działo, życie pensjonariuszy toczyło się zwykłym trybem, zajęci byli codziennymi sprawami, brali leki, sprzątali, dbali o czystość w pokojach. Pomagałam im, starając się wlać w ich dusze trochę spokoju i równowagi, jeżeli w ogóle idea spokoju w państwowym domu opieki nie wydaje się ironią losu.

Byłam przywiązana do moich podopiecznych, bardzo ich lubiłam. Nieszczęścia tych biednych ludzi traktowałam jak wypadki losowe bliskich mi osób. Może dlatego, że sama – oprócz Marka – nie miałam nikogo bliskiego. Mark z własnej chęci i potrzeby troszczył się o mnie, swoje sprawy natomiast lubił rozwiązywać sam, bez udziału tak zwanego czynnika zewnętrznego. Może tak rodził się mój przyszły profesjonalizm, tak jak dziś to rozumiem?

Moi pacjenci chyba czuli tę sympatię, gdyż odpłacali mi wzruszającą wzajemnością.

Nieopodal domu Marka była piekarnia znana ze znakomitych wyrobów ciastkarskich, tortów i innych słodkości. Zapytałam kiedyś jej właściciela, wyjaśniwszy mu, gdzie pracuję, czy mógłby raz w tygodniu bezpłatnie ofiarować moim pensjonariuszom tort czy inne wypieki, których nie udało mu się sprzedać. Zaproponowałam, że sama będę im to dostarczać. Właściciel chętnie się zgodził.

Kiedy Mark zobaczył tort – wpadłam przed dyżurem do domu – i przymierzał się do odkrojenia porcji, respektując mój nagły zakaz i jego powód, popatrzył na mnie z niekłamanym zdziwieniem. Zawsze się tak dziwił, kiedy stykał się z czymś, czego nie mógł przewidzieć i na co sam nigdy by nie wpadł.

– Czy to twój pomysł? – zapytał zdumiony.

– Oczywiście, że mój – odpowiedziałam poirytowana, bo zranił mnie zarówno tym pytaniem, jak też brakiem wiary we mnie i moje intencje. – Dlaczego uważasz, że niczego nie mogłabym wymyślić?

– Maleńka, nie mów tak! Ja wcale tak nie uważam. To jest... – zaczął się plątać w wyjaśnieniach – to... znakomity, genialny pomysł, nawet sobie nie zdajesz sprawy, jak bardzo niezwykły...

Nie podobały mi się te słowa.

– Czy sądzisz, że nie rozumiem nawet tego, co sama wymyśliłam? Czy tylko ty posiadłeś monopol na rozumienie świata?

– Nie, nie – zreflektował się Mark. – Nie to miałem na myśli. Pomysł z tortem jest twój, oryginalny. Dowodzi on nie tylko twojego wielkiego zaangażowania, lecz także zaangażowania w pełni twórczego, rzadko spotykanego, niestandardowego, i to jest najważniejsze. Mnie by to nigdy nie przyszło do głowy.

Widziałam, że Mark jest nie tylko zdziwiony, ale zachwycony i naprawdę poruszony moim zachowaniem. Nie mogłam sobie jednak darować bodaj szczypty złośliwości:

– Dlaczego ty zawsze musisz tak wszystko poszufladkować, oceniać, analizować?

– Może nazwiesz mnie jeszcze nudziarzem – odpowiedział Mark z przymilnym uśmiechem.

– Oczywiście, że jesteś niepoprawnym nudziarzem.

Podeszłam do niego. Było mi przyjemnie, że tak wysoko ocenił zwykły odruch mego serca.

W domu opieki najbardziej zbliżyłam się z Marianne – szczupłą dziewczyną, prawie dzieckiem, która mogła mieć jakieś osiemnaście czy dwadzieścia lat. Marianne od razu przywiązała się do mnie może dlatego, że byłam inna niż reszta opiekunek, nie traktowałam moich podopiecznych jak przypadków medycznych, które trzeba leczyć i obserwować. Zresztą i dziś nikogo tak nie traktuję i mam nadzieję, że taka rutyna mi nie grozi.

Byłyśmy prawie rówieśniczkami. Byłam o cztery czy też pięć lat starsza od Marianne, ale w jej nie w pełni sprawnej świadomości urastałam do rangi mądrej mieszkanki świata zdrowych, znającej wszystkie jego tajemnice i sztuczki. Wieczorem, kiedy już sprawdziłam, czy moi pacjenci wzięli leki i czy wszystko jest w porządku – posprzątane, przygotowane na następny dzień, szłam do swojego gabinetu w suterenie, by zdrzemnąć się tam na kanapie. Wtedy przychodziła do mnie Marianne, siedziała z godzinę, dopóki nie odprawiłam ją spać.

Dopiero po jej wyjściu mogłam wyjąć książkę albo usiąść do komputera i przygotować się do seminarium. Kiedy Marianne w zaufaniu opowiadała mi o swoich nieskomplikowanych problemach, przeżyciach i rozterkach, czułam, że dotykam jej delikatnej, chorobliwie rozedrganej duszy. Miałam wrażenie, że dusza Marianne leży na mojej dłoni, gdyż dziewczyna aż do tego stopnia mi zawierzyła, oddała się, i zależała teraz całkowicie od mojej dobrej i złej woli. Z historii choroby dowiedziałam się, że Marianne cierpi na głęboką depresję, która pojawia się nagle, z pewną regularnością i że wtedy dziewczynę nękają zwykle myśli samobójcze. Terapia farmakologiczna od trzech lat podtrzymywała w niej tę chwiejną równowagę między światem zdrowia i choroby.

Pracowałam tam drugi rok, kiedy Marianne wyznała mi, że się zakochała, spotyka się z pewnym mężczyzną i pragnie mieć z nim dziecko. W ustach Marianne zabrzmiało to bardzo poruszająco – pomyślałam nawet, chora istota ludzka też chce się cieszyć pełnią życia. Nagle ogarnął mnie niepokój. Miłość, szczególnie pierwsza, zdrowemu dostarcza wiele silnych przeżyć, emocji i stresów, często przebiega i kończy się dramatycznie, a w przypadku Marianne może mieć jeszcze cięższe skutki.

Nie wiedziałam, co zrobić. Nie mogłam niczemu zapobiec, zresztą nie miałam prawa. Oprócz rad dobrej cioci, w rodzaju: „Bądź ostrożna, bądź mądra", nic jej nie mogłam powiedzieć. Nie wiedziałam też, czy powinnam o tym poinformować lekarzy, którzy z pewnością nie byliby tacy bezradni jak ja, mogli odizolować dziewczynę od źródła bezpośredniego zagrożenia, zmniejszyć ryzyko nawrotu depresji. Tylko że wtedy Marianne na pewno by się domyśliła, skąd wiedzą o jej problemach uczuciowych. To na pewno załamałoby jej wiarę w przyzwoitość świata ludzi zdrowych, a przede wszystkim w moją lojalność.

Wdrukowana w młodości komunistyczna moralność nastawiała mnie negatywnie do przekazywania władzom jakichkolwiek informacji. Bardzo się bałam, że dziewczynie może stać się coś złego. Nigdy bym sobie tego nie wybaczyła.

W każdym razie niepokój, przede wszystkim o siebie, spowodował, że postanowiłam opowiedzieć o wszystkim Markowi i zasięgnąć jego rady. Mark, człowiek nie obciążony konfliktem pomiędzy moralnością bolszewicką i uniwersalną, nauczony do wszystkiego podchodzić profesjonalnie, nie miał wątpliwości, stwierdził, że natychmiast powinnam o wszystkim zawiadomić lekarza prowadzącego Marianne.

Z przyzwyczajenia go posłuchałam. Zdjęłam ciężar z własnego sumienia, stwierdzając, że w tym kraju tak właśnie powinnam się zachować. Po dyżurze napisałam notatkę do lekarza.

Ku mojemu zdziwieniu nic się dalej nie działo. Dopiero po czterech dniach lekarz zatelefonował do mnie, spytał, o co chodzi, ale nie interesowały go szczegóły. Przerywając moje wyjaśnienia, podziękował za czujność i oświadczył, że nie bardzo rozumie, jaką mógłby tu odegrać rolę i w czym okazać się pomocny.

– Fakt, że dziewczyna zderzyła się z normalnym życiem – powiedział – nie jest wystarczającym powodem, byśmy ją izolowali, izolacja może mieć fatalny wpływ na jej stan psychiczny. Miejmy nadzieję – dodał – że leki pomogą, nic więcej nie mogę zrobić. Proszę nie spuszczać jej z oczu – dorzucił na koniec i jeszcze raz podziękował mi za sumienność.

W Ameryce nie dyskutuje się z lekarzami, to bogowie, niedostępni, dzierżący władzę nad ludzkim zdrowiem. Zasłużyli na to chociażby tym, że odbyli dwanaście lat ciężkich studiów, wkuwając trudny materiał i nocnymi dyżurami podczas praktyk. Jakże ja, istota miotająca się gdzieś u podnóża tego niedostępnego zwykłym śmiertelnikom Olimpu, ze swoim jakże niepewnym zdrowiem, nie odróżniająca histopatologii od glistologii, mogłabym wdawać się z nimi w dyskusję.

Jednak moje nawyki wzięły górę. Nie byłam przyzwyczajona do bezwzględnego podporządkowania się, do tej pory nie potrafię wypowiedzieć czołobitnej formułki: „Yes, sir", podobnie jak wcześniej, podczas zajęć w studium wojskowym, z trudem przechodziło mi przez gardło: „Tak jest, towarzyszu pułkowniku". Uderzyłam więc w błagalne tony:

– Czy można przysłać do niej jakiegoś psychoterapeutę?

Doktor chwilę się zastanowił, nie wiem, czy nad moją propozycją, czy nad moją zuchwałością, po czym niespodziewanie wyraził zgodę. Wypytując, kiedy mam następny dyżur, zaproponował, bym to ja zajęła się psychoterapią Marianne.

Niestety, dramaty uczuciowe rozgrywają się niezależnie od dat zapisanych w lekarskich terminarzach. Następnego dnia, było już dobrze po jedenastej wieczorem, zatelefonowała do mnie jedna z moich zmienniczek, która tej nocy miała dyżur. Drżącym głosem powiedziała mi, że właśnie przyprowadzono do niej półprzytomną Marianne. Znaleziono ją na ławce, całą we krwi, metodycznie podcinającą sobie żyły na przegubach obu rąk brudnym kawałkiem szkła z rozbitej butelki. Tak właśnie powiedziała: „brudnym kawałkiem szkła", jakby z tego wynikało, że czysty kawałek szkła mógłby mieć jakikolwiek wpływ na przebieg zajścia. Ten brudny kawałek szkła ożywił moją wyobraźnię. Zobaczyłam Marianne na pustej ławce, w nocy, zawzięcie piłującą sobie żyły brudnym szkłem, z grudkami ziemi, ociekający krwią.

Moja zmienniczka poinformowała, że już opatrzyła ranną Marianne, zawiadomiła władze, że pogotowie jest już w drodze, że Marianne albo jest w głębokiej depresji, albo zasłabła na skutek znacznego upływu krwi, a ona przeprasza za ten nocny alarm, ale wie o moim przyjaznym stosunku do Marianne, dlatego pozwoliła sobie do mnie zadzwonić. Podziękowałam jej, prosząc, by się dowiedziała, do jakiego szpitala Marianne odwiozą i odłożyłam słuchawkę.

Opowiedziałam to Markowi. Nie czekając, aż go poproszę, zaczął się ubierać. Pojechaliśmy do pensjonatu, ale Marianne już tam nie było, więc ruszyliśmy do szpitala.

Marianne leżała w sali chorych, bardzo blada, miała szeroko otwarte oczy, jak na dawnych portretach, ale nawet się nie poruszyła. Nie wiem, czy mnie widziała, czy tylko nie poznawała, a może nie chciała ze mną rozmawiać. Była przywiązana do łóżka pasami.

Przysiadłam w nogach jej łóżka i powiedziałam, bardziej do siebie niż do niej, bo musiałam coś powiedzieć: „Dlaczego to zrobiłaś, Marianne?". Usłyszałam własny głos i słowa... wypowiadane po rosyjsku. W tym momencie zdałam sobie sprawę, że mnie też ktoś powinien podać jakiś środek na uspokojenie. Umilkłam. W sali nie było nikogo, kto zrozumiałby chociaż jedno słowo, bez względu na to, w jakim języku wypowiedziane. Patrzyłam na twarz Marianne, martwą twarz żywej istoty. Wyszłam z sali. Miałam świadomość, że do lekarza nikt mnie nie wpuści, więc zwróciłam się do pielęgniarki. Odpowiedziała mi z zawodową uprzejmością i współczuciem.

– Rany nie są groźne. Zrobiliśmy wszystko, co należy. To dobrze, że ją w porę przywieziono, nie straciła dużo krwi. Ale jest w głębokiej depresji, dopóki z niej nie wyjdzie, doktor nic nie może powiedzieć. Dostała leki. Proszę zadzwonić jutro, może będziemy wiedzieli coś więcej.

Wręczyła mi wizytówkę z numerem telefonu, podziękowałam jej i wyszłam. Mark czekał na mnie w holu.

– I co? – spytał krótko, gdy już siedzieliśmy w samochodzie.

Nie odpowiedziałam, pokręciłam tylko głową. Miałam w oczach zastygłą twarz Marianne. Nagle zrozumiałam, że w tej chwili rozstrzygnął się i mój los. Dokonałam wyboru. Pomyślałam, że gdybym miała nawet maleńką szansę odwrócić nieszczęście, nie, tylko odrobinę ulżyć w nieszczęściu, chociaż raz w życiu, to warto dla tego jednego razu poświęcić wszystkie moje bezsenne noce spędzone nad książkami, wszystkie lata, jak mi się wcześniej wydawało, bezsensownej nauki, tego szalonego samozaparcia i wysiłku, który dopiero mnie czekał. Spojrzałam na Marka. Skupił się na prowadzeniu samochodu, ale czując mój wzrok, podniósł oczy i uśmiechnął się.

– Odwagi, nie masz wyjścia – powiedział.

W jego głosie usłyszałam współczucie. I już nie słuchem, ale zupełnie innym zmysłem rozpoznałam także jakąś niewspółbrzmiącą z tą sytuacją satysfakcję. Przyjrzałam mu się uważniej. W jego twarzy dostrzegłam dziwną dwuznaczność, niby skrywaną, ale dobrze widoczną, zupełnie jak u gracza w tenisa, który wygrał pierwszego seta, jest zadowolony, ale stara się utrzymać w napięciu, ponieważ gra jeszcze się nie skończyła, jeszcze czeka go długa walka.

– Celowo to zrobiłeś? – spytałam, wyrażając raczej swoje domysły niż pewność.

– Co zrobiłem? – Mark nie zrozumiał. Wbił wzrok w pasmo drogi.

Spróbowałam spokojnie pomyśleć. Rzeczywiście, trudno było zrozumieć, o co go posądzam czy obwiniam. Jednak nie mogłam sobie poradzić z wewnętrznym dyskomfortem, który nagle zaczął się rozrastać i bardzo mnie uwierać.

– Celowo wymyśliłeś mi tę pracę – wyjaśniłam już ze złością.

– Tak, celowo – potwierdził Mark.

Ale ja już go nie słuchałam.

– Chciałeś, żebym przeżyła to, co dzisiaj przeżyłam. Wszystko to zaplanowałeś, przewidziałeś, chciałeś, żebym przeżyła wstrząs, szok, wiedziałeś, że tak się to skończy.

– I może jeszcze stłukłem butelkę i wcisnąłem Marianne do ręki kawałek szkła? – spytał, wydawało mi się, że powiedział to bardzo spokojnie.

Jednak taka odpowiedź świadczyła, że nie ma w nim spokoju. Zabarwiona była zbyt silną ironią. Zorientowałam się, że dotknęłam czegoś ważnego, ale wtedy jeszcze nie wiedziałam, co to jest.

– Mówisz dziwne rzeczy. – Mark chyba wziął się w garść. – Tak, to prawda, chciałem, żebyś popracowała z chorymi psychicznie, to oczywiste. Żeby poświęcić całe swoje życie jakiejś sprawie, niełatwej sprawie, musisz być głęboko przekonana, że dokonałaś słusznego wyboru. Żeby leczyć chorych, pisać na ten temat artykuły, wypracowywać nowe metody terapii, trzeba czuć i rozumieć ich i ich chorobę, i to w najdrobniejszych szczegółach, na najgłębszych poziomach.

Oczywiście, Mark ma rację, to jasne, tak też zalecają podręczniki orientacji zawodowej. To prawda, jestem zdenerwowana, dlatego się czepiam. Jest mi źle, chcę odreagować na Marku, zawsze swoje humory odreagowujemy na osobach najbliższych. A może jestem podłym, gderliwym babskiem, rosyjskie kobiety mają taką naturę, no i jeszcze to żydowskie mędrkowanie, ta męcząca natarczywość, zawsze jestem gotowa walczyć do ostatniej kropli krwi, nawet gdyby to miała być krew najdroższych mi osób.

Przypomniałam sobie naszą wizytę u Katki i Matwieja sprzed paru miesięcy. Od niedawna mieszkali razem i zaprosili nas na coś w rodzaju parapetówki, chociaż oprócz nas nie było innych gości. Widocznie nie mieli ochoty z nikim więcej dzielić się tym radosnym wydarzeniem.

Każda nasza wizyta u nich przebiegała pod dyktando Matwieja, który narzucał nam tematy burzliwych dyskusji, nierzadko kończących się kłótnią. Ja, a jeszcze częściej Mark musieliśmy się zażarcie bronić, kiedy pan domu wytaczał miażdżące argumenty. Pomijając agresywność Matwieja, dyskusje te sprawiały, że nasze wspólne wieczory były interesujące, miały może chwilami komiczną, ale zawsze żywą atmosferę. Tym razem, nie pamiętam dlaczego, Matwiej sprytnie podrzucił mi temat, mówiąc, że charakter człowieka, jego sposób bycia, a nawet styl życia pozwala stwierdzić, co człowiekowi sprawia przyjemność, czyli że to, co lubimy robić, w czym się realizujemy, jest pochodną charakteru.

– Na przykład ktoś często się denerwuje – przystąpił do wyjaśniania sedna sprawy. – Dzieje się tak nie z przyczyn obiektywnych, ale dlatego że ten ktoś coś sobie taką nerwowością załatwia, czerpie z niej jakąś osobistą satysfakcję. Może sam szuka dodatkowych napięć, sytuacji stresu, żeby się zdenerwować i w ten sposób podnieść sobie poziom adrenaliny. Albo weźmy osobnika, który ma podły charakter. Bo tak się mówi: charakter, ale tak naprawdę ktoś taki... taka... – poprawił się Matwiej – tylko czeka na okazję, by innym dopieprzyć, bo to ją rajcuje. Dla niej – Matwiej zdecydowanie wolał posługiwał się formą żeńską – jest to sposób osiągania satysfakcji, pokłócić się z kimś, przyczepić się do kogoś, oznacza tylko jedno: osiągnąć zadowolenie, poprawić sobie nastrój.

– Czy doszedłeś do tej teorii w związku z własnym życiem rodzinnym? – Nie darowałam sobie złośliwości.

Matwiej zignorował mój głos w dyskusji. Pochyliwszy do przodu tułów, trwał w nadziei, że znajdzie dobrego oponenta w osobie Marka. Mark jednak nie lubił dyskutować dla samej dyskusji. Potrafił oszacować wartość cudzej myśl i bez problemu ją zaakceptować.

Obie z Katką czekałyśmy na ostrą walkę, chciałyśmy się trochę porozkoszować odwagą i bohaterstwem naszych mężczyzn, ale walka jakoś się nie zaczynała. Mark powoli sączył piwo, zapadło milczenie, które się przeciągało, nikt się nie odzywał. Mark zorientował się, że został wywołany do tablicy.

– Jak rozumiem, uważasz, że charakter jest wypadkową... – zamyślił się, szukając odpowiedniego słowa, nie znalazł go jednak i mówił dalej: – rzeczy, które sprawiają nam satysfakcję. Jeśli jest to zestaw pozytywnych – znowu się zamyślił – przyjemności, to i charakter jest dobry. Taki ktoś, by dostarczyć sobie niezbędnej dawki satysfakcji, częściej będzie spełniał dobre uczynki. Jeżeli satysfakcja ma być negatywna, jak to powiedziałeś – tu Mark zwrócił się do Matwieja – to mamy na podorędziu przekleństwa, przykre słowa, akty histerii, łzy, obrazę, zły nastrój, zawiść, plotki... czy wszystko już wymieniłem?

Uśmiechnął się do mnie i do Katki, jakby prosząc nas o pomoc. Ale my byłyśmy nieugięte, zmilczałyśmy, nie czułyśmy się ekspertami od złych charakterów.

– I innych podobnych rzeczy... – podsumował Mark. – Wtedy charakter również nabierze cech negatywnych, zgadzasz się ze mną?

Ostatnie słowo było skierowane tylko do Matwieja, jakby Mark chciał się upewnić, czy właściwie zinterpretował jego tezę. Matwiej nie miał zwyczaju, szczególnie na wstępie, z kimś się zgadzać, ale nie mógł też podawać w wątpliwość własnych poglądów, uogólnionych teraz przez Marka, więc nic nie odpowiedział. Nie doczekawszy się polemiki, Mark kontynuował, chociaż nadal jakoś niemrawo, bez nerwu, po prostu nudno.

– Co więcej, gdybyśmy chcieli rozwinąć teorię Matwieja – wiedziałam, że ważkiego słowa „teoria" Mark użył tu celowo, zgodnie ze swoim zwyczajem dobrego traktowania rozmówcy, by nawiązać z nim lepszy kontakt – to okaże się, że w istocie każdy ma takie życie, jakie mu odpowiada, nawet jeśli, w naszym przeświadczeniu, jest w nim głęboko nieszczęśliwy. A dokładniej, powinno się tu raczej mówić nie o życiu, ale o stylu życia – uściślił Mark. Nie ulegało wątpliwości, że po prostu głośno myśli, zastanawia się. – To właśnie styl życia w ostatecznym rozrachunku powinien dostarczać zadowolenia, skoro sami wybraliśmy taki, a nie inny sposób na życie. Według Matwieja – Katka i ja uśmiechnęłyśmy się, kalambur był znakomity, ale Matwiej nie zrozumiał. Zresztą może i zrozumiał, ale nie zachwycił się – każdy robi dokładnie to, z czego czerpie satysfakcję. Ktoś na przykład może wybrać styl męczennika, bo lubi cierpieć, albo styl osobnika wiecznie zaaferowanego, bo to lubi i tak dalej, i tak dalej...

– Czy z tego wynika, że ktoś cierpiący nie powinien wzbudzać współczucia? – spytałam napastliwie.

– Wygląda na to, że nie, chyba że jest to cierpienie fizyczne. – Mark wzruszył ramionami. Po chwili jednak zdecydował, że ciężar odpowiedzialności za brak empatii przerzuci na Matwieja, więc dodał z uśmiechem: – W każdym razie tak to wynika z teorii Matwieja.

– Chwileczkę – przerwał Matwiej, nie mogąc już dłużej milczeć, a ja pomyślałam, że jego namiętność dyskutanta gotowa jest wylać z kąpielą nawet własne dziecko – przecież ludzie żyją w różnych warunkach, na które często nie mają wpływu. Stąd wynika więc, że styl życia nie zawsze jest rezultatem wyboru, lecz bywa narzucony przez okoliczności zewnętrzne.

– Na przykład? – zaciekawił się Mark.

– Na przykład... – Matwiej intensywnie myślał. – Ot, weźmy skrajny przypadek – więzienie. Życie w więzieniu toczy się według reguł niezależnych od skazanych. Czyli że życie, które oni tam prowadzą, nie zależy od ich satysfakcji czy braku satysfakcji.

– Dlatego uściśliłem – nie życie jako takie, ale styl życia. Pewnie w więzieniu, jak i w dowolnym punkcie świata zewnętrznego – więzienie jest światem, co prawda, specyficznym, ograniczonym, ale światem – człowiek może stworzyć określony styl życia, który będzie dla niego przyjemny albo nieprzyjemny. Może podstawą tego stylu będzie ten sam zestaw satysfakcji, do którego człowiek z reguły dąży. Zresztą nigdy nie siedziałem w więzieniu, nic na ten temat nie wiem. – Mark uśmiechnął się. – W końcu to twoja teoria, więc dlaczego ja muszę jej bronić?

Nie wiem, czy Matwiej zauważył podstęp, drobny akcencik pozornej szlachetności w postępowaniu: „teoria" nie była już „teorią" Matwieja, bardziej „teorią" Marka, który ją rozwinął i nadał jej zupełnie inny kierunek. Sądzę jednak, że Matwiej w porę się zreflektował.

– A co nam na ten temat mówi psychologia? – spytał, zerkając na mnie. Chciał za wszelką cenę uniknąć niewygodnej rozmowy.

– Konkretnie na jaki temat? – odpowiedziałam pytaniem.

– No, o różnych przyjemnościach czy satysfakcjach.

– Psychologia akurat dużo mówi na ten temat. Które z przyjemności najbardziej cię intrygują? Może mogłabym coś ci podleczyć?

Nic mądrzejszego nie wymyśliłam. No cóż, jakie pytanie, taka odpowiedź.

Kiedy się żegnaliśmy, powiedziałam szczerze do Matwieja:

– Teraz wiem, dlaczego tak lubisz się sprzeczać.

Spojrzał na mnie pytająco.

– Pozwala ci to osiągać satysfakcję – wyjaśniłam.

– Naturalnie – uniósł brwi, zdumiony, że tak późno na to wpadłam. – Nie mam co do tego wątpliwości – wyznał, uśmiechając się.

Już w samochodzie Mark powiedział:

– Łepski chłopak z tego Matwieja. – Na chwilę zamilkł, czekając na moją reakcję, ale nie podjęłam tematu, więc Marek pociągnął go dalej: – Co za ostrość widzenia.

Jechaliśmy w milczeniu. Sądziłam, że Mark jeszcze coś powie, ale się nie doczekałam.

I właśnie teraz, siedząc w samochodzie, który wiózł mnie ze szpitala, od Marianne, tak głupio odezwałam się do Marka: „Celowo to wymyśliłeś". Właściwie to sama nie wiedziałam, o co mi chodzi. Pomyślałam, że prawdopodobnie jestem takim typem człowieka, który od czasu do czasu potrzebuje awantury, choćby drobnej, żeby dostać swoją porcję wypaczonego zadowolenia. „Jednak – myślałam, próbując znaleźć usprawiedliwienie – chyba nie mam aż tak kłótliwej natury. Do pełnej satysfakcji potrzeba mi niewiele, kilku wyssanych z palca zarzutów".

– Przepraszam cię, Mark – odezwałam się – jestem zdenerwowana. Jeżeli bym się uparła, żeby jakiś psychoterapeuta wcześniej zajął się Marianne, wszystko to może by się nie zdarzyło. Częściowo więc i ja ponoszę za to winę.

– Przestań się zadręczać, niczemu nie jesteś winna, tak pracuje system. Jest niedoskonały, taka jest prawda. A poza tym będziesz się musiała przyzwyczaić, ofiary są nieuniknione, to także część twojej pracy, ryzyko zawodowe.

Nie miałam ochoty wdawać się w dyskusję na ten temat. Milczałam. W domu, nie czekając na Marka, poszłam spać, musiałam wstać o świcie.

Marianne więcej nie zobaczyłam. W dwa dni później przewieziono ją do kliniki psychiatrycznej. Następnego miesiąca w pensjonacie spakowano jej rzeczy i gdzieś usunięto, szykowano pokój dla nowego pacjenta. Wtedy już tam nie pracowałam, ale dowiedziawszy się o losie Marianne, zadzwoniłam do kliniki. Powiedziano mi, że stan Marianne powoli się poprawia, ale nieprędko wróci do pensjonatu i w ogóle do normalnego życia, na razie musi pozostać na zamkniętym oddziale klinicznym.

– Jak długo? – spytałam pielęgniarkę.

– Kilka lat – odpowiedziała. – Po tak ciężkich atakach depresji z próbami samobójczymi leczenie trwa długo.

„Bardzo długo...” – pomyślałam.

17.

W tym czasie zbliżałam się do zakończenia licencjatu. Miałam za sobą już cztery semestry nauki, do końca pozostało mi najwyżej pół roku, ale postanowiłam uporać się z tym w cztery miesiące.

Mój złoty Mark przechodził to wszystko razem ze mną, a ściślej mówiąc, dzielnie mi towarzyszył. Czytał te same książki, razem ślęczeliśmy nad projektami, mimo że inicjatywa zawsze należała do mnie, a Mark tylko mnie naprowadzał. Rozwijanie tematu, przedtem formułowanie go, i pisanie należało wyłącznie do mnie.

Mark był nieprawdopodobnie zdolny, a może po prostu świetnie wytrenowany w przyswajaniu ogromnych partii materiału, robił to lekko, bez wysiłku, wszystko rozumiał, zapamiętywał i w lot przyswajał. Kiedy z jawną zazdrością mówiłam mu o jego wybitnych zaletach, uśmiechał się, uspokajając mnie, że i ja wytrenuję w sobie taki nawyk, pojawi się on automatycznie, mój mózg wypracuje własną metodę przyswajania niezbędnej wiedzy, bo tego nie można się nauczyć, każdy musi sobie wypracować swój indywidualny sposób, to przychodzi z czasem.

Już wcześniej zrozumiałam, że pamięć ludzka działa wybiórczo, zorientowana jest na sprawy ważne i tylko takie najefektywniej zapamiętuje. Rzeczy, których nie musi długo przechowywać, zapamiętuje chaotycznie, niedokładnie, leniwie i od niechcenia. Ciekawie jest obserwować – obserwowałam to u siebie i u innych osób – jak wraz ze zmianą ważności danej sprawy, jej hierarchii, zmienia się selektywność pamięci. Informacja, którą jeszcze wczoraj zapamiętywałam z dziecinną łatwością, nagle staje się niedostępna, i na odwrót, coś, co dzień wcześniej wydawało się przekraczać możliwości pamięci, nagle, nabierając szczególnego znaczenia, bez trudu się w niej zapisuje.

Podzieliłam się tym niewyszukanym odkryciem z Markiem, który szczerze się z niego ucieszył. Zawsze się tak cieszył, kiedy coś z moich rozważań czy spostrzeżeń mu się podobało. Później, chwaląc mnie za postępy, powiedział, że moje spostrzeżenie jest trafne: najważniejsze to umieć właściwie nakierować pamięć na niezbędny w danej chwili fragment informacji.

Naturalnie nie porównywałam się z Markiem, chociaż, prawdę mówiąc, Mark miał więcej czasu na naukę niż ja. Budził się razem ze mną, choć była to dla niego nieprzyzwoicie wczesna godzina, razem piliśmy kawę, nawet zwykły poranny pośpiech nie odbierał mi przyjemności naszych krótkich, wspólnych chwil. Głowę miałam jeszcze wolną od codziennych spraw, więc mogliśmy spokojnie rozmawiać o wszystkim i o niczym, pijąc aromatyczną kawę. Patrzyłam z czułością na rozespanego Marka i czułam wielki spokój.

Mark miał swój własny system zajęć. Oprócz książek i podręczników, z których ja się uczyłam i które Mark w krótkim czasie dosłownie połykał, na podstawie jemu tylko znanych źródeł, opracował dodatkowo własną listę lektur obowiązkowych. Wielu publikacji nie było nawet w bibliotekach, domyślałam się, że są to rarytasy, białe kruki, nie miałam pojęcia, w jaki sposób udawało mu się je zdobywać. Czytał je wszystkie. Te, które należało przeczytać, zostawiał mnie, a ja starałam się znaleźć czas, co mi się na ogół nie udawało, ale Mark naciskał. Kiedy kończyłam lekturę jakiejś pozycji, czekały już na mnie dwie albo trzy następne.

Mark pracował z książką. Nigdy nie widziałam, żeby czytał, leżąc na kanapie czy siedząc w fotelu. Zawsze czytał przy stole, robił notatki. Mnie również zmuszał do zakładania zeszytów, zapisywania najważniejszych myśli, tez, fragmentów, robienia konspektów, aż w końcu nabrałam nawyku notowania rzeczy ważnych z każdej przeczytanej książki, robię tak do dziś, właściwie nie potrafię inaczej czytać literatury specjalistycznej – robię zapiski, niekiedy dziwne, nie związane z tematem, ale zawsze dla mnie ważne.

Nawiasem mówiąc, nawet Markowi nie udało się oduczyć mnie pracy na kanapie. Układałam się tam wygodnie, z poduszką pod głową, przykrywałam pledem, żeby było mi jeszcze przyjemniej, zginałam nogi w kolanach, bo służyły jako oparcie dla książek, zeszytów, obok stawiałam talerz z jabłkami albo czymś innym do pochrupania. Tak pracowało mi się najlepiej, najwydajniej. Początkowo Mark próbował walczyć z moim horyzontalnym podejściem do nauki, ale że konsekwentnie broniłam mojego komfortu, w końcu dał mi spokój.

Jak już wspomniałam, dosyć często i regularnie, według jakiegoś sprytnie przemyślanego harmonogramu, po mistrzowsku wplecionego w mój obfity rozkład zajęć, Mark organizował dyskusje i omówienia na tematy, które akurat go interesowały. Dyskusje odbywały się w kuchni, przy filiżance kawy albo herbaty, późnym wieczorem. W te domowe seminaria wciągnął mnie niepostrzeżenie. Nasza rozmowa zaczynała się od jakiejś, na ogół kontrowersyjnej, wypowiedzi Marka, wewnętrznie sprzecznej, a mnie nie pozostawało nic innego, jak tylko wyrazić sprzeciw, przytoczyć kontrargumenty, pokazać inny punkt widzenia, mój własny, który formułowałam w toku dyskusji.

Spieraliśmy się, staraliśmy się przekonać siebie nawzajem, czasem trwało to kilka godzin. Mark niechętnie wycofywał się z własnych poglądów, zażarcie bronił swego stanowiska, atakował i bezlitośnie zbijał moje argumenty. Zrozumiałam, że wcale nie stawia sobie za cel udowadniania mi swoich racji, podkreślania własnej nieomylności, wprost przeciwnie – zależało mu, bym to ja dowiodła słuszności mego stanowiska.

Szybko przyzwyczaiłam się do jeszcze innego treningu, do możliwości nie tylko cyzelowania własnej wiedzy, ale jej logicznego dowodzenia. W domu, w przytulnej kuchni, z filiżanką herbaty w dłoni, z moim ukochanym Markiem. Gdzież jeszcze mogłabym tak bezpiecznie wygłaszać najbardziej obrazoburcze, zaskakujące twierdzenia, bronić dziwacznych czy wręcz bezsensownych pomysłów?

Z czasem sama zaczęłam wciągać Marka w podobne dyskusje, gdy tylko udało mi się wykroić parę wolnych od zajęć godzin i kiedy czułam się przygotowana do rozmowy, by się nie ośmieszyć, nie skompromitować przed najbliższą mi osobą. Wiedziałam, że najbardziej był ze mnie zadowolony, kiedy próbowałam znaleźć, i w końcu znajdowałam, całkowicie oryginalną, niekonwencjonalną, zaskakującą interpretację danego zjawiska czy tezy.

– Tego, co poprawne, uznane, niech cię uczą na studiach, tu spróbujemy się nauczyć całej reszty – powiedział kiedyś.

Uświadomiłam sobie, że zgłębiałam równolegle dwa rodzaje wiedzy: tradycyjną, akademicką – na uczelni, i unikatową, często obrazoburczą – w domu.

Na uczelni nie wszystko szło mi śpiewająco. Materiał był nieprawdopodobnie obszerny, bardzo często uczyłam się po nocach, również podczas nocnych dyżurów w domu opieki, próbowałam tę wiedzę zgłębiać sama, kiedy obok nie było Marka, pisałam obszerne referaty, prace kontrolne i seminaryjne. Wszystko jednak przebiegało spokojnie, systematycznie, bez zbędnych napięć i nerwowości, bez nagłych zrywów. Obserwując kolegów z roku, dochodziłam do wniosku, że nauka nie sprawia mi kłopotu.

Profesorowie, domyślając się, że studiuję według indywidualnego toku, że mam często zaskakujące ich samych wiadomości, przekraczające ramy programu, czego starałam się raczej niepotrzebnie nie demonstrować, zachowywali się wobec mnie różnie, zdarzało się, że próbowali mnie pognębić z racji swojej profesorskiej wyższości. Kiedy się przekonywali, że rzeczywiście mam sporą, gruntowną wiedzę, zaczynali okazywać mi więcej sympatii, a nawet szacunku, może niekiedy zbyt protekcjonalnego, ale to mogłam im w końcu darować.

Dwa razy doszło do nieprzyjemnej sytuacji między mną a wykładowcami. Obaj byli niewiele ode mnie starsi, jeden akurat zrobił doktorat, drugi przygotowywał się do obrony. Miałam z nimi poważne kłopoty, ponieważ starali się podnieść swoje poczucie wartości moim kosztem. Czułam, że ta nikomu niepotrzebna rywalizacja, która się między nami wywiązała, zabiera mi tylko czas i szarpie nerwy, aż kiedyś nie wytrzymałam i poskarżyłam się Markowi. Uśmiechnął się tylko. Naprawdę go to rozbawiło. Ponieważ odbierał teraz świat przez pryzmat psychologii, stwierdził, że nie chodzi tu o nic innego, jak tylko o podświadomy, tłumiony pociąg seksualny.

Powiedział, że najzwyczajniej w świecie obaj traktują mnie jak zakazany owoc, a że nie mają wyobraźni, to nie wiedzą, jak rozwiązać swoje problemy z seksem, dlatego wybrali najprymitywniejszy sposób zwrócenia na siebie uwagi. Mark zapytał o nazwiska moich prześladowców i zapewnił, że nie będę się już więcej musiała z ich powodu zadręczać. Uwierzyłam, ponieważ wierzyłam we wszystko, co Mark mówił. Rzeczywiście. Parę dni później moi dokuczliwi wykładowcy, gdy spotkaliśmy się na uczelni, minęli mnie spokojnie, skłonili lekko głowy, spuścili oczy, co zapewne było sygnałem, że już więcej nie będą się mnie czepiać.

Byłam zdziwiona. Czyżby Mark znał sposoby skutecznego wywierania nacisku nawet na nie znanych mu ludzi, a do tego mających władzę jako uniwersyteccy wykładowcy, że ci z dnia na dzień zmieniali swoje zachowania? Muszę przyznać, że odpowiadała mi ta jego rola „szarej eminencji", ale któregoś razu, bardziej żartem niż z ciekawości, zapytałam go, jak wygrywa takie zakulisowe potyczki. Mark uśmiechnął się tajemniczo i chyba z lekkim poczuciem winy wyznał, że ma trochę przyjaciół w tym światku, czego zresztą od pewnego czasu się domyślałam.

– Uniwersytecka mafia? – drążyłam złośliwie.

– Aha – przytaknął lakonicznie, więc dałam mu spokój, widząc, że nie ma ochoty wprowadzać mnie w niuanse podziemnych akademickich struktur mafijnych.

Przyzwyczaiłam się do tego, że Mark żył dla mnie – cały dzień spędzał w domu, z książkami i notatkami, czasami – dosyć rzadko – wychodził do biblioteki, więc przestałam się zastanawiać, co on właściwie w życiu robi. Uświadomiłam sobie, że zajmuje się mną i moimi sprawami, które stały się także jego codziennością. Poświęcanie się bez reszty drugiemu człowiekowi nie jest czymś zwykłym, zrozumiałam jednak, że Marka nie można podciągnąć pod żadne normy, jego życie było po prostu ich zaprzeczeniem.

Nie ulegało wątpliwości, że Mark ma jakieś związki z nauką, świadczyła o tym jego wiedza, doświadczenie, zdolności, technika uczenia się, krąg towarzyski – przyjaciele i znajomi, niekiedy, co prawda rzadko, jego nazwisko wymieniali, ku mojemu zdziwieniu, także moi wykładowcy. Na pewno wywodził się ze świata nauki, ale dlaczego znalazł się poza jego granicami? Nie miałam pojęcia. Domyślałam się, że musi istnieć jakaś przyczyna, że coś się wydarzyło, lecz nie pytałam go o to, a on nigdy nic na ten temat nie mówił. Dla mnie był aniołem, który zstąpił na Ziemię – z własnej i nieprzymuszonej woli, a może z woli Boga? – by wypełnić tu swoje tajemne posłannictwo.

Z biegiem czasu te pytania zajmowały mnie coraz rzadziej, aż w końcu przestałam o tym myśleć. Po co kusić los i doszukiwać się nikomu niepotrzebnych rozwiązań, jeżeli wszystko układa się tak cudownie? Nie zastanawiałam się też, z czego Mark żyje – to wyłącznie jego sprawa.

Wystarczało mi to, co kiedyś powiedział, że środki na życie czerpie z trafnie poczynionych niegdyś inwestycji. Takie wyjaśnienie mnie uspokoiło. Gdzież, jak nie w kraju wolnego rynku, można pomyślnie inwestować? Moja sytuacja materialna też się zresztą zmieniła na korzyść, gdyż to Mark wziął na siebie nasze codzienne wydatki, kupował jedzenie, płacił za coraz rzadziej zdarzające się nam wypady do restauracji albo na łono natury.

Zdałam sobie nagle sprawę, że nie mam na co wydawać pieniędzy. Nie wiem, czy było tak, bo nie miałam czasu chodzić po sklepach, a może miałam teraz inne potrzeby. Rzadko coś sobie kupowałam, tylko w wypadku niezbędnej konieczności, do sklepu wpadałam na chwilę, z góry wiedząc, co mi jest potrzebne, by nie tracić czasu na bezowocne poszukiwania. Po zapłaceniu za wybrany towar natychmiast wychodziłam, by nie dawać sklepowym klimatom szans na odrodzenie dawnej namiętności, kiedy to, wraz z przyjaciółkami, mogłam spędzić w sklepowym raju nawet pół dnia, niczego nie kupując, po prostu sycąc wzrok pięknymi rzeczami.

Któregoś dnia sprawdziłam stan mojego konta i osłupiałam. Po raz pierwszy w życiu konto nie było puste, chociaż z punktu widzenia przeciętnego Amerykanina pewnie dosyć mizerne.

Kiedy oceniam swoje życie, muszę przyznać, że chociaż jest ono dosyć wyczerpujące, toczy się spokojnie, ma jasno wytyczone cele, albo, jak mawiali klasycy literatury rosyjskiej, do których przestałam ostatnio sięgać, przebiega harmonijnie.

18.

Co roku, w semestrze wiosennym, na uniwersytecie ogłaszano konkurs na najlepszą studencką pracę naukową. Nigdy w żadnych konkursach nie uczestniczyłam. Uważałam, że jest to strata czasu. Tym razem namówił mnie Mark.

– Niedługo skończysz studia licencjackie – udzielił mi pouczenia. – Dobrze by było, gdybyś ten konkurs wygrała. Do dyplomu to się liczy.

Zgodziłam się, wielkie rzeczy – konkurs. I tak nigdy na nic nie starcza mi czasu, więc jeśli będzie go jeszcze mniej, nie odczuję tego zbyt dotkliwie. Prawdę mówiąc, chciałam również sprawdzić, czego się do tej pory nauczyłam, zastosować moją wiedzę w konkretnym zadaniu, udowodnić wszystkim dokoła, a najbardziej sobie samej, że nie na próżno z takim samozaparciem ślęczałam nad książkami, w końcu chyba miało to jakiś sens.

Złożyłam wymówienie w domu opieki. Mark stwierdził, że skoro dobrze już poznałam realia życia chorych psychicznie, to pora, bym zaczęła zapuszczać korzenie w środowisku naukowym. Wspomniał nawet o mnie swoim przyjaciołom w Harvardzie, którzy obiecali mi skromną posadę asystentki u jakiegoś nudnego profesora. Rola asystentki sprowadzała się do wyszukiwania w bibliotekach książek dla profesora, robienia kserokopii i zajmowania się równie bezsensownymi sprawami. Osoby profesora jeszcze nie ustalono, co było mi bardzo na rękę, gdyż postanowiłam podjąć pracę dopiero za miesiąc, po zakończeniu konkursu.

Mark potraktował konkurs bardzo poważnie. Zupełnie jakby chodziło w nim nie o zwykłą, formalną orientację w postępach studentów, lecz o rozstrzygającą bitwę na śmierć i życie. Ściągnął do naszego domu stosy książek, tonę referatów, a nawet prace naukowe, opatrzone sygnaturą „ściśle tajne”, których, oczywiście żartując sobie, z powodu tego nadruku nie chciałam dotknąć. Mark uspokoił mnie, że ich tajność już dawno wygasła. Nie bardzo w to wierzyłam.

Nie mogłam zrozumieć, dlaczego Mark tak poważnie traktuje studencką imprezę naukową, która była poniżej jego godności i ambicji, więc go o to zapytałam. Wyjaśnił mi, że po pierwsze, zwycięstwo w konkursie może mieć niebagatelny wpływ na moje życie, na przykład może stać się przepustką do dobrego uniwersytetu, którego ranga z kolei będzie istotna dla mojego doktoratu. Po drugie zaś, jest to kwestia przygotowania do zawodu, nie tyle prestiżu, ile profesjonalizmu, czy raczej wypracowania w sobie nawyku, by każde zadanie zawodowe wykonywać dobrze i dokładnie. Ten argument najbardziej do mnie przemówił. Odpowiedź, którą usłyszałam, znów była banalnie oczywista, no cóż, zadałam pytanie, dostałam odpowiedź. To wszystko.

Któregoś wieczoru Mark stwierdził, że bardzo się ostatnio zasiedzieliśmy, całe wieki nigdzie nie byliśmy, trudno mi było się z nim nie zgodzić, więc poszliśmy na spacer.

Był koniec marca. W wieczornym powietrzu czuło się już niepokojący, zmysłowy zapach wiosny. Nie wiem, czy to atmosfera wieczoru, czy wiosenne zapachy poruszyły we mnie coś bardzo intymnego, zbyt trudnego do wyrażenia, by się móc tym z kimś podzielić, były to bardzo osobiste doznania. Milczeliśmy oboje, wdychając to cudowne powietrze i poddając się jego urokowi.

Ten spacer był niebezpieczny. Mógł odciągnąć mnie od książek, referatów, naukowych dyskusji i konkursów. Podstępnie przypominał mi, kim jestem, wydobywając z mojej pamięci zapachów podobne, a może takie samo falowanie wieczornego powietrza – w dzieciństwie, w młodości, która przecież była tak niedawno, jeszcze przed chwilą, lecz już jest niedostępna, odległa, dręcząca niepowrotnością czasu.

Wieczorne udręczenie przerodziło się w poczucie krzywdy i straty. Wydawało mi się, że moje życie nagle zubożało, utraciło coś ważnego, skoro nie pamiętam o istnieniu takich wieczorów i wrażeń, jakie te wieczory wywołują. Zrobiło mi się przykro, zapragnęłam, by dać się unieść temu porywowi emocji, rzucić wszystko, chociażby w tej chwili, nic z tego życia nie zostawić, do tego stopnia mi obrzydło.

Chciałam przenieść się tam, gdzie nie rządzi wieczny rozsądek, gdzie nie ma niekończącej się pracy z jej chwalebną obietnicą, że po codziennych mozołach przyjdzie czas na nagrodę. Nie wiadomo, kiedy to nastąpi i czy wtedy będzie miało jakiekolwiek znaczenie. Chciałam przenieść się w te światy, gdzie wszystko wydarza się od razu, teraz, dziś, w tej sekundzie, wnosząc do życia ożywczą, nową energię. A jeżeli nawet się nie zdarza, to też nieważne, bo od razu się o tym zapomina, bo przecież coś na pewno się jeszcze wydarzy, będzie równie głębokie i porywające. Nieważne, co przyniesie jutro, to bez znaczenia, bo nie ma jutra, jest tylko to jedno rozciągnięte w czasie dziś.

Można nazwać te odczucia brakiem rozwagi, lekkomyślnością, szaleństwem, ale tak było, takie uczucia się we mnie zrodziły, przyszły wraz z wiosennym wiatrem i zapachami, wlały we mnie życie, odświeżyły, dodały lekkości, poczułam się wolna od ciężaru kłopotów, trudnych spraw, od tego, co nie było w moim życiu przyjemne.

Dopiero później, znacznie później, a może właśnie w tamtej chwili, nie pamiętam, może wtedy, kiedy wyszłam z przytulnego mieszkania Marka na dwór, gdzie wieczorne bostońskie powietrze pachniało brzozowym sokiem, odradzającą się ziemią z ukrytymi w niej kiełkami kwiatów i Bóg jeden wie, czym jeszcze, zrozumiałam, że poczucie lekkości to stan niezwykły, i chociaż wrodzony, to jak wszystko, co unikatowe, nietrwały, przemijający. To właśnie lekkość niesie z sobą i sukces, i radość, ale jakże łatwo ją utracić, wystarczy poczuć ciężar codziennych obowiązków, brzemię życia. Przeżywanie straty w niczym nie pomoże, można tylko odstraszyć dobry los.

Szliśmy w milczeniu. Rozpięłam kurtkę, żeby przeniknęło mnie powietrze, chciałam silniej poczuć ten wiosenny wir. Myślę o tym teraz, z pewnością po raz pierwszy zdając sobie sprawę, że przez lata spędzone z Markiem nie tylko zyskałam nowe umiejętności, ale też coś ważnego straciłam.

Wspominając siebie z przeszłości, nagle zobaczyłam radosną, szaloną dziewczynę, dowcipną i błyskotliwą, która mogła zarazić wszystkich dookoła śmiechem.

Zobaczyłam tamtą siebie, z poprzedniego życia – wesołą, beztroską, otwartą, szybko reagującą, dowcipnie i lekko odpowiadającą na słowa, na śmiech. Wydawało mi się, że wytwarzam wokół siebie jakieś biopole, a ludzie znalazłszy się w nim, wchłaniają jego dobrą energię i czują, jak robi im się lżej na sercu. Zawsze otaczali mnie ludzie, tłumy ludzi, przyciągała ich moja radość, lekkość, niepraktyczność, bałaganiarstwo, odrobina szaleństwa.

Jak wiele się od tamtej pory zmieniło, jestem teraz jakby cięższa, nie od razu odpowiadam, bo ważę każde słowo, dając sobie czas do namysłu, a jeśli nie znajduję trafnej odpowiedzi, mówię, że się zastanowię i odpowiem później. To prawda, zawsze znajduję rozwiązanie, takie przemyślane rozwiązanie na pewno jest lepsze niż spontaniczne, pierwsze, jakie przyszło do głowy pod wpływem nastroju, chyba to dobrze, ale zatraciłam tamtą żywiołowość, świeżość, i to we wszystkim. Powodzenie mnie nie opuściło, ale jest ono teraz innego rodzaju, podobne do jakiegoś stopu, który wymaga ciężkiej obróbki i nie przypomina już naturalnego samorodka.

Dokoła mnie coraz mniej ludzi, właściwie już ich nie ma, została tylko Katka, moja wierna przyjaciółka, czasami daje o sobie znać... jak pierwsza miłość. Ja też nie mam ochoty na zawieranie nowych znajomości, lubię mój świat książek i nauki, rozświetlany obecnością Marka. A może Mark po prostu rozkochał mnie w sobie, tak jak zdarzyło się to Odysowi, jeśli dobrze pamiętam, na wyspie Lotos, tamten świat też wymagał wielkich wyrzeczeń.

Ludzie już mnie tak nie pociągali, ich zwykłe rozmowy nudziły mnie, ja pewnie też byłam dla nich nudna ze swoimi ciągłymi refleksjami. Pewnie to nieuniknione, chociaż właściwie smutne – żeby wypełnić siebie czymś nowym, trzeba zrobić dla tych nowości miejsce, pozbyć się tego, co stare. To smutne, że poczucie lekkości jest przeciwieństwem głębi, że nigdy nie zaistnieją razem, „Wiedza rodzi smutek". Muszę wybrać, ale chyba już dokonałam wyboru.

Żyję teraz jedną, jakże złudną, nadzieją, że może kiedyś, z czasem, stanę się tak mądra, że zdołam połączyć głębię (wówczas już naturalną) z dawną lekkością. Głębia odzyska w świadomości ostatnią jej wolną cząstkę i wypełni ją szaloną lekkością. Jeszcze tego nie wiem.

19.

Nie dzieliłam się z Markiem tymi myślami, nie byłam pewna, czy mnie zrozumie. Nie ufając jego wrażliwości, czułam się trochę jak zdrajca.

Mijaliśmy jakąś kawiarenkę czy barek kawowy, kiedyś często tam wpadaliśmy, mieliśmy wtedy więcej czasu, zjadaliśmy kanapkę, którą ja popijałam koktajlem, Mark – jak zawsze – piwem.

– Wejdziemy? – zaproponował Mark.

– Może jeszcze pospacerujmy, to powietrze jest niesamowite.

– Trochę zmarzłem – nalegał Mark. – Wejdźmy, proszę. Na pół godzinki, potem jeszcze sobie pospacerujemy.

– Dobrze – zgodziłam się.

Usiedliśmy przy stoliku, zamówiłam orientalną herbatę, na wino nie miałam ochoty. Domyślałam się, że Mark chce coś ze mną omówić. Zdążyłam go już na tyle poznać. Lubił niby całkiem nieoczekiwanie rozpocząć ze mną dobrze wcześniej przygotowaną rozmowę, przywykłam już do tych jego sztuczek. Wiedziałam, że do poważnych dyskusji przygotowywał się bardzo starannie, robił to dużo wcześniej, nie chciał rozmawiać ze mną w pośpiechu, improwizować, a wraz z tematem, z godną pozazdroszczenia skrupulatnością, wybierał też najlepszą porę i miejsce. Dziś także zaplanował ten wieczorny spacer i niby tę przypadkową kawiarenkę.

– No to co? – odezwałam się, sącząc gorący, aromatyczny płyn, który ani kolorem, ani smakiem wcale nie przypominał herbaty.

– Tak – powiedział Mark.

Zrozumiałam, że odczytał w moim głosie ironię i poczułam się niezręcznie. Dlatego mu pomogłam.

– Chciałeś ze mną porozmawiać.

– Tak – potwierdził.

Widocznie on też chciał zrzucić z siebie to dziwne napięcie, które wtargnęło między nas podczas spaceru. Mark uciekł wtedy również w głąb siebie, o czymś rozmyślał, podczas kiedy ja opłakiwałam utraconą beztroskę, ale jego myśli były dla mnie niedostępne.

– Może nie tyle chcę porozmawiać, ile coś ci opowiedzieć. – Zawahał się. – To, co ci teraz powiem, jest niezwykle ważne, dlatego bardzo cię proszę, żebyś się nad tym naprawdę zastanowiła, dobrze?

– Oczywiście – zgodziłam się.

Taki wstęp dużo zapowiadał, więc spróbowałam się skoncentrować i uważnie go wysłuchać.

– Już dawno odkryłem tę metodologię, a właściwie sposób potraktowania, stworzenia nowego... nieważne czego... Każda nowość... nie, nie to chcę powiedzieć – jąkał się i plątał. – Każdy, kto stworzył coś nowego, świadomie lub nie, zdając sobie z tego sprawę albo nie, wykorzystał tę zasadę. Ale lepiej jest, kiedy się rozumie zasady, na których się opieramy. Powiem wprost – Mark jakby się tłumaczył. – Nasze myśli nie rodzą się w izolacji, każda oddzielnie, powstają w sposób ciągły, bezustannie. Rozumiesz? Widzę, że nie bardzo? – Raczej powiedział to do siebie, może niezadowolony z tego zbyt abstrakcyjnego wstępu. – Przejdźmy do konkretów. Zobacz, nowa myśl powstaje na gruncie myśli już istniejącej, wcześniejszej, początkowo niewiele się od niej różni, ale ulega modyfikacji pod wpływem następnej myśli, z każdą myślą dzieje się tak samo. W ten sposób tworzy się łańcuszek myśli, któreś z jego ogniw, jakaś *n-ta* myśl, będzie się już na tyle różnić od myśli wyjściowej, że trudno będzie je razem powiązać, dostrzec kontynuację. Tak dokonuje się postęp cywilizacyjny, a przede wszystkim naukowy, tak powstają nowe idee – wszystko to powstaje na już istniejącym gruncie. Pewnie mi odpowiesz, że to, co mówię, nie jest odkrywcze, to prawda.

Muszę się zgodzić, że były to banalne prawdy, ale już dawno przestałam Marka krytykować. Wiedziałam, że zawsze zaczyna od rzeczy najprostszych, oczywistych, i dopiero później przechodzi do bardziej złożonych i trudnych. Może nie tak złożonych w jego interpretacji, ale tylko dlatego, że to on umiał je tak przystępnie interpretować.

– Niemniej, jeżeli znaną powszechnie wiedzę zastosujemy w konkretnym przypadku i zrobimy to bardzo konsekwentnie, to dojdziemy do zaskakujących wyników. Weźmy na przykład psychologię. Sama mówiłaś, że jest ona mało konkretna, przegadana, trudno ją sformalizować. Jeśli jednak weźmiemy pod lupę konkretną ideę, która nam się wyda interesująca, oczyścimy ją z plew, precyzyjnie ją sformułujemy, to może się ona stać dobrym punktem wyjścia dla łańcucha modyfikacji. Początkowe zmiany, jak już ustaliliśmy, będą niewielkie, ot, załóżmy, że porównywalne do zmiany litery w wyrazie. Żeby jednak takiej zmiany dokonać, musisz obejrzeć ideę z każdej strony, nawet z takiej, z której nikt do tej pory się jej nie przypatrywał. Obracasz ją w najdziwniejszy sposób, i tak, i siak, wpatrujesz się w nią wnikliwie, bo może jakiś niewielki kąt nachylenia wyjawi ci nagle coś nowego, jakiś jej zmodyfikowany dalszy ciąg. Takie odkrycie możesz albo od razu zaakceptować, albo nie będzie cię ono satysfakcjonowało. Pozwól, by ta zmodyfikowana idea odleżała się jakiś czas, zapomnij o niej, na miesiąc, na tydzień, czasem wystarczy jeden dzień. Kiedy do niej wrócisz, spojrzysz już na nią świeżym okiem, jakby po raz pierwszy. Kiedy to się stanie, wszystko musisz zacząć od początku: oglądaj ją, ale już w tym zmodyfikowanym wariancie, który jest twoim osiągnięciem badawczym, twoim oryginalnym pomysłem, aż znowu odkryjesz nowy aspekt, zmienisz drugą literę. Rób tak do czasu, aż wyniki twojej pracy zaczną cię w pełni zadowalać, aż nowe słowo, które utworzysz na dawnej kanwie, nabierze istotnego znaczenia.

Słuchałam tego, co Mark mówił, w najwyższym stopniu zafascynowana. Mark wyjawiał mi istotę twórczości! Tajemnicę tworzenia n o w e g o. Mówił o tym tak prosto, zrozumiale, o ile jednak jest to trudniejsze w praktyce. Dał mi narzędzie! Od tej pory wartość tego narzędzia będzie zależała już tylko od sprawności rąk, do których trafiło.

Przypomniałam sobie jego wielogodzinne kłótnie czy raczej zażarte dyskusje – Mark nie lubił się kłócić – z Matwiejem, z innymi, kiedy Mark wykorzystywał argumentację swojego oponenta, jeżeli na to zasługiwała, jako grunt, podstawę do budowania własnego, precyzyjniejszego argumentowania. W ten sposób kierował siłę ataku rywala przeciwko niemu samemu, robił to rewelacyjnie, niedostrzegalnie modyfikując główną myśl i nadając jej nowy wydźwięk.

– Czy to nie będzie plagiat? – spytałam.

– Nawet jeżeli tak, to wszystko, co zrodziło się na tej planecie, można nazwać plagiatem. Nowe powstaje na fundamencie wcześniejszych dokonań, ale nawet najmniejszy kroczek do przodu ma autora. – Na chwilę zamilkł. – Tak, naturalnie, zdarzają się wyjątki, wyłomy. Coś powstaje niezależnie od istniejącego stanu wiedzy, w sprzeczności z nim, w konflikcie, ale to zdarza się rzadko, raz na sto lat, i chyba nam nie grozi.

Mark znów zawiesił głos, jakby się zastanawiał nad jakąś poboczną myślą.

– To nie zależy od zdolności czy talentu, jest to teoria prawdopodobieństwa. Jeżeli przypadkiem nam by się tak zdarzyło, no to trudno, później będziemy sobie łamać głowę.

Sięgnął po szklankę, o której dawno już zapomniał. Zauważyłam, że jest, jak nigdy, poruszony, zdenerwowany.

– A więc wytyczyliśmy dróżkę, nazwijmy ją „ścieżką tworzenia". Chyba rozumiesz, że nie dotyczy ona tylko badań w psychologii, można ją wykorzystać do innych odkryć, zawsze ilekroć chcemy stworzyć coś nowego, niezależnie od dziedziny wiedzy, w której zamierzamy dokonać odkrycia.

Mark znowu sięgnął po szklankę. Pomyślałam, że to nie koniec wykładu, pewnie zaraz nastąpi dalszy ciąg, nie pomyliłam się.

– Jest też inna droga. Istota jest ta sama, różnią się szczegóły.

Przypomniałam sobie o zimnej herbacie.

– Ta inna droga to kompilowanie istniejących idei, znajdowanie całkowicie nowych rozwiązań. Jest to droga bardziej złożona, co nie znaczy gorsza, prawda?

Nie miałam zamiaru odpowiadać. Czy Markowi potrzebna była moja akceptacja?

– Wyobraź sobie taką sytuację: mamy kilka idei, każda z nich jest taką wielościenną kostką z dużą liczbą płaskich powierzchni. Kostki te nie mają z sobą żadnego związku, nie przenikają się, nie stykają powierzchniami. Jednak każda kostka ma taką jedną jedyną stronę, która mogłaby taki styk wykonać. Gdyby się nam udało znaleźć takie strony w każdej z kostek i dopasować je do siebie, to kostki złączą się i dopasują. W wyniku tego połączenia, a musi ono być naturalne, logiczne, powstanie nowa struktura, która może zawierać w sobie absolutnie nowatorską, oryginalną ideę. Rozumiesz? – Mark spojrzał na mnie, przytaknęłam. – Takie podejście moglibyśmy określić mianem „drugiego sposobu stwarzania". Jest ona trudniejsza, bo masz kilka elementów, żonglowanie kilkoma przedmiotami naraz jest trudne. Jest tu jednak więcej możliwości.

Przerwał wykład i popatrzył na mnie uważnie, bez wątpienia widział, że mój wzrok wyraża najwyższy zachwyt.

– Pewnie jesteś ciekawa, po co ci to wszystko mówię, skoro wszystkie odkrycia zostały już dokonane. Odpowiedź jest prosta. Jeżeli będziesz wiedziała, gdzie szukać, to prędzej znajdziesz to, czego szukasz. Jeżeli świadomie posłużysz się tą metodologią, przecedzisz każdą ideę, która cię zainteresuje, a która, twoim zdaniem, ma potencjał twórczy, jeżeli dopasujesz i połączysz, wydawałoby się, niemożliwe do połączenia hipotezy badawcze, to na pewno znajdziesz i udowodnisz to, co sobie założyłaś.

Znów zamilkł, po czym dodał, ale już znacznie łagodniejszym tonem:

– Maleńka, jeszcze raz powtarzam, przemyśl to sobie, zastanów się, a jest się nad czym zastanawiać, zapewniam cię.

Pomyślałam, że to ostatnie zdanie było mu potrzebne tylko dlatego, żeby powiedzieć do mnie „maleńka".

– Mark, już wszystko wiem, jesteś geniuszem! – wypaliłam bez namysłu. – Uwierz mi, specjalizuję się w nauce o człowieku. Jeśli chcesz, wydam ci zaświadczenie, że jesteś g e n i a l n y.

– To poproszę. – Mój z lekka ironiczny ton tym razem chyba go nie irytował.

Kilka dni później, kiedyśmy pili w kuchni wieczorną herbatę i rozmawiali o konkursie, Mark otworzył zeszyt i poprosił, bym rozważyła trzy problemy. Dwa z nich były dosyć odległe od tematyki i założeń konkursu. Od razu pomyślałam o naszej rozmowie w kawiarni, bo wciąż się nad nią zastanawiałam. Od razu się domyśliłam, że tematy, które Mark mi teraz zaproponował, są dalszym ciągiem tamtej rozmowy, tamtego swoistego naprowadzania mnie na metodę pracy. Dostałam trzy karty, od których zależy wygrana. Teraz moja kolej. W jakiej kolejności włączyć je do gry?

20.

Nie miałam wątpliwości, że wygram konkurs. Czułam się do niego lepiej przygotowana niż moi koledzy. Wysiłek, jaki wkładałam w studiowanie psychologii, musiał w końcu zaowocować. Były to dziesiątki przeczytanych książek, góry teczek z notatkami i konspektami, niezliczone godziny rozmów z Markiem, które można by przeliczać na dni i tygodnie, jego wiedza i doświadczenia, którymi się ze mną cały czas dzielił.

Mimo wszystko wciąż towarzyszył mi spory niepokój. Nigdy i z nikim nie stawałam w zawody, nie rywalizowałam, nie ścigałam się. Zaliczenia i egzaminy to było zupełnie co innego. Teraz, w czasie jednego tylko okrążenia, miałam wszystkich wyprzedzić i pokonać. Brak mi było treningu i doświadczeń w wygrywaniu takich niełatwych rund, dlatego odczuwałam niepokój przed startem.

Liczyłam, naturalnie, na pomoc Marka, chociażby na jego rady, korekty, poprawki. Wiedziałam, że Mark nie dopuści, żebym przesłała na konkurs pracę, której on nie mógłby zaakceptować. Niemniej cały miesiąc siedziałam nad książkami jak głupia, zabierałam się do nauki od razu po powrocie z zajęć i uczyłam się do późna w nocy. Razem z Markiem, tradycyjnie, przy filiżance herbaty, rozmawialiśmy o tym, co udało mi się w danym dniu zrobić, co przeczytać, co sądzę o tej czy innej kwestii.

A jednak z dużym trudem posuwałam się naprzód. Najgorzej było z trzema problemami, na które Mark zwrócił mi uwagę. Rozumiałam, że ich tajemnica i cała istota tkwi w kombinacjach, jak to wcześniej on wyjaśniał, ale nie miałam pojęcia, jak tę sprawę ugryźć, z której strony, jak połączyć w zwartą, logiczną całość poszczególne elementy, by wynik nie budził wątpliwości i powstała naturalna, spójna całość.

Chyba z rok temu Mark dał mi do przeczytania artykuł z jakiegoś pisma popularnonaukowego. Był to artykuł o profesorze matematyki, którego pasją stała się muzyka, oczywiście na poziomie bardzo amatorskim. W końcu profesor wymyślił metodologię przełożenia równań i definicji matematycznych na zapis nutowy. Twierdził, że każda konsekwentnie skomponowana idea naukowa powinna także zabrzmieć muzycznie, gdyż już sama w sobie jest harmonijna, zgodna z zasadami natury, a zasady natury to przecież nic innego, jak muzyka, dźwięki. Idea wymyślona, wzięta z sufitu, naciągana, gdy się ją przełoży na dźwięk, zabrzmi fałszywymi tonami, ponieważ nie będzie autentyczną cząstką natury.

Potraktowałam tę historię jako anegdotę, ale zapadła mi ona w pamięć i od tej pory wszystkie koncepcje naukowe, swoje i cudze, testowałam pod kątem harmoniczności, oczywiście nie mającej nic wspólnego z muzyką, gdyż ta wiedza była mi obca, ale własnej, wewnętrznej. Przecież ja też byłam cząstką Natury.

Na różne sposoby próbowałam tasować moje fatalne „trzy karty", ale żaden ich układ nie wywoływał w moim mózgu nic prócz zgrzytliwych dźwięków i nieustannej irytacji, naturalna harmonia wydawała się nieosiągalna. Zaangażowałam się tak głęboko w rozwiązanie tej zagadki, że śniła mi się po nocach, wyrzucałam z siebie oderwane słowa, skojarzenia, w łazience, w autobusie, pasażerowie, których w Bostonie nic nie było w stanie zdziwić, patrzyli na mnie podejrzliwie.

Ambicja nie pozwalała mi poprosić o pomoc Marka. Nie wspomniałam mu ani słowem o moich mękach twórczych, bliskich cierpieniu fizycznemu, i wciąż byłam daleko od rozwiązania.

Zadzwoniłam do Katki. Nie rozmawiałyśmy chyba ze trzy tygodnie, stęskniłam się za nią i za naszymi ploteczkami. Katka, od kiedy zamieszkała z Matwiejem, bardzo się zmieniła. Stała się teraz kobietą domową. Rzadko gdziekolwiek wychodziła, nauczyła się gotować – Matwiej tego od niej wymagał – wytraciła dawną ironię, którą w niej tak lubiłam, była spokojna, opanowana i zrównoważona. Nasze rozmowy zawsze kończyła słowami: „No, mamuśka, do roboty, Matwiej zaraz przyjdzie, a obiad niegotowy". Wybaczałam jej to zachowanie, chociaż mogłabym poczuć się urażona, ale do nowej Kati miałam stosunek filozoficzny.

– Katka – odezwałam się, słysząc w słuchawce głos przyjaciółki – witaj, co u ciebie?

– Normalka – odpowiedziała Katka tak spokojnie, jak potrafił odpowiadać chyba tylko Budda w stanie nirwany. – A u ciebie?

Zawsze tak zaczynałyśmy nasze rozmowy. Potem Katka musiała mi opowiedzieć wszystkie nowiny, które wstrząsały rosyjską społecznością Bostonu, a w każdym razie tą jej częścią, która była nam bliska. Nowiny sprowadzały się zazwyczaj do skandalizujących historii w rodzaju: kto kogo i dla kogo zostawił, kto z kim śpi, a jeśli sensacji zbrakło – kto i dokąd jedzie na urlop. Jednak dziś Katka zmieniła repertuar i, przepraszając mnie, zakomunikowała:

– Kobieto, a teraz trzymaj się mocno, może usiądź, i nie zazdrość przyjaciółce – ja i Matwiej postanowiliśmy się pobrać.

O mało nie zemdlałam. Ale nie z zazdrości, tylko od nagłej i zaskakującej konstatacji, że ludzie jeszcze się żenią i wychodzą za mąż, widocznie nie wszyscy oddają swoją młodość konkursom na najlepszą pracę naukową. Nie zdradziłam się z tą odkrywczą myślą. Może powinnam jej zazdrościć? No cóż, spróbuję, i zapytałam złośliwie:

– To co, udało ci się w końcu omotać chłopa?

– Aha – niewinnie potwierdziła moja przyjaciółka – wiesz, jak to jest, kropla drąży kamień.

– Oczywiście, drąży, tylko powoli, może lepsze byłoby jakieś diamentowe dłuto...

Katka nie chciała ze mną na ten temat dyskutować, ale miała wątpliwości co do diamentu.

– Z tym diamentem to nie takie proste, już prędzej stalowe. Słuchaj – zmieniła temat – jeśli nie masz nic przeciwko temu, chciałabym cię poprosić na świadka. Chyba że jesteś na mnie zła?

– No już dobrze – zlitowałam się nad Katką – nie jestem zła, gratuluję, w końcu pierwszy raz się żenisz.

– Wychodzę za mąż – poprawiła mnie przyjaciółka.

– Jasne, wychodzisz za mąż. Wszystko się w tej Ameryce pomieszało, a przede wszystkim płeć – tłumaczyłam się.

– Chyba w twojej głowie się pomieszało, inni nie mają takich problemów – odpowiedziała Katka, ale nie zrozumiałam, o co jej chodziło.

– Zostawmy moją głowę w spokoju, powiedz, jak tam pan i władca?

– Zdążył się już chyba przyzwyczaić. Pewnie mu się spodobało, bo zaczął do mnie mówić „żono".

– I co, z dumą to mówi? – Nie darowałam sobie złośliwości.

– Aha, jak najbardziej.

Katka była wyjątkowo odporna na moje docinki.

Planowali się pobrać z końcem lata. Obiecałam, że odwołam wszystkie terminy, których tak naprawdę nie miałam, i przyrzekłam, że na pewno zamelduję się przed ołtarzem jako świadek.

Kiedy odłożyłam słuchawkę, pomyślałam, że mnie nigdy nie przyszło do głowy, żeby wyjść za mąż za Marka, choć już długo byliśmy razem. Dlaczego? Nie wiem. Może to ja tak zdecydowałam, bo nigdy nie traktowałam Marka jako kandydata na męża? Zresztą Mark też nigdy nie wspomniał o ślubie. No cóż, pomyślałam z mściwym uśmieszkiem, kiedyś będziemy musieli omówić i ten temat.

Nigdy nie mogłam zrozumieć, do tej pory nie rozumiem, jak powstaje myślenie, na czym polega, skąd się co w nim bierze, jak pracuje myśl, co ją katalizuje, co podsyca. Czasami człowiek bardzo dokładnie przetrawi jakąś kwestię, a do jej rozwiązania wciąż jest daleko i nie znajduje żadnego wyjścia, mimo że się starał – cóż, w życiu bywają sytuacje bez wyjścia. Zniechęceni i bezsilni wobec problemu, odkładamy trudne zadanie, myśląc o braku kompetencji, w końcu o nim zapominamy. Jednak tkwi ono gdzieś w mózgu, dojrzewa – widocznie organizm sam, bez naszej zgody, postanawia je wykarmić – siedzi tam sobie, żyje utajonym życiem i nie przypomina o swoim istnieniu.

W jakiś poranek, a może wieczór, zwykły, codzienny, nagle opuszcza cieplutkie miejsce – widać zrobiło mu się ciasno i niewygodnie – i wyłania się na świat, do którego przecież organicznie należy. Przyglądamy się mu, zdziwieni, zaskoczeni, że tak dojrzało, wybrało kształt najlepszy z możliwych, niebudzący wątpliwości, jakże oczywisty. Stajemy w zachwycie, powtarzając odwieczne pytanie: jak to się dzieje?

Pewnie ja też musiałam się oderwać, usunąć na bok, by spojrzeć na wszystko z nowej perspektywy, świeżym okiem. A może to nowości z życia Katki tak na mnie wpłynęły, trudno się w tym zorientować.

Resztę dnia spędziłam w głębokiej melancholii, zrezygnowałam nawet z nocnych dyskusji, które tak lubiłam, i tłumacząc się zmęczeniem i bólem głowy, położyłam się.

Leżałam z zamkniętymi oczami, w pół śnie, pół jawie, myślałam o Katce, o sobie, o znajomych, wyobrażałam sobie, że jestem na ich miejscu, żyję ich życiem, zastanawiałam się, jak bym się zachowywała, jak bym się czuła. Chyba w ten sposób, pośrednio, zadałam sobie odwieczne kobiece pytanie: Czy jestem szczęśliwa? Co by było, gdybym tamtego wieczoru nie spotkała Marka? Na pewno moje życie byłoby inne, może lepsze, może bardziej dla mnie odpowiednie? Gdzie mnie poniosło? W jakieś bałamutne, nikomu niepotrzebne idee. Czy coś jeszcze ze mnie będzie? Straciłam już ponad dwa lata, stracę jeszcze cztery i nie wiem, czy coś z tego będę miała. Czym się to skończy? Oto jest pytanie. Czy ten wymarzony świat mądrych mężczyzn i kobiet, szlachetnych ideałów, świat, do którego pukam, naprawdę istnieje? Może jest tylko tworem mojej wyobraźni? Może w realnym życiu go nie ma, bo jest wbrew naturze?

Gdybym się nie przeniosła na psychologię, kończyłabym już ekonomię, poszłabym do pracy, odsiedziała tam swoje osiem czy ileś godzin, dostałabym pensję, nie miałabym nic więcej na głowie, od – do, i koniec. Poznałabym jakiegoś rosyjskiego chłopaka, tak jak Katka, rozmawialibyśmy po rosyjsku, o tym i owym, o wspólnych sprawach, o znajomych, wszystko byłoby proste, jasne, miałabym święty spokój.

Słyszałam, jak Mark szykuje się do snu, ostrożnie stąpa po dywanie – tak żeby mnie nie obudzić, kładzie się – tak żeby mnie nie dotknąć. Dobrze, że o tym pomyślał, nie mam dziś nastroju.

Moje myśli przeskakują na Marka. Cały czas robię tylko to, co chce Mark, i tak jak on chce, nie mam własnego zdania, nie wolno mi go mieć, jeśli czasami próbuję, to Mark je tłamsi, sprytnie narzuca mi swoje pragnienia, życzenia, przytłacza mnie. Szczwany lis, demagog...

Nagle... coś w moim mózgu błysnęło, eksplodowało, rozprysło się, krzyknęłam, bojąc się, że stracę to, co zamajaczyło na ułamek sekundy, że tego nie uchwycę, nie zobaczę. Rozwiązanie?

Mark przez sen przekręcił się na drugi bok, pewnie zaniepokoił go mój krzyk. „Idiotka – skarciłam się w myślach – skończona idiotka, tyle czasu szukam, męczę się, bo nie zrozumiałam najważniejszej rzeczy. Przecież te trzy przeklęte problemy nie mogą się łączyć same z siebie, po prostu z definicji nie mogą. Trzeba je zmodyfikować, i to każdy oddzielnie – jak mówił Mark, zmienić literkę w wyrazie. Dopiero wtedy będą mogły się połączyć, nałożyć na siebie. Mark mówił o dwóch sposobach, ale jest także trzeci, o którym mi nie powiedział, specjalnie to ukrył, żeby taka idiotka jak ja przez dwa tygodnie traciła czas. Metoda kombinacyjna! O nią tu chodzi! Najpierw trzeba zmodyfikować każdą z trzech idei, i to oddzielnie, po kolei, tak przekształcone, utworzą nowe związki, nową strukturę. Naturalnie, harmonijnie".

Wyskoczyłam z łóżka, starając się nie obudzić Marka. Nie miałam ochoty mu tłumaczyć, dlaczego tłukę się po nocy; zakładając w biegu szlafrok, pobiegłam do kuchni, do moich zeszytów i notatek. Byłam jak w transie, kręciło mi się w głowie. To wszystko, o czym jeszcze pięć minut temu rozmyślałam – te brednie o nieudanym życiu, o tym, co by mogło być... – nagle się ulotniło, zdematerializowało. Nie miałam już wątpliwości, odeszły niepokoje i lęki, wszystko we mnie wypełniło się tym jednym jedynym, co miało sens – tym n a j w a ż n i e j s z y m.

Moje miejsce tej nocy było tu, przy kuchennym stole pośród zeszytów i imbryka z zaparzoną po moskiewsku herbatą. Oszalałam ze szczęścia! Nareszcie jest! Moja wielka chwila! Muszę ją zatrzymać! Pisałam, kreśliłam, pisałam jeszcze raz, bałam się, że zgubię tę myśl, która wciąż wyprzedzała moją rękę, opuszczałam słowa, nie kończyłam ich, notowałam myśli tylko dla mnie zrozumiałymi znakami, jak człowiek pierwotny na ścianie skalnej jaskini.

Ta noc należała do mnie. Teraz wiem – t o zdarza się niezwykle rzadko, i tylko wtedy, kiedy mózg jest bardzo pobudzony, idealnie zespolony z uczuciami, emocjami, z intuicją, ze wszystkimi zmysłami, wtedy nie ma rzeczy niemożliwych, człowiek jest panem wszystkiego, musi się tylko pospieszyć, musi zdążyć. Pisałam chyba trzy czy cztery godziny, czas się zatrzymał, później w ogóle przestał istnieć, stracił znaczenie. Istniała tylko ta c h w i l a. Jak w soczewce, skupiło się w niej wszystko – moje studia, dni, miesiące, lata zajęć, moja praca, moje nadzieje, męka poszukiwań, niezliczone próby i podejścia, poszukiwanie...

Na ułamek sekundy prostowałam plecy i wbijałam wzrok w nieskończoność, tam gdzie mieszkała m o j a m y ś l, natrafiałam na jej ślad, rozpoznawałam ją, i znów pisałam, notowałam... teza, dowód, rozwiązanie, definicja...

Noc już szarzała, kiedy zwlokłam się z krzesła. Nie przeczytałam tego, co zanotowałam, nie próbowałam tych zapisków odcyfrować, jakiś telepatyczny zmysł podpowiadał mi, że to jedno jedyne rozwiązanie jest już tutaj, w zeszycie – odkryłam je, mam, schwytałam, już mi się nie wymknie. Nie miałam wątpliwości, byłam pewna, że O N A – moja myśl, idea, teoria, nazwa nie ma znaczenia – jest harmonijna, cudowna, niepowtarzalnie piękna, gdybym ją przełożyła na zapis nutowy, rozbrzmiałaby jak muzyka Chopina.

Wróciłam do rzeczywistości, w ziemskie przestrzenie światła i ciemności, godzin i minut. Czułam już tylko narastające zmęczenie. Nie z powodu nieprzespanej nocy – jedna bezsenna noc nie miała znaczenia. Czułam się jak przekręcona przez wyżymaczkę, jakby ktoś wycisnął ze mnie ostatnią kroplę życia. Krańcowemu wyczerpaniu, które ogarnęło wszystkie poziomy mojego jestestwa, towarzyszył niezwykły nastrój – głęboka satysfakcja, niosąca błogi spokój, ukojenie i rozkosz. Kręciło mi się w głowie.

Fizycznie czułam się świetnie. Pomimo zmęczenia nie miałam ochoty na sen. Podeszłam do okna. W dole szarzało zakole rzeki. Była to ta chwila przed świtem, kiedy noc dyskretnie się rozświetla, wchłaniając w swą nieprzeniknioną czerń drobinki nadciągającego brzasku, który – jak wiedziały o tym ściany domów, dachy i latarnie, a nawet rzeka – już się skradał, niespiesznie, bo miał jeszcze trochę czasu.

Znad rzeki wolno podnosiła się mgła. Oczarowana widokiem zatopionego we śnie miasta, zdałam sobie sprawę, że stan, który teraz przeżywam, splata się i łączy z największą mocą, która włada moim życiem – z mocą miłości.

To, co w tej chwili czułam – obezwładniające zmęczenie, fizyczne i duchowe, wielki spokój, zmysłowe odczucie pustki w sobie, jak gdyby całe moje wnętrze zostało wymyte i oczyszczone z niepotrzebnych ciężarów – skojarzyło mi się z przeżyciami, których doświadczałam podczas aktu miłosnego.

Odkryłam coś ciekawego. Do tej pory wydawało mi się, że tylko miłość jest zdolna dostarczyć mi tak silnych wrażeń i emocji, że miłość nie ma żadnej konkurencji. Okazało się, że nie tylko ona... Przypomniały mi się słowa Puszkina, chociaż dawno już do niego nie zaglądałam:

Tylko miłości muzyka ustępuje,
Ale i miłość jest muzyką...

To dziwne, Puszkin i ja myśleliśmy tak samo. To nieprawdopodobne. Miłości, jeżeli chodzi o siłę, skalę i bogactwo uczuć, może dorównać tylko twórczość. Oto gdzie rodzi się oczarowanie, pasja, głębia zainteresowań. Nigdy tego nie rozumiałam. Pojęcie „oddanie sprawie" było puste, brzmiało fałszywie. Dawniej bluźnierstwem wydawałoby mi się porównanie miłości do mężczyzny z miłością i oddaniem sprawie. Dopiero dziś to zrozumiałam. Źródło jest to samo.

Natura wyposażyła człowieka w zdolność odczuwania rozkoszy dzięki drugiemu człowiekowi, dzięki człowiekowi, którego kochamy, i dzięki sprawie, którą żyjemy. Przeczucie najwyższej rozkoszy prowadzi przez mękę tworzenia i mękę rozczarowań, niepowodzeń, utraty. Jeżeli niepowodzenia i utrata powodują tak wielki ból, że nie można go unieść, może dojść do tragedii (czasem może się wydawać, że do tragedii doprowadziło głupstwo). Przecież tak samo jest z miłością – te same męki, rozczarowania, tragedia, kiedy nie sposób już dłużej cierpieć. I to wszystko bierze się ze złudnego przedsmaku szczęścia. Jakże ulotnego.

Moje zaskakujące odkrycie, że twórczość może tak samo pomieszać zmysły jak seks, wprawiło mnie w rozbawienie, przyszły mi do głowy różne żarciki na ten temat, ale postanowiłam poczekać z nimi do jutra.

21.

Następnego dnia zajęłam się odczytywaniem i porządkowaniem nocnych zapisków. Wynik odkrycia, kiedy widziałam je świeżym okiem, teraz bardziej mnie zachwycił. Usystematyzowałam wywód, chociaż wciąż był to tylko konspekt pracy. Z niecierpliwością czekałam wieczoru, żeby podzielić się moim nocnym sukcesem z Markiem.

Od razu przystąpiłam do rzeczy. Chciałam Marka zaskoczyć, ale mi się nie udało. Słuchał mnie bardzo uważnie, nie przerywał, nie zadawał pytań, czułam się tak, jakbym streszczała rozdział z obowiązkowego podręcznika psychologii. Zaniepokoiłam się: może to tylko sen? Może to, co opowiadam Markowi, jest dziecinnie proste i tak oczywiste, że nie może być mowy o jakimkolwiek odkryciu? Nagle Mark przerwał mi, zrobił to bardzo zdecydowanie, ostrym tonem, brutalnie. Już miałam się na niego obrazić; ale w tym samym momencie zobaczyłam jego uśmiech, radosny i szczery. Ten uśmiech, który kochałam, który rozpraszał moje wątpliwości i brak wiary w siebie. Usłyszałam słowa, których nigdy wcześniej nie zdarzyło mi się słyszeć z jego ust, choć często mówił mi piękne i wspaniałe rzeczy.

– Maleńka, jesteś bardzo mądra, cudowna, zadziwiasz mnie. Nigdy nie miałem wątpliwości, ale nie wiedziałem, że aż tak... – szukał słów, ale nie znalazł. – Twoja koncepcja jest zaskakująca... oryginalna, świeża... Dziecinko, to, czego dokonałaś, wychodzi poza ramy konkursu, to się nadaje do... po prostu nie wiem...

– Daj spokój, Mark – przerwałam tę tyradę. Od tych niespodziewanych pochwał dostałam zawrotu głowy, reakcja

Marka oszołomiła mnie. Spodziewałam się, miałam nadzieję, że mnie pochwali, ale żeby aż tak... – Daj spokój – powtórzyłam, starając się, by mój głos nie zdradził tego, co naprawdę czułam: nieopisanego szczęścia. – Przesadzasz, Mark, strasznie przesadzasz. Przecież to ty mnie naprowadziłeś na trop, to ty wszystko wymyśliłeś, i to już dawno, bez twojej pomocy nie poradziłabym sobie z tym zadaniem.

Wyrzuciłam z siebie te słowa i pierwszy raz w życiu zdałam sobie sprawę, że bez pomocy i udziału Marka rzeczywiście niczego bym nie odkryła, do niczego nie doszła. Mark dużo wcześniej rozwiązał zadanie, nad którym ja długo się głowiłam, przeżywając męki twórczego uniesienia. W burzy emocji po prostu zapomniałam, że impuls wyszedł od Marka. To on wybrał cel, do którego ja miałam dojść, on tego ode mnie oczekiwał, to jego zasługa.

– Ale przecież my nie rywalizujemy ze sobą – powiedziałam.

Mark roześmiał się. Pewnie go ubawiło, że zupełnie niechcący, wbrew własnej woli, próbuję się z nim równać. Rzeczywiście, to śmieszne.

– No dobrze – odezwał się, pieszcząc mój policzek i szyję tak czule, jak tylko on to potrafił – później się policzymy, zgoda? Masz rację, byłem przy tobie, ale stałem zupełnie z boku, nasze koncepcje mocno się różniły. Twoja jest bardziej efektowna, co nie znaczy, że gorsza, myślę, że jest ciekawsza niż moja. Przyznaję, zadanie nie należało do łatwych, nie sądziłem, że tak szybko znajdziesz rozwiązanie, było bardzo sprytnie ukryte, po prostu zakamuflowane. To było trudne zadanie, maleńka. – Pokręcił głową, by jeszcze mocniej zaakcentować tę trudność. – Chciałem, żebyś spróbowała zmierzyć się z wielką sprawą, i zrobiłaś to perfekcyjnie, efektownie, lekko i w krótkim czasie.

„»Lekko i w krótkim czasie« dobrze mu mówić” – pomyślałam.

– Ta praca w zasadzie powinna zająć badaczowi trzy, cztery miesiące, jeżeli, oczywiście, zakończyłaby się sukcesem. A ty? Jak długo nad tym pracowałaś?

Nie zrozumiałam, czy Mark skierował to pytanie do mnie.

– Trzy tygodnie! No widzisz! Jesteś autorką wybitnej pracy naukowej, możesz być z siebie dumna.

– Ale czy ty jesteś ze mnie dumny? – spytałam nieprzytomna ze szczęścia i pochylając się nad blatem stołu, pocałowałam go w policzek.

– Cały czas jestem z ciebie dumny – odpowiedział bez wahania, pragnąc oddać mi pocałunek, ale nie zdążył, bo już się wyprostowałam. Oboje się roześmieliśmy. – Wiesz, mam pomysł, wyskoczmy gdzieś, jeszcze nie jest późno, znam świetną restaurację na placu Harvarda, chcę, żebyśmy uczcili twój sukces.

– Hulanki, swawole to nasze żywioły – odpowiedziałam w moim ojczystym języku. Mark nie zrozumiał, więc powtórzyłam już w uproszczonej wersji: – Wspaniale, pojedźmy tam, nie jestem idiotką, na dobre restauracje zawsze daję się namówić!

W samochodzie Mark powiedział:

– Nie masz pojęcia, jaką furorę zrobi twoja praca, uwierz mi. Profesorowie raz na dziesięć lat odkrywają coś zaledwie zbliżonego do twojego odkrycia, a tu studentka, jeszcze przed dyplomem... – roześmiał się. – Ale będzie sensacja! To prawdziwa bomba! Nawet nie podejmuję się przewidzieć skutków jej wybuchu.

Mark cieszył się jak dziecko. Tak pomyślałam, bez powodzenia próbując znaleźć jakieś mniej oklepane określenie, które opisałoby jego stan. Czasem rzeczywiście przypominał dziecko – był taki spontaniczny, wzruszający, naiwnie szczery w wyrażaniu radości.

Restauracja świeciła pustkami, jak to w dzień powszedni, zresztą i pora była dość późna.

– Teraz trzeba nadać twojej pracy odpowiednią formę, zgrabną, logiczną, efektowną, potraktować temat z całym szacunkiem – zaczął Mark, ledwie usiedliśmy przy stoliku. – To także nie jest łatwe, wymaga talentu, ale masz jeszcze dwa tygodnie, dasz sobie radę, nie musisz się tak bardzo spieszyć.

Tak więc następne dwa tygodnie upłynęły mi na zajęciu nieco mniej ciekawym, ale sprawiało mi ono przyjemność. Pisałam referat, nadawałam kształt słowny mojej koncepcji, cyzelowałam zdania, dbając o elegancję i prostotę stylu. Nawet mi się to podobało. Było cicho, spokojnie, cały świat kręcił się wokół mojego *baby*, któremu mogłam poświęcać długie godziny, jak matka nowo narodzonemu dziecku.

Wydrukowałam tekst i poprosiłam Marka, żeby go przeczytał. Uporał się z tym w jeden dzień. Pochwalił mnie, zapewniając, że sam by tego lepiej nie napisał, pewnie zrobiłby to dużo gorzej, przyznał się. Złożyłam pracę w dziekanacie.

Dalej akcja toczyła się już znacznie wolniej, jak na starych filmach z początków dwudziestego wieku. Tryby systemu kapitalistycznego i uświęconej wielowiekową tradycją uczelnianej machiny administracyjnej pracowały wytrwale, by wreszcie ogłosić wynik, którego, jak zapewniał mnie Mark, nawet nie byłabym w stanie przewidzieć.

Pierwsza podeszła do mnie pewna pani profesor, egzaltowany, zarozumiały babsztyl, którą oczywiście znałam, lecz nie sądziłam, że i ona wie o moim istnieniu. Powiedziała, że jest członkiem komisji konkursowej, czytała referat i gratuluje mi sukcesu. Dodała, że praca, również zdaniem pozostałych członków komisji, ma niepodważalną wartość naukową, że ona bardzo się z tego cieszy i jest ze mnie dumna. W ostatnie słowa babsztyla nie uwierzyłam. Jakie mogła mieć powody do dumy? Ale nie ukrywam, było mi przyjemnie.

W kilka dni później – zanim jeszcze ogłoszono oficjalne wyniki konkursu i moje w nim zwycięstwo, a potem wydrukowano artykuł w prestiżowym czasopiśmie uniwersyteckim, ilustrując jego okładkę moim zdjęciem – wezwał mnie dziekan wydziału psychologii. Kiedy opowiedziałam o tym Markowi, tylko pokiwał głową i krótko zawyrokował:

– Zaczęło się.

Dziekan przyjął mnie w swoim gabinecie, traktując jak osobę bliską, ukochaną uczennicę, której poświęcił swoje najlepsze lata, i rozpoczął uprzejmą rozmowę, wypytując mnie przede wszystkim o to, jak układa się moje młode, tak obiecujące życie, gdzie mieszka moja rodzina, i o inne równie sympatyczne sprawy.

– Mój dziadek też pochodził z Rosji, chyba z Ukrainy, nie pamiętam nazwy miejscowości – zdradził mi tajemnicę swego pochodzenia.

Co do tego nie mam wątpliwości, myślałam, przyglądając mu się uważnie, po czym uśmiechnęłam się do niego – no cóż, cieszę się, że mogę na obczyźnie spotkać rodaka.

Potem dziekan spytał mnie, od kiedy interesuję się psychologią, co mnie w niej najbardziej pociąga, czy dużo się uczę i takie tam dyrdymały, o które zapewne muszą pytać dziekani, gawędząc z nieopierzonymi studentami żółtodziobami. Na jego pytania odpowiadałam z naturalnym onieśmieleniem i skromnością, ale konkretnie, rzeczowo, patrząc mu prosto w oczy. Słuchał uważnie, z zainteresowaniem – doprawdy idylla: sędziwy uczony przekazuje pokoleniową pałeczkę swej najlepszej wychowance. Rozmowa trwała około kwadransa, zaczynałam już podejrzewać, że nic więcej się nie wydarzy, że dziekan chciał mnie tylko poznać, nic więcej. Jednak pytania stawały się coraz dociekliwsze, a dziekan miał coraz bardziej skupiony wyraz twarzy, w którymś momencie nawet zmarszczył czoło.

– Pani Marino – przemówił w końcu swoim pięknym, dobrze ustawionym głosem doświadczonego wykładowcy i moralizatora.

Był mężczyzną przystojnym, postawnym, o pięknej siwej głowie. Zastanawiałam się, dlaczego na wysokich stanowiskach urzędowych zawsze zatrudnia się mężczyzn wysokich, reprezentacyjnych, czasami kobiety, również nieprzeciętne, przyciągające wzrok. Czy specjalnie się ich dobiera, czy może stanowisko tak człowieka zmienia, jego sylwetkę, wygląd, a nawet wzrost i rysy twarzy?

Dziekan mówił dalej.

– Profesorowie naszej katedry nie od dziś są szczerze poruszeni pani pasją naukową, głębią zainteresowań, a przede wszystkim pani rozległą wiedzą. Nigdy inaczej o pani nie mówili, jak tylko z zachwytem, wszyscy byliśmy pewni, że napisze pani wybitną pracę.

Zawiesił głos, bym mogła ocenić te pochwały. Posłałam mu jeszcze milszy uśmiech – dzięki, za dobre słowo – i skromnie spuściłam oczy.

– Powiem po prostu, pani Marino, to, czego pani dokonała w swojej pracy konkursowej, przeszło nasze najśmielsze oczekiwania, jest to praca ze wszech miar dojrzała, konsekwentnie poprowadzona, o absolutnie zaskakującym, nowatorskim podejściu do problemu badawczego. Nie jestem, co prawda, specjalistą w tej dziedzinie, ale...

„Przynajmniej jest szczery” – pomyślałam.

– ... ale moi koledzy z katedry, których opinie bardzo cenię, dali jej najwyższą notę.

Jeszcze niżej spuściłam oczy.

– Pragnę pani powiedzieć, zresztą głównie po to panią do siebie poprosiłem, że jesteśmy dumni z faktu, iż jest pani naszą studentką.

Dziekan tak właśnie powiedział: jesteśmy dumni. Dopiero teraz dotarło do mnie, że sprawa rzeczywiście przybiera poważny obrót. Czułam, że jest to rozmowa o czymś ważnym, istotnym dla mnie i moich przyszłych losów, po tym wszystkim mój lekko ironiczny nastrój nie miał już racji bytu.

Podniosłam wzrok i wlepiłam go prosto w źrenice siedzącego naprzeciwko mnie przystojnego i uprzejmego dziekana o mądrych, poważnych oczach.

– Wyłonienie zwycięzcy konkursu należy, oczywiście, do członków komisji, ale ja nie mam wątpliwości, że tą szczęśliwą osobą będzie pani. Niezależnie od oficjalnych wyników postanowiliśmy opublikować pani pracę, a także włączyć ją do rocznika naukowego naszej uczelni. Gdyby pani chciała przygotować artykuł i zdecydowała się go wysłać do jakiegoś specjalistycznego czasopisma, osobiście polecałbym pani – tu wymienił tytuł jednego z najwybitniejszych periodyków psychologicznych – to nasi profesorowie, rozmawiałem już z nimi, z prawdziwą przyjemnością napiszą recenzje, a uniwersytet dołączy pisemną rekomendację. Naturalnie, ostateczna decyzja o publikacji pani artykułu leży w gestii redakcji, ale pani praca jest wybitna, więc co szkodzi spróbować? Jest jeszcze jedna sprawa – tu dziekan teatralnie zawiesił głos, a ja tym razem nie spuściłam skromnie wzroku, w dalszym ciągu badawczo wpatrując się w jego oczy – spodziewam się, że będzie pani kontynuować naukę i jeszcze w tym roku podejmie pani studia doktoranckie. Od nas otrzyma pani nie tylko świetne rekomendacje, za pośrednictwem naszych uczelnianych kanałów będziemy zabiegać także o to, by panią przyjęto. Teraz wszystko zależy tylko od pani, proszę wybrać uczelnię, w której pragnie pani dalej studiować.

Powiedział to dobitnie i zdecydowanie. Dziekan urósł w mojej wyobraźni do roli baśniowego bohatera, może nawet do roli złotej rybki: powiedz, czego pragniesz, a ja machnę czarodziejskim ogonkiem i spełni się twe życzenie. Czułam, że moje nerwy tego nie wytrzymują. Czyżby to oznaczało, że mam już w kieszeni przepustkę do Harvardu? Postanowiłam wyjaśnić tę kwestię.

– Sir – zwróciłam się do dziekana bardzo oficjalnie – proszę mi uprzejmie powiedzieć, czy mogłabym złożyć dokumenty na Uniwersytet Harvarda?

– Ostateczna decyzja również należy do władz uniwersytetu. Harvard ma prawo ustalić własne kryteria, ale nie sądzę, żeby pani odmówiono. Łączą nas dobre stosunki, wielu tamtejszych profesorów wykłada także u nas, liczą się z nami, krótko mówiąc, nie widzę przeszkód, żeby pani tam złożyła dokumenty, ale wolałbym niczego pani nie obiecywać.

Drżałam ze zdenerwowania. Musiałam mocno napinać mięśnie, by opanować emocje. Elitarny Harvard University był w moim pojęciu nie tylko symbolem najwyższego sukcesu, ale czymś absolutnie nieosiągalnym, dostępnym jedynie nielicznym wybrańcom losu, przeciętny człowiek nawet nie miał odwagi o tej uczelni marzyć. Stale od kogoś słyszałam, że wystarczy skończyć Harvard, aby droga do kariery stanęła otworem, że absolwentami Harvardu i Yale są prezydenci Stanów Zjednoczonych, wybitni politycy, dyplomaci. I nagle ta niedostępna twierdza miałaby otworzyć bramy przed głupiutką studentką, która wygrała los na loterii, bo spotkała Marka, swoją wielką miłość?

– To jeszcze nie wszystko – mówił dziekan. – Nasza uczelnia ma specjalny fundusz, przeznaczony dla wybitnych studentów, którzy nie dysponują wystarczającymi środkami finansowymi na naukę. Celem funduszu jest niesienie im pomocy materialnej, umożliwiającej kontynuowanie studiów. Może pani, Marino, zwrócić się do nas z podaniem o przyznanie takiego stypendium. Myślę, że w dużym stopniu uwolniłoby ono panią od trosk finansowych przez kilka lat studiów w Harvardzie czy gdzie indziej. Dalej już wszystko zależy od pani. – Dziekan wstał, ja także się podniosłam. – Wierzę w panią.

Odprowadził mnie do drzwi, o coś jeszcze zapytał i podał mi rękę, życząc powodzenia. Podziękowałam mu wzruszona.

22.

Wyszłam oszołomiona i przerażona tym, co się wydarzyło. Nie od razu zrozumiałam, co się stało, co się ze mną dzieje, co powinnam robić, żeby czegoś nie popsuć, nie spłoszyć, nie zauroczyć. Nie miałam już dziś nic do roboty na uniwersytecie, więc postanowiłam wrócić do domu. Mark chyba na mnie czekał. Kiedy otworzyłam drzwi, stał w holu i patrzył na mnie, uśmiechając się. Jego oczy rozświetlił błękit.

– Byłam u dziekana – powiedziałam roztrzęsiona i osunęłam się na krzesło.

– Wiem – przyznał się Mark.

Nie zaskoczyło mnie to. Nie miałam siły na przeżywanie nowych emocji, na dziś wyczerpałam ich limit. Z trudem uniosłam brwi.

– Dowiedziałem się dwa dni temu, ale nie chciałem ci nic mówić. Pragnąłem, żeby twoi profesorowie sami ci o tym powiedzieli, pomyślałem, że tak będzie bardziej uroczyście. A więc mówisz, że sam dziekan...

– Aha... – potwierdziłam, czując jak wpadam w melancholię.

– Maleńka, gratuluję, lepszego scenariusza nie można było wymyślić, wierzyłem, że tak będzie. Przygotowali dla ciebie cały pakiet nagród – pieniądze, studia doktoranckie, publikację artykułu, to wspaniale, cudownie!

Wyjął z barku butelkę koniaku. Nigdy nie widziałam, żeby Mark pił w dzień coś innego niż piwo, nawet dla mnie było za wcześnie na koniak. No i nie miałam siły ruszyć się z krzesła. Moje zwisające do podłogi ramiona zaplątały się między kolanami, kark pochylił się, głowa opadła, byłam bez życia, nie miałam żadnych potrzeb ani pragnień. Wydawało mi się, że moje zmęczenie dosięgło również krzesła, które za chwilę rozsypie się pod ciężarem mego ciała, z którego uleciało życie.

– Mark, jest za wcześnie na koniak – wydusiłam z trudem. – Dopiero dwunasta.

– Na koniak nigdy nie jest za wcześnie!

Nie znoszący sprzeciwu, nieprzyjemny głos Marka nawet dla mojego amorficznego *ja*, niezdolnego do jakichkolwiek przejawów najprostszych reakcji, zabrzmiał tak nieoczekiwanie, że aż się poderwałam. Moja twarz musiała wyrażać najwyższe zdziwienie, bo Mark dodał, jakby się tłumacząc:

– Czy ty myślisz, że ja nigdy nie byłem młody?! Byłem! I młody, i szalony, i nieobliczalny, zapewniam cię, że jak pić – to do białego rana.

Nie, to nie był mój Mark. To tylko jakiś obcy mężczyzna przebrany za Marka. Coś niepojętego! Ta idiotyczna sytuacja przywróciła mi siły. Skąd się nagle wzięły? Kto to może wiedzieć.

Poczułam ożywczy powiew wolności, wyzwolenie od wszystkich „powinnaś", „musisz", „należy", od tłamszącego moją duszę, bezlitosnego rozkładu dnia, wypełnionego do granic, bez chwili wytchnienia, z mnóstwem zajęć i spraw: a to książka, którą już miesiąc temu powinnam była przeczytać, a to referat, który powinnam była napisać, no, może jeszcze nie dziś, ale już dziś muszę zacząć o nim myśleć. Myśleć... myśleć... Presja, na każdym kroku, w każdej sferze życia przeszła już chyba w stan ostrej patologii, stając się chorobliwym uzależnieniem, niezdrowym nawykiem, wynaturzeniem. Cały czas coś komuś byłam dłużna, coś komuś byłam winna... coś musiałam...

Dzisiejsze zuchwałe zachowanie Marka sprawiło, że żelazne kleszcze rozwarły się, pękły okowy, tak jak na kronikach filmowych pękają stalowe obręcze, przytrzymujące rakietę przed startem w kosmos. Przyszło spokojne opamiętanie. Bardziej fizyczne niż intelektualne. Dosyć! Ten rozdział mojego życia dobiegł końca. Jeżeli komuś byłam coś winna, to już spłaciłam dług, i to z nawiązką. Nareszcie mogę odpocząć, rozluźnić się, zrelaksować. Może nie na zawsze będzie mi to dane, ale teraz, zaraz, dziś – m o g ę!

– Trudno, Mark, sam tego chciałeś! – Chciałam, żeby usłyszał w moim głosie groźbę. – Jak pić, to pić!

– Nie strasz mnie – odezwał się Mark z niepokojem, więc jednak usłyszał!

„Rosjanie słyną z picia na umór" – pomyślałam.

– Pijemy do białego rana!

– Do białego rana? – jęknęłam rozczarowana. – A ja myślałam, że cały tydzień.

– Możemy i cały tydzień – zgodził się Mark, nie kryjąc smutku. Domyśliłam się, że postanowił dotrzymać mi kroku.

Nasza pijacka orgia trwała jednak krócej, bo tylko cztery dni. Mieli nas dosyć wszyscy znajomi, którzy słysząc przez domofon nasze wariackie śmiechy i dzikie wrzaski, nie mogli sobie darować, by do nas nie zajrzeć.

Ku mojemu zdziwieniu okazało się, że przyjaciele Marka chętniej się do nas przyłączali niż zaprawieni w niejednym boju moi rodacy z rozpijanego od stuleci kraju. Rosjanie stale byli czymś zajęci, zaaferowani, pochłonięci troskami, kłopotami, tysiącem powszednich spraw, wymyślali głupawe wymówki, a to że „jutro trzeba iść do pracy", a to że „nie możemy wyjść z domu, bo co będzie, jak się dziecko obudzi".

Amerykanie – czy to z uprzejmości, czy z sympatii do nas, a może nieprzyzwyczajeni do niezaplanowanych rozrywek – potulnie zgadzali się na wszystko i przyjeżdżali, żeby się z nami zabawić. Dopiero później się dowiedziałam, że z natury są tak naiwni i spontaniczni, że jak dzieci ulegali naszym zaimprowizowanym wybrykom i psotom.

Ja i Mark nie byliśmy aż tak pijani, jak się to wszystkim wydawało. Po prostu dzień i noc trwaliśmy w stanie rauszu, w nocy budziliśmy się co dwie, trzy godziny, zawsze jednocześnie, dziwiąc się i śmiejąc głośno z tej niesamowitej czujności, wypijaliśmy prosto z butelki kilka łyków alkoholu, aby utrzymać stały poziom rauszu, a potem przywieraliśmy do siebie nagimi ciałami i całowaliśmy się długo i namiętnie, Mark zagarniał mnie pod siebie, rozpaloną, gotową, nienasyconą, spragnioną jego miłości. Wchodził we mnie gwałtownie, ze zwierzęcą pożądliwością, po wariacku, ostrymi, bolesnymi pchnięciami. Nie mogłam w nim rozpoznać dawnego, delikatnego, czułego Marka...

Kochaliśmy się cztery doby, łamiąc przyzwyczajenia i bijąc wszelkie rekordy, oficjalne i nieoficjalne.

Stałe upojenie alkoholowe wyzwalało w nas nieprzerwany pociąg seksualny. Seks i alkohol zdominowały naszą zachwianą równowagę psychiczną, wypierając z mózgów inne sprawy. Nie spędzaliśmy w łóżku całego czasu. Mark wpadł na pomysł, byśmy tak trwali w miłosnym upojeniu, z rozpalonymi i niezaspokojonymi żądzami.

Kochaliśmy się więc tylko pięć czy sześć minut, po czym Mark wychodził ze mnie, jeszcze bardziej spragniony, porzucając mnie, równie spragnioną, rozpaloną do granic, nie mogącą się nim nasycić. Ostatkiem sił zmuszaliśmy się, by włożyć na siebie jakieś ubrania albo chociaż trochę się czymś otulić, zawinąć w coś, co akurat było pod ręką; szliśmy zajmować się innymi sprawami, bardzo poważnymi, na przykład postanawialiśmy dokończyć to, co robiliśmy wcześniej, czyli nic. Po godzinie, dwóch, trzech, ile udało nam się wytrwać, w zależności od miejsca, w którym się znajdowaliśmy, niekiedy nawet się nie rozbierając, żeby nie tracić czasu, znowu oddawaliśmy się szalonemu pragnieniu naszych ciał; narastające w nas obojgu od wielu godzin gwałtowne pożądanie gotowe było wybuchnąć gigantycznym orgazmem, ale w tym momencie odrywaliśmy się od siebie, rozplataliśmy nasze umęczone ciała i wracaliśmy do porzuconych przyjaciół albo siadaliśmy przy stole czy gdzieś indziej, jeśli akurat w tamtym miejscu musieliśmy być, jeszcze silniej targani namiętnością, powściąganą nadludzkim wysiłkiem woli, staraliśmy się to przetrwać... Przerwy były niezbędne, byśmy znowu mogli, nie łamiąc zasad przyzwoitości, dyskretnie poprosić: „Mark, przepraszam, pozwól na minutkę, chcę ci coś powiedzieć", i znowu wykorzystać rozciągniętą poza granice minutkę, by z jeszcze większą energią, aż do pomieszania zmysłów, nakręcić i tak już nakręconą do niemożliwości sprężynę i... w ostatniej chwili ją zatrzymać, i tak w nieskończoność...

Gra naszych odurzonych mózgów wywoływała w nas fizyczne – na poziomie ciała i emocjonalne – na poziomie świadomości doznania niekończącego się, obsesyjnego podniecenia seksualnego. Oboje czuliśmy, że nasze pragnienia, może niewyrażające się w danej chwili w sposób fizycznie dostrzegalny, trawią nas bez przerwy, pośrednio, inaczej, poza naszym wymiarem fizycznym, działają jak narkotyk, gnieżdżąc się podstępnie w skumulowanym, domagającym się natychmiastowego wybuchu dzikim, rozszalałym pożądaniu i niezaspokojeniu.

Dziwne było to, że kontrolowane z coraz większym trudem żądze, drażniące każdy nerw, przeszywające spazmem każdą komórkę, które powinny wyzwolić w nas atak szału, tylko wzmacniały przeżywanie rozkoszy podczas tych krótkich zwarć i nerwowego oczekiwania na następne zespolenie, którego przedsmak już czuliśmy podczas kolejnych miłosnych potyczek naszych ciał.

Raz omal nie zdradziliśmy się z naszymi rozbuchanymi chuciami, było to podczas wizyty u znajomych Marka, dostojnego profesorskiego małżeństwa. Gościli nas, nie bardzo rozumiejąc powód naszej obecności w ich domu. Małżonkowie prowadzili wysoce intelektualną dyskusję, ja wyszłam do łazienki niby to poprawić włosy. Nie słyszałam, kiedy wślizgnął się tam za mną Mark. Zaskoczył mnie. Podszedł od tyłu. Przyginając mnie szybkim, silnym ruchem do ziemi, zadarł mi sukienkę na plecy i, upewniwszy się, że nie mam na sobie bielizny (miałam dość nieustannego jej zdejmowania i wkładania), nie znając litości i bojąc się, że niepowtarzalna chwila mogłaby się już nie powtórzyć, wtargnął we mnie tak boleśnie, że – sama nie wiem dlaczego, z zaskoczenia czy długiego niezaspokojenia, a może z powodu gwałtownych, ostrych, brutalnych pchnięć jego twardego członka albo z tego wszystkiego naraz – krzyknęłam głośno. Zaniepokojona gospodyni zapytała, na szczęście, nie odważywszy się otworzyć drzwi, czy nic mi się nie stało. Ja, starając się odpowiadać jak najprzytomniejszym głosem, wyjaśniłam, że skaleczyłam się w palec, jednocześnie próbowałam zatrzymać w sobie Marka, którego mój głos zmroził. Kurczowo chwyciłam go za rękę, zerknęłam kątem oka do lustra, zobaczyłam tam nasze pożądliwe, zwierzęce ruchy i w tym momencie umyślnie strąciłam z półeczki nad wanną szklankę; patrząc prosto w oczy Marka, odbite w lustrze, wbiłam sobie odłamek szkła w palec.

Podniosłam zakrwawiony palec do oczu. Czy to widok krwi, czy rozrywające moje wnętrze, bolesne pchnięcia, czy spojrzenie Marka, dziwne, skupione na krwi kapiącej z mojego palca, czy tak upragnione, rozkoszne spełnienie sprawiły, że nagle ugięły się pode mną kolana i zemdlałam. Ocknęłam się w objęciach Marka. Robił mi sztuczne oddychanie metodą usta–usta, napełniając moje ciało życiem i przywracając mi świadomość.

– To od tej krwi – szepnęłam.

– Tak, to ta krew. – Mark oderwał się ode mnie.

Trupio blada, opuściłam łazienkę, przepraszając panią domu za stłuczoną szklankę i zakłócenie spokoju. Przejęta gospodyni pobiegła po plaster. Zatamowano mi krew, a za radą gospodarza wypiłam lampkę koniaku i filiżankę mocnej kawy, powoli wracały mi rumieńce. Incydent został zażegnany. Przypominał mi o nim tylko głęboki granat w oczach Marka.

Któregoś ranka Mark, budząc się w swoim łóżku, popatrzył na mnie zaspanymi oczami i oznajmił:

– Basta, dłużej nie dam rady, nic dobrego z tego nie wyniknie.

Nie zapytałam go, czyje dobro ma na myśli. Ja również czułam, że zbliżyliśmy się do granic, których nie wolno było przekroczyć. Pora wrócić do normalności. Już się za nią stęskniłam, pragnęłam jej bardziej niż tych niebezpiecznych przeżyć, które mogły się stać moim udziałem, gdybym zapragnęła dalej kusić los.

– Zgoda – odpowiedziałam, tuląc się do Marka i całując go przelotnie w usta, tak by go nie prowokować, i jakby chcąc zapewnić: „To tylko czuła pieszczota, nic więcej nie będzie". Położyłam głowę na jego ramieniu i powiedziałam:

– Stęskniłam się do ciebie tamtego.

– Koniec – powiedział Mark, wydychając powietrze z płuc, jakby wraz z nim chciał usunąć z siebie szaleństwo ostatnich dni. – Wracamy do normalności, dobrze? – Potrzebował, bym to potwierdziła.

– Dobrze.

23.

Powrót do normalnego życia wymagał czasu. Dni alkoholowego szaleństwa nadwerężyły nasze zdrowie fizyczne i psychiczne, zburzyły porządek naszego życia, zakłóciły rozkład dnia, zmieniły nasze przyzwyczajenia i nawyki. Na dobry początek do wszystkich przyjaciół, którzy się o nas niepokoili, wysłałam kartki z przeprosinami za nasze nieobliczalne zachowania, pisałam, że czujemy się zażenowani, przepraszamy i liczymy na wyrozumiałość – niech ta nadmierna dawka alkoholu usprawiedliwi wybryki, których się w tym stanie dopuściliśmy.

Mark nie chciał wysyłać swoim przyjaciołom tekstu, który ja wymyśliłam. Pozwoliłam mu więc napisać bardziej oficjalne podziękowania za miło spędzony wieczór.

Do moich przerażonych naszym stanem przyjaciół wysłałam pocztówki ze słodkimi aniołkami w białych sukieneczkach: popatrzcie, kochani, na tę niebiańską czystość i postarajcie się potraktować nasze szaleństwa z filozoficznym spokojem.

Potem oboje usiedliśmy do śniadania. Mark ogolił się, włożył białą koszulę, a ja znowu mogłam spojrzeć na niego z dumą. Dręczyła mnie myśl: dlaczego jeszcze do wczoraj było w nim tyle zwierzęcości; w żaden sposób nie potrafiłam sobie tego wytłumaczyć. Piliśmy kawę i jedliśmy pożywne witaminowe sałatki, wykazując dużo samozaparcia, by unormować nasz dzień powszedni, zaprowadzić w nim dawny ład, przypominaliśmy sobie, czym powinniśmy zająć nasze głowy, zbyt odciążone w ostatnim czasie od myślenia.

– Muszę się dowiedzieć, kto będzie twoim szefem w nowym miejscu pracy. Powinienem wykonać parę telefonów –

powiedział Mark. – Ty weź się do pisania artykułu i przygotuj dokumenty do Harvardu, złóż podanie o stypendium, jak widzisz, zajęć mamy co niemiara.

– Tak, oczywiście.

Następnego dnia Mark poinformował mnie, pod czyim kierownictwem będę się uczyć i pracować.

– Profesor Zylber – powiedział. – Słyszałem o nim różne rzeczy, ale nie znam go osobiście. Opowiem ci o nim tyle, ile wiem, chociaż są to cudze opinie.

Nazwisko profesora wydało mi się skądś znajome.

– Mark, czy mogłam się gdzieś zetknąć z tym nazwiskiem? – spytałam. – Jak powiedziałeś? Profesor Zylber?

– Bardzo możliwe – potwierdził Mark. – To uczony światowej sławy, nominowany, nie pamiętam kiedy, do Nagrody Nobla. Nie dostał jej, czego do dziś nie może wybaczyć międzynarodowej społeczności uczonych. Ach, tak, pamiętam! Rok temu wypożyczałem dla ciebie jego monografię o psychoanalizie, na pewno dzięki niej pamiętasz jego nazwisko.

„Pamiętam, dobre sobie” – pomyślałam zawstydzona. To Mark pamięta. Spojrzałam na niego z zachwytem. Co za pamięć! Chyba potrafiłby wyrecytować nawet całą bibliografię z monografii Zylbera.

– Jest sławny, ale dosyć nieprzyjemny w obejściu – mówił Mark. – Zacznijmy od tego, że jest już stary, ma siedemdziesiąt lat, ale nieźle się trzyma, jest bardzo żywotny i energiczny. Przylgnęło do niego określenie „ojciec”, co oznacza wybitnego uczonego starej daty, który patrzy z góry na młodsze, konkurujące ze sobą pokolenia. Chyba jest ostatnim z żyjących uczniów Freuda, trzeba dodać, wybitnych uczniów. Podobno Freud wymienił jego nazwisko w jakiejś pracy, nie wiem, nie znam wszystkich dzieł Freuda. Zylber wyjechał z Wiednia tuż przed dojściem nazistów do władzy. Najpierw trafił do Anglii, a po wojnie przyjechał do Stanów, nadal mówi z zabawnym niemiecko-żydowskim akcentem, tak w hollywoodzkich filmach mówią naukowcy-przestępcy.

Zaskoczyła mnie szczegółowość, z jaką Mark opowiadał o Zylberze.

– Mark, skąd ty czerpiesz te wiadomości? – Przerwałam mu, przyznaję, nie tając złośliwości. – Chyba musisz zatrudniać sztab informatorów.

Mark tym razem nie dostrzegł ironii.

– Maleńka, w światku naukowym nie ma kłopotu ze zdobywaniem informacji, wkrótce sama się o tym przekonasz. Opowiadam o tym tylko dlatego, żeby ci łatwiej było rozmawiać z Zylberem

– Przepraszam, chyba znów palnęłam głupstwo – powiedziałam i pomyślałam: „Chyba lubię przyznawać się do błędów i jeszcze się za nie kajać". – Mów dalej, proszę.

Mark uśmiechnął się przyjaźnie.

– Sławny profesor Zylber ma opinię człowieka mało sympatycznego, prawdę mówiąc, odpychającego. Już za młodu słynął z trudnego charakteru – to człowiek wyniosły, mało komunikatywny, słowem, ciężki orzech do zgryzienia. Kolegów zawsze traktował z góry, protekcjonalnie, gnębił swoich uczniów, ot, stara szkoła, niewielu wytrwało z nim do końca, większość jego uczniów się wykruszyła. Musisz wiedzieć, że niezły był z niego *womanizer*. – Zrozumiałam, o co chodzi, ale Mark uznał za konieczne wyjaśnić mi to angielskie słowo. – Namiętnie uganiał się za kobietami, żadnej nie przepuścił, nawet był uwikłany w parę głośnych skandali męsko-damskich. Sama widzisz, w jaki sposób uczeń i naukowy spadkobierca Freuda doskonalił swój warsztat psychoanalityczny.

– Nie bardzo rozumiem, dlaczego chcesz mnie do niego posłać, skoro to tak trudny człowiek. Czy nie ma tam nikogo więcej? – spytałam, nic z tego nie rozumiejąc.

– To wybitna postać w świecie nauki. Uczony światowej sławy, jeden z najwybitniejszych psychoanalityków, o ile nie najwybitniejszy. Znakomita szkoła. Ci z jego uczniów, którzy przy nim wytrwali, są dziś świetnie ustawieni, co więcej, są mu wdzięczni za ciężary, jakie dźwigali w młodości. Jest już stary, z kobietami niewiele może zwojować.

– Mark, ale ja nigdy nie myślałam o psychoanalizie, to chyba nie to, czym bym się chciała w życiu zajmować.

– Tym się nie przejmuj, przecież nie musisz z nim pracować do końca życia, rok, dwa wystarczy, to na pewno ci się przyda. Myślę, że to dość zabawny staruszek. W czwartek masz z nim spotkanie. Czeka cię rozmowa wstępna, chociaż, o ile zrozumiałem, decyzja, że będziesz w jego katedrze, już zapadła.

Dwa dni później sama mogłam się przekonać, że profesor Zylber był dokładnie taki, jak go opisał Mark. W każdym razie jeśli chodziło o wygląd zewnętrzny. Mimo podeszłego wieku trzymał się znakomicie, był wysoki, postawny, lekko pochylony przez wiek, co nadawało jego sylwetce dystynkcji. Był grubokościsty, ale szczupły, poruszał się zamaszyście, stąpał wielkimi krokami. Uwagę przyciągała jego twarz o grubych rysach, szczególnie oczy. Zdawały się wyskakiwać zza grubych, powiększających je szkieł. Kiedy profesor zdejmował okulary, widać było, że jego oczy żyją własnym życiem, bez związku z resztą twarzy, są idealnie autonomiczne. Lekko wytrzeszczone, sprawiały wrażenie, że poruszają się w trzech kierunkach, niezależne od mimiki i wyrazu twarzy Zylbera i jego gestykulacji. Pomyślałam, że człowiek o takich oczach może być tylko psychoanalitykiem. Od razu skojarzyły mi się z analizą i czymś psychicznym. Ciekawa byłam, z czym jeszcze. Duży nos, o nieregularnym kształcie, był dodatkiem do oczu, próbując połączyć je z resztą twarzy, zatrzymać na miejscu, by uczynić twarz profesora harmonijną i wyrazistą. Jest w tym coś niepojętego, pomyślałam, ale duży nos zawsze nadaje męskim twarzom zmysłowości, charakteru, charyzmy i jakiegoś szczególnego uroku. Mały nosek, nawet o ładnym kształcie, nie przyciąga spojrzeń, pewnie coś w tym jest, skoro konstrukcja twarzy zawsze zależy od nosa.

Klasyczna uroda nie ma takiej głębi, ale człowiek wybrał akurat taki kanon, podobnie jak wybrał wzorzec metra, wagi i innych rzeczy. Widocznie jest w tym jakaś analogia, bo ani kilogram, ani metr nie przyciągają uwagi, są po prostu typowe. Zdefiniowanie urody jest próbą stworzenia jej standardu, a standard nigdy nie tchnie naturalnym pięknem. Piękne jest to, co oryginalne, zaskakujące, niesamowite, co przyciąga innością, niepowtarzalnością. Oczywiście powinno być jeszcze estetyczne, ale estetyka to już jest inny rodzaj konkretu, należący do kategorii pojęć.

Udało mi się wyłączyć gonitwę myśli, zebrałam się na odwagę i podeszłam do Zylbera.

– Jestem Marina – przedstawiłam mu się, dodając do powitania przyjazny uśmiech.

Profesor Zylber zlustrował mnie od stóp do głów. Jego zaciekawione oczy stały się jeszcze bardziej wypukłe, po czym odezwał się – krótko, ale niezbyt miło.

– Aha. – I natychmiast odwrócił się do mnie tyłem, oddalając się szybkim krokiem, powiedział jeszcze (ledwie dosłyszalnie): – Proszę za mną.

Weszliśmy do jakiegoś pokoju – domyśliłam się, że był to gabinet profesora – gdzie na środku stało wielkie biurko. Było stare, masywne, z blatem obitym cienką zieloną skórą, potężnymi rozmiarami zmniejszało optycznie gabinet Zylbera. Profesor usiadł przy nim, wskazując mi wzrokiem krzesło po drugiej stronie. Usiadłam potulnie. Zapadła nienaturalna cisza. Zylber świdrował mnie swoim przenikliwym i jednocześnie zaciekawionym wzrokiem, a ja rozglądałam się po pokoju.

Ścianę z lewej strony biurka wypełniały dyplomy, certyfikaty, informacje o przyznanych Zylberowi nagrodach, wszystkie za szkłem, oprawione w kosztowne ramki. Cała ściana wyglądała jak obiekt muzealny. Nad biurkiem, na wprost mnie, wisiał obraz, świetna grafika, spojrzałam na niego i od razu zwietrzyłam podstęp, wytężając wzrok, przeczytałam podpis autora w prawym dolnym rogu: „Picasso". Przeczucia mnie nie zawiodły. Czyżby to był oryginał? Tutaj, w tym gabinecie?

– Oryginał, panienko, najprawdziwszy oryginał – wyjaśnił uprzejmie Zylber, czytając w moich myślach i przerywając uciążliwe milczenie. Jego oczy, z radości, że udał mu się ten psychoanalityczny fortel, wykonały pełny obrót w kierunku odwrotnym do ruchu wskazówek zegara.

„To bardzo tandetne – pomyślałam. – Dobra mi stara szkoła, pogratulować pomysłu. Ciekawa jestem, czy nauczył się tego u Freuda? Chyba nietrudno się domyślić, że mrużąc oczy, wczytuję się w coś za jego plecami, a nie było tam nic innego oprócz podpisu Picassa. Zgrywa się na doktora Watsona, chyba praktykował u Sherlocka Holmesa, a nie u Freuda".

Wiedziałam, że jeśli pozwolę mu zrobić z siebie idiotkę, to nie dogadam się z tym pyszałkowatym staruszkiem. Powinien się jak najszybciej dowiedzieć, że nie przyszłam tu poddawać się jego kiepskim testom. Dlatego z niewinnym uśmiechem, wzmacniając go zalotnym błyskiem w oczach, odezwałam się:

– Panie profesorze, proszę mi szczerze powiedzieć, czy mam rację, że przez ostatnie trzy lata sto razy wygłaszał pan to zdanie, chyba się nie mylę, prawda?

Wstawiłam to „prawda" z uprzejmości, żeby pytanie nie zabrzmiało arogancko, w szkolnej drużynie pionierskiej nauczono mnie traktować ludzi starszych z szacunkiem. Miły uśmiech i wesołe spojrzenie były tu konieczne w celach samoobrony. Gdyby Zylber wyrzucił mnie za drzwi, mogłabym powiedzieć Markowi, że zdarzył mi się niezbyt mądry żart.

Oczy profesora wskoczyły pod powieki, schowały się za bastionem wielkiego nosa, a duże wargi stały się jeszcze większe. Czekałam na najgorsze, ale profesor milczał. Po kilkunastu sekundach doszłam do wniosku, że ten dziwak na pewno niczego nie pojął, więc chyba muszę mu wyjaśnić, co miałam na myśli. Uczyniłam to z radością, z tym samym uśmiechem i błyskiem w oczach.

– Chciałam zauważyć, że obraz za plecami pana profesora momentalnie przykuwa wzrok osoby, która siedzi naprzeciwko pana. Widać, że nie jest to zwyczajna grafika, więc siedzący stara się odcyfrować nazwisko autora, co z tego miejsca jest możliwe. Po czym natychmiast rodzi się pytanie: kopia czy oryginał? Dlatego pańska odpowiedź zawsze trafia w dziesiątkę. Można ją przetestować na każdym i domyślam się, że pan to robi.

Jakże kusiło mnie, by zakończyć tę wypowiedź słynnym: „Elementarne, mój Watsonie". Czułam się teraz prawdziwym Sherlockiem Holmesem, ale się opanowałam, bo z pewnością byłyby to moje ostatnie słowa w tym gabinecie.

Zylber siedział nieporuszony. Jego oczy na krótką chwilę znów stały się częścią twarzy, zwrócił je na mnie. Po długiej psychoanalitycznej pauzie (w tym gabinecie wszystko było psychoanalityczne) profesor wycedził:

– Przyjmuję panią.

Wyobraziłam sobie, że oto zrywam się opromieniona radością, jakby powiedział poeta, i klnę się, kładąc starym indiańskim zwyczajem dłoń na sercu – widziałam to na amerykańskich westernach – że nie zawiodę pokładanych we mnie nadziei, będę sumiennie rozmnażać uczone papiery i starannie, do ostatniego pyłka ścierać święty kurz z pamiątkowych ramek na ścianie. W tej chwili inna myśl przemknęła przez moje pełne zjadliwości fantazje: może ten zabawny staruszek wcale nie jest taki zabawny i nieskomplikowany? Może to ja jestem łatwa do rozszyfrowania, dałam się łatwo podejść i zostałam jego królikiem doświadczalnym. Na pewno to wcześniej ukartował. Pewnie jego prowokacyjne pytanie było elementem testu? Był ciekaw, jak zareaguję?

Ta myśl – a właściwie domysł, który zrodził się nagle – stała się niespodziewanie jedynym z możliwych rozwiązań i wtedy wszystko wróciło na właściwe miejsca. Teraz ja sama z moją idiotyczną złośliwością wydawałam się niedorzeczna.

Jeszcze raz z uwagą przyjrzałam się profesorowi. Pomyślałam, że pewnie z dużym powodzeniem uwodził kobiety, taki mężczyzna to potrafi, dodałam w myślach z szacunkiem.

– Proszę powiedzieć swojemu protektorowi, choć nie wiem kto tam tak panią popiera, że do nauki nie przyjmuje się z nakazu pracy – dodał.

I tym mnie zaskoczył. O czym on mówi? Czyżby Mark był aż tak wszechmocny? Chyba Zylber nie jego ma na myśli. Mark nie działałby tak bezczelnie.

– Nie zaprosiłbym pani na rozmowę, bez względu na to, kto i jak próbowałby wywrzeć na mnie nacisk – w jego głosie dosłyszałam irytację – ale zasięgnąłem o pani informacji.

No i doczekałam się, Mark miał rację, jak zwykle zresztą. Jesteśmy w domu, już i o mnie plotkują w tym światku. Może ja też powinnam zacząć plotkować, żeby za bardzo nie odbiegać od obowiązującej tu normy.

– Ma pani dobrą opinię. – Oczy Zylbera wykonały wielkie salto i złowiły moje spłoszone spojrzenie. – Wszyscy pokładają w pani duże nadzieje.

Fałszywa skromność kazała mi jeszcze niżej opuścić głowę. Moje oczy zrejterowały i wzrok profesora wbił się w moje powieki.

– Nadzieje, panie profesorze, to jeszcze nie wszystko. – Wściekłam się na siebie, że nie potrafię poskromić swojego języka.

Zamilkłam, by nie palnąć kolejnego głupstwa. A swoją drogą, zabrzmiało to trochę zagadkowo. Chyba jakąś nadzieję miałam na myśli, chociaż sama nie wiedziałam, na czym miałaby ona polegać. Na szczęście profesor też nic z tego nie zrozumiał, ale nie dociekał. Nikt nie musi wszystkiego rozumieć.

– Zobaczymy. W poniedziałek proszę się zameldować w pracy i zacząć od działu kadr – zakończył Zylber, jak mi się wydawało, dosyć zgryźliwie.

Mój tupet tym razem okazał się strzałem w dziesiątkę. Może częściej powinnam występować w roli osoby pewnej siebie?

24.

Ku mojemu zaskoczeniu okazało się, że wcale nie muszę się zajmować kopiowaniem dokumentów i ścieraniem kurzu z dyplomów Zylbera. Takiego testowania mojej przydatności widać nie było w planie. Profesor od razu zaanektował mnie całkowicie dla siebie, nie wysyłał do tak nieambitnych prac.

Byłam raczej jego damą do towarzystwa niż studentką i współpracownicą. Wiem z literatury, że podstarzałe szlachcianki zawsze miały takie damy. Zabierał mnie ze sobą do biblioteki i kiedy nad czymś pracował, ja czytałam książki, które zalecał mi Mark. Zylber rzucał czasami okiem na tytuły tych lektur i z zadowoleniem kiwał głową.

Lubił ze mną rozmawiać o psychoanalizie, opowiadał mi, czym się zajmuje, ale często zmieniał temat i snuł wspomnienia. Opowiadał bardzo plastycznie, ciekawie, jego duże wargi dokładnie i wyraźnie artykułowały każde słowo, wymawiał je z lekkim europejskim akcentem, przyjemnym dla ucha, czasami miałam wrażenie, że świadomie go używa, taką miał manierę mówienia.

O psychoanalizie wiedziałam niewiele, trochę z programu studiów i książek, które przynosił mi Mark. Teraz zapragnęłam lepiej rozumieć to, o czym profesor mówił, stać się partnerem w rozmowie, chociażby tylko od czasu do czasu. Zwierzyłam się Markowi, że chyba całe wakacje powinnam poświęcić na studiowanie publikacji z tej dziedziny, z czym Mark się zgodził i opracował mi obszerną bibliografię, powiedział, że sam też chce usunąć luki w swojej wiedzy psychologicznej.

Po miesiącu Zylber pozytywnie ocenił moje postępy i myślę, że przypisał je sobie, miał do mnie już większe zaufanie i zaczął mnie zabierać nie tylko do biblioteki, ale dosłownie wszędzie – na posiedzenia, konferencje i inne naukowe nasiadówki, a nawet zapraszał mnie na obiady.

Z damy do towarzystwa stopniowo stałam się osobistą asystentką profesora. Przygotowywałam mu materiały, niekiedy opracowywałam tezy jego wykładów. Kiedy relacjonowałam Markowi przebieg kolejnego dnia zajęć u Zylbera, Mark zapewniał mnie, że takie proste, rutynowe czynności są bardzo pożyteczne, bo wyrabiają nawyk systematycznej pracy i wdrażają do pracy naukowej, stanowiąc doskonały trening na przyszłość.

Na spotkaniach naukowych Zylbera traktowano z wielkim szacunkiem, jak szacownego ojca psychoanalizy, ale na ogół chłodno i, jak mi się wydawało, z pewnym uprzedzeniem i obawą.

Miałam za to okazję poznać dzięki niemu wielu znanych uczonych. Zylber przedstawiał mnie jako swoją asystentkę i wszystkim opowiadał o moich sukcesach. Mówił na przykład, że po raz pierwszy w ostatnim dziesięcioleciu artykuł studentki ukazał się w tak poważnym czasopiśmie psychologicznym i podobne rzeczy w tym stylu. Bardzo mi przeszkadzała tak ostentacyjna reklama, była w złym guście, natrętna, nienaturalna, sprawiająca wrażenie, że zawczasu rozpisaliśmy swoje role i umówili się, co i kiedy mówić. Uważałam, że profesor nie powinien tego robić w mojej obecności, chociaż niewątpliwie intencje miał szczere, starałam się więc nie okazywać niezadowolenia.

Pomimo takich niezręcznych sytuacji niejednokrotnie mogłam zauważyć, jak oczy naszych interlokutorów rozpalają się zainteresowaniem albo czystą ludzką ciekawością. Traktowano mnie jak partnera, chętnie ze mną rozmawiano, dyskutowano, wymieniano poglądy na różne sprawy. Niekiedy, gdy któryś z moich rozmówców napotkał czujny wzrok profesora, traktował mnie ze szczególną atencją. Nie ukrywam, że sprawiało mi to przyjemność i bardzo schlebiało mojej próżności.

Stopniowo rozszerzał się krąg moich znajomych, a właściwie kontaktów i wynikających z nich powiązań. Pomyślałam, że teraz na pewno mogłabym bez trudu zebrać dowolne, także najbardziej osobiste informacje o każdym z moich kolegów naukowców. Zylber, który miał zwyczaj traktowania ludzi protekcjonalnie, niekiedy z nieukrywaną irytacją, i lubił na każdym kroku podkreślać swoją wyższość, wobec mnie bardzo się kontrolował. Starał się rozmawiać ze mną serdecznie, miło, zdarzało się nawet, że był dla mnie zaskakująco opiekuńczy. Wiedziałam, że nie musiał tego robić, chętnych do asystentury miał dużo, ale byłam mu wdzięczna, patrząc, jak bardzo biedaczysko się stara być wobec mnie uprzejmy i delikatny.

W tym, jak o mnie opowiadał, jak mnie ze staromodną elegancją przedstawiał, jak zwracał się do mnie w obecności innych, czułam sztuczność i pozę. Robił to w taki sposób, jakby chciał się mną pochwalić: patrzcie, jaką mam młodą, śliczną, utalentowaną studentkę. Zresztą czasami w jego słowach wyczuwałam osobistą dumę. Chyba tak zachowuje się zakochany we wnuczce dziadek, który szczyci się jej młodością, wdziękiem, urodą i wspaniałym wychowaniem.

Kilka razy, muszę przyznać, że z dużym taktem, próbował się czegoś dowiedzieć o moim życiu osobistym, lecz ja, równie elegancko, zmieniałam temat. Jeśli chce, niech sam się dowie, niech sam zasięgnie informacji w naszym uczonym światku, taka informacja już zaistniała.

Oprócz Zylbera i mnie w naszej katedrze pracowały jeszcze dwie osoby: doktor Dalrimple, małomówny mężczyzna po czterdziestce, uczeń Zylbera, od wielu lat profesor uniwersytecki, uważany za prawą rękę szefa, i młodziutki Jeffrey, świeżo upieczony magister, który odbywał tu staż naukowy. Obu Zylber traktował surowo, z demonstracyjnym dystansem, zwracał się do nich po nazwiskach i rozmawiał z nimi tylko na tematy służbowe, był wyniosły, nieprzyjemny, złośliwy.

Dalrimple prawdopodobnie już się przyzwyczaił do nie najlepszego traktowania, bo nie protestował, ale, jak mi się wydawało, odczuwał nawet z tego powodu jakąś chorobliwą satysfakcję. Być może zaczynałam patrzeć na wszystko ze skrzywieniem psychoanalitycznym, ale odnosiłam wrażenie, że ten niezbyt młody uczony poczułby się urażony, gdyby nagle jego wspaniały szef zaczął go traktować po koleżeńsku. Nie przywykł do tego.

Jeffrey, wpatrzony w Zylbera jak w obraz, nawet nie dopuszczał do siebie myśli, by krytycznie oceniać swojego idola. Pomyślałam, że może tak właśnie powinno się traktować tego szacownego uczonego, może dlatego tak wiele osób go uwielbiało, szczególnie młodzi, którzy nie mieli jeszcze dorobku naukowego – widzieli w nim półboga, nowego Prometeusza, który na krótką chwilę zstąpił na ziemię, by oświecić ludzkie umysły.

Mój wrodzony, sceptyczny stosunek do autorytetów, utrwalony w twardej moskiewskiej szkole życia, pozbawił mnie radości uczestniczenia w tej zaskakującej mitologizacji i kazał patrzeć na Prometeusza psychoanalizy trzeźwym wzrokiem. To spojrzenie pozwalało mi także zdobyć się na współczucie – ciężko być wiecznie niedostępnym szczytem, koroną stworzenia, nieustannie pouczać, moralizować, i jeszcze robić to tak surowym, nieznoszącym sprzeciwu tonem. Na pewno Zylber też miałby czasami ochotę trochę spuścić z tonu, poczuć się starym, zmęczonym człowiekiem, zachowywać się i mówić jak starzec. Kobieca intuicja podpowiadała mi, że właśnie mnie wybrał na taki osobisty odgromnik. Nie wiem, czym sobie na to zasłużyłam?

Raz w tygodniu spotykaliśmy się w domu Zylbera na seminariach, na które zawsze zapraszał któregoś z koryfeuszy nauki. Dyskutowaliśmy na wybrany temat z dziedziny, którą reprezentował gość, piliśmy herbatę z konfiturami, jedliśmy tort czy jakieś inne ciasta, było nam ze sobą przyjemnie i ciekawie. Dobrze się czułam w tej atmosferze, kojarzyła mi się w niepojęty sposób z dzieciństwem.

Z europejskiej młodości Zylberowi zostały tylko domowe seminaria przy herbacie i charakterystyczny akcent. Może kiedyś tak zbierał swoich uczniów Freud, teraz jego tradycje kontynuował profesor Zylber, który, jak sądziłam, czuł się spadkobiercą wielkich idei twórcy psychoanalizy. W domu Zylber był mniej oficjalny niż na uniwersytecie, mimo że w dalszym ciągu utrzymywał dystans, nawet wobec swoich znakomitych gości. A goście byli naprawdę wyborni. Zaproszenie na herbatę do domu profesora było prawdziwym zaszczytem.

Mark uśmiechał się, kiedy opowiadałam mu o spotkaniach fanów Zylbera. Może dlatego, że zabawnie parodiowałam przed nim seminaryjne scenki, a może bawiło go takie zbiorowe demonstrowanie wspólnoty poglądów naukowych. On zawsze pracował w samotności, jedynie wieczorami spotykaliśmy się w naszej kuchni. Mnie zachęcał jednak do angażowania się w różne zajęcia. Twierdził, że wyjdzie mi to na dobre, a nawet to, co dziś wydaje się tylko pustą formą, kiedyś przyniesie pożytek. Zawsze powtarzał, że w którymś momencie, zazwyczaj najmniej oczekiwanym, to co wydawało się stratą czasu, stworzy nową jakość. Przecież nikt nie wie, co i kiedy może się w życiu przydać.

Któregoś dnia odkryłam, że wcale nie darzę aż tak wielkim szacunkiem ani profesora, ani innych znakomitych osób z mojego uniwersyteckiego światka, chociaż przewijało się tam wielu wybitnych uczonych. Zastanawiałam się, gdzie tkwi przyczyna mego stosunku do autorytetów, podejrzewałam siebie o zarozumiałość, która, być może, nie pozwalała mi akceptować uznanych wartości i talentów innych ludzi. Ubolewałam, że przemawia przeze mnie skrajny cynizm, że nie ma dla mnie świętości. Rozwiązanie tej zagadki, jak zawsze, przyszło niespodziewanie. Uświadomiłam sobie, że wszystkich wybitnych, zasłużonych i powszechnie szanowanych ludzi mimo woli porównuję z Markiem. Oczywiście, nikt takiego porównania nie wytrzymywał. Pewnie dlatego sceptycznie traktowałam ich osiągnięcia, wiedząc, że w domu, w swojej ukochanej samotni, z dala od światowej wrzawy i potrzeby przyjmowania hołdów, Mark, m ó j Mark cały czas coś czyta, notuje, wymyśla i powołuje do życia nowe idee. Nie miałam pojęcia, dlaczego tak się odizolował, co się w jego życiu wydarzyło – bo coś się musiało wydarzyć. Teraz nie miałabym kłopotu z rozwikłaniem tej zagadki, ale nie chciałam tego robić. Wypytywanie za plecami Marka uważałam za nielojalność czy wręcz zdradę, jeśli będzie miał ochotę, sam mi to kiedyś powie.

Domowe seminaria Zylbera odbywały się w jego salonie. Dom profesora był zbudowany w stylu europejskim i przypominał małą twierdzę, brakowało w niej tylko otworów strzelniczych. Był sympatyczny i przytulny, chociaż może przytulność ta była nieco surowa i dostojna. Wszystkie pokoje, a przynajmniej te, które widziałam, były urządzone starannie i ze smakiem – były tam piękne drewniane boazerie skomponowane z różnych gatunków drewna, solidne drewniane szafy. Drewno wprowadzało szczególną atmosferę, może trochę mroczną i podniosłą, ale w sumie ciepłą i przyjazną. Udzielała się ona także naszym naukowym spotkaniom.

Z czasem profesor zaczął kierować pytania również do mnie, włączając mnie powoli do poważnych dyskusji i rozmów. Później otrzymałam prawo głosu, a niektórzy goście zaczęli się do mnie zwracać staroświeckim, zabawnym: „pani koleżanko”.

Seminaria kończyły się około dziewiątej wieczorem. Zostawałam godzinę dłużej, żeby pomóc Zylberowi sprzątnąć ze stołu (profesor sprzątał razem ze mną), a przy okazji dużo rozmawialiśmy. On opowiadał mi jakieś historie z przeszłości, które nazywałam „opowieściami podczas polowania". Bardzo się wtedy zmieniał, przypominał dobrodusznego dziadka, był zwyczajny, rozluźniony, starczo powłóczył nogami. Mark żartował, żebym się miała na baczności, bo a nuż stary lubieżnik poczuje szóstą czy którąś młodość. Może przeżywał kolejną młodość, a może nigdy się z młodością nie rozstał, nie wiem, w każdym razie traktował mnie ciepło i serdecznie, jak kogoś bliskiego. Któregoś wieczoru, poruszona jego wspomnieniami, mając już dosyć kontrolowania siebie, odważyłam się zadać mu pytanie, z którym od dawna się nosiłam:

– Panie profesorze – zaczęłam niepewnie – jak sam pan wie, przywiązuje pan wielką wagę do etyki zawodowej, jest pan surowy, traktuje ludzi z dystansem, oficjalnie, zarówno doktora Dalrimpla, jak i Jeffreya, zresztą inne osoby także.

Nie do końca zwolniłam się z panowania nad słowami, toteż pytanie było uprzejme i delikatne. Jak wiadomo, „na początku było słowo", dlatego tak istotne jest właściwe wyrażanie myśli.

– A jednocześnie, panie profesorze – ciągnęłam – mnie traktuje pan inaczej, mniej oficjalnie, bardziej serdecznie, czy mogę wiedzieć dlaczego?

Myślałam, że Zylber jest już zmęczony, ale nie. Oczy profesora prawie wyszły z orbit i wbiły się w moją twarz. To koniec naszych ciepłych stosunków, pomyślałam. Właściwie nic strasznego się nie stało. Profesor przyjął swoją analityczną postawę, tylko stał i milczał. Ponieważ ja też milczałam, musiał wreszcie coś powiedzieć. Wydało mi się, że głos ma zmęczony, wyraźnie nasilił się jego europejski akcent, chwilami miałam wrażenie, że profesor całkiem już przeszedł na niemiecki.

– Widzi pani, Marino... – zamilkł na dłuższą chwilę. Nieusatysfakcjonowana taką odpowiedzią, również postanowiłam się nie odzywać. – Sam sobie próbuję odpowiedzieć na to pytanie, robię to od trzech miesięcy, odkąd razem pracujemy...

To „razem pracujemy" było bardzo miłe.

– Wie pani, nigdy w miejscu pracy nikogo nie traktowałem tak, jak traktuję panią. Moi nauczyciele zawsze i do wszystkich odnosili się z dystansem. To taki styl, stara szkoła. Później doszedłem do wniosku, że jest to najlepszy sposób na podtrzymanie dobrych stosunków w takim pogmatwanym i przewrażliwionym środowisku jak świat ludzi nauki. Próbuję zrozumieć, dlaczego, jeśli tak mogę to określić, zbliżyłem się z panią. Jedyne wyjaśnienie, jakie mi się nasuwa, brzmi: po prostu się starzeję.

Uśmiechnął się. Był smutny, a mnie coś kusiło, żeby mu przerwać i zapewnić go, że to nieprawda, że jeszcze jest mężczyzną całkiem do rzeczy. Zważywszy na jego wiek, była to najszczersza prawda. Już nawet otwierałam usta, ale Zylber powstrzymał mnie spojrzeniem.

– Wiem, wiem, nie trzeba, pani Marino, na nic się tu zdadzą słowa pocieszenia – powiedział, jak gdybym co najmniej od pół godziny go uspokajała. – Dopiero niedawno zrozumiałem, w czym rzecz, Marino, mój stosunek do pani jest rzeczywiście inny. Odpowiedź jest prosta: jest pani postacią z mojego dzieciństwa. Zresztą, nie tylko z m o j e g o – zaakcentował ostatnie słowo. – Z dzieciństwa mojego ojca, mojego dziadka, a może i pradziadka.

Zdziwiłam się. Jeśli nie było to obraźliwe, to w każdym razie mocno zawikłane. Profesor zorientował się, że wprawił mnie w zakłopotanie.

– Zaraz wszystko pani wyjaśnię. Mój ojciec był niemieckim Żydem, pochodził z bogatej rodziny, był znakomicie wykształconym lekarzem, z dobrą praktyką, należał do elity niewielkiego miasteczka pod Berlinem, w którym wtedy mieszkaliśmy. Matka była polską Żydówką, miała niespełna dwadzieścia lat, kiedy przyjechała do Niemiec, Polska była wtedy częścią Rosji. Rodzice poznali się, pokochali, pobrali, szczegółów ich życia nie znam, ale domyślam się, że byli szczęśliwi, matka bardzo ojca szanowała i kochała. Wtedy szacunek i miłość szły w parze, choć może to dziś tak mi się wydaje.

Pomyślałam: teraz zacznie się saga rodzinna profesora Zylbera. Opowieści o świecie, którego już nie ma, bywają ciekawe, ale, niestety, długie, a na mnie czekał Mark i na pewno bardzo się już niepokoił. Zylber wyczuł moje obawy. „Ma intuicję albo duże doświadczenie, a może wiedzę, pewnie wszystko razem".

– Dajmy sobie spokój, nie chcę pani zanudzać szczegółami mojego życia. Powiem tylko, że kiedy byłem małym chłopcem, rodzice któregoś lata wysłali mnie na wieś, do dziadków ze strony matki. Właściwie nie była to wieś, lecz takie maleńkie miasteczko. Pani pewnie też wyjeżdżała w dzieciństwie na wieś, prawda?

– Tak, na letnisko.

– No właśnie, to tak jak ja. Moi dziadkowie byli biedni i prości, ale nie to jest ważne – byli zwyczajni, inni niż rodzice mojego ojca. Mieli inne przyzwyczajenia, życie w małym miasteczku też było proste, pospolite. I to prowincjonalne życie stało się najważniejszym wspomnieniem mojego dzieciństwa, a nawet całej młodości, jednym z niewielu pięknych wspomnień, które w sobie pielęgnuję. Było pełne fantazji, niesamowitych wrażeń, kipiało emocjami. Tam po raz pierwszy biłem się z chłopakami, pierwszy raz czytałem Torę, pierwszy raz się całowałem. Widzi pani, jestem takim dzieckiem z prowincji. A pani jest właśnie jakby z tamtego miasteczka, z mojego dzieciństwa, z mojej młodości, tylko się minęliśmy o całe sześćdziesiąt lat. Jest pani jedną jedyną osobą, która mi pozostała z tamtej atmosfery, z klimatu tamtych czasów, mam na myśli nie tylko ludzi, ale wszystko, co składało się na tamto życie.

„Jak to dobrze, że wszystko się wyjaśniło – pomyślałam. – Nieźle jest dostać w twarz słowem, które w Moskwie jest bardzo obraźliwe: »prowincja«, już samo to słowo mnie poniża".

Nie wiem, czy Zylber znów czytał w moich myślach, bo od razu się zastrzegł:

– Wiem, pani Marino, że pani pochodzi z dużego miasta, z inteligenckiej rodziny, ale nie to miałem na myśli. Jest pani taką osobą... pewnie znowu coś powiem nie tak, bo wszystko jest skażone wrażeniami mojej pamięci. Jest pani taka pełna radości życia, bezpośrednia, żywa, beztroska.

Teraz ja próbowałam powstrzymać spojrzeniem potok jego słów, na próżno, podniosłam rękę, ale Zylber mówił dalej.

– Beztroska, lekka, niezgorzkniała, bez obciążeń, jak cała ta reszta, kłopotami, zmartwieniami, nie jest pani małostkowa, zawistna, kłótliwa. Takie osoby jak pani istnieją już tylko w mojej pamięci, we wspomnieniach z dzieciństwa. Może pani babka też pochodziła z tamtego miasteczka? Może ją tam spotkałem, może to z nią się pierwszy raz w życiu całowałem? A może to była pani prababka, w której zakochał się mój dziadek?

Wpatrywałam się w Zylbera w napięciu, próbując zrozumieć, co kryje się w tej dużej, pokrytej zmarszczkami twarzy, w żywych, rozbieganych oczach. Nagle poczułam, że ten stary, doświadczony przez życie człowiek jest jakimś niezwykłym łącznikiem pomiędzy mną i moimi przodkami, o których, wstyd się przyznać, nic nie wiedziałam.

– Wiem, że z naukowego punktu widzenia jest to bez sensu, ale kto wie, naukę w końcu tworzą ludzie, ja w każdym razie wierzę w pamięć genetyczną. Jest to pewien rodzaj doświadczeń, wrażeń, pewien specyficzny typ emocjonalności, uczuciowości. – Profesor zamyślił się, nie było w nim sztuczności czy gry. – Tak, właśnie uczucia, wspomnienia konkretnych, silnych przeżyć składają się na pamięć genetyczną. Jak pani wie, czasem mamy jakieś mgliste wrażenie, że już kiedyś coś podobnego przeżywaliśmy, widzieliśmy, mimo że wiemy, iż wszystko to zdarza się po raz pierwszy, takie déjà vue.

Kiwnęłam głową na znak, że zgadzam się z nim.

– Ten zasób najgłębszych odczuć i wrażeń nazywam pamięcią genetyczną. Przekazywany jest on nie drogą krzyżowania się chromosomów, lecz, powiedzmy to poetycko, wraz z mlekiem matki. Babka opowiadała mi kiedyś o pogromie, który przeżyła, będąc małą dziewczynką, ukryła ją pod pierzyną sąsiadka, nie-Żydówka. Opowiadała, jak organizatorzy pogromu wpadli do tego domu i zapytali gospodarza, czy nie wie, gdzie się podziali Żydzi z sąsiedztwa. Gospodarz odpowiedział, że gdyby wiedział, to nie trzeba byłoby ich teraz szukać, i dodał: „Gdybyście spotkali ich dziewuchy, to dajcie je tutaj", wszyscy się roześmieli i pogromcy wyszli, a moja babka przeżyła. Kiedy mi to opowiadała, jeszcze w dzieciństwie, miałem wrażenie, że to nie ona ukrywała się pod pierzyną sąsiadki, ale ja sam, co więcej, że ci wszyscy Żydzi, którzy nie zdążyli się ukryć, których bestialsko mordowano, gwałcono, deptano, poniżano – to też jestem ja. Widzi pani, ja, chłopak wychowany w szczęśliwej rodzinie, który nie miał pojęcia, co to gwałt, bo nawet nie rozumiałem wtedy tego słowa, nagle wszystko to przeżyłem, nieświadomy, co się stało, tak jak nieświadome były dzieci, które gwałcono. Tego rodzaju odczucia nazywam pamięcią genetyczną. Dziedziczymy ją po wcześniejszych pokoleniach nie na poziomie chemii organizmu, ale na jakimś znacznie głębszym poziomie, jeszcze nam nie znanym. Ta pamięć wiąże człowieka z jego przodkami, z narodem, ale określa nie tylko przynależność, lecz także uczucia.

Zylber mówił bardzo wolno. Pomyślałam, że muszę koniecznie opowiedzieć Markowi tę przedziwną historię o pamięci genetycznej.

– Jak pani widzi, uczucia płynące z pamięci genetycznej są najsilniejsze, ponieważ w odróżnieniu od innych, które pojawiają się później, w naszym realnym życiu, i są płytsze, nie umocowane na tak głębokich poziomach strukturalnych, są w nas wdrukowane od urodzenia, od pokoleń, od stuleci. Jeżeli takie uczucie znajdzie odbicie w konkretnym indywiduum, to znaczy, jeżeli ktoś jest z nami powiązany pamięcią genetyczną albo, co jest jeszcze ważniejsze, kiedy z niej pochodzi, to takie uczucie – może je pani nazwać miłością – jest najtrwalsze, nierozerwalne, nigdy nie wygasa.

Czy Mark jest kimś z mojej pamięci genetycznej? Myślę, że nie. Ja też nie pochodzę z jego zasobów pamięci. Zgodnie z teorią Zylbera, uczucie do Marka wtargnęło w moje życie, dlatego nie jest trwałe, nie ma prawa bytu. Ale wbrew wszystkiemu istnieje. Czyli że profesor nie do końca ma rację.

– Czuję, że pani jest ze mną powiązana właśnie pamięcią genetyczną, dlatego nie potrafiłem pani potraktować tak, jak na ogół traktuję innych.

Zylber znowu się zamyślił. Temat w zasadzie był wyczerpany. W taki naukowy sposób profesor, chociaż trwało to długo i było zawiłe, udzielił mi odpowiedzi na pytanie, które mu zadałam. Podobała mi się ta odpowiedź, mimo że czułam w niej smutek i udrękę. Tak się zdarza, kiedy dotkniemy tego, co dawno odeszło, tajemniczej przeszłości w każdym z nas.

Ten stary uczony-filozof dotknął także mojego ukrytego bólu. Snując tak bardzo osobiste refleksje, wyraził przypuszczenie, że ja i moja babka, której nigdy nie widziałam nawet na fotografii i nic (o wstydzie) nie wiem o jej życiu – jesteśmy jedną i tą samą osobą. No cóż, sprawa wydaje się głęboko dyskusyjna, ale zmusiło mnie to, bym chwilę pomyślała o mojej babce jak o realnie istniejącej osobie, mającej równie realne, podobne do moich cechy charakteru. Teraz będę mogła wyobrazić ją sobie jako człowieka, który miał swoje radości i smutki, a o których niczego się już nie dowiem. Pewnie wydałyby mi się banalne, jak banalne wyda się następnym pokoleniom to, co mnie w życiu zajmuje. Moja babka, ja, kiedyś moja prawnuczka – wszystkie jesteśmy połączone, powiązane niewidzialną nicią, którą profesor nazywa pamięcią genetyczną. Jakiś trudny do nazwania impuls dotknął mojej świadomości, napełniając moją duszę słodkim smutkiem, tym szczególnym rodzajem melancholii, który pojawia się w sercu, kiedy ocieramy się o tajemnicę istnienia.

Wstałam, by się pożegnać, ale Zylber znowu zaczął mówić.

– Gdybyśmy pociągnęli tę myśl dalej, można by dojść do wniosku, że nie tylko ludzie, ale całe narody są wyposażone w pamięć genetyczną. Każdy naród ma swoiste, specyficzne cechy. Anglicy, na przykład, są do przesady pedantyczni, Włosi umieją cieszyć się życiem, Rosjanie słyną ze swojej duchowości i tak dalej. Ale oprócz tego narody mają pamięć genetyczną, która wyznacza drogi ich rozwoju. Antysemityzm, czy ujmując tę kwestię szerzej – ksenofobia, to właśnie jest pamięć genetyczna, przekazywana z pokolenia na pokolenie w danym narodzie. Pogromów czy ludobójstwa łatwiej dokonuje naród, który ma to wpisane w pamięć genetyczną. Jej nieświadome przemieszczanie się przez łańcuch pokoleń jest przyczyną odwiecznych zbiorowych narodowych fobii, między innymi antysemityzmu. Kiedy wróciłem z wojny...

Uniosłam brwi. Zylber dostrzegł moje zdziwienie i powiedział z dumą, z jaką starsi ludzie opowiadają o swoich dawnych zasługach, jakby chcieli zrównoważyć tym dyskomfort starości.

– Walczyłem w armii brytyjskiej w Afryce i Europie. A więc kiedy wróciłem...

Kolejna opowieść na pewno zabierze mu z godzinę, pomyślałam zaniepokojona. Opowiadał bardzo ciekawie, ale musiałam już iść, strasznie się u niego zasiedziałam, Mark na pewno się denerwuje.

– Panie profesorze – odezwałam się – opowiada pan niezwykle interesujące rzeczy, mogłabym słuchać tego do rana, ale jest bardzo późno, w domu z pewnością już się niepokoją...

Nie wiedziałam, co mam dalej mówić. Zylber podniósł się.

– Dobrze, Marino, opowiem to pani kiedy indziej – obiecał.

– Muszę to wszystko, o czym pan mówił, przemyśleć, zastanowić się, na razie nie jestem gotowa na przyswojenie sobie tej nowej porcji pańskiej wiedzy.

Mówiłam to bardzo szczerze, chociaż z wyraźnym pochlebstwem. Profesor uśmiechnął się, chyba było mu przyjemnie.

– Dobrze, pani Marino, jeszcze wrócimy do tej sprawy – powiedział, a jego oczy, spokojne podczas tych opowieści, znowu się roztańczyły.

25.

W drodze do domu towarzyszył mi melancholijny nastrój, który nie rozproszył się nawet na widok Marka.

Kiedy położyłam głowę na jego ramieniu, napłynęła nagła fala wspomnień.

– Pamiętasz, Mark, tamtego wieczoru, trzy lata temu, tu, w tym łóżku opowiadałeś mi o ptaku, który uczył się szybko latać?

– Pamiętam – odpowiedział zamyślony. Może udzielił mu się mój smutek?

– Trzy lata to kawał czasu – stwierdziłam.

Mark milczał, więc powtórzyłam pytanie.

– Prawda, że jest to dużo czasu?

– Dużo – zgodził się ze mną.

– Tyle się od tamtej pory wydarzyło. Moje życie jest inne, inni ludzie mnie otaczają, ja też jestem inna. – Pragnęłam, żeby coś na to odpowiedział. – Czy zauważyłeś, jak bardzo się zmieniłam?

– Bardzo się zmieniłaś. – I tym razem się ze mną zgodził.

– Czy teraz jest lepiej? – spytałam. – Lepiej niż przedtem?

– Teraz jest lepiej. Jest świetnie.

Oboje umilkliśmy. Sen nie przychodził, każde z nas zatopiło się we własnych myślach. Właściwie o niczym nie myślałam, leżałam, wtulona w mojego Marka, z otwartymi oczami, w stanie psychicznego znużenia, ale było mi dobrze, spokojnie, choć bardzo smutno.

– O czym myślisz? – spytał wreszcie Mark.

– Trzy lata – odpowiedziałam automatycznie. – To dużo, tyle się w moim życiu pozmieniało, chociaż właściwie wszystko jest jak dawniej. Inni ludzie, praca – czy to jest najważniejsze? Jak tamtego pierwszego wieczoru leżę obok ciebie i nawet noc jest taka sama, powietrze takie samo, wciąż jesteśmy razem – nic się nie zmieniło.

– To dobrze, czy źle? – spytał Mark.

– Nie wiem – odpowiedziałam. – Ani dobrze, ani źle, tak po prostu jest.

– Mówiłaś, że pamiętasz przypowieść o ptaku, którą ci wtedy opowiedziałem, tak?

Chciałam odpowiedzieć „tak", ale zmilczałam.

– Pamiętasz, że kiedy ptak nauczył się szybować, trafił do innego wymiaru.

Przytaknęłam.

– Ty też jesteś teraz w innym wymiarze – stwierdził Mark. – Wszyscy fruwają tam szybciej, bo inny gatunek ludzi do twojego nowego wymiaru nie trafia.

– Masz na myśli Harvard? – spytałam.

– Nie tylko Harward, ale, rzeczywiście, przede wszystkim Harvard. Nie zapominaj jednak, że są jeszcze inne wymiary, do których trafiają ci, którzy jeszcze bardziej przyspieszają loty.

– Aha – powiedziałam sennym głosem, dając mu do zrozumienia, że nie mam teraz ani siły, ani ochoty niczego słuchać, ale Mark nie rozeznał się w moim stanie psychicznym. „Zylber od razu wszystko by zrozumiał" – pomyślałam.

– Tu nie masz konkurencji – mówił dalej Mark.

– A więc o to chodzi! Mój melancholijny nastrój uleciał w jednej chwili.

– Na tym poziomie, który dzisiaj reprezentujesz, jest niewielu, dlatego dla nich wszystkich znajdzie się miejsce w przyszłości. Oczywiście, każdy wybierze swoje, ale wszystkie miejsca są tam znakomite, dobrych miejsc jest więcej niż kandydatów, to już taki system. Dlatego tak jest, żeby ci, którzy jeszcze nie dotarli do waszego poziomu, też mieli szanse, jeżeli wcześniej ją przeoczyli. Teraz mogą się przymierzyć do drugiego podejścia. Ale tacy jak ty mają już te wybitne miejsca zagwarantowane. Nikt nikomu tam nie przeszkadza. Nikt z nikim nie konkuruje.

– Mark, wybacz, nie rozumiem, mówiłeś, że nad nami jest następny wymiar, tam jest mniej miejsc – przerwałam.

– To niezupełnie tak – odpowiedział. – Tam jest tyle miejsc, ile tych, którzy do tego wymiaru dotarli, dlatego mogłabyś konkurować tylko sama z sobą. Od tej pory nie musisz się z nikim mierzyć w konkursach czy na innych forach, czas współzawodnictwa się skończył. Teraz szykuj się do walki ze sobą. I tak będzie już zawsze.

– To okropne, Mark, czy do końca życia mam staczać ciągłe walki ze sobą? – zaniepokoiłam się.

– Od czasu do czasu możesz sobie zrobić małą przerwę, ale masz rację, nie jest to proste – zgodził się Mark. – Nie zapominaj, że sama dokonałaś takiego wyboru.

„Miła perspektywa" – pomyślałam, ale zapytałam go o co innego.

– Mark, a w jakim ty jesteś wymiarze?

Naturalnie, trochę sobie żartowałam i z Marka, i z jego modelu nieskończonych wymiarów, ale byłam ciekawa, jak Mark siebie ocenia. Mark milczał.

– Diabli wiedzą – powiedział w końcu. – Nigdy się nad tym nie zastanawiałem. Chyba przebywam w wymiarach alternatywnych, niestety, w tradycyjne jakoś nie udało mi się wpisać. Właściwie to jestem wolnym strzelcem, wolni strzelcy nie muszą się przemieszczać pomiędzy wymiarami.

– No tak, Mark, znowu ta mistyka, tajemnice, niedomówienia, nigdy nie chcesz mi normalnie odpowiedzieć. Zupełnie nic o tobie nie wiem, doceń chociaż mój takt, przez te trzy lata ani razu o nic cię nie wypytywałam, choć nie wiem, kim jesteś, skąd się wziąłeś, dlaczego... Może napadłeś na bank, nie wiem, ale ufam ci, sypiam z tobą, i nie tylko to...

Zaczęło mnie to bawić. Tajemniczość Marka po trzech latach wspólnego życia była po prostu śmieszna. Mark odwrócił głowę w moją stronę, ale w ciemności nie mogłam rozpoznać koloru jego źrenic.

– Jeszcze trochę cierpliwości, niebawem się dowiesz – odpowiedział, jak mi się zdawało, obojętnie, bez cienia emocji. – Nawet jeżeli byś nie chciała, i tak ci wszystko opowiedzą. Już niedługo. Dlaczego tu jestem? Chyba tak brzmiało twoje pytanie, prawda? Dlaczego? Sama sobie odpowiedz, dlaczego? A jak myślisz? – Mark wpadł w mój ton.

– Dla mnie?

– Oczywiście!

– Oczywiście, dla mnie. – Pocałowałam go. – Kocham cię.

26.

Kończyło się lato. Wkrótce miał się odbyć ślub Katki i Matwieja. Katka bardzo poważnie potraktowała tę uroczystość, zaprosiła tłumy gości, krewnych – swoich i Matwieja, przyjaciół, bliższych i dalszych znajomych, słowem, wszystkich, których z jakichś powodów wypadało, jej zdaniem, zaprosić.

Była zaaferowana, zatroskana, starała się wszystko przygotować zgodnie z tradycją, którą wyniosła z domu. Jej głos o pięknym tembrze, głęboki, zwykle monotonny, jakby obojętny, czym jeszcze bardziej zwracał uwagę, teraz nabrał nowych barw i tonów – był władczy, niecierpliwy, nerwowy, niekiedy pełen zadowolenia, świadczyło to o silnym zaangażowaniu Katki.

Zaharowywała się, by zdążyć wszystko przygotować na czas. Zapewne tradycja przewidywała sporo nużących szczegółów, którym musiało się stać zadość. Zaproponowałam jej pomoc, którą Katka natychmiast potraktowała jako mój święty obowiązek, tak więc i ja wpadłam w wir przedweselnej, nerwowej krzątaniny.

Jak można być szczęśliwym po takiej morderczej gonitwie, cały czas w napięciu? Nie mogłam tego zrozumieć. Wytrzymałam ten koszmar kilka dni, po czym postanowiłam podzielić się z przyjaciółką swoimi wątpliwościami: kochana moja, co ty wyrabiasz, przecież wesele to przyjemność, a nie ciężki obowiązek, zwolnij trochę, rozejrzyj się, zobacz, jakie życie jest piękne! Nie kupisz takich pantofli, jakie powinnaś mieć do takiej a nie innej klamerki we włosach, no to co? Pożyczę ci moje sandałki, właściwie, mogę ci je podarować. Nie jesteś Kopciuszkiem, twój książę i tak cię znajdzie, nawet bez wymarzonego pantofelka, inne przymioty naprowadzą go na twój ślad. Chciałam powiedzieć: „twoje wtórne cechy płciowe", ale ugryzłam się w język.

Katka popatrzyła na mnie z wyższością. W takich chwilach zawsze tak na mnie patrzyła, ale głos ją zdradził.

– Głupia jesteś, Marinka.

Zaskoczyła mnie. Chyba trochę przesadziła z taką oceną. Z trudem opanowałam złość. Powinnam ją solidnie wytargać za kudły na tej wyniosłej głowie.

– Jesteś głupia, chociaż inteligencji ci nie brakuje. – To stwierdzenie trochę rozładowało napiętą atmosferę. – Nie dorosłaś jeszcze, żeby to zrozumieć, zatrzymałaś się w rozwoju.

Wyraźnie pragnęła mnie obrazić, sprowokować. Ale i tę uwagę udało mi się gładko przełknąć. Nawet mi się podobała taka podwyższona emocjonalność mojej przyjaciółki.

– Pewnie myślisz, że wesele robi się dla szpanu. Mylisz się. Robi się je po to, żeby całe życie pamiętać, żebyś na starość miała się czym cieszyć, żebyś sobie pooglądała zdjęcia, napowspominała, przecież to dla dzieci, dla wnuków, dla następnych pokoleń. Ciebie już nie będzie na tym świecie, a prawnuczki pokażą swoim chłopakom, czarując ich kolanami, rodzinne albumy i powiedzą: „Zobacz, to ślub mojej prababki, widzisz, jaka piękna". A chłopak, nie wiedząc, na co ma patrzeć: na kolana czy na zdjęcia, odpowie: „Tak, życie na naszej planecie trwa już dość długo". A ty patrzysz z nieba i cieszysz się. Teraz rozumiesz? Zmęczenie, krzątanina, urwanie głowy z czasem zatrą się w pamięci, a wesele jest na wieki. Ty, mój świadek, nie możesz tego pojąć?! Dajże spokój!

Katka biła rekordy elokwencji. Temat podniecał ją do tego stopnia, że wzniosła się aż na szczyty poezji. „Na pewno coś w tym jest – zgodziłam się w duszy. – Ale to nie dla mnie. Może w tym, co mówi Katka, jest sporo racji, ale to wszystko jest nie dla mnie".

Nastrój Katki, niezależnie od moich refleksji, udzielił mi się do tego stopnia, że nawet poprosiłam Zylbera o kilka dni wolnego, na co nigdy wcześniej bym sobie nie pozwoliła. Polecenia Katki wykonywałam uczciwie i z sercem. Żeby się zrehabilitować, kupiłam sobie nawet nową sukienkę. Była przemyślanie skromna, aby na moim tle świadka ślubnej ceremonii uroda i elegancja panny młodej rozbłysły jak największym blaskiem.

Przyjęcie weselne przebiegało zgodnie ze scenariuszem: było uroczyste i pełne wzruszeń, że nie wspomnę o wspaniałych jadłach i morzu alkoholu.

Po spełnieniu zaszczytnego obowiązku świadkowania i wyzwoleniu się z towarzyszącego temu napięciu mogłam się nareszcie odprężyć. Chętnie zrzuciłabym także suknię, o którą potykałam się przy każdym kroku, niestety, nie pomyślałam wcześniej, że po ceremonii mogłabym się przebrać w coś innego. Postanowiłam wyrównać niedawne straty energetyczne organizmu, więc tym razem nie ograniczyłam się tylko do soków. Nawet Mark, który zdążył się już przyzwyczaić do obfitego jedzenia i wielkiego picia na wszystkich rosyjskich przyjęciach, przeszedł sam siebie i nie pozwolił się oderwać od weselnych potraw.

Podeszli do nas Katka i Matwiej. Pan młody władczo obejmował małżonkę wpół, a ona poddawała się potulnie jego silnej ręce – do takiej Katki powoli zaczynałam się przyzwyczajać – Matwiej był na lekkim rauszu. Katka, choć bohatersko zrezygnowała z wysokich obcasów, i tak była wyższa od męża. Nie podarowałam sobie drobnej złośliwości, doradzając jej, by ugięła kolana, zresztą, bez jakichkolwiek dwuznacznych aluzji.

– Za to ja jestem od niej w barach szerszy – dzielnie odparował pan młody, chyba niezbyt się speszył moją uwagą.

Zaproponowałam toast, Matwiej poparł mój pomysł.

– Ja nie piję – odpowiedziała Katka.

– Aha – domyśliłam się inteligentnie, dodając: – I nie palisz?

– I nie palę – potwierdziła moje podejrzenia królewskim altem, w którym nagle dosłyszałam nietypową dla niej uległość.

– Aha – powtórzyłam, a w myślach dodałam: „Wszystko jasne, kochana, kobiet ciężarnych do niczego się nie zmusza".

– No a wy, moi drodzy, kiedy? – spytał Matwiej, w zasadzie zwracając się do Marka.

Na to ulubione pytanie wszystkich nowożeńców czekałam cały wieczór, myślałam, że wystąpi z nim Katka. Widocznie Matwiej wziął to brzemię na siebie, skoro Katka już nosiła inne, fizyczne. Spojrzałam pytająco na Marka: „A kiedy my?". Mark chyba nie dopuszczał podobnych pytań.

– Co „kiedy"?

Matwieja to nie zraziło.

– Kiedy się pobierzecie? Też byśmy chcieli zatańczyć na waszym weselu.

Mark spojrzał na mnie z dziecięcą bezradnością, najwyraźniej szukał we mnie sojuszniczki, ale zobaczył w moich oczach tylko ciekawość. Zrozumiał, że sam musi sobie poradzić w niełatwej sytuacji. Odchylił się na oparcie krzesła i nie odrywając od mnie wzroku powiedział:

– Gdzieś za trzy lata, jeżeli do tego czasu Marina się nie rozmyśli.

Tego się nie spodziewałam.

– Dlaczego?

Mój głos prawie przeszedł w krzyk, jaki nagle wyrywa się z gardła, gdy wypadnie nam z rąk szklanka i z hukiem rozbije się w drobny mak na kamiennej posadzce. Matwiej w lot się zorientował, że temat jest drażliwy, odwrócił się do sąsiedniego stolika, przy którym siedział jego przyjaciel.

– Dlatego, że za trzy lata w ogóle nie będziesz mną zainteresowana. – Odpowiedź Marka była skierowana już tylko do mnie.

– Co masz na myśli? – Nie wierzyłam własnym uszom.

– Nie będziesz mną zainteresowana – powtórzył Mark. – Wyrośniesz ze mnie, tak jak w dzieciństwie wyrasta się z zeszłorocznych spodenek.

– Miłe porównanie, trzeba przyznać, oryginalne, nie mógłbyś wymyślić czegoś ciekawszego? Czy chcesz powiedzieć, że teraz używam cię tak, jak używa się spodni, a miłość może z czasem przestać mnie i n t e r e s o w a ć, że z niej też wyrosnę?

Pomyślałam, że nigdy nie rozmawialiśmy o naszej miłości. Czy to nie dziwne, że istniała gdzieś w domysłach, ale wprost o niej nie rozmawialiśmy. Mark milczał, pewnie zastanawiał się nad odpowiedzią.

Zaskoczyło mnie, że tak nagle zmienił mu się nastrój.

– To co, powiedzmy, jeszcze pięć lat wcześniej było treścią twojego życia, z czasem może stracić na znaczeniu, odejść na dalszy plan, robiąc miejsce ważniejszym sprawom. Przecież nawet nie wiesz, czy za pięć lat będziesz żyła, co będzie dla ciebie wtedy ważne. Dziś naprawdę tego nie wiesz.

Słuchałam tego i ogarniał mnie coraz większy lęk. Czułam się fatalnie. Nigdy nie roztrząsałam naszej relacji w kategoriach wieczności, mimo że często zastanawiałam się nad jej charakterem. Nigdy nie przyszło mi do głowy, że to może się kiedykolwiek skończyć, czułam się z Markiem jednością, sądziłam, że on też podobnie czuje się ze mną, że nie potrafimy już istnieć jedno bez drugiego. Nie mówiłam o tym głośno, nawet nie myślałam, c z u ł a m to, tak rozumiałam nasz związek. A teraz? Po raz pierwszy popatrzyłam na nas realnie, w kontekście trudnych do przewidzenia życiowych okoliczności, niespełnionych obietnic, zawiedzionych nadziei, rozłąki, rozstań i powrotów. Ale najbardziej wstrząsnęło mną to, że Mark o tym wszystkim myślał, brał pod uwagę możliwość naszego rozstania, może tylko teoretycznie, niemniej rozważał taką możliwość.

– Przecież nie wiesz – ciągnął Mark, nie dostrzegając moich rozszerzonych źrenic – czy za trzy lata nie zmieni się twoja skala wartości, czy ja nadal będę się znajdował na jej szczycie. Może twój stosunek do mnie ulegnie radykalnej zmianie?

– Dlaczego zakładasz, że zmieni się akurat mój system wartości, a nie twój?

Kręciło mi się w głowie, musiałam się chwycić stołu. Boże! Dlaczego w taki sposób rozmawiamy o rozstaniu, jak o czymś zwykłym, powszednim? Mark mówi o tym tak spokojnie, bez emocji, czy zawsze musi być przygotowany do rozmowy na każdy temat? A może jest? Może w przeciwieństwie do mnie już wszystko przemyślał, przewidział? Przecież ja tylko się z nim przekomarzałam.

– Dlatego że to ty cały czas się rozwijasz, wzrastasz, zmieniasz, ty masz z czego wyrastać. Ja mam to już za sobą, toteż mało prawdopodobne, by moja skala uległa zmianie, a jeśli nawet tak się zdarzy, nie będą to zmiany istotne. Ciebie w najbliższych latach czekają zmiany, których dziś nawet nie przeczuwasz – zmieni się wszystko wokół ciebie, a przede wszystkim zmienisz się ty sama. Jesteś w punkcie zwrotnym swojego życia. Skąd wiesz, że zmiany w tobie i twoim życiu nie będą dotyczyły również mojej osoby?

– Jesteś cyniczny, Mark. Traktujesz mnie jak kolejne zadanie do rozwiązania, ale życia nie można ująć w definicje i modele matematyczne. – Serce waliło mi jak oszalałe, z głową było już na tyle lepiej, że mogłam budować logiczne zdania. – Nie wiem, czy wiesz, dlaczego uczeni nie zostają wybitnymi pisarzami albo politykami, to znaczy tymi, którzy rozumieją nieproste problemy życia? Zastanawiałam się nad tym, bo przecież lepiej niż ktokolwiek inny mają wytrenowaną logikę myślenia, lepsze wykształcenie, są twórczy, aktywni? Czy kiedyś zastanawiałeś się, dlaczego tak jest?

Mark milczał. Był to ten rzadki wypadek, kiedy uprzedziłam jego myśl, ale zwycięstwo nie bawiło mnie, postanowiłam się opanować, byłam zła, chciałam mu pokazać, że nie ma prawa tak myśleć, że nikt uczciwy tak nie postępuje.

– Jest tak dlatego – mówiłam z naciskiem – że prawa życia, zachowania człowieka, jego związki z innymi ludźmi, z otaczającym go światem nie poddają się teoriom naukowym czy logice matematycznej. Życia nie sposób opisać za pomocą grafów czy teorii mnogości, nie można zbudować modelu, który by je idealnie odzwierciedlał – życie nie poddaje się tak prostej formalizacji. Nauka jest bezsilna wobec jego wielowymiarowości i w ogóle nie nastawiona na takie zadanie: uchwycić życie i ująć je w trywialne reguły.

Zawiesiłam głos. Mark nie odzywał się, słuchał. Wzięłam głęboki oddech, wrócił spokój. Byłam przekonana, że mam rację, czułam to bardziej intuicyjnie niż rozumiałam, mogłabym przytoczyć wiele argumentów na potwierdzenie prawidłowości mojego myślenia.

– Niedawno rozmawiałam z twoim przyjacielem, z Ronem. On jest matematykiem, prawda?

Mark był zaskoczony tą wiadomością. To prawda, jakiś czas temu spotkałam Rona na uniwersytecie, poznał mnie, ucieszył się ze spotkania, poszliśmy na kawę do barku, gadaliśmy chyba z pół godziny.

– Ron wyznał mi, że zawsze, ilekroć próbuje przewidzieć bieg wydarzeń, straszliwie błądzi. Powiedział, że ma piekielnego pecha i wciąż popełnia jakieś błędy, a jeśli chodzi o praktyczną stronę życia, to już zupełnie jest do niczego. Nie miałam ochoty tłumaczyć mu, dlaczego tak się dzieje, zresztą wtedy jeszcze tego nie wiedziałam, teraz już wiem: dzieje się tak dlatego, że Ron nie ma odpowiedniej wiedzy. Z wykształcenia jest matematykiem i procesy życiowe analizuje używając instrumentarium matematycznego, łudząc się, że da mu to przewagę nad innymi. Właśnie dlatego popełnia błąd za błędem. Analiza procesów życiowych wymaga intuicji, szczególnego czucia, szóstego zmysłu. Może jeszcze czegoś, o czym na razie nie wiemy.

Znowu zawiesiłam głos, ale Mark się nie odezwał.

– To zapewne jest inny talent, który można określić mianem „rozumienie życia" czy czegoś w tym rodzaju, to nie jest wyrachowanie czy formalizowanie, tu należy zastosować odmienne podejście. A tego akurat nikt twojego przyjaciela nie nauczył. Zresztą tego nie można się nauczyć, to dar od Boga, jak każdy talent. Rona uczyli czegoś innego: nie zwracać uwagi na podszepty intuicji, ignorować uczucia, bo są nienaukowe, i Ron przyzwyczaił się to robić. Dlatego uczeni nie mogą być pisarzami ani politykami, nie mogą porwać innych, gdyż już z definicji życia są w błędzie i tkwią w głębokiej niewiedzy.

Spostrzegłam nagle, że Mark bardzo zbladł, nie miałam pojęcia, dlaczego tak zareagował.

– Ja się nie mylę – powiedział. Zmroził mnie jego chłodny ton, przerażająco oschły, niespotykany u Marka.

Nigdy do tej pory tak nie mówił, nie było w nim chełpliwości, potrzeby przechwalania się, zresztą nie miał także potrzeby mówienia o sobie. Zajrzałam mu w oczy. Źrenice Marka były ciemnoszare, stalowe. Przyszło mi do głowy, że zraniłam go, wbrew jego woli zmuszając do szczerości.

– Ja się nie mylę – powtórzył, dobitnie akcentując każde słowo. – Masz rację, dobrze rozumujesz. Tylko że ja akurat posiadłem tę umiejętność, o której mówiłaś, ten szczególny dar czucia życia, rozumienia go. – Przerwał, może zaskoczony własną szczerością, jednak po dłuższej chwili milczenia jeszcze raz powtórzył: – Ja rzadko się mylę.

Długo siedzieliśmy w milczeniu. Nie miałam ochoty ciągnąć w nieskończoność tej rozmowy, nastrój miałam podły.

Któryś z przyjaciół Matwieja poprosił mnie do tańca. Przecież to wesele! Ruszyłam w tan, śmiejąc się i kokietując partnera, który zresztą świetnie tańczył. Kiedy wróciłam, Mark wciąż tkwił przy naszym stoliku. Położył mi dłoń na kolanie i boleśnie je ściskając, odezwał się pojednawczo:

– Słuchaj, maleńka, wszystko to bzdury, to nie ma sensu. Próbowałem nieudolnie wyrazić, że jesteś jedyną kobietą, z którą pragnę być. – A jednak nie powiedział: „z którą pragnę się ożenić". – Jeżeli się pomyliłem, jeżeli za trzy lata nadal będziesz ze mną, to ja będę najszczęśliwszym człowiekiem na świecie. Taka jest prawda, reszta zależy już tylko od ciebie.

Znowu zajrzałam mu w oczy, znikała z nich zawiść. Mark nie chciał się ze mną kłócić, ja też nie miałam na to ochoty. Uśmiechnęłam się, obiecując, że go nie zawiodę, ale trzymam za słowo: za trzy lata wrócimy do tej rozmowy, będzie najszczęśliwszym człowiekiem, już ja się o to postaram. Roześmiał się, obiecując, że poczeka.

27.

Wraz z początkiem nowego roku akademickiego życie potoczyło się zwykłą koleją, już się za tym stęskniłam. Kiedy podzieliłam się tą refleksją z Markiem, odpowiedział, że jestem nienormalna, i z radością się z nim zgodziłam.

Wszystko wróciło na swoje miejsca: poranna filiżanka kawy z zaspanym Markiem, przedpołudniowe wykłady i seminaria na uczelni, lunch, cztery godziny zajęć z Zylberem, podczas których mogłam się zajmować moimi lekturami, miłe wieczory z Markiem – ja na ukochanej kanapie, z podkurczonymi, otulonymi pledem nogami, z nową, zaleconą przez Marka książką i soczystym jabłkiem. Mark bardzo blisko – albo tuż obok, w fotelu, albo tylko parę kroków dalej, w kuchni, również z książką i z nieodłącznym zeszytem do notatek, ze swoim ulubionym dużym kubkiem kawy. Jego obecność sprawiała, że ten dom był jeszcze bardziej przytulny, nadawała sensu mojemu życiu. Około dziesiątej wieczorem – kiedy jak co dzień spotykaliśmy się w kuchni – piliśmy świeżo zaparzoną herbatę i rozmawialiśmy bez końca, a ja śmiałam się głośno ze szczęścia.

Zylber w ostatnim czasie, szczególnie po tamtej rozmowie u niego w domu, jeszcze bardziej się do mnie przywiązał. Teraz sama mogłam już decydować, czym się będę zajmowała w godzinach pracy u niego, a on starał się nie przeciążać mnie nadmiarem obowiązków. Pewnie chciał, żebym była w pobliżu, by mógł mnie o dowolnej porze oderwać, by coś interesującego mi przeczytać, jeśli akurat studiował jakąś książkę, albo o coś zapytać, jeżeli w danej chwili coś pisał, albo poprosić o radę, którą anegdotę najlepiej opowiedzieć studentom dla zilustrowania wykładu, który przygotowywał.

Kiedyś powiedział mi, że poczucie humoru jest świadectwem kultury narodu, jest to swoisty rodzaj papierka lakmusowego. Jeżeli poszczególne nacje mają zbliżone poczucie humoru, to także ich rozwój kulturowy jest podobny. I odwrotnie. „Podobnie jest z ludźmi – mówił. – Jeżeli chcesz się zorientować, na ile dana osoba jest ci bliska, opowiedz jej swoją ulubioną anegdotę i pilnie obserwuj reakcję". Profesor uważał, że ja z moim europejskim wyposażeniem kulturowym, znalazłszy się dosyć wcześnie w tym kraju, który od razu i bez trudu zaakceptowałam, potrafię doskonale transponować jego żarty na lokalny koloryt.

Wiedziałam, że mi schlebia, mieszkał tu przecież od czterdziestu lat, doskonale się orientował we wszelkich niuansach międzykulturowych. Był świetnym mówcą, z wielką przyjemnością słuchałam jego wykładów, gdy tylko czas mi na to pozwalał, byłam urzeczona jego erudycją. Wykładał ze swadą i wielką rutyną, często przeplatał wykład anegdotą, żartem, co dobrze wpływało na słuchaczy. Na podium sprawiał wrażenie człowieka wyniosłego, mówił głosem proroka objawiającego odwieczne prawdy, ale wszystko to idealnie współgrało z jego wyrazistą sylwetką, było naturalne, nie nosiło cech arogancji.

Pomyślałam, że jestem w stosunku do niego nazbyt krytyczna. Może te cechy stylu Zylbera, które ja odbieram jako górnolotne, śmieszne, wcale nie psują jego wizerunku, wręcz przeciwnie – podkreślają jego wielką osobowość. Studenci byli nim urzeczeni, koledzy darzyli go szacunkiem, tylko ja jedna w skrytości ducha podśmiewałam się z profesora. Czyżby moje krytyczne spojrzenie na wszystko dokoła wynikało z tych fundamentalnych podstaw, które dał mi Mark? Może patrzę na Zylbera właśnie przez ten pryzmat? Trudno mi na to odpowiedzieć.

Chyba trochę nadużywałam zaufania profesora, pozwalając sobie, na przykład, zasiedzieć się w uczelnianym barku z pół godziny dłużej niż wypadało, ale to był drobiazg, przede wszystkim miałam prawo rozmawiać z nim na tematy, których nikt nigdy nie odważyłby się z nim podejmować. Co więcej, miałam pewność, że każde pytanie, jakie mu zadam, spotka się z jego życzliwością, a często będzie również pretekstem do naszej długiej rozmowy. Kiedy przez dłuższą chwilę nie odzywałam się, profesor chyba czuł jakiś niepokój, wodził wzrokiem dokoła, szukając wsparcia w przestrzeni, w wypełniających ją przedmiotach.

Któregoś razu, żeby umocnić go w stanie równowagi i poczuciu mojego ciągłego nad nim czuwania, zadałam mu pytanie dyżurne, na które po części znałam odpowiedź, ponieważ podobne pytania padają w wywiadach, kiedy interlokutor jest osobą niemłodą, ale wybitną i sławną.

– Panie profesorze, osiągnął pan wszystko, co można w życiu osiągnąć. Jest pan sławny, powszechnie szanowany, cieszy się pan wielkim autorytetem, żeby dostać się do pana na seans psychoanalizy, trzeba czekać miesiącami. – Z trudem się opanowałam, żeby nie powiedzieć: „Zarabia pan krocie". – Osiągnął pan to wszystko, ku czemu dążą ludzie nauki, i wciąż jest pan czynnym, twórczym uczonym, pracuje po dwanaście godzin na dobę, całe pańskie życie nadal koncentruje się tutaj, na uniwersytecie, nawet nie korzysta pan z urlopów...

Zylber był chyba szczęśliwy, że odrywam go na chwilę od pracy, odchylił się na oparcie fotela, zdjął okulary, zakładając nimi stronicę w książce, którą czytał i przetarł oczy dłonią.

– Mógłby pan już – ciągnęłam – zwolnić tempo, zajmować się tymi wszystkimi sprawami spokojniej, mniej intensywnie, mam na myśli także pańską praktykę prywatną – więcej odpoczywać, wyjechać na przykład na Florydę czy do Europy, pooglądać się za kobietami.

Profesor uśmiechnął się. Wiedziałam, że się uśmiechnie, dlatego to powiedziałam.

– Co panu, profesorze, nie pozwala żyć spokojnie? – zakończyłam ten przydługi monolog.

Odpowiedział od razu.

– Pani Marino, twierdzi pani, że się przepracowuję – znowu się uśmiechnął. – Pani nie ma pojęcia, w jakim ja tempie wcześniej pracowałem. Nie da się tego porównać. Od dawna wszystko robię, jak to pani określiła, dużo spokojniej. Szkoda, że pani mnie wcześniej nie znała, praca paliła mi się w rękach, wszystko dokoła też się paliło, cały płonąłem, tyle było we mnie siły i energii. Jej nadmiar udzielał się innym. Mówi pani, że wszystko w życiu osiągnąłem. Czy to są osiągnięcia? To tylko cienie – powiódł ręką, włączając w strefę „cienia" gabinet, jego otoczenie, mnie – żałosne cienie przeszłości.

Dobrze mi tak, po co wyskakiwałam z takim pytaniem, pomyślałam zaniepokojona, zaraz zacznie mi opowiadać o dawnych zwycięstwach, o swoim Austerlitz i innych polach bitewnych, o powodzeniu u kobiet, o tym, że każda następna w czymś tam przewyższała poprzednią.

Myliłam się. Zylber milczał. Jego rozbiegane oczy tym razem nie wyskoczyły z orbit, nie zatoczyły koła, lecz jakby się zapadły w głąb twarzy, wessały w nią, tracąc swą charakterystyczną wypukłość. Czegoś takiego jeszcze nie widziałam. Profesor przemówił dopiero po dłuższej chwili milczenia, pochyliwszy mocno do przodu swoje duże ciało.

– Może to banalne, co powiem. Widzi pani, człowiekowi zawsze się wydaje, że przed sobą ma dłuższy kawałek życia niż za sobą, niezależnie od tego, jak to jest naprawdę. Człowiek zawsze, nawet gdyby miał tylko kilka dni życia, planuje na wyrost, może nie w czasie, ale w ilości zajęć, ich wadze. To oczywiście iluzja, mrzonka.

Odetchnęłam z ulgą. Opowieści o kobietach chyba mi Zylber podaruje.

– To moja pełna zarozumialstwa postawa z czasów młodości, a właściwie z poprzedniego rodziału życia, który w porównaniu z obecnym zawsze jawi się nam jako młodość. To błąd myślowy, że człowiek potrafi pogodzić się ze starością, że w naturalny sposób traci zainteresowanie życiem, drobnymi sukcesami, nie pragnie już pełni szczęścia, pełni życia. To nieprawda. Mam już za sobą niemal wszystkie etapy życia, zdążyłem się przekonać, że pragnienie szczęścia jest równie silne w wieku dwudziestu lat, jak i w wieku siedemdziesięciu lat. Zresztą nawet wyobrażenie szczęścia niewiele się zmienia z wiekiem. Nie wierzy pani? Zapewniam panią, że w dalszym ciągu marzę o tym, o czym marzyłem kilkadziesiąt lat temu. No, może tylko nieco rzadziej.

Teraz ja się uśmiechnęłam. Zylber dostrzegł to i po jego twarzy również przemknął ledwie dostrzegalny cień uśmiechu.

– Proszę się zastanowić, pani Marino, pragnienie szczęścia jest motorem życia, którego istoty do tej pory nie odkryliśmy. Właśnie pragnienie szczęścia, i to niezależnie od wieku, sił, lat, które nam jeszcze pozostały. Oczywiście, są inne ludzkie przypadki, ale te zwykliśmy nazywać depresją, to choroba, która może zaskoczyć w każdym wieku. Dlatego też, jak każdy człowiek, cieszę się, że mogę jeszcze żyć pełnią życia, intensywnie, ciekawie, łudzę się nadzieją, że najważniejsze jest to, co przede mną, czego nie dokonałem, nie zrobiłem. I pocieszam się klasycznym przykładem Goethego.

Pozwoliłam mu snuć tę opowieść. Odpowiedź Zylbera na moje niemądre pytanie odbiegała od gazetowych wyznań ludzi sławnych i znanych.

– Czy wie pani, co jest ważne, Marino? Umiejętność rozłożenia sukcesów w miarę równomiernie, inaczej mówiąc, rozłożenia sobie życia na cały czas jego trwania. Znowu opowiadam banały. Ale proszę porównać życie z biegiem maratońskim, w którym nie ma znaczenia, jak biegacz uporał się z tym czy innym odcinkiem dystansu, ważne jest, który był na mecie. Nikogo to nie interesuje, że połowę drogi przebiegł szybciej niż inni. Jeżeli dociera na metę w ogonie, można sobie do woli opowiadać, że na jakimś odcinku był pierwszy, kogo to może obchodzić. Co więcej, jeżeli człowiek na początku lub w trakcie biegu utrzymuje się w czołówce, to ściągnie na siebie więcej złości kibiców, jeżeli nie wytrwa do mety i zostanie daleko w tyle. Kibiców można zrozumieć – są rozczarowani, bo ktoś zawiódł ich nadzieje, poddał się. To przedziwny paradoks. Ale kiedy od początku biegniemy na szarym końcu, nikt nie będzie miał do nas pretensji za niedoskonały finisz, co więcej, nikt nawet tego nie zauważy.

– Co w takim razie należy robić? – spytałam.

– Trzeba się postarać rozłożyć siły na cały dystans, przyznaję, jest to trudne – trudne w biegu maratońskim, a tym bardziej w życiu. Mam przyjaciela, właściwie, miałem, znaliśmy się bardzo długo. Łączyło nas podobieństwo losów, a i zewnętrznie byliśmy do siebie podobni, w młodości często nas ze sobą mylono. Zasadnicza różnica między nami polegała na tym, że mój przyjaciel był szczęściarzem, wie pani, są tacy ludzie, których jakby coś prowadziło za rękę, wszystko im się udaje, i to bez większego wysiłku. Mój przyjaciel do takich należał. Pani mówi, że ja wiele osiągnąłem, ciekaw jestem, co by pani o nim powiedziała. Wszystko w jego życiu było pasmem sukcesów, mógłby służyć za wzór, jak praktycznie wykorzystywać talent. Wszyscy mu zazdrościliśmy, ja również. Miał nieprawdopodobne szczęście.

Nie wierzyłam własnym uszom: Zylber komuś zazdrościł, kogoś uważał za lepszego od siebie. Teraz patrzyłam na niego innymi oczami, było w nim coś zwykłego, bardzo ludzkiego.

– Osiem lat temu, kiedy skończył siedemdziesiąt lat, w jego życiu wydarzyło się coś bardzo smutnego, wielkie nieszczęście. Nie będę o tym szczegółowo opowiadał, jest mi trudno, zaczął się jak gdyby zapadać w siebie, nie stało się to nagle, choroba rozwijała się powoli, podstępnie. Nie wiem, na ile był jej świadom. Jego otoczenie nic nie zauważyło, proces toczył się w niedostrzegalnym tempie. Po pięciu czy sześciu latach był już całkiem inną osobą, stracił pamięć, nie potrafił logicznie myśleć i porozumiewać się z ludźmi, cokolwiek koło siebie zrobić. Natura okrutnie sobie z niego zadrwiła. Był zdrowy fizycznie, ale odmówił mu posłuszeństwa mózg – pamięć, zdolność myślenia, czyli te wszystkie funkcje, dzięki którym był najlepszy, najwybitniejszy. Od kilku lat jest w domu starców, to bardzo komfortowy dom, ale mieszkańcy tego domu, nie wiedząc, kim on jest i kim był, ignorują go, nie chcą się z nim nawet witać, bo jest tak trudny we współżyciu – bez przerwy wszystko miesza, plącze, myli. Kiedy próbuje im coś opowiedzieć o sobie, o tym, jak było naprawdę, chociażby to, co jeszcze pamięta, ignorują go, kto by chciał słuchać pomylonego staruszka. Proszę mi wierzyć, nikt, nawet ci, którzy wcześniej go znali – jego uczniowie, dzieci, nawet byłe żony – nie patrzą teraz na niego przez pryzmat tamtych lat, lecz widzą w nim sklerotycznego starca bez mózgu, który nie wiadomo dlaczego tak kurczowo trzyma się życia. Oczywiście, nie od razu zaczęli go tak traktować, ich stosunek zmieniał się powoli, stopniowo, ale osiem lat to kawał czasu, dawne wrażenia zacierają się, rozmywają, powstają nowe relacje. Czasami myślę, że tylko ja jeden zachowałem go w pamięci takim, jaki był kiedyś. A wie pani, dlaczego?

– Dlaczego? – spytałam.

– Dlatego że w ciągu tych ośmiu lat ani razu go nie odwiedziłem. W jednej chwili zrozumiałem, co się stało i co będzie dalej – z nim samym i z nim w naszej świadomości, nie chciałem być świadkiem postępującego procesu demencji, świadkiem jego degradacji jako człowieka. Chciałem ocalić go we własnej pamięci, zachować tak błyskotliwego jak dawniej, szczęśliwego, utalentowanego, takiego, jakim go zawsze znałem.

– To straszne – wyznałam.

Wyobraziłam sobie taką scenę: zatrzymany kadr, stara fotografia – erudyta, wybitny uczony, piękny mężczyzna, w pełni sił, taki jak Mark; i inne zdjęcie – na wpół obłąkany starzec, z kącików ust sączy mu się stróżka śliny. Poczułam się strasznie. Zylber nie zareagował na moją uwagę, jakoś zapadł się w siebie.

– Kiedy zdałem sobie sprawę, co się dzieje, zerwałem z nim wszelkie kontakty, nie odpowiadałem na jego listy i telefony, chociaż wcześniej byliśmy w bliskich stosunkach. Ani on, ani nasi koledzy nie mieli pojęcia, co się między nami wydarzyło, dlaczego zacząłem się tak dziwnie zachowywać. On sądził, że czymś mnie uraził, to był porządny chłop, szczery, otwarty, nie lubił zrywać kontaktów. Kiedyś nawet napisał do mnie, bym mu wybaczył, jeżeli wyrządził mi jakąś przykrość, chociaż zachodzi w głowę, co takiego mógł mi zrobić. Wzruszyłem się, już nawet chciałem się z nim spotkać, ale, dzięki Bogu, udało mi się nad tym impulsem zapanować. Później, kiedy jego stan dramatycznie się pogarszał, nadal go unikałem. On potraktował to jako zdradę przyjaźni. Jego rodzina, krewni, uczniowie i znajomi poobrażali się na mnie, niektórzy przestali mi się nawet kłaniać, co wzmocniło powszechną opinię, że jestem zadufany w sobie i wyzuty z uczuć.

Nie dziwiło mnie już to, co Zylber opowiadał. Ani treść tej opowieści, ani sposób, w jaki przekazywał mi tę smutną historię, ani to, jak oceniał siebie. Była to spowiedź. Opowiadał to już wcześniej samemu sobie, i to wiele razy, pomyślałam, że w końcu musiał się przed kimś wygadać, musiał opowiedzieć tę historię m n i e.

– Nikt nigdy się nie domyślił, jaka była prawdziwa przyczyna mojego zachowania. – Wzruszył ramionami, jakby pragnął skomentować, że w zasadzie jest mu obojętne, że nikt nie zrozumiał jego motywów i że go niesprawiedliwie osądzono. – Wie pani, ludzie najczęściej widzą tylko koniec, ostatni akt, który wywołuje w nich wściekłość, bo czują się rozczarowani. Ja świadomie wyszedłem przed ostatnim aktem. Obserwowałem jedynie środek i tylko to mam w pamięci, tylko to mogę przekazać następnym pokoleniom, obiektywny obraz uczonego. – Tak się wyraził: „następnym pokoleniom". – Tylko w taki sposób mogę oddać cześć staremu druhowi, bo na to zasłużył. I tylko on jeden, tamten, którego znam, tylko on mógłby to zrozumieć, i na pewno przyjąłby ode mnie taki dowód szacunku.

– Co pan ma na myśli? – spytałam.

Zylber, jeszcze chwilę temu uroczysty, podniosły, nagle się uspokoił, wyciszył.

– Napisałem o nim książkę, jak się pani domyśla, o t a m t y m. Dawno napisałem, kilka lat temu, leży w wydawnictwie, ukaże się zaraz po jego śmierci.

– Dlaczego? – Nie zrozumiałam. – Dlaczego nie teraz, kiedy on albo jego dzieci mogliby ocenić pana postępek, profesorze?

– On nie może już niczego ocenić, a inni...? Czy ci inni, patrząc na niedorzecznego starca, byliby w stanie mi uwierzyć? Nie. Uwierzą dopiero po jego śmierci, kiedy bohater mojej książki nie będzie już mógł niczemu zaprzeczyć swoim żałosnym istnieniem. Dla mnie istnieje tylko on dawny, mój przyjaciel, i tylko on jeden ma prawo mnie osądzić, ten, który już umarł, osiem lat temu. Wierzę, że on zrozumiałby moje zachowanie.

Zylber umilkł. Czułam, że powinnam coś powiedzieć.

– To straszne – powtórzyłam tylko.

Zylber nadal milczał, chyba mnie nie usłyszał. Czułam, że nie zgadza się ze mną. Ale z czym dokładnie? Czy z moim uproszczonym stosunkiem do życia? Strach? To zbyt proste.

To tylko jedno z ludzkich uczuć i jak żadne wyizolowane ludzkie uczucie nie jest w stanie odzwierciedlić złożoności procesów psychicznych. Milczałam. Nagle przeszył mnie lodowaty dreszcz.

– Panie profesorze, przecież pan sam sobie zaprzecza! – wyrzuciłam w emocjach.

Zylber ocknął się z zamyślenia. Pierwsze obudziły się jego oczy. Niemal się poderwał. Niezdarnie to sformułowałam. Nikt go chyba tak nie potraktował. Za szybko myślę. Bałam się, że nie zdążę schwytać myśli, która tak nieoczekiwanie mi zaświtała. Nie miałam czasu dobierać słów. Niezręcznie byłoby mi go teraz przepraszać, więc mówiłam dalej:

– Zaprzecza pan swoją książką. Starał się pan mnie przekonać, że życie to bieg maratoński i że liczy się tylko to, co wydarzy się na mecie. A tymczasem w książce dowodzi pan, że nie tylko koniec jest ważny, że istotne jest to, co się zdarzyło w środku, a finisz jest tylko częścią prawdy, na którą składają się etapy cząstkowe, i że takich jest w życiu wiele, mają swoją wagę i znaczenie, dopiero ich suma składa się na efekt końcowy.

Mówiłam chaotycznie, bo jeszcze nie oswoiłam się z własną refleksją, nie potrafiłam nadać jej odpowiedniej formy słownej, mnie ona też zaskoczyła.

– Nie znam się na sporcie – ciągnęłam, tłumacząc się z niejasności sformułowań. – Nie wiem, jakiej dziedziny sportu mogłaby dotyczyć moja analogia. Ale rozumiem, że wszystko należy brać pod uwagę, także to, co wydarza się po drodze. Ostatni etap, nawet nieudany, nie powinien mieć wpływu na zmianę oceny wcześniejszych odcinków przebytej drogi. Przeciwnie, to raczej one mają wpływ na ocenę całego dystansu. I to pan, profesorze, tego dowiódł, pisząc książkę o swoim przyjacielu.

Chyba tak powinnam zakończyć tę pełną emocji wypowiedź, żeby jakoś zatrzeć te niefortunne pierwsze słowa. Zylber nie spuszczał ze mnie wzroku, wpatrywał się we mnie w napięciu, ale widać było, że nie ma ochoty stawać do walki.

– Zastanowię się – odpowiedział.

Jego słowa były dla mnie najwyższą pochwałą.

28.

Z biegiem czasu moje stosunki z profesorem Dalrimplem i stażystą Jeffreyem stały się bardziej bezpośrednie i koleżeńskie. W końcu spędzaliśmy razem znaczną część dnia, a to może sprzyjać szczerej akceptacji drugiego człowieka. Bez większego trudu przyjęłam ich do mego świata. Obaj okazali się bardzo mili, traktowali mnie uprzejmie, starali się mnie wspomagać i dodawali mi otuchy, zwłaszcza na początku, kiedy nie czułam się pewnie w nowym środowisku.

Łatwiej mi się rozmawiało z Jeffreyem, to jasne. Był ode mnie cztery czy pięć lat starszy i bliższy mi w uniwersyteckiej hierarchii. Przyszły doktor znajdował się na najniższym szczeblu drabiny naukowej, jeszcze nie zdążył stać się próżny i zarozumiały. Może zresztą nie był taki z natury.

Był zabawny – jego sylwetka, sposób mówienia, zachowanie. Jeffrey dorównywał wzrostem Zylberowi, lecz w przeciwieństwie do profesora niezbyt postawny i harmonijny w ruchach – był niemiłosiernie chudy, tyczkowaty, niezgrabny. Poruszał się w sposób dziwnie nieskoordynowany, jakby jego długie ręce i nogi nie nadążały za sygnałami wysyłanymi z mózgu i dlatego zawsze trochę się spóźniały, działając raczej chaotycznie. To sprawiało, że wyglądał dosyć komicznie, czym od razu zwracał na siebie uwagę.

Jeffrey nie miał kompleksów z powodu tak charakterystycznej sylwetki, i chyba nawet nie dostrzegał jej osobliwości. Taki stosunek do własnego ciała mogą mieć tylko Amerykanie, kierujący się w życiu zasadą-afirmacją: „Wszystko, co zostało powołane do życia, jest piękne”.

Głos Jeffreya stanowił zaskakujące przedłużenie jego kończyn i również nie mógł nadążyć za Jeffreyem, a nawet za jego myślami, bo mówił bardzo szybko, zmieniając nieustannie jego tembr i intonację. Kiedy szedł mówiąc coś, miało się wrażenie, że snuje się za nim gęsta smuga dźwięków, które nie rozpływają się w powietrzu, lecz trwają jakiś czas w stanie skupienia (niczym biała ścieżka spalin za odrzutowcem), zawieszone w przestrzeni. Wyobrażałam sobie, że można wejść w jego głos, w sam środek dźwięków, nawet kiedy Jeffrey jest już daleko od tego miejsca.

Jeffrey traktował Zylbera z uwielbieniem, ale nie była to demonstracyjna usłużność, lecz stan wewnętrzny, nie znajdujący wyrazu w słowach czy innych dowodach oddania, a nawet w bezwzględnym podporządkowaniu się profesorowi. Nieraz byłam świadkiem, jak wymachując niezdarnie rękami i modulując głos, Jeffrey próbuje obronić własną myśl czy ideę, walcząc z napierającym Zylberem, który w końcu miażdżył go swą masą.

Jego pełen najwyższego zachwytu stosunek do profesora widać było nawet w tym, jak słuchał Zylbera, a także jego spojrzeniu. Jeffrey z głęboką wdzięcznością chłonął każde słowo wypowiadane przez mistrza, w nieustannej obawie, by nie uronić nawet najdrobniejszej cząsteczki jego myśli. Często tłumaczył mi, że oboje jesteśmy wielkimi szczęściarzami, a właściwie wybrańcami losu, gdyż obcowanie z profesorem, spędzanie z nim czasu, możliwość przyglądania się nie tylko pracy tego tytana nauki, lecz także bezpośrednie uczestniczenie w niej – wszystko to jest dowodem niewiarygodnego szczęścia. Nie podejmowałam tego tematu, ponieważ nie mogłabym się z nim do końca zgodzić, ale też nie zamierzałam sprowadzać go na ziemię, bo nigdy nie odważyłabym się obrazić uczuć drugiego człowieka, gdyż tak zostałam wychowana.

Ten szczególny szacunek nie przeszkadzał Jeffreyowi traktować Zylbera z odrobiną ironii, ale mimo wszystko innego rodzaju niż moja, bardziej przypominającej skrywaną dumę z ukochanego mistrza. Rozmawiając ze mną o profesorze, Jeffrey mówił o nim dziadek. Wymawiał to słowo ze wzruszeniem, jakby relacja mistrz–uczeń tworzyła nowy rodzaj więzi międzyludzkich, więzi o charakterze niemal rodzinnym.

Moje kontakty z Jeffreyem były naturalne, zwyczajne, bez cienia przymusu czy napięcia, jakie bywają pomiędzy kolegami różnej płci, w pełni akceptującymi osobistą nietykalność, świadomymi, że ich przyjazne stosunki mogą mieć jedynie taki charakter. Ta postawa bardzo nam obojgu pomagała. Mogliśmy dzięki temu rozmawiać na każdy temat, nie obawiając się jakiejś gry czy dwuznaczności.

Dawno zauważyłam, że istnieje taki rodzaj mężczyzn, którzy skłaniają się ku kobietom nie jako kandydaci na kochanka, lecz są raczej przyjaciółkami, dzieląc się z nimi najbardziej intymnymi tajemnicami, wymieniając ploteczki, co często stawiało kobiety w dość niejednoznacznej sytuacji. Z takim mężczyzną można rozmawiać o niezwykle podniecających sprawach, co pozwala wchodzić w drażniącą bliskość, ale jednocześnie zachować jasność i czystość relacji. Z Jeffreyem nigdy nie rozmawialiśmy o prywatnym życiu któregoś z nas, ale nie zostawialiśmy suchej nitki na nikim, kto dostał się nam na języki, znaliśmy wszystkie plotki, i to pochodzące z wiarygodnych źródeł.

Któregoś dnia ja i Mark postanowiliśmy odwiedzić Katkę i Matwieja. Moja przyjaciółka była w ósmym miesiącu ciąży i z tego powodu małżonkowie spędzali wieczory w domu, wspólnie wsłuchując się w brzuch Katki. Kiedy im się nudziło, zapraszali nas, by dowiedzieć się, czy nie przeoczyli ważnych wydarzeń w zewnętrznym świecie, po czym znowu spokojnie oddawali się swemu najważniejszemu zajęciu.

Podczas któregoś z takich spotkań na pytanie Katki: „Jak tam w pracy?", opowiedziałam o Jeffreyu i o naszej znajomości, na co milczący do tej pory Mark zapytał, czy Jeffrey kiedykolwiek opowiadał mi o swoich kobietach.

– Czy kiedykolwiek widziałaś go z jakąś dziewczyną? Może pokazał ci jakieś zdjęcie? – ciągnął tę kwestię.

– Nie, z nikim, oprócz siebie, go nie widziałam. O żadnej kobiecie chyba mi nie mówił. – Próbowałam szukać czegoś w pamięci, ale bezskutecznie.

– Może jest gejem? – spokojnie zauważył Mark.

– Dlaczego od razu musi być gejem?

Zrobiło mi się jakoś nieswojo, nie wiem, dlaczego. Nigdy wcześniej nie przyszło mi to do głowy. Byłam tolerancyjna dla seksualnych upodobań innych ludzi, a tu nagle poczułam, że wcale nie chcę, żeby Jeffrey był gejem. „Dlaczego?" – starałam się dociec. Nigdy nie zamierzałam wchodzić z nim w bliższe związki, myślę, że takiej potrzeby nie odnotowała również moja podświadomość. Dlaczego w takim razie wzdrygnęłam się na myśl, że homoseksualizm mojego kolegi mógłby okazać się faktem?

Znalazłam w końcu odpowiedź. Może nie ostateczną i tylko teoretyczną, ale pomogła mi ona uwolnić się od przykrych podejrzeń. Gdyby Jeffrey miał inną orientację seksualną, to fascynująca przyjemność, wynikająca z naszych rozmów, cały ich zakazany urok skończyłyby się. Byłyby to takie rozmowy jak z Katką – ciekawe, ale zwyczajne, babskie.

A jednak dlaczego tak jest, że kiedy między ludźmi różnej płci rodzą się normalne, przyjacielskie związki, nie mające na celu kontaktów seksualnych, od razu traktowane są jako coś przeciwnego naturze? Dlaczego natychmiast rodzą się podejrzenia, że z mężczyzną coś jest nie w porządku? Skąd wiadomo, co dzieje się w sercu i myślach Jeffreya? Jeżeli ja mu się podobam, a on tego nie okazuje, dlaczego trzeba to interpretować jako zaburzenie przyjętej normy? Może chłopak jest bardzo nieśmiały? Dlaczego relacje między mężczyzną i kobietą koniecznie muszą się rozwijać jednokierunkowo?

Dzieliłam się refleksjami z Markiem w samochodzie, kiedy wracaliśmy do domu, ale nie wykazał zainteresowania tematem.

– Nie wiem – odpowiedział – podzieliłem się tylko swoimi przypuszczeniami. Opowiadałaś mi o osobniku płci męskiej, o tym, jak się zachowuje, a ja na podstawie dostępnych informacji tylko wyciągnąłem wnioski. Może twoja interpretacja zawierała błędy myślowe albo moja teoria szwankuje. Jakie to ma w końcu znaczenie? Przecież nie zaczniesz go od dziś traktować gorzej niż do tej pory, prawda?

Spojrzałam badawczo na Marka. Zarówno treść pytania, jak i sposób, w jaki Mark mi je zadał, nieprzyjemnie mnie dotknęły.

– Nie będę – uspokoiłam go.

– No widzisz, mówiłem, że ta rozmowa nie ma sensu.

W głosie Marka znowu usłyszałam coś nienaturalnego, co było mi zupełnie obce.

Ach, te cholerne uprzedzenia! Skąd się we mnie biorą? Co mnie obchodzi, z kim Jeffrey sypia czy z kim nie sypia? Jest miły, bezpośredni, otwarty, skąd nagle te ohydne domysły? Czy dlatego, że nie dąży za wszelką cenę do zbliżenia ze mną?

A jednak w moim stosunku do Jeffreya coś się zmieniło. Podświadomie, wbrew moim intencjom. Zaczęłam go dyskretnie i podejrzliwie obserwować, doszukiwać się w nim czegoś, na co wcześniej nie zwracałam uwagi, czym nie zaprzątałam sobie głowy, a czego może tak naprawdę w nim nie było.

Niepokoił mnie teraz nie tyle sam Jeffrey, ile moje nowe spojrzenie na tego sympatycznego chłopaka, a najbardziej przerażała mnie moja natura. Odkryłam w sobie paskudną skazę, która nie poddawała się ani racjonalnemu myśleniu, ani ludzkim uczuciom, ani zwykłemu poczuciu sprawiedliwości. I tego nie mogłam zrozumieć.

Przypomniałam sobie rozmowę z Zylberem o pamięci genetycznej. Profesor powiedział mi wtedy, że właśnie tam tkwią źródła wszelkich uprzedzeń. Tylko że mnie nikt nigdy nie wychowywał w tak prymitywnej nietolerancji dla odmienności, ten temat nigdy w moim życiu nie istniał, ani w mojej rodzinie, ani w domu nie opowiadano złośliwych dowcipów i nikogo nie ośmieszano. Problem miłości do tej samej płci także nigdy mnie nie zajmował, nikogo takiego do tej pory nie znałam. Dlaczego teraz to się zmieniło? Skąd nagle pojawiło się uprzedzenie?

Na różne sposoby próbowałam się uspokoić. Może dlatego, że do tej pory nie miałam wśród znajomych ani lesbijek, ani gejów, nie musiałam się do nich przyzwyczajać? Pewno dlatego czuję dziwny dyskomfort? Pewnie z czasem to wrażenie się zatrze.

Moje próby rozszyfrowania Jeffreya, na szczęście, nie trwały długo. Pewnego razu zaprosił mnie na mecz koszykówki. Grał w drużynie wydziału czy też młodych naukowców, nie pamiętam.

– Ty grasz w koszykówkę? – zdziwiłam się i w tym samym momencie się zreflektowałam, że chyba sprawiam mu tym przykrość.

Rzeczywiście, Jeffrey prawie się na mnie obraził.

– Dlaczego tak cię to dziwi? – spytał, i jakby próbując się wytłumaczyć, dodał: – Nawet dobrze mi idzie, kiedyś grałem w reprezentacji, mógłbym odnosić poważne sukcesy, gdybym tylko chciał.

– Masz rację, dlaczego? A w ogóle, czy ktoś się tu czemuś dziwi? – odpowiedziałam, nieufnie przyglądając się jego nieskoordynowanym, pająkowatym kończynom, które nigdy nie mogły się podporządkować głowie. – Oczywiście, przyjdę, z przyjemnością przyjdę, nigdy nie byłam na meczu koszykówki, obiecuję, że będę ci wiernie kibicować.

Zawsze interesowały mnie, czy raczej intrygowały metamorfozy. Ale prawdziwa przemiana w codziennym, dosyć uprzykrzonym życiu zdarza się rzadko, dlatego lubiłam o nich czytać. W bajce o Kopciuszku najbardziej podobało mi się nie to, że dziewczyna poślubia księcia, takiego zakończenia można się było spodziewać. Nigdy nie byłam zwolenniczką szczęśliwych zakończeń, wolałam te niespodziewane. Ta bajka zauroczyła mnie nagłą przemianą ogórków w konie, myszy w lokajów ubranych w liberie i innymi tego rodzaju historiami, mam nadzieję, że niczego tu nie pokręciłam.

Na uniwersyteckim boisku stałam się naocznym świadkiem prawdziwej metamorfozy. To już nie była baśń, lecz rzeczywistość. Gdzie się podziała niezborność ruchów? Skąd się nagle wzięła ta ich piękna harmonia? To niewiarygodne! Nogi idealnie zgrały się rękami, sylwetka zyskała nową dynamikę i piękno. Szykujące się do skoku ciało napięło mięśnie, walcząc z innymi ciałami, zwinnie wymykało się innym rękom, wyswobadzało z pułapek, wyginało łukiem w porywającym locie. Jeffrey był fantastyczny! Był najlepszym graczem na boisku – atletyczny, idealnie harmonijny, artysta gry w kosza! Kibice szaleli z zachwytu.

Nie poznawałam go, wprawił mnie w zachwyt, ufnie poddałam się temu uczuciu. Wątpliwości, które wcześniej mną targały i z których powodu niemal zaczynałam sobą pogardzać, w jednej chwili się ulotniły. Jakie odstępstwa od normy mogły trapić tak idealnie zbudowanego mężczyznę? To tylko moje idiotyczne, całkowicie nieuprawnione wymysły! Moja nagła radość pewnie była równie podejrzana, jak niedawne uprzedzenia, ale czułam się wyzwolona!

Po meczu Jeffrey podszedł do mnie, spocony, szczęśliwy i wciąż pięknie zharmonizowany w najdrobniejszym ruchu.

– I jak? – spytał krótko, mimo że już znał odpowiedź.

Nawet głos miał inny, silny, opanowany. Wzruszyłam ramionami, słowa nie były potrzebne.

– Rozniosłem ich, prawda? – Bardziej to oznajmił, niż spytał.

– Dokładnie, Jeff! – przytaknęłam z powagą. – Nic z nich nie zostało.

W domu zainteresowałam się, czy Mark umie grać w kosza. Moje pytanie go nie zdziwiło.

– Tylko trochę, raczej kiepsko. A powinienem? – spytał, i nie mogąc się doczekać mojego akceptującego: „Nie, nie powinieneś", dodał tajemniczo: – Ale za to gram w inne gry, znacznie bardziej skomplikowane. I to z ogromnym sukcesem.

Podszedł do mnie i pocałował mnie w szyję. „To moja szkoła" – pomyślałam.

29.

Dobiegła końca sesja zimowa mojego drugiego roku studiów na Uniwersytecie Harvarda. Zarówno Mark, jak i profesor Zylber, niezależnie od siebie, stwierdzili, że powinnam wziąć udział w konferencji naukowej, którą corocznie organizowano dla doktorantów.

– Nabierzesz doświadczeń w tego rodzaju wystąpieniach, stopniowo wszystkiego musisz się nauczyć. Powinnaś umieć dobrze się prezentować, panować nad głosem, szybko i kompetentnie odpowiadać na pytania, to również wymaga treningu i pewnej praktyki, nic więcej ci to nie da – powiedział Mark.

To samo, niemal słowo w słowo, usłyszałam od Zylbera. Rozpoczęłam przygotowania. Nie miałam tematu. Zylber poradził mi, bym opracowała referat na podstawie mojej znakomitej pracy z poprzedniego konkursu. Mówił, że jest w niej sporo kwestii nie doprowadzonych do końca, bardzo pobieżnie zarysowanych, mogłabym którąś z nich wziąć na warsztat i szerzej omówić. Taki wykład mógłby być ciekawy i pożyteczny dla słuchaczy. Mark skrzywił się, kiedy przedstawiłam mu temat. Pomysł profesora go nie zafascynował.

– Zylber tak ci poradził? – spytał.

Już chciałam odpowiedzieć: „Nie, sama to wymyśliłam". Pytanie zraniło mnie. Czyżby Mark sądził, że sama nic już nie potrafię? Ale nie miałam ochoty go okłamywać, nawet w tak drobnej sprawie jak ta.

– Tak, no i co z tego? – odpowiedziałam wyzywająco.

– Nic z tego – stwierdził Mark.

– Odnoszę wrażenie, że jesteś niezadowolony – drążyłam dalej.

– Nie o to chodzi. Moje zadowolenie nie ma tu nic do rzeczy. Nie podoba mi się sam ten pomysł. Jest z gruntu wadliwy. Dziwi mnie tylko, że Zylber z czymś takim wystąpił, od niego wymagam myślenia, a sprawa jest banalnie prosta.

Zdenerwowałam się i najeżyłam. Dlaczego Mark czepia się Zylbera? Dlaczego go tak traktuje – z góry, nieprzyjemnie, lekceważąco, no i ten ton: ty, moja droga, nie musisz niczego rozumieć, ale Zylber?

– Czy możesz mi wyjaśnić, na czym polega wada tego pomysłu?

W moim głosie było słychać wściekłość, ale Mark nie zamierzał łagodzić sytuacji. Zawsze się tak zachowywał, kiedy wpadałam w złość. Mówił bardzo zdecydowanie, był bezkompromisowy:

– Dawne pomysły dla samej zasady należy zostawić w spokoju. Każdy pomysł, każda myśl ma swe praźródło. Nazwałbym je niszą historyczną. Początkowo to ty popychasz ideę do przodu, później, jeżeli praca przebiega prawidłowo, idea ciągnie ciebie, zachodzi tu coś w rodzaju sprzężenia zwrotnego. Jeżeli obie spełniłyście już te funkcje, dajcie sobie spokój, bo na tym polu już nic więcej nie zdziałacie, przeciwnie, wykorzystując dawną ideę powtórnie, tylko zawęzisz ogląd problemu. Jaki jest sens właśnie w niej doszukiwać się ziarna prawdy, skoro jest tyle nieodkrytych żył złota?

– Mark, to jest bardzo płytkie podejście: sygnalizujesz problem, nie doprowadzasz do końca, po czym go zarzucasz.

Zawsze tak było. Kiedy Mark zaczynał mówić, moja niewzruszona pewność chwiała się, by już po chwili skutecznie i bez śladu się rozpłynąć. Mark zawsze ma rację. Trudno mi się nawet na niego złościć, jak to już stwierdziłam.

– Co tu ma do rzeczy płytkie podejście? Przecież nie namawiam cię, żebyś przestała wgłębiać się w problem, wręcz odwrotnie. Jeśli coś drążysz, rób to do końca, aż coś odkryjesz. Przerabialiśmy już ten temat. Wróćmy do oklepanej, ale jakże trafnej analogii z żyłą złota. Kiedy tę żyłę odkryjemy i wydobędziemy na powierzchnię, dlaczego nie dać jej spokoju i nie poszukać następnej? Szkoda czasu na wydobywanie okruszków. Niech inni się tym zajmą, tacy, którzy sami nie potrafią znaleźć żyły. Przecież oni też muszą z czegoś żyć.

– Czy to znaczy, że mam odrzucić to wszystko, nad czym się tak napracowałam? To chciałeś mi powiedzieć?

Powoli zaczęłam się wycofywać ze swoich pozycji. Podejście Marka przemawiało do mnie i chyba było zgodne z moją percepcją rzeczywistości.

– Właśnie to. A pamiętasz, maleńka, kto się buntował przeciwko łatwiźnie? Przeciwko lekkim tematom? Ty, czy ja?

– Ja. – Tym razem zgodziłam się z Markiem nadspodziewanie szybko. Jakże mogło być inaczej: nie lubiłam lekkich tematów.

– Lekkość możesz sobie wprowadzać do pomieszczeń, tam najlepiej spełni swoją rolę.

Chciałam go zapytać o te pomieszczenia, bo zabrzmiało to jakoś podejrzanie, ale dałam spokój.

– Potraktuj swoje idee zwyczajnie, nie przywiązuj się do nich, naucz się je lekko wymyślać i lekko z nimi rozstawać. Naucz się lekkości. To ci w życiu na pewno zaprocentuje, kiedy coś stracisz, nigdy nie będzie ci ciężko.

Mark umilkł. Myślałam, że już skończył, ale się myliłam.

– Najwyższa pora, żebyś zaczęła pracować nad nowym tematem. Nie możesz ciągle żyć tym, co kiedyś wymyśliłaś. Chyba że bardzo chcesz, nikt ci tego nie zabrania, tylko po co? To nie ma sensu. Dokonałaś dużego odkrycia. Niejedna osoba już nad nim pracuje, stara się rozwinąć twoją ideę. Ludzie głowią się nad tym, odkąd przeczytali twój artykuł. I niech się głowią, daj Boże.

– To dlaczego myśmy go wtedy nie rozwinęli?

Pogubiłam się w tym wszystkim. Jeszcze parę minut temu wydawało mi się, że jestem poważnym naukowcem, mam jakieś osiągnięcia, coś ogłosiłam, mam własne poglądy i teorie, a tu nagle okazało się, że jestem nadętą, zarozumiałą studentką, która potrafi tylko wlec się za jakimś oświeconym i wspaniałomyślnym guru.

– Dlatego – enigmatycznie odpowiedział Mark.

– Żeby się nie czepiać drobiazgów? – sprecyzowałam.

– Żeby się nie czepiać drobiazgów – potwierdził.

Oboje zamilkliśmy.

– Wszystko w porządku – odezwał się Mark. – Za półtora roku, jeśli ani ty, ani ja nie zwolnimy tempa, a na razie wszystko przebiega zgodnie z planem, zaczniesz pisać doktorat. Nie jest to zadanie najtrudniejsze z możliwych i wcale nie o to chodzi. Chciałbym, żebyś dokonała następnego wielkiego zrywu, podobnie jak to już zrobiłaś, tyle że teraz musi on być nieporównywalnie większy, dziesięciokrotnie, może więcej... Musimy c o ś t a k i e g o zrobić...

Zaakcentował słowa: c o ś t a k i e g o. Nie miałam wątpliwości, że Mark ma na myśli coś absolutnie niebywałego.

– Stać cię na to. Przypomnij sobie, jakiego wtedy dokonałaś osiągnięcia. Teraz jesteś starsza, mądrzejsza, więcej wiesz, zdobyłaś sporo nowych doświadczeń, no i masz dużo czasu. Przedtem miałaś tylko miesiąc, teraz aż półtora roku. Przyświeca ci zupełnie inny cel. Trudno byłoby to nawet porównać. Wtedy chciałaś się dostać na Uniwersytet Harvarda, nowy cel...

– Jaki nowy cel? – Byłam przerażona.

– Jaki nowy cel? – Mark powtórzył pytanie. – No to się zastanów. Nie bój się, nawet kiedy wyda ci się on fantastyczny.

Rozłożyłam bezradnie ręce, nic mi nie przychodziło do głowy. Czego Mark ode mnie chce? Dlaczego nie daje mi spokoju? Nagle wypaliłam:

– Nagroda Nobla!

Mark prawie wbił mi w twarz palec wskazujący. Wyglądało to jak groźba.

– Nie! – odpowiedział. – Ale ciepło, ciepło... Do diabła z Noblem, to dla mnie nie jest kryterium.

Byłam pewna, że zacznie się rozwodzić na temat Nagrody Nobla, więc jeszcze raz zapytałam:

– Jaki to cel?

– Wysadzić naukę w powietrze! – wypalił w tej samej sekundzie i zabrzmiało to jak wybuch.

Spojrzałam na niego z niedowierzaniem. Poważnie? Mark był bardzo poważny i zdeterminowany.

Coś dziwnego ukłuło mnie w serce, kiedy mówił o lekkości, ale był to słabiutki impuls, niejasny, mglisty, teraz znów się pojawił, już ostrzej, boleśnie.

Moim zdaniem, Mark nigdy nie był pedantem czy formalistą, nie był też oschłym egoistą. Był mężczyzną dowcipnym, błyskotliwym, inteligentnym, miał duszę artysty, czasami mnie wzruszał, innym razem raczej śmieszył. Zawsze jednak był niezwykle wyważony w swych opiniach i ocenach, miał dużo zdrowego rozsądku, myślał trzeźwo, realistycznie. Czułam w nim jakąś solidność czy coś w tym rodzaju, nie jestem pewna, czy to dobre słowo. W każdym razie nie był człowiekiem powierzchownym, obca mu była brawura, samochwalstwo, a przede wszystkim nie był awanturnikiem. To ostatnie słowo dopiero teraz zaczęło mi do niego pasować.

Kiedy się rozwodził na temat lekkości, pomyślałam, że pojawiło się w nim coś obcego, nie był to Mark, którego znałam, z którym spędziłam parę lat życia Coś w niego wstąpiło. Zuchwałość? Arogancja? Brawura? Nie pasowało to do moich wyobrażeń o Marku, który zawsze dążył do precyzyjnego zbadania problemu, ustalenia źródła, konsekwentnie unikając niedomówień; nie pomijał drobiazgów, nie zadowalały go przypadkowe odpowiedzi, zawsze kończył temat swoich badań poważnie, wnikliwie go rozpracowawszy. Jego obecne podejście przypominało mi zachowanie Matwieja, skrajnie emocjonalne, impulsywne, mało przemyślane.

Nic na to nie odpowiedziałam. Mam nadzieję, że oczy mnie nie zdradziły. Odezwałam się spokojnie:

– Mark, to coś nowego. Nigdy tak do mnie nie mówiłeś.

– Czekają nas nowe cele – zareagował natychmiast – takie, jakich jeszcze nigdy przed sobą nie stawialiśmy. Nowe cele wymagają nowego podejścia. Jeżeli cel jest nadzwyczajny, to i podejście musi być odpowiednie. Twoja praca konkursowa była świetna, ale nie było w niej nic nadzwyczajnego. Pomijając pewne nowe spojrzenie na problem, była typowa, standardowa, idea też nie przekraczała zwykłych poziomów. Teraz wzniesiemy się ponad te poziomy, ponad wszelką typowość, normalność, po prostu odrzucimy normy. Jeżeli już mówimy o odstąpieniu od norm, to musisz wiedzieć, że istnieje ważna zasada, którą powinnaś sobie przyswoić, tak jak, moja mądra osóbko, dzielnie przyswoiłaś sobie wcześniejsze reguły gry. – Tajemniczo zawiesił głos, jak to zwykle on, dla podkreślenia wagi swoich słów. – Nietypowe zadania wymagają nietypowego podejścia. Przemyśl to sobie jak najdokładniej.

Czułam, że Mark czegoś nie dopowiedział do końca. Sama musiałam rozwiązać zagadkę. Świetnie, zapamiętam zasadę, później sobie to wszystko przemyślę, postanowiłam.

– Od czego powinniśmy zawsze rozpoczynać? – spytał Mark, próbując mnie ośmielić beztroskim tonem. – Oczywiście, od zdefiniowania celu. To zawsze jest bardzo pomocne, a w tym przypadku ma szczególne znaczenie.

– Tak, rozumiem. Nasz cel – to wysadzenie nauki z posad – ironizowałam.

– No właśnie. – Mark uśmiechnął się.

– A jeżeli nam się nie uda? – Byłam ciekawa, co na to odpowie.

– No cóż. – Wzruszył ramionami. – Może się nie udać. Nie zawsze wszystko się udaje. Ale dlaczego zaczynasz od negatywnych myśli? – Znowu wzruszył ramionami. – W każdym razie proces jest potwierdzeniem wyniku, zgadzasz się ze mną?

– Nie rozumiem.

Oczywiście rozumiałam, ale skoro Mark tak lubił mi wszystko wyjaśniać, niech to też mi wytłumaczy.

Mark był zdziwiony.

– Już kiedyś o tym rozmawialiśmy, ale teraz spójrzmy na problem z innej strony. Popatrz, maleńka, ludzie są zorientowani albo na wynik, albo na proces. Nie chcę przez to powiedzieć, że wynik nie ma znaczenia, on jest ważny, to prawda, ale dla nas jest sprawą wtórną, drugoplanową. My skoncentrujemy się na procesie. Powód takiego rozłożenia akcentów jest prosty – to nam przyniesie satysfakcję.

– Ale jeżeli skupimy się na samym procesie, jeżeli to on stanie się naszym głównym celem, czy nie odbierzemy sobie szansy dotarcia do wyniku? Jeżeli proces daje satysfakcję, to chyba nie powinno się go przerywać dla uzyskania jakiegoś marnego wyniku?

Nie miałam przekonania, czy powinnam podtrzymywać tę rozmowę, chciałam tylko z Markiem polemizować.

– Nie – twardo podkreślił Mark. – Dobrze przemyślany proces musi doprowadzić do wyniku – powtórzył to nieco inaczej: – Właściwy proces zawsze pozwala dojść do wyniku. Naturalnie, nie zawsze będzie to wynik pozytywny, ale nie to jest w gruncie rzeczy ważne, bo już wiemy, że największej satysfakcji dostarcza sam proces.

– Dlaczego... – Mark nie pozwolił mi dokończyć pytania.

– Ale my znamy się na rzeczy, prawda? Mamy też dobrą samokontrolę. Myślę, że potrafimy w porę rozpoznać wynik, jeżeli taki się wyłoni. Nie jest nam tak do końca obojętny, wynik jakościowy ma swoją wagę, a my jesteśmy tego w pełni świadomi, maleńka.

Mark zamilkł. Olśniło mnie, kłócę się z nim nie z powodu idei – idea jest na tyle abstrakcyjna, że nie wymaga dyskusji, zresztą Mark pewnie ma rację. Kłócę się, żeby się z nim sprzeczać, żeby mimo wszystko wziął także pod uwagę i moje zdanie, liczył się z nim, tak jak liczą się inni, nie mniej, a może bardziej poważni naukowcy niż on.

Byłam świadoma beznadziejności mojego emocjonalnego ataku. Mark wciągał mnie w nierówny spór, z góry przesądzony, przecież wszystko już zaplanował, przemyślał, przetestował, a ja wchodzę z marszu, z moimi niespełnionymi pragnieniami, po co? Nie mam szans, z góry jestem skazana na porażkę, dlatego idea tego sporu jest z gruntu błędna. Jeżeli chcę dyskutować, by umocnić się w jakimś przekonaniu, powinnam wybrać temat, w którym jestem mocna i dobrze przygotowana do dyskusji.

Mark popatrzył na mnie przenikliwie i chyba doszedł do wniosku, że należy tę rozmowę zakończyć.

– Maleńka, chciałem ci tylko powiedzieć, że czasem trzeba skoncentrować się na samym procesie badawczym, bo on jest najważniejszy – powiedział. W jego głosie usłyszałam ciepłe, pojednawcze tony. Po chwili dodał: – Masz dar nakręcania mnie. – Uśmiechnął się.

– To co robimy? – Chciałam usłyszeć coś bardziej konkretnego.

– Teraz powinnaś powolutku przygotowywać się do startu. Koniecznie musisz znaleźć na to czas, najlepiej, gdybyś odeszła z katedry Zylbera, tym bardziej że ten starzec bardzo mnie rozczarował. – Opanowałam wzburzenie i nic nie odpowiedziałam. – Potem musisz poszukać tego miejsca, gdzie chcesz kopać, no i przygotować kilof, łopatę... – Te porównania dosyć mnie zaskoczyły. – To już twój problem. Zastanów się, co cię najbardziej interesuje.

– A co z konferencją? Może ten referat jest już niepotrzebny?

– Nie, dlaczego, wygłaszaj go sobie. Ustaliliśmy już, że to niezły trening. Możesz wziąć swój poprzedni temat, jeżeli nic więcej nie masz pod ręką.

W słowach „nic więcej" usłyszałam protekcjonalność.

Zylberowi postanowiłam nic jeszcze nie mówić. Ani o poszukiwaniach nowego tematu badawczego, ani o rozstaniu z nim, przynajmniej do czasu konferencji. Nie chciałam go rozdrażnić.

Wszystko przebiegało według dawno ustalonego porządku: dyskusje z profesorem, ploteczki z Jeffreyem, obiady z innymi osobami, nauka.

Wszystko się jakoś ułożyło, moje nowe życie na Harvardzie, początkowo wyzwalające wiele napięć, stopniowo się unormowało i dawało mi wiele zadowolenia, zarówno jego część naukowa, jak i inne dziedziny. W moim życiu pojawili się nowi znajomi, wchodziłam w środowisko. Jeszcze do niedawna jedynym moim środowiskiem był Mark, teraz mój świat zaczął się rozszerzać, stał się bardziej różnorodny. Czułam, że spełniły się moje marzenia i plany, mogłabym więc trochę zwolnić tempo, skoro wszystko się tak pomyślnie układało.

Zdawałam sobie sprawę, że kolejny krok jest konieczny, ale nie chciałam wszystkiego stawiać na głowie i znowu zaczynać od początku. Było mi dobrze i spokojnie. Dlaczego muszę ruszać do boju, kolejny raz coś komuś udowadniać, dlaczego nie mogę żyć w zgodzie ze sobą i światem?

Wiedziałam, że Mark nie da mi tak łatwo spokoju. Ma nowe pomysły, nowy cel, nową ideę. Spodziewałam się, że zburzy mój komfort psychiczny, będzie mnie zadręczał kolejnymi „powinnaś", wprowadzał zamęt i karmił mnie przekonaniem, że bezustannie coś komuś jestem winna – nie wiem, co i komu. Tak naprawdę nic nikomu, chodziło o szerszy problem, muszę pracować dzień i noc, każda minuta mojego życia powinna być efektywna, jeżeli nie, będzie to moja wina. Nie rozumiałam, wobec kogo mam się czuć aż tak bardzo winna.

Na tym polega samodoskonalenie. Czy jest mi potrzebne? Czy ciągle muszę ponosić ofiary? Czy muszę składać siebie w ofierze? Komu? Sobie? Czy chcę tego? Wiem, że tego chce Mark. A ja?

Wsłuchiwałam się w mój głos wewnętrzny, próbowałam coś z tego pojąć. Zdziwiona, usłyszałam wreszcie delikatny, ledwie słyszalny głos własnej duszy. Podpowiadał jedyną odpowiedź, niebudzącą wątpliwości, chociaż z punktu widzenia mojego życia niewesołą: „Tak, chcę". Co więcej, wraz z nią pojawiła się niecierpliwość, nieodparta pokusa – jak najprędzej zacząć, po co odkładać, i konferencję, i inne sprawy. Jeżeli mam podjąć tak wielkie dzieło, to jakie znaczenie ma wszystko inne – chodzi o to, żeby się nie zastać, nie wypalić, nie zatracić w drobiazgach. No to zaczynajmy!

Byłam świadoma, że wszystko jest ważne: i konferencja, i reszta spraw. Przecież nie przygotowuję się do biegu na sto metrów, lecz do prawdziwego maratonu. Tu ważna jest umiejętność panowania nad sobą, czuwania nad odpowiednim rozkładaniem sił i emocji. Tu muszę biec w idealnej zgodzie z wcześniej ułożonym planem. Co najwyżej, mogę jedynie zwiększyć tempo...

30.

Dopracowywałam referat, korzystając z pomocy profesora Zylbera, ćwiczyłam go na Jeffreyu. Zylber poświęcił mi nawet swoje domowe seminarium. Był to bardzo miły gest z jego strony. Wszyscy trzej, bo także profesor Dalrimple, wysłuchali mojego piętnastominutowego wystąpienia, po czym zarzucili mnie gradem podchwytliwych pytań, z którymi dzielnie sobie poradziłam. Wybrałam jeden z wątków poprzedniej pracy i trochę go rozbudowałam, nie dodając w zasadzie nic nowego. Udało mi się jednak opracować nową, znacznie obszerniejszą argumentację, moim zdaniem, dostatecznie interesującą. Oparłam się w dużej mierze na literaturze przedmiotu z ostatnich dwóch lat.

Zarówno referat, jak i poziom mojego przygotowania do konferencji moi znakomici trenerzy ocenili pozytywnie. Jak zwykle, zostałam jeszcze z Zylberem, by pomóc mu posprzątać po naszym spotkaniu. Profesor przyznał, że bardzo przeżywa moje pierwsze publiczne wystąpienie, tak samo jak przeżywał kiedyś swój pierwszy wykład.

– Wie pani, wygłosiłem w swoim życiu tyle wykładów, ważnych i bardzo ważnych, i tych całkiem nieważnych, ale w pamięci utkwiły mi jedynie trzy, może cztery. Uważam, że to dużo. To wszystko jest takie dziwne. – Profesor westchnął i zamilkł. Chyba spodziewał się, że coś mu na to odpowiem. Cóż miałabym odpowiedzieć? Jeszcze nie wygłaszałam żadnego wykładu.

– To tak jak z kobietami – ciągnął profesor. Nadstawiłam uszu. Oho, nareszcie pojawi się długo oczekiwany temat, tyle czasu z nim zwlekał: – Zupełnie tak samo. Miałem wiele romansów, fascynacji, sympatii, flirtów, a pamiętam tylko trzy kobiety. Trudno byłoby mi nawet powiedzieć, dlaczego właśnie te kobiety wryły mi się w pamięć. Ale ponieważ tak a nie inaczej się zdarzyło, wiem, że musiały dużo w moim życiu znaczyć. Marino, pamięć to uniwersalna sprawa. Jedyny wskaźnik, jedyne kryterium ważności i znaczenia zdarzeń, które nas w życiu spotykają. Ważne jest tylko to, co na zawsze zapada w pamięć. Pewnie to panią rozbawi, ale ja odmierzam i oceniam moje życie właśnie pamięcią.

– To wcale nie jest takie zabawne, panie profesorze – wtrąciłam.

– A wie pani, co mnie zaskakuje? Pamięć gubi całe pokłady faktów, zacierają się w niej lata, tak jakby ich nigdy nie było, jak gdyby nie stały się moim udziałem, a przecież wtedy kiedy były teraźniejszością, wydawały się najważniejsze, krytyczne, zwrotne, no i co się z nimi stało? Trudno to pojąć. Dzieje się tak nie dlatego, że moja pamięć słabnie, jeszcze nie mogę na nią narzekać. Myślę, że nigdy ich nie pamiętałem. Od razu wyrzucałem je z pamięci. Aha, mówiąc „od razu", mam na myśli odcinek czasu długości mniej więcej dziesięciu lat.

Uśmiechnęliśmy się do siebie. „Od razu" dla każdego z nas znaczyło co innego, pojęcie czasu też miało inny wymiar.

– Inne zdarzenia z kolei, wydawałoby się nic nieznaczące, nieistotne, nieważne i dla mnie, i dla całokształtu życia, nie wiadomo z jakiego powodu pamięć ocaliła, no i są teraz ze mną. Czyżby to one po latach okazały się tym, co wywarło najsilniejszy wpływ na moją osobowość? Zadziwiająca sprawa, nie sądzi pani? Wynika z tego, że takim narzędziem jak pamięć możemy oszacować prawdziwą wartość tego, co się w życiu człowieka wydarza.

– Brzmi to doprawdy zaskakująco w ustach mistrza psychoanalizy – przyznałam.

Zylber tylko machnął ręką.

– Pani Marino, kogoś w moim wieku nic już nie jest w stanie zaskoczyć.

Mówił to jak człowiek bardzo zmęczony życiem. Popatrzyłam na niego, zajrzałam mu w oczy. Tylko tak można zajrzeć do czyjejś duszy – oczy są najważniejsze.

– A jakim pan siebie pamięta? – spytałam, by nieco zmienić temat.

– To też jest niesamowite, pani Marino. Często wspominam jakieś epizody, wydarzenia, ludzi, siebie, tęsknię do tego, co minęło, do dzieciństwa, do lat młodości, krótko mówiąc, do przeszłości. Cała reszta to tylko namiastka, erzac. Ludzie, którzy tak jak pani i ja zostali czegoś w życiu pozbawieni, często zamieniają nostalgię za przeszłością nostalgią za ojczyzną, miastem, rodzinnym domem, za przyrodą. Wynika to jednak tylko z niezrozumienia, z niewiedzy i braku umiejętności, by to wszystko usystematyzować. Przecież można pojechać do rodzinnego miasta, ażeby się przekonać, że nadal jest tak samo brudne, że żyje się tam ciężko, że przytłacza. Można się spotkać ze starymi przyjaciółmi, aby się przekonać, że są zupełnie inni niż ich obraz zachowany w naszej pamięci, może tak się zmienili, a może nigdy nie byli inni, tylko kiedyś tego nie dostrzegaliśmy. Można pójść do parku, w którym ktoś umawiał się z ukochaną, i przekonać się, że nie jest to najpiękniejszy park na świecie, choć może się okazać, że właśnie tak, bo i zieleń jest w nim intensywniejsza, i kwiaty piękniejsze. Z ukochaną też lepiej się nie umawiać, bo teraz na pewno zniszczy to tylko dawne wrażenie. Przecież można wrócić do miejsc, które zostawiliśmy za sobą. Dziś, jutro, pojutrze, później, kiedyś, bo życie prawie zawsze daje drugą szansę, wszystko jest odwracalne w czasie. Dlatego to co, jak się wydaje, odchodzi na zawsze, by już nigdy się nie zdarzyć, w rzeczywistości kiedyś do nas powróci, na pewno powróci, obdarowując nowymi możliwościami. Nieodwracalne jest tylko jedno – tu profesor zawiesił głos. – Tylko śmierć nie daje drugiej szansy.

Znowu zamilkł. Wydawało mi się, że już skończył, bo jego oczy znieruchomiały i straciły dotychczasowy wyraz, ale już po chwili ożywiły się. Zylber westchnął głęboko.

– To wiek. Mam kłopoty z koncentracją, nie zawsze udaje mi się trzymać na wodzy różne myśli, człowiek się rozkojarza, traci wątek. O czym to ja mówiłem?

– O nostalgii i możliwości powrotu – podpowiedziałam.

– Ach, tak. To prawda, zawsze można wrócić. Kiedy wracamy, nostalgia za wszystkim, co nas jeszcze do niedawna zadręczało, odchodzi. Jedynie do przeszłości nie ma powrotu. Nie można wrócić do tamtej dziewczyny, z którą chodziło się na spacery – zostało po niej tylko zdjęcie i ślad w pamięci. Nie można wrócić do nocnych dyskusji z przyjaciółmi, do tamtych tematów, zresztą o czym tu dyskutować, skoro wszystko już wiadomo. Można wrócić do miasta, do parku, tylko nie można przywołać tamtych wrażeń, wrócić do tamtych odczuć, do tamtego bicia serca, a przecież w tym właśnie tkwi istota tego, co było, do czego coraz mocniej tęsknimy. Nie o park przecież chodzi. Jedyna rzecz, do której nie ma powrotu, Marino, to przeszłość, i tylko za nią tęsknimy, stąd w nas ta silna nostalgia. Nostalgię można odczuwać tylko za tym, co nigdy nie wróci i do czego my nie możemy powrócić. Za tym, co jest bezpowrotne.

– Jaki pan był kiedyś? Jak pan widzi tamtego siebie dzisiaj? – przypomniałam mu pytanie.

Koniecznie musiałam to wiedzieć. Chciałam porównać swoje widzenie dawnej siebie z jego widzeniem dawnego Zylbera.

Profesor zamyślił się.

– To ciekawe pytanie. W przeszłości wcale nie widzę siebie, ale kogoś podobnego do mnie, wiem, że jest mną, chociaż tak do końca nie jestem o tym przekonany. Marino, to jest tak, jakby pani oglądała film wideo: widzi pani siebie, to jasne, ale wcale się pani nie czuje osobą utrwaloną na taśmie. Podobnie jest z pamięcią o sobie.

– Czy to znaczy, że patrzy pan na siebie jak na obraz w kinie? – dopytywałam się, gdyż porównanie Zylbera nie pasowało do moich własnych odczuć.

Pomyślał chwilę.

– Nigdy się nad tym nie zastanawiałem. Hmm, to ciekawe. Nie, nie całkiem tak jest. Raczej widzę siebie, swoją przeszłość jak na fotografii. Proszę sobie wyobrazić: ogląda pani zdjęcia, jest ich dużo, przegląda je pani raz szybciej, raz wolniej, mniej lub bardziej pobieżnie, a na jakimś zdjęciu pani wzrok zatrzymuje się na dłużej. Jest jakiś ruch. Kadry się zmieniają. Ale nie jest to zmiana ciągła, jak na filmie, lecz bardziej dyskretna, przebiega w zmiennym tempie. Tak. Dzieje się bardziej skokowo. Z tego wynika, że pamięć ma więcej cech przybliżających ją do fotografii niż do filmu.

– Czy nie sądzi pan, profesorze, że częstotliwość zmiany kadrów zależy od stopnia oddalenia w czasie zdarzeń, które wspominamy? – Zdecydowałam się z nim podyskutować. – Czy pan nie sądzi, że kiedy zdarzenie jest bliżej umiejscowione w czasie, przesuwa się w tempie taśmy filmowej? Wtedy widzi pan siebie w ruchu, w działaniu. W miarę jak się oddala, mamy wrażenie, że tniemy tę taśmę, ruch się spowalnia, częstotliwość opada, w końcu ruch zamiera. Wtedy pamięć nabiera cech fotografii, jak pan to znakomicie ujął.

– Twierdzi pani, że z czasem pamięć traci dynamikę? – upewnił się.

– Tak.

– To cenna uwaga. Zbudowała pani model bardziej wyrafinowany niż ja. Z pewnością ma pani rację. Trudno mi powiedzieć. Wie pani, niezbyt pamiętam to, co mi się wydarzyło niedawno, na przykład rok czy dwa lata temu. To znaczy, coś tam pamiętam, ale to nie zostało w pamięci aktywnej, nie zapisało mi się w głowie. Najlepiej pamiętam zdarzenia z przeszłości, niekiedy z bardzo odległej. Dziwne, co? – Nie kierował tego pytania do mnie. Pokręcił głową. – Trudno mi się do tego odnieść.

Przerwał na chwilę, po czym znów wrócił do swoich rozważań, jakby mu się nagle coś przypomniało.

– Wie pani, nie pamiętam dokładnie moich dzieci z czasów, kiedy miały szesnaście, dwadzieścia, trzydzieści lat, ale pamiętam, kiedy miały rok, pamiętam, jak je kąpię w małej wanience. I jak mają po pięć lat. Czytam im bajki na dobranoc. Co było potem? W ważniejszych dla nich okresach życia? Nie wiem. Nie pamiętam.

Po raz pierwszy wspomniał o dzieciach. Nawet nie wiedziałam, że je ma. Słuchałam go z uwagą. Przyzwyczaiłam się do stylu jego opowieści. Z przyjemnością go słuchałam, jego uwag, spostrzeżeń, refleksji, głośnego myślenia.

– Pani Marino, czas to przewrotna materia, niejednorodna, względna, przepraszam za ten truizm. Wcale nie składa się z sekund, minut czy godzin, lecz z naszej percepcji, z postrzegania. Z pewnością problem względności czasu jest bardziej kwestią filozoficzną, nie chciałbym się wdawać w takie roztrząsania, nie czuję się kompetentny. Znowu się rozkojarzyłem. Mówiąc, że czas nie jest jednoznaczny, co innego miałem na myśli. Proszę zwrócić uwagę, przeżyliśmy dzień i złościmy się, że tak szybko przeleciał. Mijają tygodnie. Poniedziałek – piątek. Nawet nie zauważyliśmy, kiedy przemknął kolejny miesiąc. Ogarnia nas przerażenie, kiedy zdajemy sobie sprawę, że to całe lata. Wydaje nam się, że czas pędzi jak szalony, przemija błyskawicznie, jest dramatycznie ulotny. Jego ulotność przeraża i jednocześnie są takie chwile, kiedy dociera do nas, że życie jest długie, czasami bardzo długie, dlatego z pamięci wypadają całe sekwencje, ale gdyby je nagle ożywić, bodaj fragmentarycznie, zdziwilibyśmy się, że tyle przeżyliśmy i tak długo to trwało. Co więcej, te wszystkie ulotne dni, tygodnie, miesiące, lata nie znikają bez śladu, lecz osiadają w nas, nakładają się na siebie warstwa po warstwie, zlewają się w jednolitą masę, która w pewnej chwili zaczyna przytłaczać. Wraz z wiekiem życie wydaje się nie tylko długie, ale uciążliwe i męczące. Miałem pacjentów, głównie byli to ludzie starzy, którzy mieli już dość życia. Byli zdrowi psychicznie i fizycznie, tylko potwornie zmęczeni życiem. Niczego im nie brakowało, odnosili sukcesy, w tym także materialne, mieli rodziny, kochające dzieci, wnuki. Nie mieli depresji. Tylko zmęczyło ich zbyt długie życie.

– I co? Próbowali popełnić samobójstwo? – spytałam, słysząc dobrze znane słowo „depresja", przypomniały mi się szklane oczy Marianne.

– Nie, ich stan tym właśnie się różnił od choroby. Nie byli chorzy, dlatego nie pragnęli umrzeć, byli zmęczeni życiem, bo było go stanowczo za dużo. Nie miało to związku z długością życia, lecz z jego g ę s t o ś c i ą. Jeżeli jednak z jakichś powodów nagle musieliby się rozstać z życiem, nie baliby się śmierci, przyjęliby ją jako upragnione wyzwolenie od ciężaru życia. Chyba tak było z Tołstojem, zresztą, pani lepiej zna Tołstoja.

– W zasadzie to idealna sytuacja – wtrąciłam – kiedy człowiek, zbliżając się do końca swoich dni, wie, że wyczerpał je do dna i że śmierć jest naturalnym dalszym ciągiem. Może to pomysł samej natury?

– Nie wiem, ale nie sądzę, żeby to było takie proste. – Zylber pogrążył się w myślach. – Zresztą, może ma pani rację. Ale żyć też się człowiekowi chce, do końca, pomimo ciężarów, jakie dźwiga. Ten, kto powiedział, że nadzieja umiera ostatnia, miał sporo racji. Śmiertelnie chory człowiek jeszcze na dziesięć minut przed śmiercią nie wierzy, że nadchodzi jego pora. Ach, dość już o tym – profesor jakby się otrząsnął z zamyślenia. – Nie mówmy o śmierci, mamy jeszcze tyle spraw związanych z życiem. – Oczy profesora radosnym tańcem zamanifestowały, że zwrócone są tylko w tę jedną stronę. – Muszę powiedzieć, że pani uwaga o tym, że wspomnienia w miarę upływu czasu stopniowo podlegają zmianom i z poziomu filmu przenoszą się na poziom fotografii, jest niezwykle trafna. I w ogóle muszę pani powiedzieć, Marino, że dobrze mi się z panią rozmawia, jest pani świetną dyskutantką – wrażliwą, myślącą, a przede wszystkim niesamowicie przenikliwą. – Uśmiechnął się leciutko, ale wymowy tego uśmiechu nie potrafiłam odczytać.

Podziękowałam za życzliwe słowa i zerknęłam na zegarek. Było bardzo późno. Na pewno autobusy już nie kursowały, a jeśli nawet jeszcze jakiś kursował, nie miałam odwagi wracać o tak późnej porze sama.

– Przepraszam, panie profesorze, czy mogłabym od pana zadzwonić? – spytałam, postanawiając, że poproszę Marka, by po mnie przyjechał, na pewno już się niepokoi.

– Bardzo proszę, sam bym panią odwiózł, ale to już nie te lata.

– Panie profesorze, proszę sobie nie robić wyrzutów.

– Wie pani, co zrobimy? Jeffrey mieszka tu niedaleko, na pewno jeszcze nie śpi, pewnie pisze wiersze. Zaraz do niego zadzwonię i poproszę, żeby panią odwiózł.

– Czy to wypada? – spytałam jedynie przez grzeczność, ta propozycja bardzo mi się podobała, nie muszę czekać, aż Mark tu dotrze.

Nie wiem dlaczego, ale nagle zapragnęłam, żeby odwiózł mnie właśnie Jeffrey. Miałam ochotę przejechać się z nim nocnymi ulicami, tonącymi w światłach, było w tym coś romantycznego, radosnego, spontanicznego. Nie myślałam o tym, że coś się między nami może wydarzyć, nawet nie miałam takiego pragnienia. Jednak świadomość, że w takich nieoczekiwanych sytuacjach zawsze jest coś nieprzewidywalnego, nie dawała mi spokoju. Dawno nie zdarzały mi się takie chwile.

– Jak najbardziej wypada. Jeffrey będzie szczęśliwy, to takie romantyczne – powiedział Zylber i zaczął wystukiwać numer.

31.

Jeffrey dał znak światłami, że już podjechał, pożegnałam się z profesorem i wyszłam. Padał drobny deszcz, było chłodno. Z wdzięcznością ulokowałam się w samochodzie. Jeffrey nie przywitał się ze mną, przecież widzieliśmy się ledwie kilka godzin temu. Ruszyliśmy.

– W nocy jest tak pięknie – odezwałam się, żeby przerwać nieznośne milczenie. Noc rzeczywiście była piękna. – Deszcz, światła, wyludnione ulice, spokój i jakieś rozedrgane oczekiwanie...

Milczał. Samochód jechał wolno, jakby dopiero rozsmakowywał się w tej jeździe.

– W dzień jest zupełnie inaczej, duży ruch, hałas – ciągnęłam. – W nocy wszystko jest inne – delikatne, kruche, ulotne, odrealnione. Najlepiej w taką noc pisać wiersze. – Przygotowywałam się do tematu, który nagle mnie zainteresował. – Słyszałam, że piszesz wiersze.

– Tak. Wiesz od dziadka?

– Od dziadka – przytaknęłam.

Jeffrey nic na to nie odpowiedział. Zatrzymaliśmy się na światłach.

– Kiedyś napisałem wiersz o nocy, właśnie o takiej nocy. To króciutki wiersz – odezwał się Jeffrey.

Powiedział to zwyczajnie, bez kokieterii. Poprosiłam, by mi go powiedział.

Kiwnął głową na znak zgody.

O, nocy, ciebie jedną wielbię,
Ty jedna mnie napełniasz życiem,
Jeżeli wbrew temu zdołam,
To kiedyś w taką noc odejdę.

Poczułam się dziwnie. Czyżby tak wpłynął na mnie nastrój wiersza, który Jeffrey recytował z wielkim patosem? Noc. Siedzę w samochodzie z młodym mężczyzną. Sygnalizator wciąż świeci swoim czerwonym okiem.

– Ładny wiersz – powiedziałam.

Naprawdę mi się spodobał. W czterech prostych wersach pobrzmiewało coś znanego mi z przeszłości. Siła życia, a właściwie namiętność, pełna nostalgii namiętność. Przypomniała mi się Moskwa, która na zawsze skojarzyła mi się z namiętnością. „Nostalgia wiąże się tylko z przeszłością" – przypomniałam sobie słowa Zylbera.

Spojrzałam na Jeffreya. Skąd w tym amerykańskim chłopaku taki romantyczny nastrój? Skąd takie słowa? Skąd ten pogodny mól książkowy, który chyba nic oprócz książek w życiu nie widział, tyle wie o magii nocy?

– Naprawdę bardzo mi się podoba – powtórzyłam, recytując z pamięci ostatni wers: – *To kiedyś w taką noc odejdę*. Naprawdę piękny.

Zapaliło się zielone światło. Jeffrey włączył pierwszy bieg. Jego ręka niechcący musnęła moje udo. Przeszył mnie dreszcz. Od nagłego dotyku?

Jeffrey zauważył tę gwałtowną reakcję.

– Przepraszam.

Nie odpowiedziałam. Kilka minut jechaliśmy w zupełnej ciszy.

– Dawno nie czytałam wierszy, odzwyczaiłam się od nich. – Podjęłam kolejną próbę nawiązania rozmowy. Wiedziałam, że na Jeffreya nie mogę liczyć. Pomyślałam, że nie tylko od wierszy zdążyłam się odzwyczaić.

– Piękno trzeba trenować – przemówił nagle. – Zdolność odczuwania może ulec atrofii, zaniknąć jak bezczynny mięsień, jeśli nie będziemy się nią posługiwali.

To prawda, ten chłopak ma absolutną rację. Piękno, miłość, uczucia... wszystko trzeba trenować, ćwiczyć...

Radość z nocnej jazdy po mieście, z przeczytanej książki, ze spotkania z drugim człowiekiem, z wiersza... Bez ciągłego treningu zdolność przeżywania radości może ulec atrofii, tak się wyraził Jeffrey. Tymczasem ja ćwiczę inne sprawności – pisanie artykułów, zdobywanie literatury naukowej, porównywanie wyników, wyciąganie jedynie słusznych wniosków, wyławianie z tekstu istotnych informacji i zestawianie ich z innymi istotnymi informacjami, trenuję umiejętność efektywnego planowania i prowadzenia badań, umieszczania wiedzy we właściwych szufladkach, analizowania i docierania do kwintesencji.

Wszystko jest niby w porządku, tylko zapomniałam, poddawana takim treningom, że świat się na tym nie kończy, że są jeszcze uczucia i emocje, że jest piękno i uroda życia i że to one rozwijają wrażliwość, są równie ważne jak umiejętność analizowania i dokonywania odkryć, bez nich świat byłby żałosnym, wypatroszonym dziwotworem. Mój świat taki się stał. Nie porusza mnie uroda życia, zapomniałam, co to namiętność i nagłe porywy serca.

Kiedy ostatni raz czytałam wiersze? Kiedy zrobiłam coś dla duszy? Nie pamiętam. Chyba nigdy.

Ogarnął mnie dojmujący smutek. Poczułam się jak inwalidka, jak kaleka, jak osoba, której amputowano najważniejszą część ciała, bez której można co prawda egzystować, ale jest to jedynie żałosna egzystencja. Nigdy tak mocno nie czułam własnej ułomności.

– Masz rację, Jeffrey, masz rację. I to jest bardzo smutne...

Popatrzył na mnie w milczeniu. Z jego milczenia, z jego oczu wyczytałam, że pragnął położyć dłoń na moich kolanach, ale tego nie zrobił. Mogłam sama wziąć jego rękę, wiedziałam, że się podda, że będę ją mogła położyć gdzie tylko zechcę, że będzie mi posłuszna. Olśniło mnie. Jeffrey od zawsze tego pragnął. Kiedy rozmawialiśmy, kiedy szliśmy, kiedy piliśmy kawę. Przypomniałam sobie jego ukradkowe spojrzenia, niezręczne słowa, na które wcześniej nie zwróciłam uwagi, przemówiły do mnie dopiero teraz.

Nie sięgnęłam po jego rękę. Zamarłam na siedzeniu samochodu. Niczego nie chciałam. Niczego nie mogłam. Było mi przyjemnie, że mu się podobam jako kobieta. Może nawet mnie kocha? Musiała mi wystarczyć świadomość tego. Nic się nie mogło między nami zdarzyć. W moim życiu był Mark. Umiem kontrolować swoje pragnienia. Dorośli tym się różnią od dzieci, że potrafią to robić, panować nad emocjami.

Dotarliśmy do mojego domu. Jeffrey wyłączył silnik. Siedzieliśmy w nieoświetlonym samochodzie, wsłuchując się w szum deszczu. Dlaczego podarowałam mu tę krótką chwilę? Może wiedziałam, że jej nie wykorzysta?

– Dziękuję ci – odezwałam się. – Przynieś mi, proszę, swoje wiersze. Chcę je przeczytać. Postanowiłam trenować swoje duchowe mięśnie, muszę w sobie odbudować wrażliwość na piękno.

Uśmiechnął się i tylko kiwnął głową.

Pomachałam mu jeszcze, otwierając drzwi domu.

Mark nie powiedział ani słowa. Domyśliłam się, że jest na mnie wściekły.

– Zasiedziałam się u Zylbera – odezwałam się pierwsza, żeby uprzedzić jego pytania.

Uniósł brwi, udając zdumienie. Zrozumiałam, że żadnych pytań nie będzie. Jego reakcja poruszyła mnie bardziej niż wypytywanie czy pretensja. Poczułam się paskudnie: mogłam chociaż zadzwonić.

Dlaczego nie zadzwoniłam? Dopiero teraz przyszło mi to do głowy. Może nie chciałam go mieszać w moje sprawy z Zylberem? W nocną przejażdżkę z Jeffreyem? Może się obawiałam, że jego obecność, nawet tak odległa, coś popsuje?

– M-a-a-rk – przeciągnęłam jego imię, by zwrócić na siebie uwagę – zagadałam się z profesorem, straciłam poczucie czasu. Jest taki pocieszny, dobrze nam się rozmawia, Jeffrey mnie odwiózł. Wybacz, że nie zadzwoniłam, wiem, powinnam, przepraszam. – Położyłam dłoń na jego klatce piersiowej i przesunęłam niżej, w okolice splotu słonecznego. – Wybaczysz mi?

– Tak – odpowiedział krótko i odsunął mnie.

Nadal był zagniewany.

– I co ci ten staruszek naopowiadał? – zapytał dopiero po kilku minutach, kiedy się już rozebrałam i poszłam do sypialni.

To dobrze, że zapytał. Atmosfera robiła się coraz bardziej napięta. Miałam wrażenie, że wściekłość Marka wytwarza wokół niego tak silne pole niedobrych energii, że zaczęły się one rozchodzić po całym mieszkaniu, obejmując także i mnie.

– Takie tam różności – odpowiedziałam przyjaźnie. – Przede wszystkim wspominał siebie z przeszłości. Mówił, jak siebie w niej postrzega.

– No i jak siebie w niej postrzega?

W głosie Marka kipiała ironia. Było mi nieprzyjemnie. Dlaczego Mark przelewa swoją złość na Bogu ducha winnych ludzi? Jest wściekły na mnie, to rozumiem, ale dlaczego wplątuje w to innych?

– Mark – odezwałam się spokojnie – wiem, że jesteś wściekły, jeszcze raz cię przepraszam, ale dlaczego przenosisz swoje emocje na innych, to nieuczciwe.

– Kto cię dziś uczył zasad uczciwości? Zylber? A może ten chłoptyś Jeffrey?

To już była ohydna prowokacja. Dałam się sprowokować. Mark drwił z osób, które szanowałam, traktował je tak obrzydliwie lekceważąco, że nie mogłam puścić mu tego płazem. Zadrwił także ze mnie. Kto mu dał prawo do traktowania innych z góry? Tym bardziej że nie znał ani Zylbera, ani Jeffreya, nigdy ich nawet nie widział.

– To podłe, Mark – wybuchłam. – Dlaczego to robisz? Czy dlatego, że wróciłam do domu półtorej godziny później? Nie jestem małą dziewczynką! Wiedziałeś, że mam seminarium. Skąd w tobie tyle lekceważenia dla innych, nawet dla ludzi, których nigdy nie widziałeś na oczy? Rozumiem, że jesteś mądry, utalentowany, na pewno bardzo siebie za to cenisz, jesteś z siebie dumny, masz prawo, tylko dlaczego myślisz, że pozjadałeś wszystkie rozumy? Że jesteś jedyny w tym rodzaju? Zamknąłeś się w czterech ścianach, nosa stąd nie wysadzasz, z nikim się nie spotykasz, nikogo nie chcesz widzieć, nie masz przyjaciół, tylko książki się dla ciebie liczą. Skąd możesz wiedzieć, czy poza granicami twojego świata nie istnieje ktoś równie utalentowany, wcale nie gorszy od ciebie, ktoś, kto naprawdę może ci dorównać?

Chciałam jeszcze dodać: „A może nawet cię przerasta", ale ugryzłam się w język.

– Idź, zobacz, rozejrzyj się, zapewniam cię, że bardzo się zdziwisz.

Po raz pierwszy się zbuntowałam i zaatakowałam Marka. Właściwie była to niewinna awanturka. Zrobiłam to świadomie. Podałam w wątpliwość jego wyjątkowe walory tylko dlatego, żeby złością odpowiedzieć na złość. Moja akcja odniosła skutek. Mark posłał mi swój najsympatyczniejszy uśmiech i odezwał się już całkiem spokojnym, ciepłym głosem:

– Byłem t a m. Masz rację, byłem dawno temu, może teraz wszystko jest tam inaczej. – Jeszcze raz się do mnie uśmiechnął. – No już się nie złość, chodźmy spać.

Był to jeden z tych nielicznych wypadków, kiedy od razu zasnęliśmy. A przynajmniej ja.

Obudziliśmy się rano, jak zwykle jednocześnie, o tej samej porze, i poszliśmy do kuchni na kawę. Mark wyglądał świeżo, lepiej niż zazwyczaj o tak wczesnej porze. Był młody, rześki, radosny, oczy mu błyszczały.

– Wczoraj miałaś rację – odezwał się bez cienia złości. – Zasiedziałem się w domu. Nigdzie ostatnio nie wychodzimy.

Kiedy masz ten referat? Pojutrze? – Kiwnęłam głową. – Zróbmy tak, dziś wieczorem i jutro będziesz się do niego przygotowywać, potem ja przyjdę na konferencję, żeby cię posłuchać, a po konferencji gdzieś wyskoczymy, musimy to uczcić, a przy okazji trochę pogapię się na ludzi.

Jeszcze piękniej się do mnie uśmiechnął, jakby chciał mi powiedzieć: „Pamiętasz, o jakie głupstwo nam wczoraj poszło? Śmieszne, prawda?".

– Zgoda – podporządkowałam się.

Zdziwiło mnie, że Mark dopiero teraz przypomniał sobie o konferencji. Ostatnio w ogóle o niej nie wspominał, nie interesował się ani moim referatem, ani moimi przygotowaniami do niego, dopiero dzisiaj pamięć mu się odświeżyła. Coś ciężkiego zaległo mi na dnie duszy, jakiś dziwny osad, trudny do rozpoznania, ale zaczął mnie powoli wsysać. Nie mogłam go zidentyfikować. Czułam narastający dyskomfort psychiczny. Coś mnie uwierało jak niewygodne obuwie.

W drodze na uniwersytet zdałam sobie sprawę z istoty nieprzyjemnych porannych wrażeń. Nie chcę, żeby Mark przychodził na wykład. Z różnych powodów tego nie chcę, ale przede wszystkim nie mam ochoty, żeby się spotkał z Zylberem albo z Jeffreyem. Nie wiem dlaczego, może obawiałam się przykrych dla nas wszystkich sytuacji?

Nie sądziłam, żeby Mark, Zylber i Jeffrey zaczęli się tam nagle kłócić. Bardziej bałam się ukrytego konfliktu wewnętrznego w każdym z tej trójki. Wystarczy mi, że ja go w tej chwili przeżywam. Nie wiem, co jeszcze może się wydarzyć. Może Zylber zacznie okazywać starczą zazdrość o mnie? Przecież nic nie wie o istnieniu Marka w moim życiu, a przynajmniej ja nigdy mu o tym nie mówiłam. Może Mark znów się wścieknie na Zylbera, kiedy zobaczy, jak profesor ciepło i serdecznie mnie traktuje, jak kogoś bliskiego? Może dojdzie do jakiejś niezręcznej sytuacji z udziałem Jeffreya? Jeffrey też nic o Marku nie wie.

Tylko z jednego powodu nie podzieliłam się z profesorem szczegółami mojego życia prywatnego. Domyślałam się, a właściwie czułam intuicyjnie, że obecność Marka, który tak nie pasował do mojego środowiska, był tak inny, może zburzyć moje przyjacielskie stosunki z Zylberem i Jeffreyem. Ktoś mógłby odnieść wrażenie, że wstydzę się Marka, wstydzę się naszego związku, dlatego jestem taka tajemnicza. Teraz wstydziłam się za siebie.

Wieczorem odczytałam Markowi referat. Pochwalił go. Powiedział, że jest dobrze skonstruowany i sprawnie napisany. Mój sposób mówienia również jest bez zarzutu, a obcy akcent jedynie dodaje uroku i na pewno zjedna mi sympatię słuchaczy. O akcencie wiedziałam wcześniej, sama to odkryłam.

Mark był przekonany, że wszystko wypadnie jak najlepiej, życzył mi sukcesu i prosił, żebym się nie denerwowała. Gdyby jednak nie udało mi się uspokoić nerwów, powinnam tremę potraktować normalnie, pamiętając, że zdarza się każdemu debiutantowi. Obiecałam, że się postaram, choć już teraz, dwa dni przed konferencją, serce podchodziło mi do gardła, kiedy próbowałam sobie wyobrazić, jak wchodzę na podium.

W miarę przybliżania się sądnego dnia, objawy zdenerwowania potęgowały się, przybierały różne formy, atakując kolejne części mojego ciała. W dzień konferencji nie mogłam nawet przełknąć kawy, czułam spazmatyczny skurcz w żołądku, który tamował mi oddech, gniótł klatkę piersiową i powodował kłucie w sercu. Rady Marka: „Nie denerwuj się, maleńka, wszystko będzie dobrze" nie tylko mnie nie uspokajały, ale nasilały nerwowy dygot i złość, której nie miałam siły, a w tym momencie także chęci, się pozbyć.

Na uniwersytet pojechałam sama, dużo wcześniej. Umówiłam się z Markiem, że przyjdzie dopiero na wykład. Nie miałam ochoty na spotkanie z Zylberem, domyślając się, że on także będzie się starał mnie uspokajać. Czas do rozpoczęcia konferencji spędziłam w barku kawowym. Na jedzenie nie mogłam patrzeć, spróbowałam napić się kawy.

Usiłowałam czytać książkę, ale kiedy po czterokrotnej lekturze jednej stronicy, nadal nic z niej nie rozumiałam, przestałam walczyć z własnym organizmem i poddałam się zdenerwowaniu. Przypomniało mi się, że zgodnie z teorią Matwieja człowiek może czerpać zadowolenie ze stanu, w jakim się znajduje. Nie poczułam się od tego lepiej. Bez przerwy patrzyłam na zegarek. Przestraszył mnie Jeffrey, który po cichutku przysiadł się do mojego stolika.

– Wiedziałem, że cię tu znajdę – powiedział. – Denerwujesz się?

– Troszeczkę – nie ośmieliłam się przyznać, w jakim jestem stanie.

– Nie mówiłem ci jeszcze, że mam niewielką farmę w New Hampshire, właściwie jest to sad, robię tam sok jabłkowy.

Postawił na stole puszkę. Wzięłam ją w dłonie. Była to firmowa puszka z kolorową nalepką, która przedstawiała kwitnącą jabłoń, a pod nią wóz. U dołu zobaczyłam napis: „Sadownictwo Jeffreya". Nic nie rozumiałam. Wszystko mi się pomieszało – Harvard, mój wykład, głośny bar, długoręki stażysta Jeffrey, który ma sad i robi sok z jabłek, puszka z firmową nalepką.

– Poczekaj, jeszcze raz – poprosiłam, nie mogąc przyjść do siebie. – Jaki sad? Jakie jabłka? Jaki sok? Co ty mi tu wciskasz. Znam ciebie. Jesteś Jeffrey, asystent profesora Zylbera, widziałam cię wczoraj, wcale nie jesteś sadownikiem.

– Nieprawda – upierał się Jeffrey – daję słowo, mam jabłonie i robię sok jabłkowy. Możesz spróbować.

– Sam uprawiasz ten sad? – wciąż miałam wątpliwości.

– Sam.

– I sok też sam robisz? Nie zatrudniasz robotników?

Było to dla mnie bardzo ważne, szczególnie w tej chwili.

– Wszystko robię sam, słowo daję. Spróbuj, jest bardzo smaczny. Otworzyć ci puszkę?

– Nie. Dalej nic nie rozumiem. Dlaczego to robisz? Co z tego masz?

– Ot, tak, po prostu. W dzieciństwie byłem w takim sadzie i widziałem, jak się robi sok. Najpierw zrywa się jabłka, wkłada do kosza, jabłka pachną, świeżością, życiem, kosz z jabłkami też jest pełen życia i...

– Cóż za idylla – wtrąciłam. – Piękny młodzieniec z płodami szczodrej Matki Natury. Obok młoda dziewczyna pasie stadko owieczek.

Jeffrey roześmiał się. Bardzo mu się ta scenka podobała.

– Niestety, młodej pastuszki wciąż brak.

– A co robisz z tym sokiem? – spytałam, jakbym się zastanawiała, czy Jeff go sprzedaje.

– Nic nie robię. Rozdaję ludziom, na przykład tobie.

Spojrzałam na niego i roześmiałam się. Wyobraziłam sobie jego długie łapska, wyciskające sok, było to zabawne.

– Jesteś miły – powiedziałam nagle. – A sok? Jest słodki, czy bardzo słodki?

– Słodki, ale nie bardzo, zwyczajnie słodki, po wykładzie spróbujesz.

„Po wykładzie". Coś się we mnie poruszyło. W jednej chwili uświadomiłam sobie, że zapomniałam o wykładzie, nerwach, tremie, żołądku, wszystko to gdzieś odpłynęło. Czułam się lekko i swobodnie, trochę błogo i słodko, jak po soku jabłkowym.

– Specjalnie mnie tak zabawiałeś, Jeff?

– A czy to coś złego?

Wszystko okazało się znacznie łatwiejsze, niż myślałam. Panowałam nad słowem i intonacją, prawidłowo rozkładałam oddechy, kilka razy pozwoliłam sobie nawet zażartować (oczywiście, i do tego się wcześniej przygotowałam). Słuchacze byli życzliwi, pytania dosyć proste. Jakiś staruszek z prezydium zadał mi parę podchwytliwych pytań, z którymi też sobie znakomicie poradziłam, odpowiadając w sposób niebanalny, ciekawie, więc staruszek dał mi spokój.

Zylber i Jeffrey – przyszedł nawet przesympatyczny Dalrimple – siedzieli w pierwszym rzędzie, jakby chcieli dać zebranym do zrozumienia, że jeśli ktokolwiek próbowałby wyrządzić mi krzywdę, będzie miał z nimi do czynienia. Zylber, z dobrze zagraną obojętnością, także mnie o coś zapytał, oczywiście odpowiedziałam rzeczowo i kompetentnie. Fakt, że sam profesor Zylber zwrócił się do mnie z pytaniem, które zadał mi swoim czarującym, głębokim głosem, nie był bez znaczenia. Niewtajemniczeni mogli się przekonać, że sam Mistrz jest żywo zainteresowany moim wystąpieniem, więc moje akcje od razu poszły w górę.

Mark siedział w końcu sali, zaszył się w kącie i nie miał pytań. Jednak w pewnej chwili wydało mi się, że zamierza podnieść rękę, zaniepokoiłam się, pomyślałam, że jego pytanie na pewno mnie zaskoczy, będzie kryło w sobie jakiś podstęp. Według Marka zaskakujące i niewygodne pytania były znakomitym treningiem dla nowicjuszki. Starałam się na Marka nie patrzeć, bałam się, że stracę wątek, ale od czasu do czasu mimo woli zerkałam w tamtą stronę, próbując dojrzeć wyraz jego twarzy, co, niestety, mi się nie udało.

Kiedy konferencja się skończyła i opuściłam salę, Mark już czekał w holu. Dawno nie widziałam go w tak pięknym garniturze. Wyglądał elegancko i uroczyście. Wrócił niepokój. Co będzie, kiedy pojawi się tu Zylber ze swoimi uczniami?

– Znakomicie sobie poradziłaś, świetnie wypadłaś. I Zylber dzielnie cię wspomógł. To naprawdę interesujący staruszek.

Nie zrozumiałam, co Mark chciał przez to powiedzieć, interesujący z wyglądu, czy tak w ogóle? Nagle kątem oka dostrzegłam, że profesor wychodzi z sali. Zdenerwowałam się.

– No dobrze – powiedział Mark – to na razie, mam spotkanie z kolegami. Jak widzisz, stosuję się do twoich zaleceń. To co, spotkamy się na kolacji? Kiedy będziesz wolna?

– O piątej.

W tym momencie podeszli do nas Zylber, Dalrimple i Jeffrey.

Nic mi nie pozostawało, jak tylko przedstawić Marka. Mark uścisnął im dłonie i powiedział, zwracając się do Zylbera, który patrzył na niego z nieukrywaną pogardą:

– Panie profesorze, znakomicie pan przygotował Marinę. Na pewno zajmie pierwsze miejsce. Referat był świetny, ciekawie podany. Moje gratulacje.

Skąd Mark wie, że Zylber mnie przygotowywał, przecież nic mu nie mówiłam, zresztą o nic mnie nie pytał. Ach, nieważne.

Zylber nic na to nie odpowiedział, wykonał tylko jakiś mało czytelny ruch głową.

– A więc o piątej. – Mark znów zwrócił się do mnie. – Będę na ciebie czekał przy wejściu. – Nachylił się i pocałował mnie w policzek. – Zdolna dziewczyna, świetne wystąpienie – powtórzył, pożegnał się z całą trójką i z uśmiechem ruszył energicznym krokiem ku wyjściu.

Poczułam, jak atmosfera wokół mnie gęstnieje. Wszyscy wytwarzali jakieś niedobre bioprądy – ja, Zylber, Jeffrey, tylko Dalrimple zachował spokój, widocznie żadna z toczących się tu podskórnie i zakulisowo spraw jego nie dotyczyła.

– To prawda, Marino – Zylber nareszcie przemówił, chyba tylko po to, żeby złagodzić tę przykrą atmosferę. – Jest pani naprawdę zdolną dziewczyną. Pani referat był bardzo dobry, wyróżniający.

Odpowiedziałam skromnie, że to dzięki pomocy całej trójki moich przyjaciół, za co wszystkim dziękuję, i spytałam, co by powiedzieli, gdybym zaraz pobiegła po tort. Ale Jeffrey oświadczył, że się spieszy, Dalrimple też miał jakieś pilne obowiązki.

I obaj panowie natychmiast się ulotnili, a Zylber odciągnął mnie pod okno.

– Czy pani dobrze zna tego mężczyznę, którego nam pani przedstawiła? – spytał.

Pytanie zmroziło mnie, było nietaktowne i bezpardonowe, mogłam na nie nie odpowiadać, nie pytam przecież Zylbera, jak i z kim spędza noce w swojej willi z boazerią. Nie mogłam się jednak sprzeniewierzyć Markowi, no i sobie samej. Dlaczego miałabym taić prawdę? Niech stary moralista myśli sobie, co mu się żywnie podoba, niech sobie przypomni własną burzliwą młodość.

– Tak – odpowiedziałam zdecydowanie. – Mieszkamy razem.

– Hmm, a więc to tak – powiedział Zylber. – Teraz wszystko jest jasne, domyślałem się.

Osłupiałam. Jak śmiał sobie na coś takiego pozwolić?! Jakim prawem ingeruje w moje życie prywatne! Cóż znaczą te komentarze?!

– Co pan ma na myśli, profesorze? – spytałam, nie ukrywając złości.

Zylber nie sprawiał wrażenia kogoś zmieszanego. Pewnie mu nawet nie przyszło do głowy, że pytanie było nietaktowne. Sądził, że ma prawo do zadawania mi wszelkich pytań i czynienia podobnych uwag.

– Teraz wiem, kto był motorem tych wszystkich nacisków, dlaczego cały czas miałem wrażenie... jakiejś dziwnej obcości – powiedział swoim wyniosłym profesorskim tonem. Jego oczy wbiły się we mnie z takim zainteresowaniem, jakby pierwszy raz w życiu widziały tak osobliwą istotę jak ja.

– Dlaczego pan mi to mówi?

Zbierałam siły do ataku, ale musiałam wygrać jeszcze trochę czasu. Zylber okazał się szybszy.

– Dlatego że bardzo nieufnie traktuję niespełnionych geniuszy. To niebezpieczni ludzie. – Głos profesora był chłodny i obcy. Dobitnie artykułował każdą sylabę, a nawet każdą głoskę.

Odwrócił się i ruszył przed siebie swoim zamaszystym krokiem, górując nad gwarnym tłumem studentów.

Opadłam z sił. Czułam się tak, jakby jakiś wielki potwór morski wyssał ze mnie krew i wszystkie życiodajne soki, porzucając na brzegu moje żałosne, nikomu niepotrzebne szczątki. Osunęłam się na parapet. Nie zawiódł mnie, podtrzymując bezwładny ciężar mojego ciała. Ale nawet tak solidne oparcie nie wystarczyło. Pochyliłam się, przyciskając twarz do zimnej szyby. Wpadłam w panikę: nie miałam władzy nad ciałem i wolą, nic już nie zależało ode mnie.

Przeżywałam już podobne stany, dawniej wyzwalały we mnie obsesyjne ataki lęku, teraz miałam więcej doświadczenia, życie jednak czegoś uczy. I dawniej ponosiłam klęski, małe i większe, które z czasem traciły na znaczeniu, ich wpływ na moje życie słabł, potem o nich zapominałam. Ale... potrzebny był na to czas. Chwila, w której klęska zwala się na człowieka, zawsze wydaje się ostatnią w życiu, po niej może być już tylko koniec.

Przybywało mi lat i wiedzy o życiu, ale jeszcze nie nauczyłam się traktować takich sytuacji ze stoickim spokojem, nic sobie z nich nie robić. Jeszcze tego dostatecznie nie opanowałam. Poznałam tylko reakcję własnego ciała na nagłe dramaty i nauczyłam się z nią żyć. Jeżeli byłam całkowicie wobec niej bezsilna, starałam się chociaż jej nie blokować, pozwolić jej przepłynąć naturalnie, samoczynnie się rozładować, potraktować ją jak mrożący krew w żyłach kryminał, którego zakończenie znałam, ponieważ zdążyłam je wcześniej przeczytać.

Wiedziałam, że mój organizm najpierw zareaguje ostrym atakiem paniki, czarnej rozpaczy i zupełnej bezsilności, kiedy nie tylko ciało i wola, ale i mózg poczują się w sytuacji bez wyjścia, zakleszczone. W takim stanie byłam teraz. Na szczęście to dosyć prędko mija, potem przychodzi reakcja paradoksalna – wielki optymizm, przypływ energii, zdolnej do dokonania rewolucyjnych zmian. W takich chwilach słyszałam głosy, może Joannie d'Arc też podszeptywały one podobne rozwiązania, tylko z większym skutkiem. W moim mózgu, ukształtowanym w duchu materializmu historycznego, głosy przerzucały się oklepanymi hasłami: „Wstawaj, potępieńcze! Do boju! Bój to będzie ostatni! Rusz z posad bryłę świata, dziś niczym, jutro wszystkim ty". Wyobrażenie podniebnych orlich lotów podrywa w jednej chwili ciało, umysł, psychikę gwałtownym wichrem, człowiek ma ochotę biec, walczyć, kłócić się, wyjaśniać wszystko, co się zawikłało.

Dlatego taki wzmożony przypływ energii najlepiej jest przeczekać, siłą woli ostudzić emocje, wyciszyć się, usiąść i spokojnie pomyśleć. Takie rozwiązania podpowiada wielokrotnie sprawdzony w życiu rozsądek. Prawie leżąc na parapecie i roztapiając gorącym czołem okienną szybę, powtarzałam w myślach: „Powinnam pójść i napić się kawy. Powinnam pójść i ...".

Maszerując do barku, świadoma, że pierwsza faza szoku – bezsilność – przechodzi w bardzo niebezpieczną fazę walki, mówiłam sama do siebie i, niestety, chyba także na głos:

– Niezłe figle wyprawiają ci harwardzcy profesorowie! Zupełnie jak dzieci.

Udało mi się zapanować nad sobą, nie ruszyłam do boju. Wolę walki zatopiłam w filiżance mocnej, gorącej kawy. Porcja kofeiny odświeżyła mój przytępiony umysł, przywracając mu zdolność racjonalnego myślenia i wszystko wróciło na swoje miejsca.

Ostatnie wydarzenia ujrzałam teraz w innym świetle. Chyba dobrze się stało, oczywiście, Mark jak zwykle miał rację, za spokojnie mi było w tych miłych służbowo-prywatnych stosuneczkach, straciłam wątek przewodni, zapomniałam, jakie cele mną kierowały, kiedy decydowałam się na te studia. Nie po to tu jestem, żeby flirtować z długorękim stażystą, nie po to, by gawędzić ze starym bufonem. Mam swój wielki cel. Dopiero teraz w pełni mi się objawił. Potrzebne mi były słowa Marka: „Wysadzić naukę w powietrze", które jeszcze tak niedawno uważałam za pozbawione sensu, ale wtedy ich nie zrozumiałam.

W kawiarni przeczekałam emocjonalną burzę i w przyspieszonym tempie uporałam się z jej obydwiema fazami krytycznymi, już po godzinie wyszłam na ulicę z przekonaniem, że znów odnalazłam siebie i jak syn marnotrawny (w tym wypadku córa marnotrawna) wracam na łono stęsknionej rodziny, gdzie czekają mnie nieprzeorane ugory nauki i ukochany Mark, którego tak źle ostatnio traktowałam. Znów miałam cel i byłam zdecydowana się z nim zmierzyć.

Do rozwiązania pozostawały dwie sprawy: czy powinnam osobiście powiadomić Zylbera, że odchodzę z jego katedry, czy też wysłać mu tę wiadomość pocztą. Druga sprawa była innego rodzaju, bardziej zagadkowa – skąd Zylber znał Marka?

Decyzja w pierwszej sprawie nie sprawiła mi kłopotu. Bardziej elegancko byłoby rano osobiście pójść do Zylbera, ale nie miałam ochoty jeszcze raz przeżywać tak przykrych sytuacji, narażać siebie i profesora na dodatkowe napięcia, dlatego postanowiłam skorzystać z pośrednictwa poczty. W końcu to nie ja go obraziłam, więc dlaczego miałabym czuć się wobec niego winna?

Druga kwestia była nieporównywalnie trudniejsza. Nie ulegało wątpliwości, że Zylber znał Marka, chociaż nie miałam pojęcia, kiedy ich drogi mogły się przeciąć. O ile mi wiadomo, Mark nigdy nie obracał się w kręgu psychologów, a Zylber inną dziedziną nauki się nie zajmował. Ponadto Zylber nie lubił *kogoś* znać, uważał, że wszyscy *powinni znać jego*.

Nie opuszczała mnie myśl, że Mark jest postacią dobrze znaną w środowisku naukowym Harvardu – jako naukowiec albo jako skandalista.

Przypomniałam sobie, że Zylber nazwał Marka niespełnionym geniuszem. Takie określenie miało bardzo pejoratywne zabarwienie, to nie ulegało wątpliwości, ale w ustach Mistrza słowo „geniusz", nawet z epitetem „niespełniony" miało swoją wymowę. Posłałam moim myślom zjadliwy uśmieszek: prawo do wydawania opinii o statusie geniusza miałby tylko ktoś, kto został włączony do grona niewątpliwych geniuszy, a Mistrz sam się do tego panteonu wpisał. Bóg z nim.

Aura tajemniczości otaczająca Marka, mężczyznę, z którym od lat byłam związana, nie dawała mi spokoju. Jako osoba bliska, czułam się w tej sytuacji szczególnie niezręcznie. Nie chciałam o nic wypytywać ludzi nieprzyjaznych Markowi, takich jak na przykład Zylber, byłoby to nieuczciwe i nielojalne, a zresztą wstydziłabym się zwracać w tej sprawie do wszelkiej maści wrogów Marka czy pospolitych zawistników. Na Marka liczyć nie mogłam. Nieraz już wymigiwał się od odpowiedzi na moje pytania, obracał je w żart albo udawał, że ich nie rozumie, na stawianie go pod ścianą nie miałam ochoty.

Oczywiście, od razu pomyślałam o Ronie. Przyjaźnią się, lubią, szanują, kto mógłby mi bardziej obiektywnie niż Ron wyjaśnić tajemnicze losy naukowe Marka. Zabawne, pomyślałam, inna kobieta w mojej sytuacji starałaby się raczej zasięgnąć języka o byłych przyjaciółkach Marka, taka ciekawość jest ze wszech miar zrozumiała, nikogo nie dziwi. Ja zaś pragnę się tylko dowiedzieć o jego intymne związki z nauką i tkwiące tam sekrety.

Nienormalne pragnienie, doprawdy śmiechu warte, usprawiedliwia je tylko to, że Mark jest niepospolitą osobowością, wielce skomplikowaną, a zatem jego tajemnice też na pewno nie są zwyczajne.

Miałam pół godziny do spotkania z Markiem. Zdecydowałam się zajrzeć po drodze do Rona, niestety, nie znalazłam go na wydziale, okazało się, że wyjechał na dwa miesiące do Europy z jakimiś wykładami, uprzedzono mnie też, że jego europejski kontrakt może się o kilka tygodni przedłużyć.

Trudno. Tyle czasu przeżyłam w głębokiej nieświadomości, mogę więc jeszcze trochę poczekać. Podjęłam decyzję: jak tylko Ron wróci, natychmiast go o wszystko wypytam. Poczułam się lepiej. Kiedy jakąś sprawę, w której wcale nie chcielibyśmy uczestniczyć, można z przyczyn obiektywnych odsunąć w czasie, od razu robi się lżej na duszy.

Usiedliśmy przy maleńkim stoliku w kącie sali. Mój nastrój dostatecznie się już ustabilizował. Z czułością wpatrywałam się w radosną twarz Marka. Natychmiast zauważył, że patrzę na niego inaczej niż poprzedniego wieczoru, wziął mnie za rękę. Postanowiłam nie opowiadać mu o incydencie z Zylberem. Przecież sam chciał, żebym stamtąd odeszła, czy to ważne, w jakich okolicznościach się to stało?

– Od kiedy zaczynamy? – spytałam, nie mając wątpliwości, że Mark wie, o czym myślę.

– Kiedy chcesz. Ja jestem gotowy, czekam tylko na sygnał od ciebie – odpowiedział. Czułam w jego głosie niecierpliwość. Pomyślałam, że Mark także ma dosyć zastoju i dreptania w miejscu, że żyje przedsmakiem nowej przygody.

– Chociażby jutro – zaproponowałam.

– Nie. – Głaskał moją dłoń, śledząc w skupieniu ruch swojej ręki czy też wpatrując się w nasze splecione palce, nie wiedziałam. – Jutro nie damy rady. Jeszcze nie sprecyzowaliśmy kierunku działań.

– Sprecyzowaliśmy! – Chyba go zaskoczyłam. – Już dawno sprecyzowaliśmy. Pamiętasz Marianne?

Nie podniósł głowy znad stołu, a tylko wzrok, dlatego jego czoło silnie się zmarszczyło. Zobaczyłam, że źrenice Marka rozświetliły się błękitem.

– Patrzysz na mnie wzrokiem, który nazywa się: „patrzeć spode łba”. Takie spojrzenie ma swoją obszerną literaturę – powiedziałam. – W taki sposób patrzą na człowieka złoczyńcy, piraci i rozbójnicy – perfidnie i przenikliwie.

– Perfidnie i przenikliwie? – spytał, nie zmieniając wyrazu twarzy, tylko lekko się uśmiechając.

– No pewnie.

– Nie wiedziałem, że jesteś tak zdecydowana – powiedział, jakby się chciał wytłumaczyć z tego spojrzenia.

Wyciągając szyję, oparłam podbródek na jego dłoni, która wciąż pieściła moją. Oczy Marka miałam teraz nad sobą, więc z kolei ja musiałam zmarszczyć czoło i popatrzeć na niego „spode łba”, ale nie podstępnie, wprost przeciwnie, szczerze, otwarcie i z ufnością.

– Jestem zdecydowana, Mark.

Mój głos był dodatkiem uzupełniającym do wyrazu oczu, które z miłością utkwiłam w twarzy Marka.

32.

Lato było coraz bliżej, na uniwersytecie dobiegała końca sesja egzaminacyjna, zaliczyłam ją, jak zwykle, z wynikiem bardzo dobrym. Nie mieliśmy pilnych planów i obowiązków, więc postanowiliśmy wyjechać na pięć–sześć tygodni do Włoch, do Toskanii. Nie zdecydowaliśmy się na pobyt nad morzem, w którymś z gwarnych kurortów. Wszystko tam jest takie monotonne, jednakowe – hotele, opalone dziewczyny z nagimi piersiami, młodzi mężczyźni w skąpych, wybrzuszających się slipach.

Ta refleksja przyszła mi właściwie do głowy znacznie później, kiedy miałam już za sobą wiele letnich wyjazdów – wszystko i wszędzie było podobne: wyspy, półwyspy, morskie brzegi, plaże, fale, miejsca różniły się tylko nazwami. Ale wtedy nie byłam jeszcze rozpieszczona urokami życia, marzyłam więc o bajecznej Nicei, jeśli miałaby to być koniecznie Europa. Mark jednak uciął sprawę krótko i zdecydowanie: „Nie".

Nie dyskutowałam z nim. Może jego pomysł jest lepszy? Nie było sensu się spierać. Na dodatek jeszcze obiecał mi, że na pewno tej decyzji nie pożałuję, bo wrażeń i wspomnień wywiozę stamtąd nieporównywalnie więcej niż z okrzyczanych kurortów. Pieniądze miałam, udało mi się odłożyć całkiem niezłą, uczciwie zarobioną sumkę. Wszystko przesądził Mark, zapewniając, że możemy sobie pozwolić na spędzenie półtora miesiąca w Europie. Nie miałam powodów, żeby mu nie wierzyć.

Plan urlopu przedstawiał się następująco: chłoniemy niepowtarzalne uroki włoskiej wsi, rano zajadamy się winogronami, wieczorem ser w miejscowej tawernie, obowiązkowo chianti, trochę sportu – jazda na rowerze po zakurzonych wiejskich drogach, ale przede wszystkim – sprawy naukowe. Mieliśmy się przygotowywać do naszego wielkiego zadania – wysadzenia nauki z posad. Mark zdążył nawet zebrać obszerną literaturę – stos książek, periodyków, czasopism, monografii, leksykonów i innych pomocy naukowych.

Wierzyliśmy, że zajęcia na świeżym powietrzu, w cichym, spokojnym, odludnym miejscu korzystnie wpłyną na nasze możliwości percepcyjne, dzięki czemu zdołamy napchać do głów sporo niezbędnej wiedzy i innych wiadomości, które po powrocie do domu posłużą nam jako punkt wyjścia do szturmu na skostniałe pozycje nauki. Gdyby dodatkowo udało nam się jeszcze wypocząć, na pewno byłoby to z pożytkiem dla czekających nas jesienno-zimowych trudnych zadań. Snując takie plany, wyruszyliśmy na lotnisko z dwiema walizami: większą – z książkami, i mniejszą – z ubraniami i niezbędnymi drobiazgami.

Wszystko było tak, jak zaplanowaliśmy: dom na wsi, ganek obrośnięty winną latoroślą, ser i chianti w miejscowej tawernie, sympatyczne rozmowy z podpitymi wieśniakami, co pozwalało nam wydoskonalić się w sztuce gestykulacji. Mark znał trochę hiszpański, ja dwa inne języki, z włoskiego zapamiętałam jedynie imiona naszych nowych przyjaciół.

Wioska, w której zamieszkaliśmy – właściwie maleńkie miasteczko – oczarowała mnie. Było w niej coś jasnego, dobrego, czystego, i to pod każdym względem: w jej mieszkańcach, w spokojnych, opustoszałych uliczkach, na wyludnionych placykach, życie płynęło tam w zwolnionym tempie, bez nerwowej krzątaniny i zamieszania.

Odkąd pamiętam, wieś zawsze była dla mnie, typowego mieszczucha, miejscem szczególnym, budzącym zazdrość. Idealizowałam wiejskie życie, które w moim pojęciu toczyło się zgodnie z mądrymi rytmami natury, jakże odmiennymi od miejskiego rwetesu i wiecznego zagonienia, nadającymi głęboki sens ludzkiej egzystencji.

Świadomość, że właśnie stamtąd pochodzi to wszystko, czym się żywię, co piję, czyli produkt fizycznie namacalny, realny w pojęciu osoby wywodzącej się ze świata intelektualnych abstrakcji, tworów, których istnienia nie można udowodnić zmysłem dotyku, zjeść, włożyć do kieszeni, budziła we mnie szacunek dla życia, które bardziej zależało od pracy i talentu rąk ludzkich niż od wyrafinowanych operacji mózgowych, jak gdyby praca fizyczna była antytezą pracy umysłowej i wymagała większego wysiłku i umiejętności.

We wczesnej młodości, nie mając skali porównawczej, tak postrzegałam wieś rosyjską, doszukując się w jej przekrzywionych chałupach, rozrzuconych po bezkresach rosyjskich równin, istoty odwiecznych prawd. Później, kiedy jako dojrzała kobieta zobaczyłam wsie spod innych szerokości geograficznych, odmienne krajobrazowo, zrozumiałam, że każda wieś tchnie taką samą prostą, dostępną prawdą, niezależnie od kraju i kontynentu.

Podobnie rzecz się ma z przyrodą – tak różną w różnych zakątkach Ziemi. Wszędzie tchnie ona wielkim sensem istnienia, zniewala pięknem, niezależnym od ukształtowania krajobrazu – gór, pagórków, rzek, jezior czy szaty roślinnej. To prawda, można czuć się bliżej związanym z jakimś konkretnym obrazem czy fragmentem przyrody, zostawić tam swoje serce, podobnie jak mężczyzna oddaje serce kobiecie, ale byłoby idiotyczne, gdyby z tego powodu podważał talent innych kobiet do rodzenia dzieci.

Doświadczenie życiowe także tym razem mnie nie zawiodło. Nie robiliśmy tylko jednej rzeczy – nie urządzaliśmy zawodów w bieganiu po sennych, wiejskich drogach. Próbowaliśmy, ale po trzech dniach musieliśmy zrezygnować z tych szaleństw, by nie odstraszać miejscowej dzieciarni naszymi ciężkimi, głośnymi oddechami.

Ćwiczeń fizycznych jednak do końca nie zaniechaliśmy. Wolność od codziennych trosk i obowiązków sprzyjała ich uprawianiu, więc uprawialiśmy miłość. Zajęciu temu, które w naszym normalnym życiu nigdy nie straciło na intensywności, wyzwoleni z ograniczeń czasowych i powszedniego zmęczenia, oddawaliśmy się tutaj jeszcze bardziej niestrudzenie, wymyślając nowe układy, pozycje i figury.

Uświadomiłam Markowi, że jesteśmy żywym zaprzeczeniem granic czasowych utrzymywania się wzajemnego pociągu fizycznego, które mądrość ludowa i statystyka ustaliły dla par regularnie ze sobą współżyjących.

Przyjemnie zaskoczona, odkryłam, że mój pociąg fizyczny do Marka w miarę upływu wspólnie przeżytych lat nie tylko nie zmalał, ale wciąż się nasilał, aż stał się moją podstawową potrzebą. Byłam w najwyższym stopniu uzależniona od regularności pieszczot Marka, bliskości jego ciała, odczuwania go w sobie. Kiedy jakiejś nocy nie kochaliśmy się, czułam się następnego dnia fatalnie, bezustannie musiałam walczyć z palącym pożądaniem, myślałam tylko o tym, żeby jak najszybciej znaleźć się w domu, gdzie stracona noc owocowała niezwykłą nagrodą w postaci ostrzej przeżywanej satysfakcji.

Oczywiście, bywały okresy, kiedy reagowałam na Marka mniej namiętnie i pożądliwie, kiedy wyczerpana nadmiarem pracy, kłopotami, stresem, nie mogłam się wyłączyć i skoncentrować. Wpadałam wtedy w panikę. Podejrzewałam, że coś niedobrego dzieje się z moją seksualnością albo że przestałam go kochać. Mark natychmiast wyczuwał moje lęki. W chwilach zbliżenia zawsze reagował na mnie jak najczulszy sejsmograf – odbierał najsubtelniejsze wahnięcia moich nastrojów i doznań fizycznych.

Kiedyś, widząc w moich oczach przerażenie, spytał:

– Boisz się?

– Czego mam się bać? – odpowiedziałam pytaniem, nie wierząc, by tak szybko zorientował się w przyczynie moich lęków.

– Boisz się, że już nam przeszło?

Uśmiechały się jego usta, oczy – były tak blisko, że obawy oddalały się.

– Tak – przyznałam się z ulgą. – A nie muszę?

– Nie musisz – zapewnił mnie. – Nieustanny pociąg fizyczny jest takim samym zaburzeniem, jak jego całkowity brak. To normalne, że czasami nie ma się ochoty na kochanie. To pomaga zrozumieć i poczuć słodycz miłosnych żądzy i rozkoszy, więc już się tak nie zamartwiaj.

Te słowa zawsze działały na mnie kojąco, zasypiałam spokojna, by w środku nocy (rzadziej) albo rankiem (zawsze) po raz kolejny doświadczać ich prawdy. Znów czułam zniewalające pożądanie, chciałam się kochać, a cały mój świat koncentrował się na Marku.

Nie mogliśmy cały dzień czytać. Było to fizycznie niemożliwe, od czasu do czasu musieliśmy zrobić przerwę. W zapomnianej przez Pana Boga wiosce, mówiącej dziwnym, niezrozumiałym dla nas dialektem, nie było innych rozrywek. Szliśmy więc do łóżka. Nigdzie nam się nie spieszyło, zegarki nie były tu potrzebne, czasu mieliśmy pod dostatkiem. Rozmawialiśmy o wszystkim i o niczym, relaksowaliśmy się, pieszcząc i całując różne miejsca na ciele partnera, tuliliśmy się do siebie.

Od dotyków, tarć, pieszczot, pocałunków traciłam przytomność, widziałam, jak oczy Marka zaciągają się niebieskawą mgiełką, jak często zmienia się ich wyraz – stają się dzikie, wariackie, szalone, uwielbiałam je, mówiłam mu o tym, pytałam, jak zachowują się moje oczy, czy równie dobrze się spisują, Mark uśmiechał się, zapewniając mnie najcudowniejszą z pieszczot, że reagują tak samo.

Czas się zatrzymywał, rozpływał, nie istniał, nie domagał się od nas ustalania terminów, nie ponaglał, wiedzieliśmy, że możemy trwać w objęciach w nieskończoność, szeptać tkliwe słowa, pieścić i całować swoje czułe miejsca, sycić się sobą do upojenia, do utraty zmysłów, być w sobie, zatracać się w podniecającym zespoleniu.

Nie byliśmy zwariowani na punkcie seksu. Po prostu bez głębi fizycznego kontaktu nie moglibyśmy się poczuć jednością, nasza miłość byłaby kaleka, niepełna, mniej wzniosła, nie tak uduchowiona. A jednak zaczęło mi w niej brakować czegoś niezmiernie ważnego, byśmy do końca stopili się w jedno, każdą cząsteczką ciała, każdą komórką. Brakowało mi zaistnienia nowej, odrębnej, autonomicznej istoty, która zrodziłaby się z miłosnego zespolenia naszych ciał, która by czuła, uśmiechała się, cieszyła nie tak, jak czuliśmy my – dwoma oddzielnymi czuciami, ale całkowicie inaczej, w nowy sposób, tak jak czuje nowe życie. Wiedziona nagłym wewnętrznym impulsem, oddając się bez reszty niewyrażalnemu słowami pragnieniu Marka, które przeniknęło całe moje jestestwo, kładłam się na plecach i szeroko rozwierałam uda, podciągając wysoko nogi ugięte w kolanach. W takiej chwili inne pozycje wydawały mi się nienaturalne, nawet najbardziej wyrafinowane i rozkoszne nie dawały mi tak mocno poczuć ust Marka, jego rąk i tego idealnego splecenia ciał.

Mark wchodził we mnie i nieruchomiał, jego penis prawie się we mnie nie poruszał, a jedynie leciuteńko, ledwie wyczuwalnie kołysał się i drgał, pieszcząc słodko moją waginę, ocierając się o moje wargi sromowe, potem przyspieszał, dźgał mnie do bólu i znów nieruchomiał, czujnie badając najsubtelniejsze reakcje moich kobiecych narządów miłości. Moje ciało otulone jego ciałem stawało się jeszcze bardziej wrażliwe, rejestrowało najdrobniejszą zmianę w Marku. Zastygaliśmy tak, a ja wszystkimi zmysłami chłonęłam to uczucie, którego wcześniej, przedtem, tak mi brakowało.

Obejmowaliśmy się, całowali, przekomarzali, unikając rozmów o seksie, paplaliśmy o sprawach drobnych, banalnych, nieważnych, udając, że nic się nie dzieje, że tak lepiej się nam rozmawia. I tylko nasze błyszczące, nieprzytomne, rozpalone spojrzenia zdradzały, że jednak dzieje się między nami coś niezwykłego.

– Mark, masz w oczach szaleństwo – śmiałam się.

– Lepiej spójrz na swoje – odpowiadał, również ze śmiechem.

Posłusznie wykonywałam polecenie, wyciągałam rękę ku nocnej szafce, nieco wysuwając się spod ciała Marka, ale tylko na ułamek sekundy, żeby dosięgnąć lusterka, a potem, razem, oglądaliśmy najpierw moje oczy, potem jego.

Oprócz oczu zdradzała mnie jeszcze głowa, która odrywała się od ziemi i próbowała wzlecieć do nieba. Starałam się nie zamykać oczu, by mnie z sobą nie porwała.

– Mark, kręci mi się w głowie – skarżyłam się.

– Poczekaj – prosił przerażony Mark. – Jeszcze za wcześnie, jeszcze nie zdążyliśmy się nagadać, mamy dużo czasu, poczekaj, proszę.

Zmieniał temat, by pomóc mi opanować coraz bardziej narastające podniecenie.

Nadal leżeliśmy w bezruchu, rozmawialiśmy, czasami zajmowaliśmy się czymś zupełnie niemającym związku z seksem.

Niekiedy, bardziej dla żartu, ja albo Mark odczytywaliśmy jakiś fragment kolejnej książki, żeby później, kiedy już będzie po wszystkim, przypominać sobie jego treść, tylko że nie mieliśmy żadnej pewności, czy nasze miłosne zanurzenie w sobie nawzajem kiedykolwiek się skończy. Wygłupialiśmy się, cały czas zostawiając seks jakby na boku, nie pozwalając mu, by nas zdominował, pochłonął, ale – nie mówiąc o tym – czuliśmy, że jest cały czas obecny, dławi nas i prześladuje.

Tak mijały minuty, dziesiątki minut. Kilka razy zapamiętaliśmy godzinę na zegarze, a później dziwiliśmy się, że upłynęło tyle czasu. Śmiejąc się, Mark stwierdził, że odkryliśmy nowy sposób na życie, alternatywny, może mniej wydajny, ale za to bardzo przyjemny i możliwy do zaakceptowania.

Zaproponowałam, byśmy stopniowo rozciągali ten czas, trwając tak kilka godzin, i nawet próbowaliśmy to robić, niestety, bez powodzenia. Natura okazywała się silniejsza od naszej woli i w końcu któreś z nas, ja albo Mark, zaczynało dyskretnie podwyższać amplitudę miłosnych drgnień, coraz mocniej i szybciej pracując biodrami. Robiliśmy to jak można było najwolniej, licząc minuty, z premedytacją spowalniając ruchy, ciesząc się z drobnych zwycięstw nad sobą i czasem, by wreszcie uświadomić sobie, że już dłużej nie mamy siły myśleć, śmiać się, rozmawiać, bo wszystkimi naszymi siłami, a właściwie ich resztką zawładnęły rozszalałe miłosne żywioły ze swoimi naturalnymi, narastającymi rytmami, tempem, burzą doznań, już nas porwały do podniebnego lotu, unoszą, wysoko, najwyżej, razem, w jednej chwili.

Później śmialiśmy się do łez, próbując sobie przypomnieć treść naszych rozmów i przeczytanych fragmentów książek. I wściekaliśmy się, że pomimo tylu wysiłków ponieśliśmy klęskę, bo nie zdołaliśmy zatrzymać i rozciągnąć w nieskończoność tego podniecającego stanu, ale natychmiast uspokajaliśmy jedno drugie, że przecież w każdej chwili można podjąć kolejną próbę, chociaż wiedzieliśmy, że ona również będzie ograniczona w czasie, może trochę dłuższym niż tym razem, ale mimo wszystko kiedyś się skończy.

Znaczną część dnia poświęcaliśmy jednak zajęciom naukowym. Rozsiadaliśmy się w przydomowym ogrodzie, w wygodnych ogrodowych fotelach i z braku stołu rozkładaliśmy wprost na trawie zeszyty i książki, starając się rozpracować wybrany temat jednocześnie – ja i Mark równolegle – wyławiając ze źródeł, które tu z sobą przywieźliśmy, wszystkie aspekty danego zagadnienia.

Nie rozmawialiśmy, koncentrując się na czytaniu, każde z nas budowało własne koncepcje, wyprowadzało wnioski.

Tylko czasami, kiedy któreś z nas natrafiało na szczególnie interesujący fragment, zdanie czy myśl, przerywaliśmy milczenie, by podzielić się spostrzeżeniami i przemyśleniami. Pracowaliśmy około dziesięciu godzin dziennie, co było dosyć wyczerpujące, gdyż wymagało od nas dużej koncentracji i napiętej uwagi, ale nie odczuwaliśmy zmęczenia czy nawet znużenia. Może był to wpływ beztroskiego włoskiego lata, a może nasz wielki spokój, niezakłócony pośpiechem i żelaznymi terminami. Po prostu bardzo przyjemnie spędzaliśmy wakacje, poświęcając czas na ulubione zajęcia.

Pewnego dnia ze zdziwieniem skonstatowaliśmy, że siedem tygodni to naprawdę krótki okres, nawet nie zauważyliśmy, kiedy dobiegł końca. Zastanawialiśmy się, czy by nie przedłużyć tak miłego urlopu, ale nie mieliśmy już nic do czytania. Solidny zestaw lektur, który Mark przygotował, został tak precyzyjnie zaplanowany, że zgodnie doszliśmy do wniosku, iż szkoda byłoby tracić czas na zupełną bezczynność.

W samolocie poczułam smutek – skończyło się dla nas lato, skończyło cudowne wiejskie życie, pełnia wolności i szczęścia, nie wiadomo, czy jeszcze kiedyś powróci. Mark był poważny, skupiony, nawet było mu z tym do twarzy. Chwilę przed lądowaniem spojrzał na mnie i powiedział:

– No to urlop mamy za sobą, maleńka, teraz nasze życie się zmieni. Będzie zupełnie inne. Takiego jeszcze nie znałaś. – Zabrzmiało to groźnie.

– Nie strasz mnie – odpowiedziałam z przyjaznym uśmiechem.

Mark nie porzucił niemiłego tonu.

– Wszystko będzie teraz inaczej. Twoje dotychczasowe życie – studia, seminaria, nauka, Zylber i cała reszta – do tej pory była to tylko niewinna zabawa.

– Dobra mi zabawa! – Przestałam się uśmiechać. – A mój artykuł? A pierwsze miejsce na konferencji? Czy to też niewinna zabawa?

– Tak – potwierdził Mark – tylko zabawa, pora przygotowań, treningów to naprawdę dziecinada w porównaniu z tym, co sobie wytyczyliśmy i czego dokonamy. – Leciutko się uśmiechnął, ale ten uśmiech nie złagodził nieprzyjemnego wyrazu jego twarzy. – Dlatego, maleńka, przygotuj się na kolosalne zmiany. Wszystko na jakiś czas ulegnie zmianie. Ja i ty również się zmienimy.

Poczułam się dziwnie. Wierzyłam Markowi. To, co mówił, zawsze się sprawdzało. Nie rozumiałam, co ma na myśli, powtarzając: „Wszystko się teraz zmieni". Po naszym cudownym urlopie niczego nie chciałam zmieniać. Ani siebie. Ani jego. Ani nas.

– Jak powinnam się przygotować? – próbowałam wprowadzić do rozmowy luźniejszą atmosferę.

Marek rozłożył ręce i nieco szerzej się uśmiechnął.

– Nie wiem – poddał się, objął mnie ramieniem i przytulił. – Jesteś cudowna – szepnął.

Cieszyłam się, że jeszcze zachował w pamięci nasze włoskie lato.

33.

A jednak Mark wiedział, co mówi. Wszystko się zmieniło, i to w nieprawdopodobnym tempie, natychmiast po naszym powrocie. Mark nigdy się nie mylił i nie rzucał słów na wiatr. Zawsze musiało być tak, jak o n postanowił.

Najpierw likwidacji uległy nasze wieczorne dyskusje. Mark oświadczył, że dzień jest zbyt krótkim odcinkiem czasu i absolutnie niewystarczającym, by rozpracować i opanować poważną partię materiału, że ma już do czynienia z osobą wykształconą, która potrafi pracować samodzielnie, więc nie ma potrzeby codziennego kontrolowania moich postępów.

Wiedziałam, że głównym celem wieczornych rozmów jest sprawdzanie i korygowanie mojej wiedzy, ale ostatnimi czasy wydawało mi się, że przynajmniej część naszych dyskusji osiągnęła poziom partnerstwa – stała się równoprawną wymianą poglądów. Oświadczenie Marka zmroziło mnie i ubodło. Nie ukrywam, że przyzwyczaiłam się do tych wieczorów. Było mi ich po prostu żal. Bardzo zacieśniały i cementowały nasze wspólne życie.

Teraz Mark wyznaczył spotkania raz w tygodniu. Miały się odbywać w dzień i trwać pięć, sześć godzin. Wyjaśnił, że ich głównym celem będzie porównanie i omówienie naszych wyników z ostatniego tygodnia, ponieważ od tej pory mamy zaplanowany materiał zgłębiać równolegle, każde z nas oddzielnie i niezależnie od siebie. Nie dosyć na tym. Gdyby się tak zdarzyło, że moje zajęcia na uczelni nałożą się na terminy pracy z Markiem, te pierwsze bezwzględnie muszą zostać odwołane.

– Od dziś nie interesują mnie ani twoje studia – oświadczył Mark – ani inne twoje zajęcia na Harvardzie czy gdziekolwiek. To wyłącznie twoja sprawa. Mnie interesuje tylko to, żeby nie zakłócały naszej pracy. Ona jest od dziś najważniejsza. Jeżeli twoje zajęcia będą w niej przeszkodą, to je zlikwidujemy.

Były to nieprawdopodobne słowa, Mark jeszcze nigdy tak do mnie nie przemawiał. Zawsze interesował się moimi postępami na studiach, często nawet bardziej niż ja. Zorientowałam się, że cel, który nam wyznaczył, przekracza moją wyobraźnię. Jest znacznie poważniejszy, niż myślałam. Nigdy nie nastawiałam się na łatwiznę, ale też nie oczekiwałam aż takiej bezwzględności.

Nasze pierwsze omówienie tematu nie było partnerską wymianą poglądów i myśli, lecz sprowadzało się do całkowitego niszczenia i upokarzania mnie, i to na całej linii.

Mark naparł na mnie z furią. Zakwestionował moją całotygodniową pracę, grzmiąc raz jeszcze o nowym spojrzeniu na naukę i przypominając mi, że czas dziecinnych zabaw bezpowrotnie minął, a to, co zadowalało go wcześniej, teraz nie ma racji bytu. Potem kilkakrotnie pouczył mnie, że rok to bardzo niewiele na realizację naszego doniosłego zadania. Powiedział też, że mojej niezadowalającej pracy nie może traktować inaczej jak tylko brak szacunku dla niego i jego starań. Jesteśmy zespołem badawczym, teamem, więc jeżeli ja czegoś nie dopracuję, automatycznie pociągnę i jego, i całą pracę w dół. Wyrzucał z siebie wiele innych słów, które, według niego, powinny były mnie głęboko zawstydzić, ale ja już się wyłączyłam, choć przemówienie trwało chyba jeszcze z godzinę.

Domyślałam się, że Mark pewnie ma rację. Praca, którą wykonałam, nie mogła dokonać wyłomu, ba, było jej stanowczo za mało do wydrążenia chociażby małej dziurki w monolicie nauki. Pomyślałam, że brak mi tempa. Dlaczego Mark nie chce dać mi czasu na to, żebym się mogła porządnie rozkręcić? Przecież mamy przed sobą cały rok.

Bardziej niż te bolesne słowa wstrząsnął mną sam Mark. Nigdy jeszcze nie widziałam go tak wzburzonego i roztrzęsionego. Nie dosyć, że zupełnie przestał się kontrolować, to jeszcze celowo się nakręcał. Moje próby rozładowania sytuacji tylko go wkurzały, wrzeszczał, że nie traktuję poważnie naszego zadania.

Nie wytrzymałam i zapytałam go z całą powagą:

– Dlaczego się tak wściekasz?

Mark na sekundę zamilkł, zerknął na mnie zszarzałymi oczami, a potem, spokojnie już, wyjaśnił:

– Wściekłość pomaga. Kiedy się wściekam, osiągam lepsze efekty. Będę się coraz bardziej wściekał. Między nami też będzie coraz wścieklej. I nie tylko między nami, bo jeszcze między nami i całym światem.

Wzruszyłam ramionami.

– Jeśli masz taką potrzebę, to się wściekaj, ja nie zamierzam cię naśladować. Po pierwsze, nie sądzę, by złość podniosła moją wydajność, po wtóre, wątpię, by wyszła na dobre, jak ty to nazwałeś, naszemu „teamowi". I w ogóle nie mam ochoty być zła.

Twarz Marka nie wyrażała żadnych uczuć.

– Jak chcesz. Myślę jednak, że jesteś w błędzie. Złość w odpowiedniej dawce, mądrze użyta może tylko przynieść pożytek, podobnie jak jad żmii – powiedział.

– Pod warunkiem, że w odpowiedniej dawce i mądrze użyta – zgodziłam się.

– To indywidualna sprawa. Każdy ma inne potrzeby – odparł.

Chciałam już zakończyć tę bezsensowną dyskusję, więc jeszcze raz dałam wyraz swojej ugodowości:

– Tak, to indywidualna sprawa.

Wkrótce odeszły w niepamięć także nasze poranne kawy. Chyba lubiłam je bardziej niż wieczorne rozmowy. Mark wstawał wcześnie tylko po to, żeby razem ze mną spędzić pół godziny w kuchni, na dobry początek dnia. Ta ofiara z jego strony, przyznaję, niewielka, dodawała naszemu wspólnemu bytowaniu radosnego kolorytu.

Muszę dodać, że tradycja nie skończyła się nagle, lecz umierała powoli, w mękach, z trudem godząc się z nowymi realiami życia. Mark też ją lubił, patrzyłam na jego żałosne próby ocalenia tej odrobiny radości. Ostatkiem sił starał się wstawać razem ze mną i jako tako trzymać się na nogach, niestety, coraz rzadziej mu się to udawało. Był rozbity, zaspany, więc z czasem przestał z sobą walczyć. Całowałam go tylko na pożegnanie. W dziwny sposób wyczuwał mnie przez sen: kiedy do niego podchodziłam, jak wielkie śpiące kocisko wyciągał szyję i czekał na szybki pocałunek.

Później Mark zaczął cierpieć na bezsenność. Z początku bardzo go to denerwowało, ale potem się przyzwyczaił i dostosował do nowego stylu życia. Zamiast leżeć z otwartymi oczami, szedł do kuchni i zabierał się do pracy. Budziłam się na chwilę co godzina, o drugiej, o trzeciej, o czwartej, widziałam, że w kuchni wciąż pali się światło, patrzyłam na zegar i myślałam: „wariat", po czym zapadałam się w słodki niebyt.

To wszystko, a także wiele innych spraw spowodowało, że Mark bardzo się zmienił. Dawniej uporządkowany, pedantyczny, zadbany, teraz się opuścił, chodził nieświeży, obszarpany, pracował bardzo chaotycznie. Widziałam, że w dalszym ciągu bardzo dużo pracuje, ale styl jego pracy i rozkład zajęć uległy radykalnym zmianom. Zachowywał się dziwnie, był wewnętrznie rozwibrowany, mniej konkretny, wytracił energię. Przestał czytać literaturę naukową, prawie cały dzień spędzał na kanapie i przeglądał... książeczki dla dzieci, fantastykę, opowiadania o Dzikim Zachodzie i powieści przygodowe. Chwilami odrywał się od książek i tępo wbijał wzrok w jakiś przypadkowy przedmiot albo zapadał w krótką drzemkę – spał może z kwadrans, najwyżej pół godziny.

Nagle zrywał się, jak gdyby przebudził się w nim dawny Mark, podbiegał do stołu i z pasją coś pisał, rysował jakieś wykresy, znów chwytał książkę, przeglądał ją w niewiarygodnym pośpiechu, nerwowo i wracał do pisania.

Trwało tak z pół godziny, czasami godzinę, rzadko dłużej. Trochę przypominało to jego dawne zachowania, ale więcej było w nich teraz chorobliwej nerwowości; kiedy pisał, ruchy jego ręki były jakieś impulsywne, rozedrgane, niemiarowe. Po takim zrywie w jednej chwili opadał z sił, z trudem dowlekał się do kanapy i swoich dziecięcych książeczek, wbijał w nie nieobecny wzrok.

Zmienił się także jego wygląd zewnętrzny. Może to z powodu ciągłego leżenia i trapiącej go bezsenności, a może dlatego że w ogóle przestał wychodzić z domu, trudno mi powiedzieć. Zbrzydł, twarz mu nabrzmiała, pod oczami pojawiły się worki. Sprawiał wrażenie człowieka ciężko chorego, martwiłam się o niego. Chodził w wymiętej, nieświeżej koszuli, w wygniecionych spodniach, wyglądał niechlujnie i odpychająco.

Robiłam wszystko, by choć na chwilę wyciągnąć go z domu. Tłumaczyłam mu, że praca pracą, ale nie powinien się tak całkowicie izolować, zamykać w czterech ścianach, rezygnować z dawnych zainteresowań, przyjemności, zwyczajów, podporządkowywać całego siebie, bez reszty, jakiejś wydumanej idei, rezygnować ze świata.

Odpowiadał mi, że czuje się świetnie, podoba mu się jego nowe życie i nie ma poczucia, że stał się ofiarą idei, nad którą pracuje, bo czerpie z niej tylko przyjemność.

– Dlaczego w takim razie wcześniej pracowałeś i zachowywałeś się inaczej, Mark – nie dawałam za wygraną.

Patrzył na mnie oczami szaleńca, na krótką chwilę wpadał w wesołkowatość albo stawał się zaczepny. Zastanawiałam się, czy nie próbuje mnie wciągnąć w kolejną grę, którą nagle wymyślił, nie byłam przekonana, czy w ogóle mnie dostrzega.

– Widzisz, maleńka – mówił, chyba szczerze – wcześniej, wybacz mi to niezręczne sformułowanie, zajmowaliśmy się kształtowaniem ciebie, twoim wychowaniem. Jak wiesz, wychowanie wymaga dużej dyscypliny także od wychowawcy. Ten etap mamy już za sobą. Teraz stoi przed nami inne zadanie. Bardzo trudne. Tak trudne, że na razie nie wiemy, jak je ugryźć. Moja rola nauczyciela skończyła się. Ty też przestałaś być uczennicą. Czego miałbym cię jeszcze uczyć? Tyle czasu się uczyłaś, że powinnaś już wszystko wiedzieć, jeżeli nie wiesz, to znaczy, że byłaś kiepską uczennicą. Teraz oboje mamy do spełnienia inne role. Nie jest nam potrzebna dyscyplina, przestała być istotna, mogłaby tylko zawadzać, ponieważ teraz chodzi o... – Próbował znaleźć odpowiednie słowa. – ... no widzisz, nawet nie potrafię tego wyrazić. Chyba chodzi o coś w rodzaju artyzmu, o uwolnienie się spod presji wszelkich norm, utartych zwyczajów, o przekraczanie granic, jak wiesz – znowu zaczął swoje – zamierzamy dokonać czegoś niezwykłego, powiedziałbym, nienormalnego, co jest zaprzeczeniem obowiązującego porządku rzeczy i panującej praktyki. Musimy iść drogą pozanormatywną.

– Jak rozumiem, budujesz teraz artystyczny styl życia. – Rozbawiło mnie to, co Mark mówił. – Czy mogę wiedzieć, jak to rozumiesz?

– Po pierwsze, niczego nie buduję, zrozum, kiedyś było nas dwoje, teraz jesteśmy we trójkę. – Udałam szczerze zdziwioną, a nuż ten trzeci skrył się za firanką? – Ja, ty i pewna dama. Ma na imię Marzenie, a może lepiej Panna Cel albo Panna Idea? Nie widzisz jej? Nasza nowa lokatorka musi mieć odpowiednie warunki. Musimy się ścieśnić. Pora odrzucić dotychczasowe przyzwyczajenia, zrobiły się nudne, jak długo można tak żyć, to wyniszczająca rutyna. Jeszcze ci tylko powiem, że nienormalne i dziwne sprawy są domeną rozdokazywanych dzieciaków.

Wzruszyłam ramionami. Nie bardzo zrozumiałam, kto ma być tymi rozdokazywanymi dzieciakami. Czyżby mężczyźni, którym się marzą orgietki z panienkami z ich chorej wyobraźni?

W parę miesięcy później zauważyłam w Marku dalsze niepokojące zmiany. Przejawiały się w jego zachowaniu, a przede wszystkim widać to było w jego oczach. Miał oczy wiecznie rozbrykanego, psotnego dziecka, jarzące się, zbzikowane. Mark nawet patrzył nimi inaczej. Wydawało się, że jego rozbiegany wzrok przenika na wylot wszystkie przedmioty, na które pada.

Nie wiedziałam, że spojrzenie może się aż tak zmienić. Człowiek może wyuczyć się nowej mimiki, zmienić chód, ale jak można zmienić spojrzenie? Czyżby to wpływ książeczek dla maluchów i dziecięcego niechlujstwa w ubiorze? A może postawa, którą zaczęłam w Marku coraz wyraźniej postrzegać – skrajny tumiwisizm? A jeżeli najzwyczajniej w świecie po prostu wszystko ma w nosie, i tylko dorabia do tego teorię o artyzmie i wewnętrznej lekkości?

Rozbratu z obowiązującymi zasadami Mark nie ograniczył zresztą jedynie do przedszkolnych lektur i niechlujnych, wymiętych ubrań. Któregoś dnia zastałam go przed lustrem. Stał tam i stroił dziwne miny. Jak mi potem wyjaśnił, pracował tylko nad jedną miną, ale bardzo ważną. Starał się wymyślić jak najlepszy układ nosa, ust, oczu i zmarszczek na czole.

Może byłoby to niezłe widowisko, gdyby nie chorobliwa dziwaczność sytuacji. Mark spędził przed lustrem ze dwadzieścia minut. Nie wiem, czy naprawdę mnie nie zauważył, czy nie miał ochoty zwracać na mnie uwagi. Mówił coś do siebie nienaturalnym, zniekształconym głosem. Brzmiało to jak: „Nie, nos powinien być tam, o tu, z tej strony. Górna warga podwinięta, o, tak, właśnie tak, hej, oko, no ruszże się!”. Mamrocząc, marszczył i ugniatał nos, wywijał wargi, rozciągał twarz. Ponieważ co najmniej od tygodnia się nie golił, gęsty, siwiejący zarost i te dziwne miny sprawiały, że widok był przerażający.

Nie wiedziałam, co mam o tym myśleć i co z tym robić. Zastanawiałam się. Może naprawdę Mark dostał pomieszania zmysłów? Może jest schizoidem, tylko ja tego w porę nie zauważyłam? Czy dlatego jego życie owiane jest taką tajemnicą? I te dziwne, niejasne dla mnie aluzje, dotyczące jego osoby...

Przypomniał mi się Ron. Już dawno chciałam z nim porozmawiać o Marku, ale jakoś nigdy się nie składało. Chyba się dobrze domyślam. Pewnie Mark cały czas, przez te wszystkie lata, bardzo się kontrolował i dopiero teraz, na skutek sztucznego stresu, który sam stworzył, nie wytrzymał, załamał się, a jego osobowość uległa rozpadowi. Może jest mu potrzebna szybka i fachowa pomoc, żeby nie rozpadł się jeszcze bardziej pod presją tej swojej wymyślonej, chorej idei?

W tym momencie Mark odwrócił się w moją stronę i zaczął się głośno śmiać.

– Chodź tutaj, patrz, jaką minę wymyśliłem!

– Sam ją wymyśliłeś? – spytałam szyderczo, wręcz z wściekłością, ale podeszłam do Marka.

– Sam, sam! – odpowiedział radośnie, nie słysząc drwiny.

Mark skoncentrował się i paroma szybkimi grymasami twarzy wymodelował swoją najnowszą, arcyzabawną minę. Mimo woli się roześmiałam, chociaż tak naprawdę nie było mi do śmiechu.

Jego twarz nie zmieniała się przy tym, nie wybałuszał oczu, nie wywracał nimi, nie marszczył nosa, nie nadymał policzków. Jedynie leciutko uniósł górną wargę, dyskretnie zaokrąglił oczy, a na jego czole i u nasady nosa pojawiło się kilka drobnych zmarszczek. Wskutek tego z jego twarzą stało się coś dziwnego. Trudno mi to opisać, wszystko było tak nieuchwytne. Odniosłam wrażenie, że lekki podmuch wiatru poruszył każdą komórkę jego skóry, właściwie niedostrzegalnie, ale razem te wszystkie mikroskopijne zmiany stworzyły nową formę, nową twarz Marka, rzeczywiście niesamowicie zabawną.

Mark był szczęśliwy, że zareagowałam śmiechem. Odebrał to jako aprobatę dla swojej żmudnej pracy.

– Do kogo jestem podobny?

– Do... – zastanawiałam się. Coś mi to przypominało, może z dzieciństwa? – Do krasnoludka? Nie, do trolla – odpowiedziałam.

– Do nieszczęśliwego trolla – sprostował, równie nieszczęśliwym, drżącym głosem. – Wynalazłem sposób na robienie min. To cały system... Pomysł polega na tym, że ty zupełnie nic...

Nie pozwoliłam mu dokończyć zdania. Miałam już dosyć słuchania tych wszystkich bredni, które Mark wypowiadał bardzo poważnie, z pozycji najwyższego autorytetu.

– Jesteś chory, Mark, po prostu zwariowałeś – powiedziałam, by przerwać opowiadanie o sposobach robienia min.

– To prawda – zgodził się ze mną.

„Tylko nie mów mi, proszę, że zajmujemy się wariacką sprawą i dlatego ty..." – pomyślałam zatroskana.

Ale, na szczęście, nie przyszło mu to do głowy.

– Twoje słowa brzmią jak pochwała. Wiesz, co powiedział Salvador Dali? – spytał.

– Co?

– Dali powiedział: „Jedyna różnica między mną a wariatem – tu Mark teatralnie zawiesił głos, zapewne w jego wyobrażeniu tak właśnie zrobiłby Dali – polega na tym, że ja... wariatem nie jestem".

– Porównujesz się z Dalim? On był geniuszem.

Zorientowałam się, że Mark celowo i świadomie próbuje mnie wciągnąć do rozmowy.

Mark wzruszył ramionami, udając, że nie zrozumiał.

– Dali był artystą, wiesz o tym. – Był to argument nie do odrzucenia. – Ale jakie to ma znaczenie?

Okazało się, że Mark też nie ma ochoty na przedłużanie naszej rozmowy. Może się obraził, że podważam jego genialność? Mam nadzieję, że mu to minie.

– Zresztą jest mi wszystko jedno. Lepiej przynieś aparat i zrób mi zdjęcie. Ta cudowna gęba nie może przepaść, byłoby to nie w porządku wobec wszystkich nieszczęśliwych trolli.

Poszłam po aparat. W ostatnim czasie zupełnie nie potrafiłam się zorientować, kiedy Mark mówi poważnie, a kiedy żartuje.

Od tamtego dnia robienie min przed lustrem stało się głównym zajęciem Marka. Mógł tak pracować godzinę. Jeżeli nie udawało mu się osiągnąć spodziewanego rezultatu, odkładał seans min na później – swoje zajęcia nazywał: „W poszukiwaniu śmiechującej harmonii" – i ledwie żywy zalegał na kanapie z następną powieścią przygodową w ręku.

Robienie min Mark traktował z wyjątkową powagą. Bardzo się denerwował, jeśli nie udawało mu się stworzyć wymarzonego wizerunku, i cieszył jak dziecko, gdy w końcu osiągał taki wariant miny, który go w pełni zadowalał. Każda mina coś przedstawiała, na przykład wścibską szczurzycę albo zagniewaną kurę, do każdej dobierał głos, co też nie od razu mu się udawało. Wciąż prosił mnie, bym zgadywała, co przedstawiają jego kolejne dzieła. Najczęściej trafiałam w dziesiątkę. Każda gęba musiała mieć dokumentację fotograficzną. To zadanie należało do mnie. Wkrótce całe nasze mieszkanie – łącznie z kuchnią, łazienką i toaletą – dekorowały wielkoformatowe portrety powykrzywianych na różne sposoby twarzy Marka.

Były niewiarygodnie śmieszne. Jeżeli nie wracałabym do domu tak niemiłosiernie zmęczona całym dniem, spędzonym na uczelni, z pewnością błazenada Marka by mnie bawiła.

Mark nie brał pod uwagę moich pobudek o bladym świcie, wykładów – na ogół dopiero około trzeciej mogłam wpaść do uniwersyteckiego barku na szybki posiłek – wysiadywania w bibliotece, by przygotować się do zajęć w następnym dniu, które były coraz bardziej intensywne i zajmowały dużo czasu. Prześladowało mnie poczucie ciągłego niedoczasu, żyłam w biegu, umordowana do granic, nieustannie się gdzieś spieszyłam, a czekała mnie jeszcze praca z Markiem. Wymagała najwyższej koncentracji, wyłączenia innych myśli i spraw, zajmowała dziennie do sześciu godzin samotnego ślęczenia w bibliotekach, czytania niezliczonej liczby stron, robienia notatek i konspektów.

W domu zjawiałam się dopiero około jedenastej wieczorem, zdarzało się, że i później. Zastawałam Marka – wychudzonego, zarośniętego, nienaturalnie wesołego – i całą kolekcję jego błazeńskich min. Ścinało mnie to z nóg, nie byłam w stanie śmiać się i bawić razem z nim.

Nie miałam już możliwości i warunków przygotowywania się w domu. Kiedyś nasze zajęcia mobilizowały mnie, nasze prace badawcze nie kolidowały ze sobą, także obecny stan naszego mieszkania nie stwarzał teraz atmosfery do pracy.

Postawiony na głowie rozkład dnia wiecznie snującego się z kąta w kąt Marka rozpraszał mnie i denerwował. Mark nieustannie próbował wciągać mnie w rozmowy, nie mające nic wspólnego z programem naszych badań. A to czytał mi jakiś fragment z „Przygód Hucka", a to znów pokazywał rzekomo rewelacyjną, nową gębę.

Nie miałam gdzie rozłożyć się ze swoimi książkami i notatkami. Mark okupował całe mieszkanie, wraz z kanapą i biurkiem. Na kuchennym stole piętrzył się stos brudnych kubków z niedopitą kawą, które zapewne czekały na mnie, i zupełną nowość – brudne kieliszki z resztkami czerwonego wina.

Musiałam się przenieść do biblioteki uniwersyteckiej. Mark nawet tego nie zauważył. Co prawda kilka razy zaciekawił się, z jakiego powodu wracam o tak późnej porze, ale kiedy się dowiedział, że spędzam czas w bibliotece, wyraźnie się uspokoił i już mi więcej nie zadawał takich pytań. Nie interesowało go ani jak sobie radzę na uniwersytecie i w ogóle w życiu, zresztą kiedy miał się tym zainteresować. Rano, kiedy wychodziłam z domu, on jeszcze spał, kiedy wracałam, byłam tak nieludzko zmęczona, że nawet nie miałam siły otworzyć ust. Myślałam tylko o tym, że nazajutrz znów będę musiała wstać o świcie, że nie dam rady ze wszystkim się uporać, będę musiała kajać się, przepraszać, obiecywać poprawę, że coraz bardziej piętrzą się zaległości. Taki stan duszy nie sprzyjał komunikacji z Markiem, podobnie jak widok jego niechlujstwa i przykry stosunek do mnie.

Marka niepokoiło tylko jedno: czy będę przygotowana do naszej cotygodniowej dyskusji. Wymagał, bym się przygotowała tak, jak jeszcze nigdy nie przygotowywałam się do żadnych zajęć i egzaminów, jak jeszcze nigdy nie byłam do czegokolwiek w życiu przygotowana.

Był to jedyny dzień tygodnia, a ściślej, popołudnie, kiedy Mark odmieniał się. Pojawiała się przede mną kopia dawnego Marka, dosyć odległa od oryginału. Na dowód, jak bardzo nasze omówienia są ważne, golił swój tygodniowy zarost, zmieniał koszulę, miałam nadzieję, że i bieliznę. Tego dnia zawsze był zły – wściekał się na wszystko: na siebie, na innych, na naszą pracę, a przede wszystkim na mnie.

Któregoś razu, na drugi dzień po naszym zebraniu, wpadając w swój wesołkowaty nastrój – chyba był też na rauszu – przyznał się, że poprzedniego wieczoru były w nim takie pokłady złości, że sam zaczął się bać, żeby się nie uzewnętrzniły. Przypomniałam mu, że podobny przypadek opisany jest w powieści „Ivanhoe”, której lekturę akurat kończył. Nie zignorowałam jednakże tej informacji, pytając go, czy syndrom, na który cierpi nazywa się może: „złość na pracę”.

Pytanie go zaskoczyło. Widocznie nie zetknął się jeszcze z taką klasyfikacją złości, ale obiecał, że się zastanowi.

Podejrzana mieszanina opętańczej, dziecięcej, niekontrolowanej złości, infantylnej błazenady, zabawy (bardzo zresztą naturalnej) w dziecięcość i pełne agresji, zapierające dech w piersiach dążenie do wytkniętego celu, bez względu na różnego rodzaju koszty i cel jako taki, mieszanina stanowiąca zagrożenie przede wszystkim dla mnie – była przysłowiową ostatnią kroplą, która przepełniła kielich mojej goryczy. Przemogłam się i zadzwoniłam do Rona.

34.

Od dawna nosiłam się z zamiarem tego telefonu, ale wciąż to odkładałam, wynajdując kolejne przeszkody, aż w końcu zrozumiałam, że po prostu nie chcę rozmawiać z Ronem. Moje uniki pewnie były klasycznym potwierdzeniem zasady, że ludzie na ogół unikają tego, na co nie mają ochoty.

Na pytanie: „dlaczego?" odpowiedziałam sobie, że wolę nic o Marku nie wiedzieć, niż dowiadywać się niedobrych rzeczy. W końcu zdecydowałam się na spotkanie z niczego niepodejrzewającym Ronem. Umówiliśmy się w kawiarence na uniwersytecie.

Kiedy Ron wszedł, a właściwie wpadł jak bomba, odniosłam wrażenie, że pusta do tej pory kawiarenka od razu się zaludniła. Rona było dużo. Sprawiał to jego solidny wzrost, tusza i rubaszny sposób bycia. Obiecał, że za moment podejdzie do mojego stolika, i rzeczywiście – po chwili się zjawił z potężną górą kanapek, słodkich bułek, ciastek i innych frykasów. Kiedy rozłożył to wszystko na stoliku, dla mojej filiżanki z kawą nie zostało już miejsca.

– Wybaczysz mi, że będę jadł? Następną przerwę mam dopiero za cztery godziny – wyjaśnił. W tym momencie zobaczył moją zmęczoną twarz z podkrążonymi oczami i zlitował się nade mną: – Może i ty coś zjesz?

– Nie, dziękuję – odpowiedziałam uprzejmie. Góra jedzenia, która tak nagle wyrosła na moim stoliku, przyprawiała mnie o mdłości. – Ale ty jedz, proszę, nie krępuj się – zachęciłam go, chociaż Ron nie potrzebował jakiejkolwiek zachęty. – Chciałam z tobą porozmawiać o Marku – wyjaśniłam i zobaczyłam, że Ron nagle zmienił się na twarzy.

– Dobra, rozmawiajmy – zgodził się, ale czułam, że wolałby nie poruszać tego tematu.

– Mam dwa pytania. – Nie wiedziałam, od czego zacząć. – Pewnie to głupio zabrzmi, ale... – wzięłam głęboki oddech – ... nic nie wiem o przeszłości Marka, o tym, co robił, zanim się poznaliśmy. Nigdy go o nic nie pytałam, on też nic mi nie mówił. Domyślam się, że był związany z nauką, wiele osób z tego środowiska go zna, on też ma różne znajomości, chciałabym wiedzieć, co się stało, bo coś musiało się stać, że teraz jest outsiderem. – Czułam, że mówię niezbornie, ale sprawa była wyjątkowo niezręczna, poza tym, jak zwykle, bardzo się denerwowałam. – Nic wiem, o co chodzi, Ron. Często słyszę jakieś aluzje, na ogół bardzo dla Marka niepochlebne, i nie mogę nic z tym zrobić, bo nie wiem, w czym rzecz. Głupio się z tym czuję, od paru lat jesteśmy razem, a ja...

– Jasne – odezwał się Ron, odkładając nadgryzioną kanapkę. – Nie tłumacz się, pewnie, że powinnaś to wiedzieć... – Ron zamyślił się, zapominając o jedzeniu. – Od czego tu zacząć? – Znowu umilkł. – Zacznijmy od rzeczy najprostszych. Jesteś z nim na co dzień, więc mogłaś nie zauważyć... Mark jest geniuszem. To prawdziwy geniusz. Statystycznie taki geniusz zdarza się raz na pół wieku, i to jeden na miliard mieszkańców Ziemi.

Z bezsilności wcisnęłam plecy w oparcie krzesła. „Ale mam szczęście" – pomyślałam.

Ron zauważył mój niedowierzający półuśmiech.

– Nie śmiej się. Ja nie przesadzam. Dziwię się tylko, że przez tyle lat sama na to nie wpadłaś. Przecież jesteś psychologiem, powinnaś się była domyślić.

– Nie domyśliłam się – odpowiedziałam. – Uśmiechnęłam się, Ron, ponieważ kilka dni temu rozmawialiśmy z Markiem o genialności. A nie domyśliłam się... – teraz ja zawiesiłam głos, próbując jakoś wybrnąć z idiotycznej sytuacji – ...może bym się i domyśliła, ale zabrakło mi skali porównawczej, nigdy w życiu nie spotkałam geniusza.

– I nie spotkasz – zapewnił mnie Ron – bo w naszej okolicy ich nie ma, a na pewno takiego formatu jak Mark. Zrozum – przesylabizował – Mark jest jedynym geniuszem, kogoś takiego w życiu nie spotkałem. – Przypomniał sobie o kanapce i połknął ją. – Nigdy z nikim Marka nie porównuj, pamiętaj. U kogo pracowałaś? Zdaje się u Zylbera? Z Zylberem też go nie porównuj, ani z... – tu Ron sypnął najwybitniejszymi nazwiskami. – Ci ludzie coś tam w tym życiu zrobili. Każdy w swojej dziedzinie. Ale daleko im do Marka. Rozumiesz? Ich też jest jak na lekarstwo. W każdej dziedzinie są jacyś mistrzowie, jacyś liderzy, niekiedy zdarza się nawet po kilku. Ale Mark jest ponad wszystko. Jest nieporównywalny. To unikat. Nie tylko ja tak uważam. To powszechna opinia. Wszyscy uznali go za geniusza. Nikt nawet nie próbuje tego kwestionować.

Siedziałam jak zbity pies. Zmęczenie, które zazwyczaj udawało mi się zagłuszyć kolejnymi niecierpiącymi zwłoki sprawami, teraz runęło na mnie z przytłaczającą siłą, wzmocnioną dodatkowo ambiwalencją uczuć, której teraz doznawałam. Było to rozczarowanie wyjaśnieniem Rona: „najzwyklejszy geniusz – to proste" i obawa, że może coś przeoczyłam, czegoś nie dostrzegłam, nie zrozumiałam. No i jeszcze to zadanie, któregośmy się z Markiem podjęli i które chyba zaczęło nabierać realnych kształtów, może niezdarnie, ale w każdym razie przestało być abstraktem. Przestraszyłam się.

– Dlaczego w takim razie Mark nigdzie nie pracuje? – spytałam niepewnie, domyślając się, że znowu zadaję naiwne i kompromitujące pytanie. – Tak jak wszyscy. Jak ty, Ron.

– Bo Mark nie jest jak wszyscy czy jak ja. Zresztą, o ile się orientuję, pracuje z tobą. À propos, Mark podzielił się ze mną pewną ideą. Moim zdaniem to absolutnie niepowtarzalna idea, genialna! Nawet nie jestem w stanie jej zrozumieć.

„Jaka znowu idea?" – pomyślałam, ale tym razem nie odważyłam się zapytać.

– To stara historia, Marka znam od dawna, razem studiowaliśmy, nie był najlepszym... jak by to powiedzieć... nie był w tradycyjnym pojęciu, w tradycyjnym systemie kształcenia... Ale był najwybitniejszym studentem, wszyscy jednogłośnie to przyznali. – Ron obrzucił mnie spojrzeniem. – Rozumiesz, o co mi chodzi?

Wzruszyłam ramionami i delikatnie się uśmiechnęłam, co miało oznaczać: tak, oczywiście, rozumiem. Ron jednak postanowił mi to wytłumaczyć.

– Sam nie wiem, co tak naprawdę znaczy to nie do końca sprecyzowane określenie „wybitny". – Uśmiechnął się. – Nie termin stwarza człowieka, ale odwrotnie, kiedy się ma do czynienia z Markiem, łatwo pojąć, co znaczy „wybitny".

Ron dyskretnie zerknął na zegarek.

– Spieszysz się? – spytałam.

– Nie, w porządku, mam jeszcze dwadzieścia minut. – Od razu przystąpił do rzeczy. – W nauce, pewnie w życiu też, ale o życiu niewiele wiem, to twoja dziedzina – doceniłam miły ukłon w moją stronę i podziękowałam szerokim uśmiechem – ludzie dzielą się na generatorów, transformatorów i wykonawców. Idiotyczne określenia, prawda?, ale dobrze oddają istotę rzeczy. Generatorzy – to ci, którzy wytwarzają idee, powołują je do życia; transformatorzy – wprowadzają je do ludzkich umysłów, a wykonawcy – wiadomo, czyli...

– Zrozumiałam, Ron – przerwałam, obawiając się, by te dwadzieścia minut nie upłynęło na czczej gadaninie.

– Jasne – zgodził się. – Nie chodzi o to, że któraś z tych trzech kategorii badaczy jest mniej warta od innej. W każdej można mieć poważne osiągnięcia, ale już rzadziej w dwóch, a w trzech nie zdarza się prawie nigdy. Generatorzy mają te walory, które określamy słowem „wybitny". Mają absolutny dar przenikania myślą do istoty rzeczy, zgłębiania niezgłębionego. Reprezentanci pozostałych kategorii są go pozbawieni. Mark jest generatorem, przy czym jest generatorem o niezwykłej mocy i bardzo rozległym obszarze działania.

Stała się rzecz niezwykła: Ron zapomniał o kanapkach!

– Co więcej, Mark nie tylko jest generatorem, to megagenerator. – Słuchałam, nie przerywając Ronowi, zresztą po to go tu ściągnęłam. – Wiesz, Marina, Markowi od początku przepowiadano wielką przyszłość. Nikt nie miał wątpliwości, że to fenomenalny umysł, unikat, i że daleko zajdzie. Tak się też stało. Ale przeciętni ludzie obracają się w kręgu przeciętnych pojęć myślowych, które, niestety, nijak się mają do jednostek nieprzeciętnych. Wtedy zaczynają się kłopoty. Problem Marka, a właściwie jego środowiska naukowego, polegał na tym, że Mark dusił się w jednej, konkretnej, z natury rzeczy bardzo wąskiej dyscyplinie naukowej, wciąż wychodził poza jej ramy. Interesowało go mnóstwo tematów, musiał się nimi zajmować, to były działania imperatywne. Rozumiesz, nie potrafił zajmować się dłużej jedną sprawą.

– Nie rozumiem – przyznałam.

Opinia Rona wydała mi się krzywdząca Marka. Można było odnieść wrażenie, że Mark jest człowiekiem powierzchownym, niesystematycznym i mało wytrwałym, dlatego nigdzie nie może zagrzać miejsca. Była to nieprawda. Nikt nie znał Marka lepiej niż ja, to było niemożliwe.

– Ron, świetnie znam Marka. Nie jest przelotnym ptakiem czy motylem, który fruwa z kwiatka na kwiatek. Nigdy nie spotkałam człowieka, który by tak dużo i z taką pasją, z takim uporem... – zabrakło mi słów, a raczej wyrzucałam ich z siebie zbyt wiele – ... pracował, drążył, miał tyle determinacji, tyle silnej woli...

– To prawda, Mark jest nieprzeciętnie pracowity, to wół roboczy – zgodził się Ron. – Nie chciałem powiedzieć, że niczego nie potrafił doprowadzić do końca, bo brakowało mu wytrwałości, wiedzy czy nie chciało mu się solidnie przysiąść. Zawsze był w czołówce. Nie miał ochoty zajmować się dłużej określonym problemem badawczym, jeśli tracił dla niego zainteresowanie. Mógł miesiącami dzień i noc harować, ale tylko do czasu, kiedy sprawa go pochłaniała. A pochłaniała go dopóty, aż sformułował jakąś absolutnie odkrywczą hipotezę, odkrył do niej drogi. Taki sobie stawiał cel. Kiedy go osiągał, tracił do niego serce, a w jego głowie natychmiast rodził się następny wielki cel. I zaczynał go realizować.

– Żadnej dziedziny nauki nie można zgłębić do końca – zaoponowałam, sama nie wiem, dlaczego dążyłam do wywołania sprzeczki z Ronem. – Mark całe życie coś bardzo poważnie i konsekwentnie zgłębia, bada, jest studnią pomysłów, i to studnią bez dna.

– O tym niewiele wiem. – Ron uśmiechnął się. – Najzabawniejsze jest jednak to, że dziesięć lat temu powiedziałem mu to samo. Mark dokonał wtedy bardzo ważnego odkrycia. Ja też zdawałem sobie sprawę z wagi tego odkrycia, ale on zdecydował, że nie będzie się tym tematem więcej zajmował. Próbowałem go przekonać, żeby tak nie robił, mówiłem, że poznanie jako takie nie ma końca, a z tego wynikają kolejne wyzwania dla nauki, i jeszcze inne podobne argumenty przytaczałem. Wiesz, co od niego usłyszałem?

Nadstawiłam uszu.

– Powiedział, że życie jest zbyt skomplikowane, zbyt pojemne, by dało się zamknąć we wzorach matematycznych albo w jakimś zjawisku fizycznym, programie komputerowym czy teorii naukowej, że wiedza z jednej dziedziny nie wystarcza, wybrana dyscyplina także nie da właściwej odpowiedzi, i w ogóle nauka nie jest w stanie oddać złożoności życia. Powiedział, że jeśli chciałoby się zrozumieć wielowymiarową istotę życia, to nie ma sensu tracić czasu na badanie jednostkowego, wyizolowanego problemu, bo zawsze jest do zrobienia jeszcze coś innego i że on może poświęcić jakiemuś zagadnieniu tylko określony odcinek czasu, a kiedy dotrze do sedna tego, co sobie założył, zajmie się innym aspektem. Życie jest niezwykle interesujące, człowiek chciałby wszystkiego spróbować, a na to życia nie starczy, dlatego nie wolno za długo koncentrować się na jednym problemie badawczym. Jak widzisz, Mark miał odpowiedź na to, o co mnie pytałaś.

– I dlatego rzucił pracę?

– Tak, nudziła go. Próbował swoich sił w wielu dziedzinach, przede wszystkim interesowały go nauki przyrodnicze, ale nie tylko. W każdej dziedzinie w bardzo krótkim czasie dokonywał wyłomu, potem brał na warsztat inną dziedzinę, tam też dokonywał spektakularnych odkryć i spostrzeżeń, i tak dalej. Po dziesięciu próbach zaczął go nudzić proces badawczy jako taki, chciał się inaczej realizować, dlatego odszedł z uczelni.

„Co znaczy inaczej?" – pomyślałam.

– Do tego doszły kłopoty z władzami uczelni, które nie były na tyle elastyczne, by zaakceptować jego metody badawcze. Miał problemy z ciągłym przenoszeniem się z katedry do katedry, jego status nie zawsze był jasny, domagano się od niego rzeczy, których nie chciał wykonać. W takiej sytuacji tematami, które go interesowały, musiał zajmować się w tajemnicy, „zejść do podziemia". Pojawiły się też kwestie sporne, związane z finansowaniem jego badań, dodatkowo natknął się jeszcze na najprymitywniejszą ludzką zawiść, co też skomplikowało mu życie. Wtedy zdecydował się zostać wolnym strzelcem, działać poza instytucjami naukowymi. – Ron uśmiechnął się ciepło, jakby uśmiechał się do dobrych wspomnień, i dodał: – Właściwie czemu nie? Tak też można. Powiedział jeszcze, że nie może pracować w obowiązujących, standardowych warunkach, nie chce dać się zaszufladkować, włożyć w jakiekolwiek ramy, boby się tam udusił.

Ron wrócił do teraźniejszości, powiódł wzrokiem po sali.

– Nie mówił dokładnie tak, jak ci tu opowiadam, po tylu latach nie powtórzę dokładnie jego słów, przekazałem ci tylko myśli. W każdym razie nie nam o tym sądzić. Jeżeli coś trudno nam pojąć, to jeszcze nie znaczy, że to „coś" jest błędne. Skoro Mark tak czuł, myślę, że miał rację.

– A co się stało z jego ideami, z „wyłomami w nauce”, jak to nazwałeś? – spytałam już z czystej ciekawości. – Nigdzie nie natrafiłam na wyniki jego badań, nawet na artykuły czy komunikaty.

– Napisał kilka artykułów w początkach swojej kariery naukowej, dawno temu, potem zaprzestał, mówił, że szkoda na to czasu.

– No to co było dalej z jego ideami? Gdzie się podziały? – dociekałam.

– Nigdzie się nie podziały. Rozdał je.

– Jak to rozdał? – Moje zdumienie nie miało granic. – Kto rozdaje swoje prace?

– Oczywiście, nikt nie rozdaje idei własnego autorstwa, ale zauważ, że znowu popełniasz błąd myślowy – mierzysz Marka szablonem. Po prostu – rozdawał, dla niego było to normalne.

– Komu rozdawał? – Nie mogłam wyjść ze zdziwienia.

– Różnym ludziom – odpowiedział Ron tak, jakby to on sam dzień w dzień robił innym podobne prezenty. – Kto mu się nawinął pod rękę. Idee Marka, solidnie uzasadnione, wymagały dopracowania szczegółów, by mogły zaistnieć w postaci artykułu czy komunikatu.

Trudno mi było w to uwierzyć. W głowie aż roiło mi się od zaskakujących skojarzeń.

Ron nie ukrywał, że, podobnie jak ja, dostrzega pewne niepokojące paralele, ale od razu podjął próbę ich uzasadnienia.

– Myślę, że od tamtego czasu Mark bardzo się zmienił. Przecież już tyle lat pracujecie razem, czy nie jest to dla ciebie wystarczający dowód? – Uśmiechnął się, poklepał mnie przyjaźnie po ramieniu i zaczął się żegnać. – Muszę lecieć, już jestem spóźniony.

Spojrzał na zegarek.

– Dziękuję, Ron, że znalazłeś dla mnie czas. – Tylko tyle zdążyłam mu powiedzieć. Siedziałam dosłownie porażona, nie mogłam się ruszyć, czułam, że rozpadłam się na oddzielne atomy i nie miałam pomysłu, jak je na nowo posklejać.

– Słuchaj... – rozległo się gdzieś nad moja głową.

Ron wrócił. Wyraz jego twarzy i ręka nerwowo tarmosząca podbródek wyrażały wahanie.

– Słuchaj – powtórzył – nie będziesz tego jadła? – Wskazał oczami swoje kanapki i ciastka. – Może przekąsiłbym coś po drodze? Nie masz nic przeciwko temu? – spytał kurtuazyjnie, zgarniając kanapki.

Co miałam na to odpowiedzieć?

– Jeszcze ci coś powiem, przypomnę, jeśli pozwolisz – nie traktuj Marka jak zwykłego faceta. To nie wyjdzie na dobre ani tobie, ani jemu, bo Mark nie jest zwykłym facetem. Jeżeli coś w nim wyda ci się dziwne, jego zachowanie, czyny, myśli, postaraj się zrozumieć, że Mark działa zgodnie ze swoim specyficznym odbiorem świata, do którego my nie mamy dostępu, więc nie oceniaj tego, nie miej mu za złe, dobrze?

Niezdecydowanie znów dotknął mojego ramienia. Może chciał mi dodać otuchy?

Zamówiłam drugą kawę ze śmietanką i spróbowałam przedrzeć się przez chaos własnych myśli, uczuć, emocji i wrażeń. Coś mi się niejasno kojarzyło, coś przypominało, włączył się szósty zmysł.

Na początek powiedziałam sobie, że nie muszę wierzyć we wszystko, czego mi ten pasibrzuch naopowiadał. Gdyby nawet w niczym nie przesadził, nie ubarwił opowieści, to i tak jest to tylko jego osobisty punkt widzenia. Ron mógł się mylić, poza tym rozmawiał ze mną jak ojciec, z troską, ale z góry, z pozycji kogoś starszego, doświadczonego, naukowca. Sama narzuciłam mu taki styl rozmowy: opowiedz mi, proszę, o mężczyźnie, z którym jestem od sześciu lat, bo nie wiem, co o nim myśleć.

Kto by nie zareagował na taką prośbę? Kochana, zaraz ci otworzę te śliczne oczęta. Miał dobre intencje, na tym polegał jego spryt. Dlaczego by nie naopowiadać różności, także niezbyt dla Marka korzystnych, ot, tak mimochodem, niepostrzeżenie, przecież ma dobre intencje.

Zresztą nic się przecież nie stało. Jeżeli Ron mówił prawdę, niczego nie przekręcił, nie dodał – choć trudno mi w to uwierzyć – czy to źle? Co mi takiego powiedział, że się nie mogę pozbierać, wstać i pójść do domu?

Powiedział, że Mark jest geniuszem. Niech i tak będzie, to w końcu tylko kwestia terminologii. Że jest nieprzeciętnie zdolny, utalentowany, to wiem i bez Rona. Może nie w pełni to doceniałam, no cóż, jestem istotą niedoskonałą, dystans był zbyt bliski, kiedy się razem sypia, nie wszystko można obiektywnie ocenić. Co jeszcze? Mark coś tam wymyślał, zarzucał i brał się do nowego tematu. No i co z tego?

To prawda, trochę to wszystko dziwne, inne, ale przecież i tu można Marka zrozumieć, tak sobie wymyślił: góra pomysłów, koncepcji – tak się w życiu realizował, a sława, rozgłos, tytuły naukowe – widać nie było mu to do niczego potrzebne (czy rzeczywiście jest to do czegoś potrzebne?). Taki stosunek do nauki przynosił mu spełnienie i satysfakcję osobistą. Co w tym dziwnego czy nienormalnego? Zdrowe podejście, po prostu alternatywne, i tyle, nie on jeden takie wybrał.

Dlaczego cały czas siebie oszukuję? Dlaczego tak usilnie próbuję siebie przekonać, że niczego nie zrozumiałam? Dlaczego nie chcę widzieć, że Mark eksperymentuje na mnie?

Przeszedł mnie dreszcz. Moje własne myśli coraz bardziej mnie przerażały. Nie mogę się im tak biernie poddawać. A myśl o tym, że Mark podrzucił mi swoją ideę na konkurs dla studentów? Tylko mi pomógł. Wnioski wyciągałam samodzielnie. Przecież Mark sam przyznał, że moje rozwiązania były inne, lepsze niż jego. Więc o co chodzi? Jakie to ma znaczenie?

Ważne jest, że teraz pracujemy razem nad nowym zadaniem i przyświeca nam jeden wspólny cel: „wysadzić naukę”, dokonać czegoś wielkiego. Ważne jest to, że Mark nie ma wątpliwości, ufa, że sobie z tym poradzimy, nawet mnie zdołał przekonać.

Co może w tym być złego albo niepokojącego? Dlaczego mnie to gnębi? Razem pracujemy, chyba idziemy łeb w łeb, moje argumenty są do przyjęcia, jest to naprawdę wspólna praca. Trudno tu mówić, by Mark coś stworzył, a potem mi to wspaniałomyślnie podarował. Zresztą nic jeszcze nie stworzyliśmy. Nie tylko towarzyszę mu w pracy, ja go naprawdę kocham...

Bardzo dawno nie myślałam i nie mówiłam o moich uczuciach do Marka. Chcę wierzyć, że on też mnie kocha. Tyle lat jesteśmy razem, taki kawał życia. Przyzwyczailiśmy się, dotarliśmy, przywiązaliśmy się bardzo do siebie, jesteśmy jednością, można by rzec: nowym organizmem, którego także nie można oceniać standardowymi miarami. Do diabła z tymi wszystkimi porównaniami, z kojarzeniem faktów, z wątpliwościami, które zasiał we mnie Ron. Do diabła!

Zrobiło mi się lekko na duszy. Tyle razy sobie tłumaczyłam, że nie wolno ulegać silnym emocjom. Kiedy się temu na spokojnie przyjrzałam, porozkładałam informacje do właściwych szufladek, uszeregowałam je według ważności, demony odleciały i świat znormalniał. Jest dobrze! Nic mi nie zagraża! Mogę się czuć przy Marku bezpieczna.

To sprawka Rona. Niepostrzeżenie, podstępnie, ze szczerych pobudek, z dobroci serca, nie mówiąc ani jednego złego słowa, zasiał we mnie niepokój i wątpliwości. Udała mu się manipulacja, nie ma co, on sobie poszedł, a ja zostałam z przykrym osadem w duszy.

A jak mówił o Marku! To dziwak, ale bądź wyrozumiała dla jego dziwactw.

A więc to Mark jest dziwakiem?!

Popatrz na siebie, Ron! Czy chociaż raz w życiu przeglądałeś się w lustrze?! Kiedy ostatni raz stanąłeś na wadze? Chyba nie ma takiej wagi, która by to wytrzymała?

Wielkie rzeczy, Mark robi jakieś miny, wymyśla gęby, są takie śmieszne, ale normalne, bo to, co przedstawiają, istnieje w rzeczywistości! Przestał się golić? No i co z tego?

Ze złością myślałam o Ronie. Specjalnie mi tyle naopowiadał, zasłaniał się szczerością, chęcią wsparcia, pomocy. Mówiąc niby same dobre rzeczy, zasiał we mnie ohydne podejrzenia. Posłużył się starym, dobrze znanym sposobem – niedopowiedzeniem czegoś do końca, a wszystko w imię przyjaźni.

Skąd mogę wiedzieć, co w tym Ronie siedzi? Co się kołacze w jego sprytnej głowie? Co wiem o jego powiązaniach z Markiem? Chyba coś napomknął o zawiści?

Uspokoiłam się i już w zupełnie innym nastroju – zwycięskiego herosa, który rozpoznał i pokonał zło – dopiłam zimną kawę i postanowiłam wrócić na ziemię, tym bardziej że prozaiczne ziemskie potrzeby od pewnego czasu coraz wyraźniej dawały o sobie znać.

35.

Kiedy wróciłam do domu, szalony Mark natychmiast zakomunikował mi, że wynalazł uśmiech Mona Lisy, i zaczął mi go demonstrować. Przez resztę wieczoru, ćwicząc różne układy ust i uśmiechając się tajemniczo swoim nieogolonym podbródkiem, zarzucał mnie pytaniami, który z jego głosów najbardziej odpowiada mojemu wyobrażeniu Giocondy. Naśladował głosy kobiet – to nisko, gardłowo, to delikatnie, uwodzicielsko, szeptem – starając się odnaleźć ten jeden jedyny, którym Mona Lisa, jego zdaniem, przekazała światu swoją tajemnicę. Sygnalizowałam mu teatralnym ruchem głowy, jak artystka ze szkoły Stanisławskiego, że na pewno żadnym z tych, które wymyślił. Bardzo się denerwował, w nocy był już do granic wykończony i załamany, nawet zaczęłam się o niego bać. Było mi go żal, więc pocałowałam go w policzek, co w ostatnim czasie nieczęsto mi się zdarzało. I znów zakradła się ta podstępna myśl: a może Ron ma rację?

Poradziłam Markowi, żeby kontynuował swoje prace nad uśmiechem, dodając nieco więcej tajemniczości, po czym wypaliłam:

– Do wszystkiego dodaj tej tajemniczości, dlaczego poprzestałeś tylko na uśmiechu?

Nie reagując na moją zjadliwość, chwilę pomyślał i stwierdził, że chyba zapuści włosy i wąsy à la Einstein, a w ogóle pożyczy sobie jego oblicze.

Tak właśnie się wyraził: „oblicze". Czemuś nie zdecydował się nazwać twarzy Einsteina „gębą". Powiedział to tak poważnie, że nabrałam podejrzeń, iż wkrótce będę miała w domu samego Einsteina.

Jeśli chodzi o nasze omówienia, odbywały się one regularnie, były intensywne, poważne i chociaż za każdym razem musiałam wysłuchiwać przykrych uwag w rodzaju: „Maleńka, ty naprawdę jesteś jeszcze maleństwem", powoli posuwaliśmy się do przodu, metodycznie, krok po kroku, rezygnując z nagłych skoków, zrywów i temu podobnych przyspieszeń tempa, które może i byłyby uzasadnione, skoro nasza praca miała się zakończyć wielkim przełomem w nauce. Wytyczaliśmy trasy, drążyliśmy otwory w monolicie w tych miejscach, gdzie zamierzaliśmy podłożyć dynamit. Na razie jeszcze nie mieliśmy odpowiedniej porcji dynamitu, nie mieliśmy czym podpalić lontu, bo i lontu też jeszcze nie było.

Nasze dyskusje trwały zawsze około pięciu godzin, ich program składał się z trzech części, podzielonych przerwami. W pierwszej części, kolejno – najpierw ja, potem Mark, składaliśmy informacje o stanie prac i postępach ostatniego tygodnia, rozjaśniając temat, posuwaliśmy się do przodu. W drugiej części konfrontowaliśmy i uzgadniali nasze indywidualne poszukiwania, które, zgodnie z przyjętą zasadą, dotyczyły różnych fragmentów rozpoznawanego obszaru badawczego. To była część najtrudniejsza, można powiedzieć bolesna, gdyż przyjęcie rozwiązań Marka oznaczało odrzucenie mojej całotygodniowej pracy bądź odwrotnie. Oddawanie zdobytych pozycji było przykre, ale staraliśmy się zachować obiektywizm ocen, nie forować autora, lecz merytoryczną wartość odkrycia, świadomi faktu, że ta cząstkowa decyzja będzie miała istotny wpływ na tempo wyłaniania się kolejnego zasadniczego zwrotu, a tym samym na powodzenie całego przedsięwzięcia badawczego. Źle obrany kierunek mógł wszystko zaprzepaścić.

Kompromis pomagał w uzgadnianiu wspólnego stanowiska, chyba że nasze indywidualne dokonania były zbieżne, jednakowo wartościowe, częściej jednak tylko fragmenty ustaleń każdego z nas – te najcenniejsze – mogły zostać włączone do tworzącego się kształtu.

Łącząc te wyselekcjonowane cząstki wytyczaliśmy optymalny kierunek prac. To było najtrudniejsze – połączenie różnorodnych elementów w spójną całość, która miała być podstawą do rozwinięcia i sprecyzowania szczegółów właściwego podejścia. Nie zawsze nam się to udawało, wtedy omówienie przenosiliśmy na następny dzień, by jeszcze raz wszystko dokładnie rozważyć. Dla mnie oznaczało to opuszczenie kolejnego dnia zajęć na uczelni. Trzecia część spotkania poświęcona była nakreśleniu kierunku dalszych prac.

Seminaria kosztowały nas wiele wysiłku. Mark nie tolerował ani błędów myślowych, ani jakichkolwiek wymówek, nad którymi kiedyś przeszedłby do porządku. Starał się traktować mnie po partnersku, nie tylko uważnie przysłuchując się moim argumentom, ale często oddając im prawo pierwszeństwa. Zresztą wyrosłam już z roli uczennicy, dlatego przygotowywałam się dogłębnie, wkładając w to wszystkie siły, talent i wiedzę. Od dawna nie ograniczałam się do czytania literatury przedmiotu, lecz na tej podstawie budowałam własną koncepcję lub chociaż jej zręby.

Tu muszę oddać Markowi sprawiedliwość. Nie traktował zawistnie moich osiągnięć i jeżeli to, co proponowałam, miało sens, było dobre, uczciwie podejmował ten wątek w swoich poszukiwaniach.

Oboje uważaliśmy, że chociaż prawidłowy wybór kierunku był ważny, to możemy sobie pozwolić na drobne odejścia od niego. Szukaliśmy tego najwłaściwszego podejścia, bo jak wiadomo, do celu może prowadzić wiele dróg.

Bardzo wysokie wymagania, jakie stawiał Mark, moja podświadoma rywalizacja, obawa, żeby za bardzo mnie nie wyprzedził, zmuszały mnie nie tylko do usilnej pracy, lecz także trzymały w nieustannym napięciu – na każdym seminarium musiałam przedstawić konkrety, oryginalne podejście i koncepcję nie mniejszej rangi niż jego. Czas spędzałam w bibliotece, opuszczałam wykłady, seminaria, ćwiczenia, nie przygotowywałam obowiązkowych referatów. Pracę myślową wykonywałam cały czas i wszędzie – jadąc autobusem na uniwersytet czy wracając do domu, na przystankach, w kawiarni, pod prysznicem, nawet w toalecie.

Zauważyłam, że mówię do siebie w miejscach publicznych, wyglądało to tak, jak gdybym cały czas szeptała jakieś magiczne zaklęcia. Początkowo sama nie mogłam zrozumieć słów, które artykułowały moje wargi, lecz kiedyś – kąpiąc się, pewna, że szum wody głuszy inne dźwięki – spróbowałam wyartykułować to głośno, wyraźnie. Jakież było moje rozczarowanie, kiedy okazało się, że powtarzam wciąż jedno zdanie, i to dosyć bezsensowne.

Temat śnił mi się po nocach. W snach przychodziły odpowiedzi, myślałam, także przez sen, że powinnam natychmiast wstać i je zanotować, ale głos wewnętrzny zapewniał mnie, że będę to pamiętała po obudzeniu, bo przecież jest to tak bardzo ważne, i poddawałam się sennemu lenistwu, nie wstawałam, tym bardziej że moje noce były niezwykle krótkie, znacznie krótsze niż powinny być, żebym mogła normalnie funkcjonować. Jednak rano, po przebudzeniu, nie pamiętałam już żadnego z proroczych snów.

Którejś nocy wysiłkiem woli otworzyłam oczy, wstałam i powlokłam się do kuchni. Zastałam tam Marka z wielkim kubkiem herbaty, obok którego leżał duży cukierek. Mark coś notował, od czasu do czasu podnosił głowę i wbijał wzrok w ciemność za oknem. Podeszłam do niego i, wzruszona naszą nocną solidarnością, pocałowałam jego pozlepiane, od dawna niemyte włosy, wyjęłam mu z ręki pióro i na jakimś karteluszku nagryzmoliłam to, co mi się przyśniło. Ostrzegłam Marka, by broń Boże tego nie dotykał i wróciłam do łóżka.

Rozszyfrowanie nocnych gryzmołów kosztowało mnie rano dużo trudu, ale jakież było moje zaskoczenie, kiedy się okazało, że znalazłam rozwiązanie kwestii, nad którą od dwóch dni się biedziłam. Nabrałam szacunku do moich niespokojnych, twórczych snów.

Wszystko to razem – chroniczny brak snu, walka z czasem, ciągłe spóźnienia, regularne głodówki (Mark od dawna nie robił zakupów) i chroniczne napięcie – sprawiło, że bardzo schudłam, zmarniałam, wyglądałam nędznie i żałośnie, przede wszystkim we własnych oczach, nie mówiąc już o przyjaciołach i znajomych, którzy znali mnie wcześniej. Zaniepokojeni, pytali, czy nie jestem chora albo czy mam jakieś kłopoty.

Odpowiadałam, żartując sobie, że przygotowuję się do biegu maratońskiego i jestem na specjalnej diecie. Zdawałam sobie sprawę, że wyglądam co najmniej podejrzanie, wymizerowana, z zaczerwienionymi, podkrążonymi oczami, z wycieńczoną twarzą, wiecznie zabiegana, z drżącym podbródkiem i poruszającymi się bezustannie wargami. „Szkoda, że nie możecie zobaczyć Marka" – szeptałam i było to jedyne zdanie, które mnie uspokajało.

Od początku tego roku akademickiego nie radziłam sobie z zajęciami na uczelni, w zimie nastąpiła kompletna klapa, po prostu padłam niczym raniony zwierz, który jeszcze odruchowo przebiera kopytami, ale wskutek upływu krwi i świadomości rychłego końca robi to coraz rzadziej.

Z początku nikt mnie o nic nie pytał, byłam przecież dojrzałą, odpowiedzialną kobietą, zresztą na studiach nikomu nie zadaje się pytań na poziomie przedszkola. Do tej pory byłam wybitną studentką, miałam wyrobioną markę, pracując z Zylberem, nawiązałam wiele poważnych kontaktów naukowych i znajomości, kłaniali mi się profesorowie, zapraszali na obiady, od których wykręcałam się teraz jak tylko mogłam.

Wykładowcy, wobec których miałam przeróżne studenckie długi – jednemu nie oddałam pracy semestralnej, innemu referatu czy jakiegoś omówienia – starali się nie naciskać na mnie i tylko uprzejmie przypominali mi niekiedy o zaległościach. Pisałam coś pospiesznie, oddawałam i na jakiś czas miałam spokój albo wciąż obiecywałam, przesuwając terminy i uprawiając drobne kłamstewka. Powoli zmieniał się ich stosunek do mnie, zaczęli składać skargi w dziekanacie, co i rusz byłam tam wzywana, odbierałam ostrzeżenia i upomnienia.

Seminaria z Markiem kolidowały z zajęciami na uczelni, więc coraz rzadziej pojawiałam się na wykładach i ćwiczeniach, opuściłam się w nauce, w murach Harvardu były to zdarzenia bezprecedensowe, moja pozycja słabła niemal z dnia na dzień. Z trudem ukończyłam kolejny semestr, do dwóch egzaminów mnie nie dopuszczono, ostrzegając, że jeśli w najbliższym czasie nie uzupełnię zaległości, będę musiała powtarzać rok.

Rozmawiał ze mną nawet dziekan wydziału, dobry znajomy z okresu pracy u Zylbera. Był bardzo uprzejmy, ale wymagający i nieprzejednany w swoim postanowieniu. Przeraziłam się nie na żarty, perspektywa utraty roku wcale mi się nie uśmiechała. Dziekan nie mógł pojąć, co się ze mną dzieje, mówił, że wszyscy są tym zdziwieni i zaniepokojeni. Radził, bym wzięła półroczny urlop, jeżeli mam jakieś kłopoty rodzinne bądź zdrowotne. Stałam przed nim ze spuszczoną głową i wzrokiem wbitym w podłogę, mamrotałam, że wszystko jest w porządku, że za kilka tygodni nadrobię zaległości i obiecuję poprawę. Dziekan przystał na taką propozycję, ostrzegając, że daje mi ostatnią szansę.

Potulnie wszystkiego wysłuchałam, pożegnałam się i wyszłam. Od razu zadzwoniłam do Marka, żeby zrelacjonować mu nieprzyjemności na uczelni, ale Mark nie miał ochoty wysłuchiwać moich żalów. Czytał akurat jakiś pasjonujący fragment lektury dla dwunastolatków, zdziwił się tylko, że tyle się uczę i nic nie umiem.

– Zostało ci zaledwie cztery czy pięć miesięcy do zakończenia tych głupkowatych studiów i co, nie możesz ich dokończyć? Musisz się więcej uczyć. Siadaj i pracuj!

Grzmiał ze złością, a ja byłam bliska płaczu. Już nawet on mnie nie rozumiał.

– Czy mam rozumieć, że nie będziesz nikogo prosił?

– Nie mam kogo.

Wyczułam, że znowu pogrążył się w lekturze.

– W takim razie musimy odwołać co najmniej dwa seminaria, tylko dwa! – zaczęłam go błagać.

Przez słuchawkę poczułam, jak się napiął, odłożył swoją książeczkę, wiedziałam, co powie, zanim jeszcze się odezwał.

– Jeśli chcesz, to sobie odwołuj, ja się na to nie zgadzam.

– Dobrze – westchnęłam. – Ale chyba możesz mi pomóc, odłóż na jakieś trzy dni swoje prace i pomóż mi napisać zaległe referaty.

W słuchawce zapadła długa cisza. Odpowiedział mi chyba tylko dlatego, że usłyszał w moim głosie łzy.

– Nie mam tych trzech dni, to kawał czasu. Przywieź wieczorem połowę swoich zaległości, do rana ci to napiszę.

Uśmiechnęłam się przez łzy.

– Tego jest dużo – uprzedziłam.

– Ja też mam dużo – odpowiedział.

Zrozumiałam, że ma na myśli książkę dla dzieci, moją obecną rywalkę.

– Pomogę ci wymyślić nową gębę – próbowałam się wkupić w jego łaski, aż sama się zdziwiłam: co za propozycja!

– No, dobrze, zastanowię się – wyrzęził głosem zabiedzonego trolla.

Sprytnie podrzuciłam mu dwie prace, sobie zostawiłam jedną. Dlaczego sprytnie? Przecież trzy jest niepodzielne przez dwa. Jako osoba szlachetnego serca, chcąc mu ulżyć, wyposażyłam go w bogatą literaturę naukową, ale wspaniałomyślnie z niej nie skorzystał, mrucząc: „już to przerabiałem", uśmiechnęłam się tylko i nic nie odpowiedziałam.

O ósmej wieczorem Mark z głębokim westchnieniem niezadowolenia odłożył książkę, zwlókł się z kanapy, domagając się tylko, bym mu nie przeszkadzała i zaszył się w kuchni. Kiedy o pierwszej kładłam się do łóżka, Mark wciąż ślęczał przy komputerze, od czasu do czasu dobiegał mnie charakterystyczny szum drukarki.

Obudziłam się, jak zwykle, dwadzieścia po szóstej. Nauczyłam się już siłą woli odmykać powieki i spuszczać nogi na podłogę, potem działało już tylko moje ciało, bez pomocy mózgu – podnosiło się, wlokło do łazienki i brało prysznic. Silny, rozgrzewający strumień wody wypłukiwał resztki snu, budził uśpione zmysły i przywracał życie.

Dlatego dopiero pod prysznicem uświadomiłam sobie, że kiedy wstawałam z łóżka, miejsce obok mnie było puste. Gdzie Mark? Znalazłam go w kuchni. Tam wczorajszego wieczoru zatrzymał się jego czas: świeciła się lampka, na stole stał kubek z resztką pociemniałej herbaty, a może kawy, obok którego leżał nadgryziony cukierek.

Popatrzył na mnie i w tym momencie wrócił do rzeczywistości, jakby wynurzając się z innego wymiaru czasu do teraźniejszości, a może z nie znanych mi przestrzeni swojego bytowania, całkowicie dla mnie niedostępnych. Pomyślałam, że może w świecie Marka czas biegnie inaczej. To, co dla mnie jest niespiesznym, długim dniem, tam trwa godzinę albo tylko kilka minut.

Przypomniało mi się, że kiedyś, podczas wycieczki, Mark pokazał mi motyla, który żyje jeden dzień, i kręcąc z niedowierzaniem głową, powiedział, że w tym czasie motyl zdąży pobyć dzieckiem, dorosnąć, zmądrzeć, napracować się i pewnie jeszcze ma jakieś motyle sukcesy. Jeszcze ma czas, żeby się zakochać, uprawiać motyli seks, urodzić potomstwo, zestarzeć się, poprzeżywać, a wszystko to razem składa się na jego normalne życie, w którym jest i ból głowy, i koncerty świerszczy, i tak dalej, i tak dalej. Wszystko to dzieje się jednego dnia.

– Chyba motyle mają inne poczucie czasu – powiedział wtedy Mark – inaczej go sobie wyobrażają, inaczej odczuwają i rejestrują jego upływ. Nasza sekunda to pewnie ich miesiąc, a może cały kwartał, i w ciągu tej jednej maleńkiej sekundy motyle są w stanie przeżyć i odczuć tyle, ile człowiekowi nie zdarza się przez parę miesięcy.

To dziwne, niewidzące oczy Marka rozpoznały mnie.

– A! – powiedział jak gdyby nigdy nic, może witał mnie tym dźwiękiem? – Jeszcze tylko wydrukuję. Która godzina?

Od dawna nie korzystał z zegarka, domyślałam się, że postanowił wyzwolić się także z ram czasu.

– Dochodzi siódma. Zdążyłeś napisać obie prace? – spytałam z troską w głosie.

Nie odpowiedział, dając mi do zrozumienia, że retoryczne pytania nie wymagają odpowiedzi.

– Ale masz tempo! Jak ty to robisz? – powiedziałam z zachwytem.

– E, tam, to dziecinnie proste – rzucił tylko, podstawiając mi do pocałowania zarośnięty policzek. – Teraz muszę się wyspać. Dobranoc. – I już na odchodnym powiedział, a miała to być przestroga: – Maleńka, pamiętaj, to było ostatni raz, dalej radź sobie sama, jesteś już dorosła.

– Dobrego dnia – skorygowałam pożegnanie.

„Ale ze mnie idiotka, mogłam mu podrzucić wszystkie trzy prace, nic by się nie stało, gdyby poszedł spać dwie godziny później, mnie zajmie to ze trzy dni” – pomyślałam.

Czytając w autobusie prace Marka, oniemiałam z zachwytu: „Chyba to jednak jest prawdziwy geniusz”.

Było mi wstyd, że posłużyłam się Markiem, co prawda, uradowani profesorowie pomyślą, że moje kłopty miały charakter przejściowy i że wszystko wraca do normy. Rzeczywistość jednak wyraźnie temu przeczyła. Mimo że również wierzyłam, iż kłopoty są tylko chwilowe, bo w ostatnim czasie mierzę się z wielką sprawą, wzbijam na niebywałe poziomy, to prace, które teraz trzymałam w ręku, nie potwierdzały moich nadziei. Świadczyły o poziomie Marka, absolutnie dla mnie niedościgłym. Zostało mi niemiłe wrażenie, że sprytnie sobie poradziłam i że popełniłam nieuczciwość, co prawda, po raz pierwszy, ale nie czułam się z tym dobrze.

Próbowałam znaleźć jakieś usprawiedliwienie dla tego niegodnego postępku. Tłumaczyłam sobie, że jesteśmy zespołem badawczym, pracujemy nad jednym problemem, mamy podobny wkład pracy. Ja mam jeszcze studia, musiałam napisać dziesiątki prac, i to naprawdę dobrych, Mark nie ma takiego obowiązku, więc chyba może mi trochę pomóc.

36.

Z egzaminami sobie poradziłam, a nawet otrzymałam gratulacje za bardzo twórczą i wnikliwą pracę semestralną. Moim profesorom kamień spadł z serca, również dziekan, którego spotkałam w holu uniwersytetu, zatrzymał się na mój widok, by zamienić ze mną parę krzepiących słów.

Miałam przed sobą jeszcze tylko jeden, ostatni, semestr. Nie dowierzając własnemu szczęściu, powtarzałam niczym magiczne zaklęcie: za pięć miesięcy skończę studia i zacznę nowe życie. Całe moje dorosłe życie, nie takie przecież krótkie, składało się tylko z nauki – w różnych krajach, na różnych kierunkach i uczelniach.

Wyczerpały się możliwości zachodniego systemu kształcenia, przeszłam w nim bardzo wyboiste etapy. Uczelnie amerykańskie teoretycznie nie miały mi już nic do zaoferowania. Chyba że przyszłoby mi do głowy jeszcze raz zmienić specjalność. Ale na taki wybryk nie miałam ochoty.

Koniec sesji nie wróżył odpoczynku. Mark stwierdził, że mam teraz więcej czasu i niemiłosiernie nakręcał tempo naszych prac. Jego zaczerwienione z niewyspania oczy, wiecznie rozdrażniony głos, wymizerowana, szara twarz z ciągłym wyrazem niezadowolenia (a w najlepszym wypadku obojętności) nie pozwoliły moim skrajnie przeciążonym nerwom i głowie nawet na chwilę odpoczynku.

Ostatnio Mark jeszcze bardziej się zmienił, ogarnęły go defetystyczne nastroje. Jego brak pewności siebie i wiary w powodzenie naszego przedsięwzięcia badawczego dawał o sobie znać na każdym kroku. Pomyślałam, śmiejąc się z Marka, że jego lektury o herosach, którzy wcześnie zdobywali sławę i serca pięknych dam, musiały w nim rozbudzić żal za utraconą młodością. Próbowałam mu dodać otuchy, ale chyba nie wpływałam na niego tak korzystnie jak dawniej albo sama nie byłam dobrym wzorem pewności siebie.

Wzmożona drażliwość Marka na szczęście nie odbijała się na naszych seminariach. Przeciwnie, Mark stawiał nam coraz wyższe wymagania, coraz bardziej nas cisnął, był niezadowolony z postępów, które osiągaliśmy, i bez przerwy się z tego powodu wściekał.

Niepokoił się, że nie dotrzymamy terminu, do którego zakończenia pozostało nam już tylko pięć miesięcy, jeżeli się solidnie nie weźmiemy do roboty i nie przyspieszymy tempa, straszliwie bał się porażki. Jego rozdrażniony głos, skrzywiona twarz i rozbiegany wzrok świadczyły o narastającej panice. Uspokajałam go, że nic takiego się nie stanie, jeżeli damy sobie jeszcze jeden miesiąc, ale to go tylko rozjuszyło. Postanowiłam nie reagować na jego paranoidalne lęki i zaprzestać już prób jakiegokolwiek ich neutralizowania.

Uwolniona od zajęć na uniwersytecie, całe wakacje harowałam jak wół. Nigdy przedtem ani później tak ciężko nie spracowałam. Od początku nowego roku akademickiego systematycznie opuszczałam wykłady, ćwiczenia i seminaria, prawie nie wychodziłam z biblioteki. Z prawdziwą satysfakcją myślałam, że tym razem moi wielce szanowni profesorowie dwa razy pomyślą, zanim zdecydują się naskarżyć na mnie do dziekana.

Któregoś dnia wpadłszy na któregoś z nich, zaczęłam się gęsto tłumaczyć z nieobecności na wykładach, na co usłyszałam, że nie muszę się denerwować, bo profesor widział, jak ciężko haruję w bibliotece. Zapewnił mnie jeszcze, że mi ufa i że zauważył, iż w sytuacjach stresowych pracuje mi się o wiele lepiej.

W lutym nasze seminaria nagle straciły dotychczasową dynamikę, posuwaliśmy się w żółwim tempie albo dreptaliśmy w miejscu. Tematy dyskusji zaczęły się powtarzać. Zrobiło mi się mimo wszystko lżej na sercu. Przyszło mi na myśl, że przyczyną tego jest nasze ogromne przemęczenie i długotrwały stres. Całe nasze życie podporządkowaliśmy pracy, właściwie wszystko złożyliśmy jej w ofierze – myśli, marzenia, działania, sny, cały nasz świat. Chyba ja złożyłam w ofierze tej szalonej, złudnej idei także i moją miłość.

Może teraz, kiedy zabrnęliśmy w ślepy zaułek, wszystko się zmieni, i wróci na swoje dawne miejsce? Pewnie to nierealne, ale tak tego pragnę.

Być może zadanie w ogóle jest nierozwiązywalne i nie ma w tym naszej winy. To, co udało nam się zrobić w ciągu ośmiu miesięcy morderczej pracy, przyda mi się do doktoratu, wykorzystam ten materiał do kilku artykułów, może dzięki temu otrzymam etat na jakimś dobrym uniwersytecie albo opracuję niezłą metodologię.

Po trzecim nieudanym seminarium postanowiłam porozmawiać z Markiem. Siedział w kuchni z nieodłącznym kubkiem kawy i kontemplował swoje palce. Usiadłam obok niego.

– Zobacz, jak urosły – powiedział.

Wiedziałam, co ma na myśli, ale postanowiłam udawać, że nie rozumiem. Westchnęłam ciężko

– Co? Palce ci urosły?

Spojrzał na mnie jak na wariatkę: czyżbym nie wiedziała, że palce nie mogą urosnąć?

– Nie – odpowiedział spokojnie, nie mając siły na sprzeczkę ze mną. – Palce już dawno mi nie rosną. Paznokcie.

– Hmm, a jednak rosną – zgodziłam się.

– Rosną – powiedział Mark ze stoickim spokojem.

– Dlaczego?

Ja również postanowiłam zachować niewzruszony spokój, zdążyłam to wytrenować.

– Zapuszczam je.

Ten dialog coraz bardziej mnie intrygował.

– Co?

„Czy Mark może mnie jeszcze czymś zaskoczyć?" – pomyślałam.

– Czytam teraz Księgę Królewską – wyjaśnił.

– Hmmm. – To skąpe wyjaśnienie nie zaspokoiło mojej ciekawości, ale postanowiłam o nic go nie pytać.

Popatrzył na mnie, zdumiony, i dodał:

– Jest tam fragment o Samsonie.

– I o Dalili – dałam dowód swojej erudycji. Odległe skojarzenia i analogie układały się w logiczny związek.

– I o Dalili – potwierdził Mark, studiując swoje cudowne atawizmy, przede wszystkim na palcu wskazującym. – Jak pamiętasz, siła Samsona była w jego włosach. Im miał dłuższe włosy, tym był silniejszy.

– Aha. – Podrapałam się w tył głowy. – Mam do ciebie tylko jedno pytanie: jaki jest związek paznokci z twoim niepospolitym intelektem?

Okazało się, że Mark był przygotowany na takie pytanie.

– Nie zaszkodzi trochę je zapuścić – powiedział dobitnie.

„To prawda, w czym miałoby zaszkodzić" – pomyślałam.

– Dlaczego zająłeś się teraz Księgą Królewską? Skończyłeś już „Kapitana Nemo"? – postanowiłam zmienić temat.

– Nie. – Mark oderwał oczy od swoich paznokci. Teraz patrzył na mnie, jakby chciał sprawdzić, czy ja również urosłam. – Rzuciłem, za dużo tam mędrkowania. Te wszystkie opisy naukowe zmęczyły mnie, straszna nuda.

Rozmowa o „mędrkowaniu" chyba byłaby ciekawsza niż o Samsonie i paznokciach, ale nie podjęłam i tego tematu. Zdecydowałam się porozmawiać o moich wątpliwościach.

– Mark, czy nie wydaje ci się, że wyczerpaliśmy już nasz temat? Albo idziemy w złym kierunku, albo doszliśmy do jakiejś granicy, której przekroczenie okazało się po prostu niemożliwe. Może miejsce, w którym od dawna stoimy, to właśnie jest rozwiązanie?

Mark nic nie odpowiedział. Wodził wzrokiem, przenosząc go z paznokci na mnie, jakby nie wiedział jeszcze, któremu tematowi udzielić pierwszeństwa. Spodziewałam się, że zaraz ryknie na mnie, dusząc się ze złości. Przyszło mi nawet na myśl, że zastanawia się, czy ma na mnie wylać swoją złość, czy nadal trwać w spokoju. To dowodziłoby, że panuje nad złością.

– Od czterech tygodni nie posunęliśmy się ani o krok – postanowiłam potraktować chłodem jego ewentualne wzburzenie i wyjaśnić mu jak najdokładniej swoje przeniewierstwo. – Drepczemy w miejscu, nie możemy już nic znaleźć. Przecież przez te cztery tygodnie wykonałam wielką pracę, próbowałam rozgryźć problem na różne sposoby, oglądałam go z każdej strony. Ty zresztą też...

Nie chciałam zaczynać jeszcze jednej rozmowy, która do niczego by nas nie doprowadziła, dlatego mówiłam ogólnikami, unikając fachowych terminów i definicji. Mark przez cały czas nie spuszczał ze mnie wzroku.

– A więc sądzisz, że utknęliśmy w ślepym zaułku?

Chyba postanowił się nie wściekać.

– Gorzej – sprostowałam.

„Ślepy zaułek" miał dla mnie wydźwięk ograniczenia w czasie. Kiedyś przecież można z niego wyjść.

– To wygląda raczej na koniec drogi. Osiągnęliśmy cel, tylko o tym nie wiemy. Przecenialiśmy go, a on okazał się taki zwyczajny. Nie świadczy to źle o nas. O to przecież chodziło.

– Co proponujesz? – spytał zasmucony. Pomyślałam, że chyba myśli podobnie, tylko bał się mi o tym pierwszy powiedzieć.

– No, cóż, napiszmy artykuł, zastanówmy się nad metodologią problemu. Co jeszcze można zrobić?

Mark nadal nie odrywał ode mnie oczu. Dojrzałam w nich nawet, po tylu miesiącach rejestrowania ciemnej szarości, leciutkie przebłyski błękitu. Uśmiechnął się. Na moment ujrzałam dawnego Marka. Marka, którego kochałam i uwielbiałam, i już uważałam za bezpowrotnie utraconego.

– Jesteś w błędzie, maleńka – powiedział ciepło i ze współczuciem. – Wszystko ci się pokręciło. – Nagle jego głos stał się chłodny, ostry, niebieskie refleksy w oczach znów ustąpiły miejsca szarości. – To nie tak. Podeszliśmy bardzo blisko.

Chyba on również wolał nie wdawać się w szczegóły.

– Widzisz, to co do tej pory zrobiliśmy, to były tylko prace wstępne, podorywka, wymacywanie, wykonaliśmy kawał roboty, ale nie to jest najważniejsze. Dopiero teraz naprawdę zbliżyliśmy się do celu! Używając dotychczasowych analogii, mogę ci tylko powiedzieć, że do tej pory do kopania używaliśmy łopat. A że było ciężko? No cóż, to już sprawa sił fizycznych. Dokopaliśmy się do poziomu, do którego można się dokopać, i natrafiliśmy na ścianę, której nie tylko łopata, ale nawet buldożer nie ruszy. Musimy ją wysadzić! Nie ma innego wyjścia. Tylko silna eksplozja.

Mark lubi takie pirotechniczne porównania, skonstatowałam.

– Eksplozja nie wymaga użycia siły fizycznej, ale może nie uda nam się tego górotworu wysadzić w powietrze. – Twarz Marka na ułamek sekundy rozjaśnił radosny uśmiech. – Wydaje mi się jednak, że sobie poradzimy.

Powiedział to niemal z czułością. Z jakąś dziwną pieszczotą w głosie. „Pieszczota", przypomniało mi się dawno zapomniane słowo, tak do niej tęsknię...

– Teraz musimy się napiąć, zjeżyć i zintensyfikować.

Ciekawie dobrał czasowniki, szczególnie to „zjeżyć się".

– A teraz idź spać, maleńka. Jak to było: „I wieczny bój, a pokój tylko śni się czasem"? Tak?

– Tak. Tylko że pokój już dawno mi się nie śni.

– Też dobrze – bąknął Mark bez związku, bo znów skoncentrował się na swoich paznokciach.

Wściekłam się.

– Czy te pazury mają ci pomóc wysadzić naukę w powietrze?

– Cel uświęca środki – powiedział, nie podnosząc głowy.

„Niewyczerpane źródło mądrości – pomyślałam ze złością – istny Konfucjusz".

37.

Od tamtej pory sytuacja zaczęła się z każdym dniem radykalnie zmieniać. Właśnie tak: „z każdym dniem" i „radykalnie". Być może takie określenia rzadko chodzą w parze, tu akurat były one adekwatne do wydarzeń, przede wszystkim w moim odczuciu. Jeszcze wczoraj nie myślałam, że może być gorzej, bo już i tak było wystarczająco koszmarnie, niestety, okazało się, że owo „gorzej" chyba nie zna granic.

Rano Mark zakomunikował mi, że jedno seminarium tygodniowo już nam nie wystarczy, ponieważ prace wkroczyły w fazę krytyczną. Nie znalazłam w sobie sił, by stanowczo zaprotestować i zgodziłam się na dwa spotkania w tygodniu.

W moim wypadku oznaczało to całkowitą rezygnację nie tylko z jedzenia obiadów. Z trudem przypominałam sobie, że istnieją jeszcze takie zdobycze cywilizacyjne jak telefon i telewizja, które dawniej wydawały mi się nieodłącznymi elementami życia. Inne sprawy dawno zatarły się w pamięci. Największego uszczerbku doznał jednak mój sen – z pięciu godzin na dobę skurczył się do trzech i pół godziny, rzadko spałam cztery godziny. Co prawda, sprytnie udawało mi się pozyskać jeszcze czterdzieści minut snu w autobusie. Nie do zniesienia natomiast stała się atmosfera w domu. Mark bez powodu cały czas na mnie warczał i krzyczał, stukając kostkami palców w co popadło. Nie miałam innego wyjścia, jak tylko uznać tę formę kontaktów między nami za normalną, jedyną obroną był mój jeszcze głośniejszy krzyk.

Mark żądał, bym posuwała się w moich badaniach i dociekaniach coraz dalej, a ja wciąż tkwiłam w martwym punkcie.

On też chyba nie wiedział, jak przezwyciężyć ten zastój. Zaskoczyło mnie, że jest aż tak bierny. Słuchał moich propozycji, a potem je krytykował, nie szczędząc mi bolesnych uwag.

Tłumaczyłam mu, że zachowuje się destrukcyjnie, że jest bezwzględny i już od dawna przestał cokolwiek wnosić do naszych dyskusji, ale nawet mnie nie słuchał. Raz tylko odpowiedział złośliwie, że był wystarczająco długo konstruktywny, teraz moja kolej na odrobinę aktywności. Było to bardzo niesprawiedliwe, poczułam się dotknięta, mój wkład pracy wcale nie był mniejszy niż jego, ale zmilczałam, nie chcąc doprowadzać do kolejnej scysji.

– Czego się na mnie wydzierasz? – odkrzyknęłam w rewanżu. – Może po prostu nie jestem taka mądra jak ty?

Mój rozpaczliwy argument trafił do Marka. Uspokoił się, usiadł i popatrzył na mnie zimnym, stalowym wzrokiem, szacując moją wartość. Chyba był zdziwiony.

– Wiesz, że nigdy mi to nie przyszło do głowy? – odpowiedział. – Może masz rację? Może nie jesteś taka zdolna, jak myślałem?

Powiedział to tak poważnie, że znowu poczułam się boleśnie dotknięta. Trzasnęłam drzwiami i mimo późnej pory wybiegłam z domu.

Nie bałam się ciemności. Udzieliła mi się bezsenność Marka, na moją nocną pracę nie było już w naszym mieszkaniu miejsca, wszechwładnie panował tam Mark. Nie było sensu leżeć, kiedy mózg nieustannie pracował. Spacerowałam, aż uspokoiły się nerwy, na szczęście, okolica była bezpieczna. Mroźne powietrze odświeżyło mnie i mój umęczony mózg, wróciłam do domu. Do kuchni nie odważyłam się wejść, rozebrałam się i wsunęłam pod kołdrę. Spróbowałam zasnąć.

Z powodu bezsenności zapadałam w krótkie drzemki już nie tylko w autobusach, ale wszędzie gdzie mogłam na chwilę przysiąść. Chyba oczy miałam cały czas otwarte i nawet rozmawiałam z ludźmi. Jedynie w bibliotece udawało mi się pokonywać senność, nie wiem, jakim sposobem.

Mój wzrok świadomie unikał luster. Myjąc ręce, tylko na ułamek sekundy zerkałam na swoje odbicie w lustrze, wiszącym nad umywalką, by czym prędzej skoncentrować się na rękach, które z rozkoszą przyjmowały jedyną dostępną im teraz pieszczotę – strumień ciepłej wody.

Pozytywnym skutkiem mojej bezsenności był brak łaknienia. Rezygnacja z jedzenia pozwalała oszczędzać czas. Wypijałam w ciągu dnia tylko kilka filiżanek kawy, z rzadka i na siłę starając się przełknąć parę listków sałaty, w trosce o elementarne funkcjonowanie mojego organizmu.

Na pełne niepokoju pytania o przyczynę mojego nie najlepszego wyglądu nie mogłam już odpowiadać ulubionym żartem o przygotowaniach do biegu maratońskiego, teraz informowałam zainteresowanych, że przed paroma dniami właśnie go ukończyłam. Kiedy zaskoczony rozmówca dopytywał o szczegóły, wyjaśniałam mu, że odbyłam dwa biegi, i to jeden po drugim, ten ostatni na pustyni w Maroku, niestety, jej nazwa uleciała mi z pamięci.

O zajęciach na uczelni musiałam zapomnieć, więc zapomniano także i o mnie. Luty i marzec minęły spokojnie. W kwietniu znowu zaczęto mnie tu i tam wzywać, odrywając od pracy w ukochanej bibliotece. Groziło mi niezaliczenie ostatniego semestru. Nie miałam pojęcia, jak z tego wybrnąć.

Dwa seminaria tygodniowo również nie posunęły naszych badań do przodu. Mark nadal naciskał, wściekał się, nie pomagał mi pokonać bariery, przed którą oboje stanęliśmy. Nerwy miałam napięte do granic, czasami zastanawiałam się, które z nas pierwsze tego nie wytrzyma.

Mark zachowywał się jak roszczeniowy podopieczny, który tylko żądał, nie będąc w stanie nic z siebie wykrzesać. Nabrałam wątpliwości, czy przypadkiem jego nocne czuwania nie są fikcją. Może Mark wcale nie pracuje, lecz kontempluje swoje paznokcie? Dzięki Bogu, nie mógł się zajmować wymyślaniem min, gdyż w kuchni nie było lustra. Jedyne, co mógł robić, to wymyślać głosy dla swoich porozwieszanych na ścianach karykaturalnych wizerunków.

Kilka razy ostrożnie podchodziłam do drzwi i obserwowałam go przez szparę. Niestety, przyszło mi przeżyć poważny zawód – siedział nad zeszytem i wpatrywał się w okno. Nie rozwiało to jednak moich podejrzeń. Pomyślałam, że może nie udało mi się go złapać na gorącym uczynku.

Minął luty, marzec, zaczął się kwiecień, a my wciąż dreptaliśmy w miejscu, nie mając pojęcia ani nawet odległego wyobrażenia, co dalej, w którym kierunku powinniśmy iść. Byliśmy krańcowo wyczerpani pasmem niepowodzeń i udręczeni sobą nawzajem.

Któregoś dnia, wracając z dziekanatu, gdzie kolejny raz przypomniano mi o obowiązku nadrobienia zaległości, spotkałam profesora Zylbera. Maszerował zamaszyście korytarzem, wyprostowany, z zadartą głową, wydawało się, że nikogo nie dostrzega. I tylko ja wiedziałam, że żyjące własnym życiem rozbiegane oczy profesora rejestrują każdy szczegół.

Moja pamięć nagle przywołała zapomniane chwile, tamten jakże odległy czas, kiedy pracowałam pod jego kierunkiem, Zylberowskie seminaria z udziałem doktora Dalrimple'a i Jeffreya, nasze niekończące się dyskusje i rozmowy, bezpieczny i przyjazny klimat domu profesora. Byłam wtedy szczęśliwa, beztroska, rozwijałam się, odnosiłam sukcesy, nie przeczuwając, że cokolwiek może się zmienić. Posłuchałam, na swoje nieszczęście, Marka i sama zacisnęłam sobie pętlę na szyi.

Miałam świadomość, że zdradziłam Bogu ducha winnego Zylbera, nawet się z nim nie pożegnałam i nie podziękowałam za pomoc i wsparcie. Wydał mi się teraz kimś na tyle bliskim i miłym z mojej utraconej wspaniałej przeszłości, że zapragnęłam chociaż na chwilę powrócić do tamtej atmosfery i poczuć ją. Pobiegłam za Zylberem.

Profesor nie zatrzymał się na mój widok, jedynie jego oczy wykonały jakieś niewiarygodne salto, ale się opanowały i powróciły na swoje miejsce, za zasłonę grubych szkieł. Zylber skinął z lekka głową, co zapewne oznaczało ukłon, minął mnie i poszedł dalej.

Dogoniłam go. Zdyszana, wyglądałam chyba jeszcze gorzej niż w ostatnim czasie.

– Panie profesorze, przepraszam za śmiałość, ale czy moglibyśmy porozmawiać? – wykrztusiłam.

Zylber zatrzymał się. Nie sprawiał wrażenia człowieka zaskoczonego czy zdziwionego, wydało mi się nawet, że czekał na to spotkanie.

– Oczywiście, słucham panią, Marino – odpowiedział.

Powiedział do mnie „Marino", jak dawniej, fala wspomnień wzmogła się – cudowny czas szczęścia był teraz tak nierealny...

– Panie profesorze, chciałam pana przeprosić – jąkałam się, tracąc oddech. – Chciałam, żeby pan wiedział, że o panu nie zapomniałam, że pamiętam to wszystko, co pan dla mnie zrobił, nasze wieczorne rozmowy i...

Wzruszenie odebrało mi głos, a napływające do oczu łzy ścisnęły za gardło. Zamilkłam, nie kończąc zdania.

– Marino – Zylber znowu zwrócił się do mnie po imieniu, z pewnością rozumiał, że nie byłam w stanie nic więcej z siebie wydusić. Jego głos brzmiał miło i ciepło, a może tylko tak mi się wydawało? – Niedobrze pani wygląda – powiedział, zastanawiając się chyba, czy ma dalej drążyć ten temat. – Wiem, że ma pani kłopoty. Jest mi bardzo przykro, taka zdolna dziewczynka.

Jego słowa sprawiły mi tak wielką przyjemność, że nawet darowałam mu tę „dziewczynkę".

– Daleko by pani zaszła, gdyby pani została wtedy u mnie, gdyby się pani nie związała z tym... – profesor szukał właściwego słowa.

Zaraz powie coś o Marku. Wszystko mi jedno, zgodzę się ze wszystkim, co powie.

– Z tym geszefciarzem od nauki.

Takich słów się po nim jednak nie spodziewałam. Doznałam wstrząsu, nie rozumiałam, co ma na myśli. Milczałam, nie wiedząc, co mu odpowiedzieć i czy w ogóle powinnam odpowiadać.

Zylber zorientował się, w jakim jestem stanie.

– Gdyby pani potrzebna była jakaś pomoc czy rada, proszę do mnie dzwonić. – Zaproponował ze szczerą troską w głosie.

Nie mogłam mu nic odpowiedzieć, tłumiony płacz jeszcze mocniej ścisnął mi gardło. Bałam się, że lada moment wybuchnę głośnym szlochem. Skinęłam głową, starając się ukryć oczy, by profesor nie zobaczył w nich łez, ale pewnie już je dostrzegł. Machinalnie, myśląc tylko o tym, by jak najgłębiej ukryć przed nim swój wstyd, nie bardzo kontrolując zachowanie, odwróciłam się i z wielkim trudem ruszyłam przed siebie, resztkami sił wlokąc ciężar umęczonego ciała. Czułam na plecach świdrujący wzrok Zylbera.

Zrobiło mi się ciężko na duszy. Nie byłam w stanie iść do biblioteki i zająć się pracą. Marzyłam o chwili odpoczynku. Z radością pojechałabym tam, gdzie nie ma Marka, gdzie można się za wszystkie czasy wyspać, ale nie znałam takiego miejsca, więc zdecydowałam się wrócić do domu.

Dość długo czekałam na autobus na zimnym, porywistym wietrze. Ostatnio bez przerwy marzłam, nawet kiedy na dworze było ciepło. Całkiem opadłam z sił, gdyby nie przejmujący ziąb, prawdopodobnie zasnęłabym na stojąco. Kręciło mi się w głowie, oparłam się o słup, jeszcze bardziej lodowaty niż wiatr, ale dawało mi to poczucie oparcia i bezpieczeństwa. W końcu nadjechał autobus. Nogi zdrętwiały mi z zimna i zmęczenia, straciłam w nich czucie, ale udało mi się wejść do środka i wreszcie usiadłam w cieple.

Zamknęłam oczy i natychmiast gdzieś odpłynęłam w męczącym półśnie. Nie musiałam się przygotowywać do snu, mój wyczerpany do granic mózg nie umiał już odpoczywać, wyłączać się, relaksować, zapadał w pół sen, pół jawę. I nawet wtedy usilnie pracował, działał, po prostu wpadł w taki rytm funkcjonowania, choć była to praca ze wszech miar bezproduktywna i bezsensowna.

Zwidziało mi się, że jestem w salonie Zylbera. Od kominka i obecnych tam osób płynęło przyjazne ciepło, wzmacniane gorącą, mocną herbatą, którą piliśmy z kruchych miśnieńskich filiżanek, we śnie zobaczyłam nawet delikatną różyczkę na podstawce. Było mi nie tylko ciepło, ale i słodko, czułam smak konfitur.

Starałam się schwytać wzrok Jeffreya, nieśmiały, spłoszony, nie interesowało mnie to, co mówił Zylber swoim pięknym, miarowym głosem z niemieckim akcentem. Zapragnęłam wstać i podejść do Jeffreya, i zrobiłam to. Dotknęłam dłonią jego szyi, przesunęłam po niej delikatnie palcami i poczułam, że Jeff drży. Pochyliłam się ku jego twarzy, próbując zajrzeć mu w oczy, a potem lekko musnęłam jego wargi, które zastygły w niedowierzaniu i niemym oczekiwaniu, poddając się tej subtelnej pieszczocie. Obsypując pocałunkami jego delikatną skórę, szepnęłam: „Pragnę cię, od dawna cię pragnę".

Zylber wciąż mówił, ale nie słyszałam o czym, do moich uszu dobiegały oderwane słowa, fragmenty zdań, nie mogłam sobie przypomnieć, kogo zaprosił na dzisiejsze seminarium. Postanowiłam przyjrzeć się gościowi, który nie wiadomo dlaczego siedział do mnie tyłem, więc wsłuchiwałam się w jego głos – przedziwny, zagniewany głos urażonego trolla.

Na dźwięk tego głosu przeszył mnie dreszcz, ale spróbowałam się weń uważniej wsłuchać. Zylber z czymś się nie zgadzał, denerwował się, troll rozzłościł się, nękał go pytaniami, słyszałam oderwane słowa, spróbowałam je powiązać, nadać im sens. Już wiedziałam, czego pragnę: powiązać poszczególne słowa w zrozumiałą treść, wytężyłam umysł, całe ciało, aż nabrzmiały mi żyły na rękach, do mózgu napłynął nowy strumień krwi, czułam, że spływam potem, cierpiałam, bałam się, że za chwilę rozpadnę się z wysiłku i napięcia, stracę przytomność, mimo to podjęłam jeszcze jedną próbę, tym razem rozpaczliwą, bo wiedziałam, że jest to ostatnia próba. Nagle troll odwrócił się, ale nie widziałam jego twarzy, tylko zagadkowy uśmiech, ten uśmiech od dłuższego czasu mnie prześladował, krzyknęłam, gdyż troll powtórzył te wszystkie słowa, a raczej powtórzył je tajemniczy uśmiech, słyszałam je coraz wyraźniej, przebiły się przez moje otumanienie i nadludzki wysiłek ciała, pokonały ten niewiarygodny opór i ułożyły się w czytelną treść.

Zauważyłam zdziwione spojrzenia pasażerów i uśmiechnęłam się przepraszająco.

Prawdopodobnie krzyczałam nie tylko we śnie. Co mnie obchodzą te wszystkie spojrzenia, mój krzyk! Nerwowo próbowałam otworzyć teczkę i wyjąć zeszyt, szepcząc tamte słowa... zdanie... bałam się je zgubić, bałam się, by nie opadły na dno pamięci, świadomości, nie zatraciły się w ich bezmiarze, tak jak rozpłynął się mój szalony sen. Teraz liczył się tylko jego wytwór, to jedno jedyne zdanie... Tylko ono miało sens. Powtarzając je w myślach, artykułując bezgłośnie, zapisałam je, schwytałam, zamknęłam w zeszycie, już mi nie uleci – papier jest niekiedy trwalszy niż pamięć.

W jednej chwili przeżyłam wielką metamorfozę. Było mi lekko na duszy, znikło zmęczenie, nawet poczułam głód. Nie było sensu jechać do domu, nic bym tam nie znalazła do jedzenia.

Muszę jak najszybciej dotrzeć do biblioteki, tylko tam! Pobyć w ciszy, sam na sam z jej odgłosami – szelestem przekładanych kartek, konspiracyjnymi półszeptami, głuchym, wyciszonym rytmem kroków po dywanach.

To zdanie, te słowa, chwilę temu krążyły gdzieś w niedosięgłych przestrzeniach, teraz w pokorze dały się schwytać i przyszpilić do kawałka kartki, na zawsze. To był szyfr! Klucz do naszego zadania, dynamit, którego poszukiwaliśmy od tak dawna, o którym mówił Mark.

Na najbliższym przystanku wysiadałam z autobusu, nie czułam już dojmującego chłodu, lekki wiatr przyjemnie muskał moją twarz, przeszłam na drugą stronę ulicy i wsiadłam do autobusu, który jechał w stronę uniwersytetu. Nie spieszyłam się, miałam dużo czasu, całe popołudnie, a jeśli będzie trzeba, to i całą noc. Zjadłam w barku talerz gorącego rosołu i kawałek mięsa, było to niezwykle smaczne, jak mogłam gardzić wcześniej takimi przyjemnościami?

W bibliotece przesiedziałam do drugiej w nocy, oczywiście, zatelefonowałam do Marka, by go uprzedzić, że się trochę zasiedzę. Z trudem udało mi się powściągnąć radość w głosie, nie chciałam zdradzić mego wielkiego poruszenia.

Zapisałam niemal cały zeszyt, wszystko, tak jak przeczuwałam, układało się w logiczną całość, ręka nie nadążała za szaleńczym biegiem myśli, pisałam skrótami, sygnalizowałam problem, by go później rozwinąć. Wiedziałam, że znalazłam nieoczekiwaną kontynuację, a właściwie nowe rozwiązanie, że dokonałam wielkiego intelektualnego skoku. Dokonałam wyłomu!

Biblioteka była czynna całą dobę, ale o drugiej poczułam, że tracę siły i postanowiłam wrócić do domu. Sen też jest potrzebny. Zamówiłam taksówkę, nie przejmując się kosztami, i po dwudziestu minutach znalazłam się w domu.

– I co? – spytał zarośnięty Mark, odrywając się od dużego kubka, z którego coś pił.

Rzuciłam mu się na szyję i pocałowałam w zarośnięty policzek, a potem głośno cmoknęłam gdzieś w okolicy szyi.

Popatrzył na mnie, zaskoczony, marszcząc czoło, nie spodziewał się takiego powitania, zorientowałam się, że nic nie rozumie i oczekuje wyjaśnień. Jeszcze nie teraz, Mark. Odwróciłam się i krokiem „biegnącej po falach" opuściłam kuchnię.

38.

Czas, który pozostał mi do najbliższego seminarium, wypełniała niekończąca się, niemal całodobowa praca. Precyzowałam najdrobniejsze szczegóły mojej koncepcji, szlifowałam do perfekcji interpretację, wzajemne powiązania wątków badawczych, wnioski końcowe, sytuowałam to wszystko w kontekście i nakreślonych przez Marka ramach naszego projektu badawczego.

Przygotowałam nawet plansze! Nie było mi łatwo. Teoria ogólna rozpadała się na podteorie, te z kolei na poszczególne idee, myśli, niuanse itd. Byłam pewna sukcesu, pewna tego, że Mark zaakceptuje moje podejście do problemu, wpadnie w zachwyt, uśmiechnie się, zacznie działać, przyłączy się do mnie i dalej już będziemy pracować razem.

Rozwiesiłam plansze na ścianach, zasłaniając nimi zwariowane „gęby" Marka, i usiadłam przy stole, patrząc triumfalnie na nic nierozumiejącego Marka, chociaż z pewnością musiał się czegoś domyślać. Wykładałam swoją koncepcję chyba z godzinę, z pasją, ale bardzo konkretnie, rzeczowo, nie koncentrując się na drobiazgach, do których mogliśmy z powodzeniem powrócić w trakcie dyskusji.

Mark słuchał mnie z uwagą, pocierając świeżo ogolony policzek, ale trwało to nie dłużej niż pół godziny. Później jego zainteresowanie osłabło, chyba zaczął się nudzić, w końcu przerwał mi w pół słowa:

– Dobrze, jasne, a...

Teraz ja nie pozwoliłam mu dokończyć zdania.

– Nic nie jest jasne – powiedziałam rozczarowana i urażona. – Najważniejsze dopiero nastąpi, proszę cię jeszcze o chwilę cierpliwości.

Mój upór wyraźnie go rozdrażnił, ale chyba nie miał dzisiaj siły, żeby się ze mną wykłócać. A może nie chciał mi psuć nastroju zwycięstwa?

– Dla mnie to wszystko jest już jasne. Rozumiem, co dalej, ale skoro się upierasz, to dokończ – odezwał się ospale.

Uparłam się, jakże się uparłam. Nie mogłam pozwolić, by jego obojętność zniszczyła mój sukces. Byłam pewna, że wykonałam kawał znakomitej roboty, nie miało teraz dla mnie znaczenia, jak Mark to oceni.

Mówiłam jeszcze ze dwadzieścia minut, Mark wyglądał na znudzonego, ale wiedziałam, że mnie słucha.

Kiedy skończyłam, Mark zadał mi kilka pytań. Nie przeliczyłam się w przewidywaniach. Dotyczyły akurat tych niedopowiedzianych szczegółów, które zostawiłam dla niego. Dlatego odpowiadałam z wielką pewnością siebie, czułam się dzisiaj królową. Rozmawialiśmy jeszcze około pół godziny, po czym Mark, nadal ospale (ale na szczęście bez złości) podsumował moje osiągnięcia badawcze:

– No cóż, w końcu coś tam mamy. Dobre i to.

– Co masz na myśli, mówiąc „coś tam"?

Wiedziałam, że tak mnie podsumuje, ale kiedy to zrobił, i to w taki lekceważący sposób, zirytowałam się, a właściwie oburzyłam.

– Ślepy jesteś?! Nie widzisz?! Cały czas ci tłumaczę, już ponad godzinę, i co, nic do ciebie nie dotarło? Mark! Mamy rozwiązanie! Ostateczny wynik! O to nam chodziło! Ocknij się, znalazłam rozwiązanie!

Z wielkim trudem udawało mi się nad sobą zapanować.

Mark tylko pokręcił głową, jego stalowe oczy patrzyły na mnie z obojętnością.

– Nie mamy – odparł ze stoickim spokojem. – To nie jest to. Oczywiście, jest lepiej niż było, ale to całkiem nie to. Całkiem nie to – powtórzył.

Milczałam. Coś nieprzyjemnego utkwiło mi w gardle, nie mogłam tego rozpoznać – łzy, wściekłość?

Może Mark powiedział tak specjalnie? Z zazdrości? Od kilku miesięcy nic nowego nie wymyślił, ani słowa, ani jednego zdania, i to go złości, dlatego mnie upokarza, dlatego umniejsza wartość mojej pracy, to jego samoobrona, nic więcej, po prostu się wstydzi. Pewnie dlatego odszedł z uniwersytetu, czuł, że już nic więcej nie wymyśli.

Jak go Zylber nazwał? Geszefciarz? Dopiero teraz zrozumiałam. Celowo zlekceważył moje odkrycie, bo sam chce je wykorzystać, chce mnie w nim pominąć!

Coś podpowiadało mi, że sama wpadam w paranoję, ale w życiu często zdarzają się sytuacje, do których kliniczni paranoicy na pewno by nigdy nie doszli. Dlaczego od razu nie zapytałam Zylbera, co miał na myśli? Chciał mnie przed czymś ostrzec, pomyślałam nagle. Co robić? Wszystko Markowi wyłuszczyłam. Co teraz będzie?

Patrzyłam na niego przerażona.

– Przedstawiłaś świetną koncepcję na pracę doktorską, a może jeszcze więcej, ale nam absolutnie nie o to chodziło – odezwał się Mark.

Dlaczego siedzę i nic nie mówię? Muszę się bronić, przecież nigdy w życiu już nic większego nie dokonam.

– Mark – odezwałam się – ty po prostu mi zazdrościsz, przyznaj się. Zazdrościsz, że sama na to wpadłam, bez twojej pomocy, że to mój sukces, moje wielkie odkrycie. Od trzech miesięcy nic nie możesz wymyślić, nie masz żadnych pomysłów, żadnych propozycji, przemawia przez ciebie ordynarna zazdrość.

Na szczęście powściągnęłam się w porę. Zdanie, że Mark chce mi ukraść sukces, miałam już na końcu języka.

Siedział nieporuszony, jedynie lekko uniósł brwi.

– To idiotyczne, co teraz mówisz – powiedział w końcu, a ja poczułam, jak zalewa mnie fala gorąca.

– Niech sobie będzie idiotyczne, ale dlaczego nie próbujesz dostrzec rzeczy całkiem oczywistej: dokonaliśmy wielkiego odkrycia!

– Tak, odkrycia – zgodził się jakby od niechcenia – ale to niewielkie odkrycie. I nie to, o które nam wciąż chodzi. Ogólny kierunek jest właściwy. Muszę przyznać, że dobrze go wybrałaś, ale dalsza interpretacja nie ma sensu, jest nieuzasadniona. Widzę, że dopiero teraz zabrnęliśmy w ślepą uliczkę.

– Nie musisz mi niczego przyznawać! Donikąd nie zabrnęliśmy! – rozdarłam się. – Dotarłam do mety! Czy to rozumiesz?! Do mety! Do celu! Koniec i kropka!

Miałam wrażenie, że gorycz, łzy, wściekłość za chwilę rozsadzą mi klatkę piersiową, że eksploduję. Miałam ochotę wszystko rzucić i już nigdy do tego nie wracać. Niczego już nie potrzebowałam – ani Marka, ani tej całej nauki, ani zwycięstw i klęsk – n i c z e g o!

Marzyłam, by wynieść się z tego mieszkania, już teraz, natychmiast, w tej sekundzie, nigdy więcej nie oglądać zaniedbanego, nieogolonego Marka z jego szponami i stalowym spojrzeniem. Zapragnęłam wyskoczyć za burtę tego zwariowanego statku, trzasnąć głośno drzwiami, chociaż sama nie wiedziałam, jaki jest związek między skokiem za burtę i trzaskaniem drzwiami.

– Uważasz, że twoje odkrycie to ten wielki wyłom? Myślisz, że dokonaliśmy przewrotu?

Głos Marka zmusił mnie do zamilknięcia. Nie miałam pojęcia, czy jest to ten wyłom czy inny, po prostu nic już nie wiedziałam, nic.

– Uspokój się – mówił dalej Mark, powoli, metalicznym głosem. – W tym, do czego doszłaś, rzeczywiście coś jest, drobiażdżek, rodzynek, ale nie tam, gdzie go umiejscowiłaś, zupełnie gdzie indziej...

– To ty się uspokój – wycedziłam przez zęby i wstałam, energicznie odstawiając krzesło.

Pomyślałam sobie, że mogłabym teraz Marka zabić lub chociażby uderzyć, albo jeszcze lepiej – rzucić w niego czymś ciężkim, byle tylko go nie dotykać, nie mieć z nim już nic wspólnego.

– Idź do diabła, razem z tym swoim rodzynkiem – powiedziałam, opanowując krzyk.

Chwyciłam kurtkę i wybiegłam z domu, trzaskając jednak drzwiami.

Trzy godziny włóczyłam się po ulicach, zmarznięta weszłam w końcu do jakiejś znajomej kawiarni, by się rozgrzać gorącą kawą. W dawnych czasach, prawie prehistorycznych, często wpadaliśmy tu z Markiem. A potem znów spacerowałam bez celu, przemierzając tę samą uliczkę tam i z powrotem. Co mam robić? Tak nie może dłużej być?

Miałam ochotę wyć, już nie płakać, ale wyć, rozpaczać na cały głos, ale nie mogłam.

Zapachy nadchodzącej wiosny jakoś ukoiły moje nerwy, skołataną głowę, a co najważniejsze, uporządkowały myśli, tylko złości nie mogłam się pozbyć.

Wiem, to głupio podejrzewać Marka, że chce mi ukraść sukces, przecież może zostać jego współautorem, tylko bym się z tego cieszyła. Zylber z wściekłości na Marka wymyśla co mu ślina na język przyniesie. Jakaż ze mnie idiotka! Czy musiałam to wszystko wykrzyczeć?

Może Mark jest trochę zazdrosny, ale czy z powodu tak niskich emocji zdecydowałby się pogrążyć naszą ideę, której sam poświęcił rok życia? To niemożliwe! Może on rzeczywiście zobaczył to, co mnie umknęło z pola widzenia?

Ta myśl powracała: nie bądź uparta, popatrz na wszystko pod innym kątem, z innej strony, otwórz się na to, przypatrz się temu dobrze.

Mogę spojrzeć na wszystko jeszcze raz, z dystansu, bo i tak nikt mi nie odbierze tego, co udało mi się odkryć. To odkrycie na zawsze będzie moje. Będzie ze mną. W najgorszym wypadku będzie tylko moim ostatnim odkryciem, nic więcej mu nie grozi. Może powinnam posłuchać Marka? Właściwie dlaczego nie, może i tym razem ma rację? Niczym nie ryzykuję.

Do domu wróciłam znacznie spokojniejsza, chociaż moja złość nie do końca się wypaliła.

Mark leżał na kanapie, czytał którąś ze swoich ulubionych dziecięcych lektur. Nie sprawiał wrażenia zdziwionego ani moim wyjściem, ani powrotem. Moje plansze nadal wisiały na ścianach, na stole leżały zeszyty i notatki, przygotowane na seminarium. Mark niczego nie uprzątnął. Przysiadłam koło niego, niestety, dawno nieprane skarpetki Marka zmusiły mnie, bym jak najszybciej poderwała się z kanapy i poszła po krzesło.

– Mark, zgadzam się jeszcze nad tym popracować – odezwałam się spokojnie. – Powiedz mi, proszę, jaka jest twoja koncepcja, jak ty to widzisz, postaram się ją rozpracować, rozważyć inne podejście do problemu.

Popatrzył na mnie tym samym chłodnym, stalowym wzrokiem, ale jakoś obojętnie, jak gdybym parę godzin wcześniej nie posłała go do diabła, chociaż nie wyartykułowałam wyraźnie miejsca tego zesłania.

– Świetnie – powiedział, choć jego głos nie wróżył nic dobrego. – Czy teraz? – upewnił się.

– Po co to odkładać? – Wzruszyłam ramionami. – Zresztą, kiedy chcesz.

– Chodź, usiądźmy przy stole.

Zwlókł z kanapy swoje ospałe, rozleniwione ciało.

Mówił powoli, od czasu do czasu patrząc mi prosto w oczy, może chciał się upewnić, czy go słucham. Nie krytykował w czambuł mojego odkrycia, lecz jedynie podkreślił pewien jego aspekt, omówił go, nie pogłębiając mimo wszystko tego, do czego w tym punkcie doszłam. Jego zdaniem, ta drobinka, jedna z wielu w mojej teorii, na którą nie zwróciłam uwagi, była najcenniejsza.

Nie byłam w stanie pojąć toku jego rozumowania. Dlaczego akurat ten tak nieistotny fragment całości? Postanowiłam jednak ćwiczyć posłuszeństwo i uległość, więc tym razem złość nie wylała się ze mnie, lecz schowała się bardzo głęboko w moim wnętrzu. Powtarzałam sobie: spróbuj, zrób tak, jak chce Mark, co ci szkodzi? Zaklinałam siebie, błagałam, modliłam się: zrób tak.

Ustaliliśmy, że popracuję nad tym wyodrębnionym przez Marka maleńkim zagadnieniem, nad tą okruszyną. Pozbierałam zeszyty, chciałam także zdjąć moje plansze, ale Mark zaprotestował.

– Niech sobie wiszą, lepsze to niż moje gęby.

Zaskoczył mnie, w końcu niech sobie jeszcze powiszą, co mi tam.

Jako zadośćuczynienie za moją uległość czy może raczej dyplomatyczną mądrość, poprosiłam o przesunięcie na inny termin następnego seminarium, które miało się odbyć jeszcze w tym tygodniu. Nie wierzyłam, że Mark się na to zgodzi, ale i tym razem mnie zaskoczył.

Na wiele dni utknęłam w bibliotece, przeglądałam książki, wywracałam do góry nogami swoje notatki i nic. W rozpaczy wciskałam głowę w blat biurka, zamykałam oczy, przysłaniałam twarz dłonią, drażniło mnie światło, miałam wrażenie, że wdziera się wprost do mojego mózgu, utrudniając mu pracę swoim sztucznym blaskiem.

Miałam nadzieję, że mój mózg jest tak przedziwnie skonstruowany, iż wszelkie olśnienia zdarzają mu się tylko w stanie drzemki, na pograniczu jawy i snu. Czekałam, by w rozpalonej wyobraźni znów pojawił się zły troll z tajemniczym uśmiechem i nieprzyjemnym głosem jeszcze raz podpowiedział to najważniejsze, fundamentalne zdanie. Niestety, ani troll, ani inny maszkaron mnie nie odwiedził. Zmęczona, unosiłam ciężką głowę, nabierałam powietrza i wydychałam je głośno. Kiedyś widziałam, że tak robią sztangiści, nim poderwą sztangę.

Czwartego dnia, ku swemu zaskoczeniu, pomyślałam, że Mark chyba miał trochę racji. Ta początkowo odważna myśl, którą przyjęłam z niewiarygodnym spokojem, nabrała realnych kształtów. Coś nagle zamajaczyło, mgliście, chaotycznie, by po chwili ułożyć się w logiczny ciąg. Byłam pewna, że natrafiłam na właściwy trop. Znajdę rozwiązanie!

Rzeczywiście znalazłam. Zaczęłam je układać w zdania, notować wartki potok myśli. Miałam dwa dni na usystematyzowanie nowej teorii, opracowanie wniosków i podsumowanie tego etapu badań. Musiałam także opracować nowe plansze.

Nowe podejście badawcze nie było tak fascynujące jak tamto, pierwsze. Nie było nagłym olśnieniem, oszałamiającą iluminacją, mistycznym otwarciem umysłu na światło wiedzy. Doszłam do niego drogą żmudnej pracy, wnikliwej analizy faktów, intelektualnie.

W domu prawie nie bywałam. Do biblioteki wychodziłam o świcie i wracałam przed świtem. Znaczną część mojego budżetu przeznaczałam teraz na taksówki, co spowodowało w nim sporą wyrwę, ale niezbyt się tym przejmowałam. Dziura budżetowa była mimo wszystko mniej groźna niż te wszystkie dziury w mojej psychice, których nie nadążałam zacerować.

Marka prawie nie widywałam, nie rozmawialiśmy. Jego widok drażnił mnie, wyzwalał pokłady tłumionej złości i żalu.

Chyba nienawidziłam teraz wszystkiego dokoła, poczynając od swojej własnej osoby – naszego mieszkania, w którym musiałam spać, biblioteki z jej charakterystycznymi odgłosami, lamp elektrycznych – inny rodzaj światła od dawna nie był mi dostępny – pracy, każdego jej etapu z osobna, moich zapisanych zeszytów, własnego charakteru pisma, tego nieubłaganego popychania badań do przodu.

Ta uogólniona nienawiść do całego świata jednak w niczym mi nie przeszkadzała, chyba się z nią zżyłam, byłyśmy w jakiejś tajemniczej symbiozie. Kiedy robiłam kolejny kroczek, sama stroiłam teraz wściekłe miny i z całych sił zmuszałam nadgarstek prawej ręki i palce do tak wielkiego wysiłku, jakbym chciała rozgnieść jakiegoś potwornego owada, podniecając się mściwą, żądną krwi myślą: o, jeszcze jeden.

Ta złość, a właściwie bezsilna wściekłość, pragnienie niszczenia wszystkiego dokoła, zwaliły się na mnie podczas tego seminarium. Mark i tym razem słuchał mojego wykładu od niechcenia, z obojętnym wyrazem twarzy, wolałabym, żeby go przerwał, żeby powiedział, jak poprzednio: „Dobra, wystarczy, rozumiem, o co chodzi".

Intuicyjnie czułam, że znowu wywróci wszystko do góry nogami, że i tym razem go nie usatysfakcjonuję. Starałam się trzymać emocje na wodzy, mówić konkretnie, sucho, rzeczowo, musiałam pilnować moich nerwów, bo od pewnego czasu źle reagowałam na Marka.

Moje przeczucia sprawdziły się co do joty.

Kiedy skończyłam, Mark zadał mi kilka pytań, ale bez większego zaangażowania, raczej grzecznościowo, chyba nie był też ciekaw moich odpowiedzi. Opanowałam irytację. Moje emocje i wrażenia stopiły się ze złością i gdzieś w głębi mnie, niekontrolowane, żyły własnym utajonym życiem, burzyły się, narastały, walczyły, nienawidząc siebie nawzajem. Nie próbowały jednak wylewać się na zewnątrz, widocznie złość dusiła je, odgradzała ode mnie, by nie zakłócały myśli, percepcji, sprawności rozumowania i oceniania faktów.

Mark wysłuchał mnie, obojętnie pochwalił wykład, stwierdzając, że nowy kierunek dociekań jest lepszy od poprzedniego, niestety, i tym razem posuwam się fałszywym tropem, chociaż postęp jest zauważalny, a nawet zasługuje na uwagę.

Obojętna pochwała z ust obojętnego, rozleniwionego Marka, którego stać było jedynie na czytanie książeczek dla dzieci, wygłoszona tak głęboko lekceważącym tonem, protekcjonalnie, z góry, rozwścieczyła mnie do ostateczności. Ale i tym razem wściekłość ukryła się w głębi duszy, rozlała się tam, rozpadła na wiele innych silnych uczuć i emocji, przemieszanych ze złością.

Wzruszyłam ramionami.

– Czy masz jakieś propozycje? – spytałam, wiedząc, że Mark ma je gotowe.

– Czy możemy zrobić przerwę? Z godzinkę, dwie? – zaproponował, a nie doczekawszy się odpowiedzi, powlókł się na kanapę, gdzie znowu pochłonęły go przygody rycerzy króla Artura.

No cóż, znowu mogłam tylko wzruszyć ramionami. Chce dwie godziny, niech ma dwie godziny, wszystko mi jedno.

– Jasne – zgodziłam się, właściwie dla porządku, bo skoro takie pytanie padło, należało na nie odpowiedzieć. – Ja się trochę przejdę.

– Aha – mruknął Mark.

Na dworze była wiosna. Krótka, jak to w Bostonie, mogła podarować światu tylko kilka wiosennych dni, których łatwo można było nie zauważyć w codziennym kołowrocie spraw.

Nie miałam ochoty chodzić, przysiadłam na ławce, wystawiając twarz do słońca. Nie chciało mi się myśleć, tym bardziej o pracy i o tym, co teraz robi Mark. Pewnie leży i czyta. Nic nowego. Niestety, mój mózg nie umiał już odpoczywać, wciąż produkował myśli, które pobudzały moją wyobraźnię, zawłaszczały świadomość.

Przypomniał mi się Jeffrey – miły, dobry chłopak o wielkich, niezgrabnych rękach, które w mojej obecności stawały się jeszcze bardziej niezdarne, chociaż wiedziałam, że potrafią być także wyjątkowo precyzyjne i piękne w ruchach. Wcześniej nie miałam ochoty przyznać się sama przed sobą, że coraz częściej o nim myślę, i to nie tylko jak o dobrym koledze z dawnego beztroskiego życia, ale jak o kimś bardzo dla mnie ważnym.

Może dlatego że przestało mi się układać z Markiem, w którym odkryłam tyle obrzydliwych cech charakteru? W ostatnim roku rozpadło się między nami to wszystko, co było dobre i piękne, co udało się nam zbudować, został tylko popiół i zgliszcza.

Nie pamiętam, kiedy ostatni raz się kochaliśmy. Chyba we Włoszech, rok temu, potem wszystko zaczęło się gwałtownie walić, rozpadać, psuć. Kilka razy chcieliśmy się do siebie zbliżyć, ale oboje czuliśmy, że robimy to z obowiązku, z przyzwyczajenia, lepiej więc było tego nie ponawiać.

Nasza miłość była w odwrocie. Jeszcze parę razy spróbowaliśmy ją zatrzymać, ale nasze zbliżenia odbywały się w nie znanym wcześniej pośpiechu, były jakieś niezdarne, ich koniec też był zaskakujący. Mark nagle przerywał, tracił wigor, jego penis we mnie wiotczał, zobaczyłam w jego oczach porażkę. Brał się w garść, uśmiechał, tłumacząc mi, że się rozkojarzył, zdekoncentrował, pocieszałam go, że nic się nie stało, że było mi dobrze. Uspokajał się, odprężał, jeszcze raz się tłumaczył:

– Nie mogę się wyłączyć.

Po paru takich niepowodzeniach Mark stracił ochotę na seks, ja też nie nalegałam, było mi to raczej na rękę, w jakiś sposób zdejmował ze mnie odpowiedzialność za mój brak chęci. Później, kiedy w jego życiu nastąpił okres schizoidii, kiedy pojawiły się dziwactwa – strojenie min, hodowanie paznokci, brak higieny, o seksie nawet nie było mowy. Kiedy mnie dotykał, robiło mi się słabo. Zresztą dotykał mnie rzadko, raczej niechcący, w nocy pracował, ja nie przesypiałam dnia tak jak on, więc, na szczęście, mijaliśmy się w łóżku.

39.

Z początku było mi bardzo trudno przyzwyczaić się do nocy bez Marka, bez miłości i pieszczot. Nie łatwo było zapomnieć. Męczyłam się, zasypiając samotnie, brakowało mi jego ciała, jego ciepła obok mnie, bliskości jego oddechu. W ciemnym pokoju, przewracałam się z boku na bok, ściskałam do bólu poduszkę, długo nie mogłam zasnąć, zapadałam w sen dopiero wtedy, kiedy traciłam nadzieję, że Mark się zjawi.

Później coś mi się bez przerwy śniło, ale kiedy się budziłam w środku nocy, przerażona, zlana potem, sny ulatywały z pamięci, zacierały się szczegóły. Po głowie kołatały się nieuchwytne wrażenia, uświadamiałam sobie, że między moimi udami tkwi teraz tylko moja własna dłoń, zaciśnięta w pięść, czułam podniecenie, pragnęłam...

Z czasem nauczyłam się zasypiać samotnie, wsłuchiwać przed snem tylko w swój oddech, nic mi się nie śniło, widocznie snom przeszkadzało zmęczenie, zapomniałam o nich, zapomniałam o miłości i pragnieniach mojego ciała, wszystko się zamazało, odeszło, uwalniając świadomość od udręki niespełnienia. Zgasły pragnienia, napięcia, nie było nic. Przypomniało mi się gdzieś zasłyszane powiedzonko: „Kochać się nie jest źle i nie kochać się nie jest źle, najgorszy jest czas pomiędzy kochaniem i niekochaniem".

Przez cały ten upiorny rok moje myśli obracały się tylko wokół katorżniczej pracy, ale gdzieś tam na samym dnie niepamięci tliło się delikatne pragnienie miłości, mężczyzny, seksu.

Dlatego teraz moje myśli pobiegły do Jeffreya, przypomniałam sobie jego ciepły uśmiech, noc, kiedy odwoził mnie do domu, krótki wiersz, który recytował mi tamtej nocy, przypomniałam sobie, że padał deszcz, a na mokrym asfalcie odbijały się światła ulicznych latarni. Przypomniało mi się, co wtedy czułam.

Dlaczego Jeffrey? Spotkałam wielu mężczyzn bardzo interesujących, mądrych, odpowiedzialnych, każdy z nich miał całą masę zalet. Z ich oczu niejednokrotnie mogłam wyczytać, że liczą na mniej czy bardziej poważny związek ze mną. Każdy z nich mógłby się teraz stać obiektem moich erotycznych fantazji. To zależało tylko ode mnie. Żadnego z nich jednak nie wybrałam. Panem mojej wyobraźni stał się Jeffrey – dziwny chłopak, który w niczym nie przypominał romantycznego kochanka.

Wróciłam do domu. Jak przypuszczałam, Mark wciąż leżał na kanapie, w tej samej pozie, z książką w ręku, otwartą teraz na następnej stronie. Potrafił bardzo szybko czytać literaturę fachową – omijał fragmenty niewarte uwagi, intuicyjnie znajdował to, co było najważniejsze. Z książeczkami dla młodzieży szło mu gorzej, w ogóle beletrystyka zajmowała mu więcej czasu, czytał ją powoli. Tłumaczył mi, że tam nie wolno pominąć ani jednego słowa, ani jednego zdania, w przeciwnym wypadku nie zazna spokoju, nie będzie pewny, czy nie przeoczył czegoś istotnego. Mówił też, że słowa mają dla niego wielkie znaczenie jako dźwięki, melodia, lubi się w nich zanurzyć, czuje je tak, jak melomani czują muzykę. Dlatego fragment, który mu się podobał, mógł czytać wielokrotnie. Nie wdawałam się z nim w dyskusje na temat melodii słów, nie w głowie była mi teraz literatura przygodowa i jej analiza dźwiękowa.

– To co? – spytałam chłodno. – Skończymy? – Jego widok na nowo obudził we mnie irytację.

– Tak, jeszcze chwilkę, tylko doczytam akapit – odpowiedział, nie odrywając oczu od książki.

Usadowiłam się przy stole, nie spuszczając wzroku z Marka: dobrze, poczekam.

– Ale masz wzrok – powiedział, wstając z kanapy. – Rozprasza mnie, nie mogę czytać, wytwarzasz wokół siebie jakieś niedobre pole energetyczne.

Nie mówił tego złośliwie, raczej skonstatował fakt, powiedział to, co zarejestrował: przeszkodziłam mu w lekturze, ale postanowiłam nie podejmować tego tematu.

Zajęliśmy się pracą. Podobnie jak na poprzednim seminarium, głos zabrał teraz Mark. Słuchałam go uważnie, niestety, z narastającym rozdrażnieniem i wrogością.

Historia powtórzyła się. Mark i tym razem wyłowił z całej mojej pracy jakieś kawałątko, drobny fragment, który, moim zdaniem, był mało istotny. Mark dopatrzył się w nim ukrytych potencjałów. Reszta mojej pracy, jego zdaniem, była do niczego nieprzydatna.

Nie zrobiłam mu awantury, nawet nie zaprotestowałam, nie czułam złości – nie czułam n i c, nie było we mnie żadnych uczuć, podniósł się tylko poziom wściekłości, z którą od dawna żyłam w swoistej symbiozie, a która nie powodowała już we mnie zamętu. Zresztą podniósł się tylko nieznacznie.

– Dobrze – zgodziłam się, kiedy Mark skończył wywód, a ja potwierdziłam, że dobrze go zrozumiałam. – Potrzeba mi na to około tygodnia.

Apatycznie skinął głową i seminarium zakończyło się. Spojrzałam na zegarek, była szósta po południu, nie miałam ochoty tkwić w domu i patrzeć na rozmemłanego, nieestetycznego Marka. Zebrałam zeszyty i rzuciwszy krótko: „Na razie”, udałam się do biblioteki.

Następne dni wyglądały podobnie, schemat się powtarzał: cały tydzień spędzałam w bibliotece, przekonana, że tym razem znajdę rozwiązanie, o które Markowi chodzi. Widocznie czuł, gdzie tkwi sedno, tylko nie chciało mu się przecierać ścieżek i całą tę katorżniczą robotę zwalił na mnie.

Miałam dużo wiary w siebie, wierzyłam w swoje zdolności, wiedzę, umiejętność analizowania i syntetyzowania faktów naukowych, nie polegałam na tajemniczych i nagłych olśnieniach umysłu. Posiadłam dar iluminacji, wiedziałam o tym, ale teraz ważniejsze było żmudne analizowanie, drobiazgowe, metodyczne poszukiwania, przebijanie się przez materię i konkret.

Od dawna nie miałam wątpliwości, że potrafię osiągnąć cel, dokonać kolejnego odkrycia, i rzeczywiście, po trzech, czterech dniach mogłam się poszczycić sukcesem. Tyle tylko że teraz nie odczuwałam wybuchu radości czy przypływu nowej energii, jak to się zdarzyło przy moim pierwszym odkryciu. Nic nie odczuwałam. Myślałam ze złośliwą satysfakcją, że oto mam w ręku jeszcze jeden argument, tym razem wykopany z niedostępnej głębi, trzymam go w żelaznym uścisku, już mi nie umknie, nie ma szans, przeciwnie, dopiero teraz się do niego wezmę, rozkopię tę wąską szczelinę, w której się ukrywa, wydobędę go na powierzchnię.

Przez następne dwa czy trzy dni z pasją pogłębiałam i rozwijałam kolejne rozwiązanie, gromadziłam dowody, opisywałam skomplikowaną sieć powiązań i odniesień, formułowałam wnioski, przepisywałam wszystko jeszcze raz, od nowa, aby nadać mojej teorii jasną, przejrzystą formę, rysowałam nowe plansze.

Odbywając kolejny raz podobną drogę, miałam świadomość, że znaczna część moich wysiłków jest pozbawiona sensu, i tak pójdzie na marne. Mark znów wynajdzie jakieś błędy, odrzuci wszystko, zostawiając okruch, który poleci mi rozpracować w najdrobniejszych szczegółach.

Nie wiedziałam, o co tak naprawdę mi teraz chodzi i z kim toczę zaciętą walkę – z naszym celem badawczym czy z uporem Marka, z jego brakiem akceptacji mego kierunku badań. Dlatego zażartemu uporowi Marka przeciwstawiłam swój upór, jego niechęci moją niechęć. Tak będzie do czasu, aż Mark się podda, uzna moje osiągnięcia, mój wynik i moje priorytety. Miałam w sobie całe pokłady cierpliwości. Poradzę sobie z Markiem, pokonam go cierpliwością, rozpracuję wątpliwości, stworzę znakomitą pracę, dobrnę do celu, którego on też by się nie powstydził. Czułam się coraz silniejsza, coraz bardziej zdeterminowana, nasze zadanie odsunęło się na dalszy plan, najważniejsze były teraz zmagania z Markiem, upór za upór, ząb za ząb.

Odrzucając emocje, choć nie bardzo miałam w tej chwili ochotę na chłodny obiektywizm, mogłabym przedstawić następujący schemat: jestem w naszym związku elementem twórczym, twórcą, ale twórczość to za mało, więc Mark podjął się obowiązku sortowania, przesiewania moich odkryć i całej pracy przez specjalne sito, odrzuca drobne i średniej wielkości samorodki, i w ten sposób stopniowo popycha mnie w takim kierunku, gdzie, jego zdaniem, są już tylko najwartościowsze bryłki, takie, które nie dają się odsiać.

Moją rolę traktowałam zdecydowanie jako główną, pomyślałam, że nawet Mark nie mógłby jej lepiej odegrać. Jednocześnie z należnym szacunkiem traktowałam jego pracę. Żeby uchwycić tę iluzoryczną nić w labiryncie, z którego oboje po omacku szukaliśmy wyjścia, niewątpliwie trzeba posiadać niebywały zmysł. Byłam mu wdzięczna za tę postawę dekonstruktora i zdeklarowanego krytykanta, którą przyjął z najwyższym oddaniem sprawie, chociaż postanowiłam sobie, że wkrótce pokonam i tę destrukcję, rozniosę w pył jego krytykanctwo.

Minął kwiecień i spora część maja, wkrótce zacznie się moja ostatnia sesja egzaminacyjna. Nie miałam wątpliwości, że tym razem nikt mnie do niej nie dopuści. Dziekan chyba już ze mnie zrezygnował, znudziło mu się bez przerwy mnie wzywać i przywoływać do porządku. Tak było lepiej. Po co mam wysłuchiwać wciąż tych samych uwag i obiecywać poprawę, skoro są to czcze obietnice.

40.

W połowie maja spotkała mnie radość: któregoś ranka zadzwoniła Katka, nie dzwoniłyśmy do siebie od kilku miesięcy, nie pamiętam, kiedy ją ostatni raz widziałam, chyba z rok temu. Jak się okazało, dzwoniła już wcześniej, ale nie mogła mnie zastać, a Mark zapominał powiedzieć mi o jej telefonach. Katka podejrzewała, że robił to z rozmysłem.

Przegadałyśmy z pół godziny, choć mogłybyśmy i dłużej, ale pilno mi było do biblioteki. Katka zapytała, czy nie wpadlibyśmy do nich w najbliższym czasie. Telefon to nie to samo, powiedziała, zawsze zostaje jakiś niedosyt. Tylko Marka tam brakowało, skonstatowałam w myślach, mam go w domu po dziurki w nosie. Byłam przekonana, że Mark nie przyjmie zaproszenia, więc zgodziłam się wpaść do Katki – najwyżej sama – w sobotę.

Niestety, ku mojemu zaskoczeniu Mark wyraził ochotę, byśmy razem odwiedzili naszych przyjaciół, chyba nawet się ucieszył, że nareszcie wyjdzie z domu. Od kilku miesięcy nie opuszczał mieszkania. Delikatnie próbowałam na niego wpłynąć, by zrezygnował z tej wizyty, ale bez skutku. Dałam mu spokój, może tak będzie lepiej? Niech się rozerwie, odpręży, porozmawia z Matwiejem, a ja w tym czasie spokojnie nagadam się z Katką.

Zjawiliśmy się u Katki i Matwieja w umówioną sobotę, o ósmej wieczorem. Udało mi się nakłonić Marka, by zmienił koszulę i ogolił się. Mimo to chyba stanowiliśmy dosyć dziwaczną parę, przynajmniej w oczach ludzi, którzy całe wieki nas nie widzieli. Byłam przygotowana na wszelkie pytania mojej przyjaciółki.

Gospodarze szczerze się ucieszyli, witając nas w progach swojego domu. Zauważyłam, że na nasz widok wymienili szybkie spojrzenie.

Katka przytyła, ale już nie próbowała maskować tuszy odpowiednim strojem i makijażem twarzy. Myślę, że chyba nie dodawało jej to urody, ale i nie szpeciło. Za to Matwiej zupełnie się nie zmienił – ani twarz, ani tusza, ani sposób bycia. Widać był takim typem ciemnego blondyna, na którego czas nie miał wpływu. No cóż, pomyślałam, nie udało mu się podrosnąć, ale nie powiedziałam tego głośno, zbyt długo się nie widzieliśmy, a to zobowiązywało. Nie wypada tak od razu, na wstępie, serwować komuś złośliwości.

Oni też się powściągnęli i o nic nas nie wypytywali, chociaż, jak sądzę, wiele pytań cisnęło im się na usta, ale zachowywali się taktownie. Dopiero kiedy weszłam z Katią do kuchni, niby jej pomóc, a tak naprawdę, by zyskać parę chwil, kiedy mogłyśmy swobodnie pogadać o tym, co najważniejsze, Katia obrzuciła mnie przeciągłym spojrzeniem, a właściwie z m i e r z y ł a wzrokiem i od razu zapytała:

– Czy wszystko w porządku?

W jej głosie usłyszałam dawną troskę. W odpowiedzi wykonałam jakiś nieokreślony gest, okraszony odpowiednim wyrazem twarzy: no cóż, jak widzisz. Moja mądra przyjaciółka w lot zrozumiała.

– On też się zmienił. – Katka wykonała ruch głowy w kierunku pokoju, gdzie zostawiłam Marka.

– Bo i jemu nie jest słodko. – Postanowiłam nie wtajemniczać Kati w poplątane sprawy naszego pożycia.

– Taki z ciebie gorzki cukiereczek? – zażartowała Katka, taktownie nie wypytując o szczegóły.

– Ty też nie stoisz w miejscu – zmieniłam temat.

Teraz przyszła kolej na mnie, by oszacować wzrokiem jej masywną sylwetkę od stóp do głów, chociaż trudno ją było objąć jednym spojrzeniem.

– Chciałabyś! – odpowiedziała wcale nie zmieszana. Takie dostojne matrony jak ja chyba nie podlegają nastrojom. – Drugie w drodze.

– Coś ty? – Szczerze się zdziwiłam, nie ukrywając radości. – Ale mnie zaskoczyłaś, gratuluję!

– Daj spokój. Na ciebie też już chyba pora.

Zmilczałam tę uwagę, cóż mogłam jej odpowiedzieć? Kolejny raz zmieniłam temat.

– A co zrobiliście z pierworodnym? – spytałam.

– U jego dziadków.

Katka znowu skinęła głową w kierunku pokoju. Tym razem wyczytałam z tego ruchu, że i w małżeństwie Katki też nie wszystko układa się idealnie. A może tylko stara się być po kobiecemu solidarna? Czy ja wiem? Nie zdziwiłabym się, każdy ma swoje kłopoty.

Zaniosłyśmy na stół wyszukane dania Katki, Matwiej napełnił kieliszki i zaczęła się uczta. Zauważyłam, że Mark jednym haustem wypił swoją wódkę, czego nigdy nie robił, nawet Matwiej tylko umoczył wargi. Zobaczyłam przerażone spojrzenie Katki.

– No to jak wam się żyje? – spytał Mark, zdobywając się nawet na radość w głosie.

„Ciekawe od kiedy to interesuje cię ich życie?" – pomyślałam zgryźliwie.

– A tak, walczę z kobitą – wesoło odpowiedział Matwiej, jakby walka służyła ku rozweseleniu i radości.

– I dajesz radę? Taki chudzielec – rzuciłam się w obronie przyjaciółki.

– Jakoś sobie radzę – odparował Matwiej.

Chyba niezbyt się przejął moimi złośliwościami ani w ogóle tym, co mówiłam. Szkoda tracić energii na obce kobity.

– Zauważyłeś, Mark – rozmyślnie zwrócił się do Marka – że kobiety wraz z wiekiem stają się cyniczne?

Ten wstęp podobał się Markowi. Rozsiadł się wygodnie, czekając na dalszy ciąg wywodów Matwieja. Żachnęłam się, ale postanowiłam się nie wtrącać. Katka siedziała nieporuszona. Może zdążyła się już przyzwyczaić? A może szkoda jej było nerwów na czczą gadaninę?

Przyglądałam się jej, rozmyślając o naturze flegmatyków, ludzi o spowolnionych reakcjach. Dlaczego lepiej mi się z nimi rozmawia? Bo są prostolinijni w kontakcie, mają lepsze charaktery, przyciąga mnie ich spokojne, wyważone ciepło. Może im się nie chce reagować na każdy drobiazg, bo są zbyt leniwi, introwertyczni, trudno ich wyprowadzić z równowagi, nie lubią konfliktów, nie odpowiadają na prowokacje.

Na przykład taka Katka. Nigdy się na mnie nie obraża, chociaż tyle razy miałaby powód. Nie ma w niej złości. Ludzi energicznych, takich jak Matwiej, energia aż rozsadza, nie są w stanie jej poskromić, więc skaczą innym do oczu. Nadmiar temperamentu sprawia, że człowiek staje się labilny emocjonalnie, nerwowy, reaguje impulsywnie, toteż trudno jest się niekiedy z nim porozumieć.

Zawsze bałam się ludzi nadmiernie energicznych i aktywnych. Ich energia przerażała mnie, nie zastanawiałam się, dlaczego, ale starałam się ich omijać, działo się to instynktownie. Dopiero teraz zrozumiałam. Podświadomie wolałam uniknąć ich nagłych wybuchów, które nie zawsze były przyjemne.

– Zobacz, jak to jest – ciągnął Matwiej – żenisz się... – Chyba zrozumiał, że się nieco zagalopował, bo po chwili dodał: – czy nie żenisz, jaka to różnica, z miłą, naiwną, jaką tam jeszcze... dobroduszną – znalazł ładne słówko – dziewczyną. Mija kilka lat i robi się z niej, zwróć uwagę, z każdej, wyrachowana, zaborcza hetera, która nie tyle praktycznie patrzy na świat, ile jest po prostu drapieżna i agresywna.

Matwiej aż sam się skrzywił, wyobraziwszy sobie wizerunek kobiety, który nakreślił, i by nieco zatrzeć złe wrażenie, dodał:

– Najbardziej mi tu pasuje określenie „cyniczna" – cyniczna w miłości, w pracy, w innych sprawach, i w ogóle cyniczna w życiu.

Pomyślałam, że muszę natychmiast przystąpić do kontrataku.

– Dobrze – podchwyciłam – a mężczyźni, twoim zdaniem, to co, są lepsi?

– A właśnie – ucieszył się Matwiej, chyba spodziewał się takiego pytania – o to chodzi, że nie mam nic przeciwko praktycyzmowi, wprost przeciwnie. Uważam, że życie powinno czegoś uczyć. Zobaczcie, mężczyźni, mimo że mają skłonność do bitki, jak bokserzy, nie są tacy praktyczni i wyrachowani, nie są cyniczni. Mężczyzna chciałby coś jeszcze osiągnąć, o czymś tam jeszcze marzy, od czasu tu i tam podskoczy, pofantazjuje sobie. Ale co z tego, kobitka nigdzie go nie puszcza, ściąga na ziemię, w dół, przytłacza, od razu podcina mu skrzydła.

– Chwileczkę, niebieski ptaku – odezwała się Katka, widocznie i ona miała już dosyć, ale mówiła spokojnie, bez złości, jakby przywołując Matwieja ku opamiętaniu – a dzieci, dom, to co? Ciebie to nie dotyczy?

– No i masz! – Matwiej nie posiadał się z radości. – Właśnie na tym to wszystko polega. Na starcie jesteśmy równi, początkowo może w nas też jest podobny cynizm, może większy, ale potem ruch odbywa się w różnych kierunkach: my z wiekiem dążymy do realizacji ideału, kobiety zmierzają w przeciwną stronę. Każde dociera do innej mety. Dlaczego tak się dzieje?

– Dlaczego? To zrozumiałe. – Nagle usłyszałam głos Marka. – Kobiety mają lepszy materiał genetyczny, szybciej się uczą. Mają lepszą intuicję, bardziej wyostrzone zmysły, łatwiej się przystosowują, lepiej znoszą klęski żywiołowe, głód, choroby, żyją dłużej, nie nękają ich zawały. Dlaczego? Bo są bardziej przydatne matce naturze niż my. – Mark popatrzył na Matwieja chyba ze współczuciem: no to szkoda, że wzięliśmy rozbrat z przyrodą. – My, Matwiej, jesteśmy autodestrukcyjni, chlamy wódę, walimy się po mordach, idziemy na wojnę, zabijamy, narażamy własne życie. Nie cenimy siebie, nie szanujemy, natura nas tego nie nauczyła, nie obdarzyła silnym instynktem samozachowawczym, bo chyba nie jesteśmy jej szczególnie potrzebni.

– Dlaczego uważasz, że nie jesteśmy potrzebni? – nie zrozumiał Matwiej, czując się dotknięty takim lekceważeniem przez naturę.

– No bo nie – stwierdził Mark. – Przyczyna jest banalnie prosta. Teoretycznie mężczyzna może spłodzić ogromną liczbę dzieci, kobieta – urodzić tylko ograniczoną. Z tego wynika, że nadmiar mężczyzn nie jest przyrodzie potrzebny, dlatego skazała nas na wymarcie.

Mark mówił tym samym nauczycielskim tonem, który kiedyś tak mnie irytował, teraz był mi całkowicie obojętny.

Nikt nie zaprotestował. Rzeczywiście, jaki jest sens użalać się nad chłopami?

– Dlatego właśnie – ciągnął Mark, zwracając się cały czas do Matwieja – kobiety lepiej i szybciej się przystosowują, prędzej też obrastają w cynizm, jak to określiłeś, to ich reakcja samoobronna.

Nikt się nie odezwał. Matwiej, chcąc nie chcąc, musiał się z taką interpretacją zgodzić, gdyż Mark tylko rozwinął jego tezę. Chciałam zmienić temat, ale Mark wpadł mi w słowo. Widocznie wielomiesięczne obcowanie z bohaterami literackimi obudziło w nim teraz potrzebę mówienia.

– I taki paradoks. Przeczytałem gdzieś, dawno temu, wyniki pewnej ankiety socjologicznej, przeprowadzonej anonimowo. Sondaż dotyczył żonatych mężczyzn i zamężnych kobiet. Zadano im pytanie: „Gdyby miał pan, w nawiasie, miała pani, kochankę, w nawiasie, kochanka, co by pan zrobił, w nawiasie, pani zrobiła?”. Należało wybrać jedną z trzech odpowiedzi. Pierwsza: „Odszedłbym od żony, w nawiasie, odeszłabym od męża”. Druga: „Rozstałbym się z kochanką, w nawiasie, rozstałabym się z kochankiem”. – Byłam ciekawa, czy Mark już do końca będzie mówił o tych nawiasach. – Trzecia: „Zachowałbym, w nawiasie, zachowałabym *status quo*, to znaczy, zostałabym z mężem, w nawiasie, z kochankiem, zostałbym z żoną, w nawiasie, z kochanką".

Uśmiechnęłam się tylko, głośny śmiech przy ludziach nie przystoi.

– Wynik ankiety był zaskakujący. – Mark celowo zawiesił głos. – Okazało się, że zdecydowana większość kobiet albo wybierała kochanka, rozstając się z mężem, albo wybierała męża, zrywając z kochankiem. Mężczyźni określili się zupełnie inaczej. Za wszelką cenę starali się zachować *status quo*, to znaczy, być z żoną i nie rezygnować z kochanki. – Mark popatrzył na nas z góry. – Socjolodzy zinterpretowali wyniki w następujący sposób: mężczyźni są z natury autodestrukcyjni. Podwójne życie jest wielkim obciążeniem, zarówno emocjonalnym, jak i fizycznym, a także materialnym. W ostatecznym rezultacie niekorzystnie odbija się na zdrowiu i w ogóle na jakości życia. Kobiety, dokonując wyboru, zmniejszają ponoszone straty, oszczędzają się, chronią siebie.

– Oto zwycięstwo myśli Darwinowskiej – nie wytrzymałam. Dość miałam słuchania tej demagogii, takiej populistycznej interpretacji jakiegoś artykułu z brukowca.

Na szczęście dotarło to do Marka, bo zamilkł. Brałam też pod uwagę, że zaspokoił potrzebę mówienia, bo już do końca naszej wizyty się nie odezwał.

Matwiej próbował jeszcze drążyć temat, stwierdził, że obiema rękami podpisuje się pod stanowiskiem socjologów, ale nikt z nas nie podjął z nim dyskusji i temat się wyczerpał.

Wyszliśmy około jedenastej. Nie przywykłam tak wcześnie wracać do domu, zresztą nic mnie tam nie ciągnęło, ale nie miałam dokąd iść. Nie było sensu jechać teraz do biblioteki. Potulnie wsiadłam do samochodu.

Drogę do domu przebyliśmy w milczeniu. Od dawna nie byliśmy razem. Jedynie podczas seminariów, ale był to inny rodzaj obcowania, wtedy omawialiśmy tylko wyniki badań, surowy konkret. W samochodzie czułam się niezręcznie, przygniatała mnie ta potworna cisza, szukałam w myślach jakiegoś neutralnego tematu, by ją rozproszyć, niestety...

Chyba Mark czuł się podobnie, jeśli jeszcze w ogóle coś czuł.

– Szkoda – odezwał się dość niejasno.

Może tak tylko rzucił, sądząc, że zapytam go, czego szkoda? Ale nie miałam zamiaru sprawiać mu przyjemności, przynajmniej nie tak od razu. Po dłuższej chwili, kiedy cisza stała się nie do zniesienia, zaspokoiłam jego oczekiwania.

– Czego szkoda?

Dostosował się natychmiast do nowych reguł naszego dialogu i dopiero po chwili odpowiedział, z charakterystyczną ostatnio flegmą, tym razem nieco prowokacyjną.

– Matwieja szkoda.

Teraz była moja kolej.

– Dlaczego?

– Łebski był z niego chłopak, rozgarnięty, pojętny. Mógłby to jakoś wykorzystać, zrealizować się w czymś, lecz wszystko zaprzepaścił.

Czułam przez skórę, że Mark dopiął swego: wciągnął mnie w rozmowę.

– Jak możesz tak oceniać kogoś, kogo zupełnie nie znasz. Tylko na podstawie własnych zaburzonych kryteriów sukcesu. Popatrz na siebie, a jeszcze lepiej na mnie. Ja dokładnie spełniłam twoje kryteria, już gorzej być nie mogło.

Moja starannie kontrolowana złość znalazła ujście, a co ważniejsze, wdzięczny obiekt.

– Ty akurat jesteś w porządku. – Oderwał wzrok od drogi, żeby mnie oszacować. – Bywa gorzej.

Przeleciało mi przez głowę, że u Katki mówił coś na temat cynizmu kobiet. W głosie Marka dosłyszałam wesołe nutki, wiedziałam, że nie chce awantury, a nawet stara się rozładować napięcie, jakie między nami zapanowało, jednak złość popłynęła już szerokim korytem.

– A swoją drogą, to drażniące – zaczęłam jakby od innego końca – że zawsze musisz wszystkich mierzyć swoją miarką. Zrozum, każdy jest inny, inaczej podchodzi do życia, czegoś innego chce. Twoje ambicje i wzniosłe cele nic a nic dla innych nie znaczą, są puste. Pozwól ludziom żyć tak, jak im się podoba, nie narzucaj im swoich standardów. Nie drwij z ludzi, nie traktuj ich z pogardą tylko dlatego, że są inni niż ty...

– Nikogo nie traktuję z pogardą – odparł Mark, ale dyskusji nie podjął, zresztą, chyba nie dałam mu szans.

– Twoje dążenia mogą ich nie interesować, co więcej, mogą im się wydać po prostu idiotyczne, pozbawione sensu. Nas też mogą uważać za parę idiotów.

– Nie to miałem na myśli – zaprotestował. – Mówiłem tylko, że Matwiej sprawia wrażenie rozgarniętego chłopaka...

Nie pozwoliłam mu dokończyć tego zdania.

– Dziwny jesteś. Mówisz o czymś, o czym nie masz pojęcia.

Nie dbałam o to, że sama zachowuję się teraz wobec Marka lekceważąco.

– Podaj przykład. – Mark był zaskoczony tym atakiem.

– No na przykład, cóż to jest ten talent, te zdolności?

Z całą siłą ruszyłam do natarcia.

– To ciekawe, co mówisz. Więc czego to ja nie rozumiem?

Po raz pierwszy od dłuższego czasu usłyszałam w głosie Marka jakąś emocję, pewnie zwykłą ciekawość, ale to też rodzaj emocji. Dobrze mu tak, niech się głowi.

Wiedziałam, że ani Matwiej, ani nasz spór nie mają już znaczenia. Chciałam udowodnić Markowi, że dużo się między nami zmieniło, że teraz w niczym nie jestem od niego gorsza – potrafię myśleć i precyzyjnie wyrażać swoje myśli. Co więcej, przerosłam go, mogę to udowodnić choćby zaraz, mogę to udowodnić w każdej chwili. Ciągła rywalizacja, która towarzyszyła naszej pracy, a sama praca była tylko jej częścią, teraz opanowała mnie dokumentnie, znalazła sobie nowe pole bitwy.

– Chodzi o to – zaczęłam – że ty pojmujesz talent zbyt jednostronnie, widzisz w nim jedynie umiejętność i zdolność tworzenia. Nie próbujesz zrozumieć, że twórczość jest procesem złożonym, że składa się na nią mnóstwo czynników, wiele elementów.

Mark słuchał uważnie.

– Ponadto elementy te są od siebie całkowicie niezależne, autonomiczne, nie mają wewnętrznych powiązań.

– Co to za elementy? – wtrącił Mark.

– Człowiek może być obdarzony talentem do głębokich i silnych uczuć, ten dar można nazwać talentem postrzegania życia. Takie postrzeganie, owa swoista percepcja nie jest dostępna komuś, kto takiej zdolności nie posiada. Mamy z nim do czynienia wtedy, kiedy...

– Jasne, rozumiem, co chcesz powiedzieć – wtrącił Mark, próbując przerwać mój wywód, ale postanowiłam, że tym razem nie poddam się presji.

– Kiedy człowiek rozumie życie w najdrobniejszych szczegółach, w całej jego złożoności, to rozumie też wszystkie jego nurty, meandry, przemiany, niuanse. Istnieje również całkowicie odrębny talent, który z tamtym nie ma bezpośredniego związku, niezależny – to zdolność wyrażania życia. Mówimy o nim wówczas, kiedy człowiek w ten czy inny sposób, posługując się takim czy innym narzędziem, jest w stanie wyrazić swoje wrażenia, pokazać, jak odbiera życie, ujawnić swoje własne rozumienie jego istoty. Narzędzia te mogą być bardzo różnorodne, na przykład, słowo, muzyka, poezja, wzór, definicja, logika i tak dalej.

Mark nie odzywał się. Pomyślałam ze złośliwą satysfakcją, że pewnie nie ma nic do powiedzenia.

– Jeżeli ktoś posiadł jeden rodzaj talentu, to jeszcze wcale nie oznacza, niestety, że może sprawnie posługiwać się tymi dwoma. I na tym polega problem. Są osoby, które mają duże zdolności percepcyjne, ale brak im siły wyrazu, często są to żałośni osobnicy. Czując i rozumiejąc głębię, nie są w stanie jej przekazać, nadać jej formy, wydobyć swoich odczuć na zewnątrz, na powierzchnię, uwolnić się od nich. Cierpią. Osoby obdarzone zdolnością wyrażania często nie czują głębi, to z ich grona wywodzą się zdolni grafomani, część pracowników naukowych, różnej maści demagodzy, wszyscy oni też są potrzebni, składają się na różnorodność rodzaju ludzkiego, tworzą różnorodność świata. Matwiej, o ile dobrze go poznałam, dużo i głęboko czuje, jest wrażliwy, ale, być może, brakuje mu daru wyrażania tego, co swoim czuciem odbiera.

W tym momencie zrobiło mi się żal Matwieja, postanowiłam mu jakoś pomóc, a przynajmniej dać mu szansę i nadzieję.

– Może być też tak, że jeszcze nie znalazł optymalnego środowiska, które wspomogłoby go w wyrażaniu tego, co odczuwa, ale może kiedyś znajdzie.

– A co z tymi, którzy posiedli jeden i drugi rodzaj zdolności? – spytał Mark.

Powiedział to bardzo spokojnie, wydał mi się teraz bliższy. Zatrzymaliśmy się, bo zapaliło się czerwone światło.

– Szczęśliwcy obdarzeni podwójnym talentem... – Zamyśliłam się. Miałam wrażenie, że wszystko to już kiedyś było – taka rozmowa, spokojny głos, zdanie, które zamierzałam wypowiedzieć. Kiedy? Gdzie? Nie mogłam sobie przypomnieć. „Nas, wybranych, jest niewielu...". Wszystko już było... Nic się już nie zdarzy... – Takich jest niewielu, ci... – Zamilkłam. – Ci są bardzo odpowiedzialni.

– Za kogo? – spytał Mark. To było łatwe pytanie.

– Za siebie i za tych, z którymi związał ich los. Za to wszystko, do czego się dotkną.

– Dlaczego?

Chciałam odpowiedzieć bardzo precyzyjnie.

– Nie musisz odpowiadać, rozumiem. – Mark uwolnił mnie od odpowiedzi, poczułam ulgę.

Resztę drogi przebyliśmy w idealnej ciszy. Tę walkę wygrałam. Złość, nakarmiona poczuciem przewagi, powoli ucichła, wróciła w swoje ramki.

– Mogłaś to wszystko powiedzieć – odezwał się Mark, kiedy podjechaliśmy pod dom – bez takich emocji, bez niepotrzebnej irytacji... – szukał jeszcze jakiegoś słowa – bez takiej wrogości.

Wzruszyłam ramionami. Co miałam mu odpowiedzieć?

41.

Wieczór, który spędziliśmy u Katki i Matwieja, wkrótce zatarł się mojej w pamięci. Przytłoczyły go zwykłe dni, praca w bibliotece, seminaria, podczas których Mark niezmiennie rozkładał na czynniki pierwsze to, co udało mi się odkryć i opracować w ciągu tygodnia. Nic się nie zmieniało: zmęczone czytaniem oczy, spojówki podrażnione sztucznym światłem bibliotecznych lamp, niekończąca się praca.

Tak minął kolejny miesiąc. Dobiegł końca maj, rozpoczęła się sesja egzaminacyjna, do której, oczywiście, nie zostałam dopuszczona. Moje studia na Harvardzie stanęły pod znakiem zapytania.

Odbyłam kolejną rozmowę z kierownikiem katedry, byłam zmuszona poinformować go, że od wielu miesięcy pracuję nad poważnym projektem badawczym, bardzo się zainteresował, ale nie mogłam go wtajemniczyć w szczegóły. Udało mi się wyprosić miesiąc na uporanie się z zaległościami na uczelni, mimo że profesor miał wątpliwości, czy w ciągu miesiąca zdołam zaliczyć ogrom materiału, z którym nie poradziłam sobie w ostatnim semestrze.

Oczywiście nie zajmowałam się nadrabianiem zaległości, przygotowywałam się do następnego seminarium z Markiem. Rozpracowywałam kolejną koncepcję, czułam, że lada chwila dotrę do ostatecznego rozwiązania, podpowiadała mi to niezawodna intuicja.

W bibliotece spędziłam cały dzień i pół nocy, by następnego dnia rano znów się tam pojawić i szukać dalej. Pod koniec tego dnia rozwiązałam moją łamigłówkę, wcale nie czułam się zaskoczona, że dotarłam do rozwiązania, byłam tylko zdziwiona, że tym razem trwało to tak długo. Resztę czasu do seminarium zajęło mi rozpracowywanie wyniku, uważne badanie kontekstów i poszczególnych cząstek hipotezy, wiedziałam, że Mark znów się skoncentruje na jakimś wybranym szczególe. Tym razem nie zdążyłam rozrysować wyników badań na planszach.

Mark był rozczarowany brakiem plansz, uważał, że niezbyt solidnie wykonałam swoje zadanie i nie omieszkał mi tego wypomnieć. Pomyślałam, że chce mnie ukarać za to, że kolejny raz znalazłam rozwiązanie nurtujących nas problemów, że nie przyszłam na seminarium z pustymi rękami, lecz z mocno uargumentowanym konkretem.

Jak zwykle słuchał mnie od niechcenia, z obowiązku, który nie sprawiał mu przyjemności, ale musiał go spełnić. Oparł łokcie o krawędź stołu, podtrzymując twarz dłońmi, które swoim uciskiem zniekształciły mu policzki, rozciągnąwszy ich skórę. Jego twarz wyglądała teraz jak maska, była martwa i obojętna.

Nie zwracałam na to uwagi, przyzwyczaiłam się do wymyślnych póz i min Marka. Relacjonowałam mu wyniki, pokazując wykresy, które sporządziłam w zeszycie, rzeczowo wyjaśniałam szczegóły, uzasadniałam, tłumaczyłam, udowadniałam.

Jak zwykle czekałam na pytania. Ale pytania nie padły. Mark wyprostował się na krześle, a potem zaczął się kołysać miarowo, w przód, w tył, w przód... Długo to trwało. Robił to w absolutnym milczeniu. Pomyślałam, że to kolejny objaw jego choroby. Wreszcie ściągnął usta i długo mi się przyglądał. Zmarszczki na jego czole pogłębiły się.

– To wszy-stko... – powiedział przeciągle.

Patrzyłam na niego bez cienia emocji. Było mi wszystko jedno, co powie i jak oceni moje dokonania, ale słowa, którymi podsumował mój wykład, były dziwnie krótkie i niejasne.

– Co wszystko? – spytałam napastliwie.

– To wszystko – powtórzył, zwiększając amplitudę kołysania, pomyślałam, że się denerwuje.

– To wszystko – powtórzył po raz trzeci, a widząc, że nadal nic nie rozumiem, dodał: – Skończyliśmy.

Nie rozumiałam jego zachowania, to jakieś kolejne dziwactwo, dlaczego mamy zakończyć seminarium z powodu niezrozumiałego kaprysu Marka i nagłej zmiany jego nastroju. Już miałam zaprotestować, kiedy dostrzegłam, że twarz Marka nagle się zmieniła. Zobaczyłam mordkę zatroskanego trolla z zagadkowym uśmiechem Mony Lisy, dokładnie taką, jaka przyśniła mi się niedawno w autobusie. Doznałam wstrząsu. Zrozumiałam! Serce mi waliło, jakby chciało się wyrwać z piersi. Z trudem przełykałam ślinę, nie mogłam złapać oddechu, świat wirował...

– Czy chcesz powiedzieć, że to jest ostateczny wynik?

Twarz Marka znowu stała się normalną ludzką twarzą. Nie byłam pewna, czy zatroskany troll nie przywidział mi się i tym razem. Nieoczekiwanie Mark uśmiechnął się, również normalnie, po ludzku, jak człowiek. To był kolejny szok. Zapomniałam, że Mark może się uśmiechać jak człowiek, tak zwyczajnie.

– Nie zorientowałaś się? – spytał.

– Chcesz powiedzieć, że to... – głos uwiązł mi w gardle – że dzisiaj... – kolejna pauza – osiągnęliśmy cel?

Mark skinął głową. Dalej woził się na krześle i uśmiechał, uśmiechał... Byłam w szoku. Odebrało mi mowę. Potem przyszły wątpliwości, niedowierzanie, czyżby to było wszystko? Koniec? Dlaczego akurat dzisiaj? Dlaczego nie tydzień temu, trzy tygodnie temu? Dlaczego się nie zorientowałam? Co się ze mną dzieje...

Mark chyba czytał moje chaotyczne myśli, przerwał milczenie.

– Zrobiłaś to bardzo płynnie, dlatego się nie zorientowałaś – odpowiedział. Jego głos był po dawnemu ciepły, kojący, dobry, uspokajał.

– Poczekaj, niech ochłonę.

Ale Mark mówił i mówił, długo, z przyjaznymi, ciepłymi intonacjami, jego głos coraz bardziej przykuwał moją uwagę. Powoli zaczynałam rozumieć, że się nie mylił: dobiliśmy do celu. Mój umysł dokonywał syntezy poszczególnych etapów, kroków i kolejnych prób, ogarniał całość, na którą złożyły się długie miesiące nadludzkiej pracy, góra zapisanych zeszytów, stos notatek, konspektów, moje wielkie wyrzeczenia i mistyczne olśnienia, gigantyczny wysiłek ciała i duszy.

Czułam, jak słabnie żelazny uścisk, który przez tyle dni i miesięcy nie pozwalał mi się rozpaść, trzymając mnie w karbach, jak z głębi moich trzewi odrywa się zalegający tam ciężar i zapiekła złość. Poczułam, jak łzy napływają mi do oczu, a ja nie próbuję ich zdusić, powstrzymać... usłyszałam, jak wyrywa się ze mnie płacz, jak od płaczu puchną usta... jak przychodzi wyzwolenie...

Czyjaś czuła dłoń głaskała mnie po głowie, czyjś dobry głos mówił ciepłe słowa, nie mogłam rozpoznać znanych intonacji.

– Wezmę prysznic – szepnęłam, zanosząc się od płaczu.

Życiodajny strumień rozkosznie ciepłej wody rozpływał się po moim ciele jak balsam, niosąc ukojenie, powoli odnajdywałam siebie...

Nie miałam potrzeby święcenia triumfów nad poległą nauką, nad jej zdetronizowanym majestatem, pragnęłam długo, dokładnie smakować swoją wielką radość, sycić się nią i odczuwać ją całą sobą. Wyszłam z łazienki, otuliwszy się miękkim frotowym szlafrokiem, po raz pierwszy tak intensywnie czułam jego aksamitny dotyk. Mark czekał na mnie w pokoju, stał w otwartym oknie. Wyjrzałam i zobaczyłam lato.

– Ja też się wykąpię, a potem pójdziemy uczcić twój sukces – powiedział Mark.

Ze wszech miar zaskakująca propozycja – kąpiel, wspólne wyjście z domu – skinęłam głową na znak, że się zgadzam.

Ale nie to było teraz ważne. Przenikała mnie coraz większa radość i szczęście, powoli docierała do mnie świadomość zwycięstwa. Byłam gotowa zgodzić się na wszystko.

Mark spędził w łazience ponad godzinę. Położyłam się na kanapie. Obok mnie leżała książka, którą Mark ostatnio czytał. Popatrzyłam w sufit, później zaczęłam wertować książkę, szukając w niej obrazków, oglądałam je z ciekawością dziecka, a potem znów patrzyłam w okno. Zatraciłam poczucie czasu. Nie było przeszłości ani przyszłości, czas teraźniejszy też przestał istnieć. Otulała mnie coraz większa cisza, spokój, ukojenie...

Odżywały we mnie organy wewnętrzne, oczyszczały się z paraliżujących napięć, zaczęły pulsować. Coś mnie bolało, ból wędrował, wyparowywały ostatnie resztki zatruwającej je narkozy, czułam jeszcze jej obezwładniający ciężar, nie wiedziałam, jak się go pozbyć, jak do końca oczyścić organizm – to będzie moje następne zadanie.

Nagle poczułam silny głód, a po chwili zniewalającą potrzebę snu. Mogłabym tak leżeć bez końca, nie ruszać się, patrzeć w sufit i już nigdy nic nie robić, nic i nigdy.

Chyba zasnęłam, bo nie słyszałam, kiedy Mark wyszedł z łazienki, nie słyszałam, jak się ubierał, krzątał po mieszkaniu. Poczułam delikatny dotyk i ocknęłam się z drzemki. Otworzyłam oczy. Wtedy go zobaczyłam. Stał nade mną – świeży, ogolony, uśmiechnięty, z błyszczącymi oczami.

Przez chwilę miałam wrażenie, że powróciła przeszłość, że nie było w naszym życiu tego strasznego roku, pokładów złości. Przede mną stał t a m t e n Mark i ja byłam t a m t a, i t a m t o lato za oknem. Miraż trwał sekundę. Wróciła świadomość i niosąca ulgę radość. Jedynie metamorfoza Marka wydała mi się nienaturalnie szybka. Za szybka.

„Nie chcę nikogo osądzać – myślałam, przyjazna i życzliwa teraz całemu światu. – Dla Marka to także jest wydarzenie, szczęśliwy koniec, na który czekał tak samo jak ja. Przecież nie wiem, co on tak naprawdę czuje”.

Wyszliśmy z domu. Po drodze nie rozmawialiśmy, dziwnie zażenowani naszą bliskością, wspólnym spacerem, w milczeniu dotarliśmy do jakiejś restauracji. Miałam wrażenie, że już tu kiedyś byłam, może w poprzednim życiu? Na nowo odkrywałam beztroską atmosferę przytulnego wnętrza, odświętny restauracyjny nastrój... I tylko pewne wspomnienie nagle obudziło się w mózgu...

Rok. Nigdy nie przypuszczałam, że rok może być aż tak długi. Dawniej, przypominając sobie jakieś zdarzenie sprzed roku, z lękiem odnotowywałam szalony bieg czasu. Ostatnie dwanaście najdłuższych miesięcy wydało mi się wiecznością. Ten rok był tak długi jak całe moje życie.

– Myślę, że wiesz, co masz dalej robić, nie muszę ci już mówić – powiedział Mark, gdy usiedliśmy przy małym stoliku pod oknem.

Machinalnie skinęłam głową. Nie słuchałam go, docierały do mnie tylko dźwięki, nie rozumiałam słów, nie potrafiłam ich poskładać w zdania.

– Muszę ci powiedzieć coś ważnego – mówił. – Wykonałaś bardzo ważną pracę. Od dwudziestu czy nawet trzydziestu lat nikt nie dokonał w psychologii odkrycia tej rangi.

Nie od razu dotarło do mnie to, co Mark mówił, coś mnie jednak w tej wypowiedzi uderzyło. Zaczęłam przywoływać dźwięki, które brzmiały mi w uszach. „Wykonałaś".

– Jak to „wykonałam?" Pracowaliśmy razem, we dwoje, twój udział jest taki sam, to idiotyczne oceniać tu udział. Przecież cel był wspólny. Osiągnęliśmy go razem.

Nie była to kokieteria. Naprawdę tak myślałam, tak czułam. Mark nie spuszczał ze mnie oczu. Bardzo przypominał mi Marka, którego kiedyś tak kochałam i którego nadal kocham, chociaż tak mało znam.

– Mark, to jest nasz wspólny sukces – powtórzyłam dobitnie. – Dlaczego się od niego odcinasz?

Nie spuszczał ze mnie wzroku, jego oczy miały teraz barwę stali. „Nie jest w stanie kontrolować koloru swoich oczu, to dziwne. Nad całą resztą panuje, a z oczami sobie nie radzi". Mark pokręcił głową, nie zgadzał się ze mną.

Miał w oczach jakiś filuterny błysk. Zdałam sobie sprawę, że nigdy nie zdołam go przekonać.

– O nie – odezwał się – to całkowicie twój sukces, na kilka ostatnich miesięcy ja się wyłączyłem. Umówmy się, cel rzeczywiście mieliśmy wspólny, jednakże ty go osiągnęłaś, sama, ja tylko byłem przy tym obecny.

Oboje dobrze wiedzieliśmy, że tak nie było, dlatego znów zaprotestowałam:

– Mark, wiesz, że to nieprawda. Gdybyś mnie nie naprowadzał, nie skończyłabym dziś, a może w ogóle... nigdy...

Zreflektowałam się, że mówię „ja", a nie „my". Mark też to zauważył, ale tylko się uśmiechnął.

– A jak porównasz nasz wkład pracy? Przecież to ty tworzyłaś, budowałaś, a ja cały czas burzyłem twoje konstrukcje. Trudno to porównywać.

„To ciekawe – myślałam – tak właśnie mówiłam i myślałam jeszcze dwa dni temu, a dziś wykłócam się o to z Markiem".

– Jeśli już tak bardzo chcesz, możesz umieścić moje nazwisko na liście osób, którym dziękujesz, ale to nie jest konieczne. – Mark zamyślił się. – A właściwie niepotrzebne. Nie, to bez sensu.

„Dziwne to wszystko i niezrozumiałe – myślałam – przedziwne, przecież zależało mu tak samo jak mnie. Dążył to tego niezwykłego celu. To nie ma znaczenia, że w ostatnim czasie rzeczywiście niewiele zrobił, ale chciał, bardzo chciał. Może wszystkie jego dziwactwa i niemoc twórcza były skutkiem silnego, długotrwałego stresu, szoku, spowodowanego tym obciążającym go pragnieniem. Może się po prostu wypalił? Zresztą, jakie to ma teraz znaczenie?".

– Czy mam rozumieć, że nie zgadzasz się na współautorstwo? – spytałam, z góry znając odpowiedź.

Pokręcił głową.

– Nie zgadzam się.

Powiedział to z takim przekonaniem, jakby codziennie odmawiał w takich sytuacjach. Nagle coś mnie tknęło. Przypomniałam sobie, co mi powiedział Ron: Mark rozdawał swoje idee każdemu, kogo akurat miał pod ręką.

„Przyzwyczaił się odmawiać, r e z y g n o w a ć. Chyba o to chodzi – olśniło mnie. – Chociaż myślę, że akurat tutaj mamy do czynienia z inną sytuacją. Mark nic nie musi mi oddawać. Wszystkie idee były moje, on tylko mi towarzyszył, był obok, zasadniczego przełomu dokonałam sama. Proponując mu współautorstwo, tym razem j a oddaję Markowi część moich idei. Nie obchodzi mnie, jak to było z innymi, ważne jest tylko to, co teraz jest ze mną".

Uspokoiłam się. Zrobiło mi się żal Marka – chciałabym tego współautorstwa. Jeśli się zastanowić, cała moja droga do sukcesu trwała dłużej niż rok.

– Jesteś pewien? – spytałam, teraz jedynie z grzeczności.

– Absolutnie – potwierdził Mark, napełniając kieliszki. – Wznieśmy toast za twój sukces, za ciebie, za ogrom pracy, którą wykonałaś – zaproponował, jakby chciał tym przypieczętować moje wyłączne prawo do naszego wspólnego sukcesu.

42.

Przez dwa dni nie robiłam nic, rozkoszując się snem – bezsenność odeszła jak za skinieniem czarodziejskiej różdżki – pysznym jedzeniem, czytaniem kolorowych magazynów, oglądaniem telewizji i telefonicznymi pogaduszkami z Katką.

Na więcej nie mogłam sobie pozwolić, gdyż nie wolno mi było zapominać, że jeszcze jestem studentką, moi koledzy zdają egzaminy, do których ja nie zostałam dopuszczona. Miałam trzy tygodnie na napisanie dwunastu prac semestralnych.

Dwa dni lenistwa wystarczyły, żebym się zregenerowała, trzeciego dnia poczułam jednak dyskomfort. Uświadomiłam sobie, że nie mogę żyć bez pracy, jestem od niej chorobliwie uzależniona.

Zgromadziłam górę książek, które powinnam przeczytać, by nadrobić zaległości. Szybko jednak się zorientowałam, że większość z nich już czytałam, a nawet wiedziałam znacznie więcej, niż było w nich napisane.

Znowu zasiadłam w bibliotece, by ze zdumieniem stwierdzić, że błyskawicznie rozwiązuję zaległe zadania praktyczne, a pisanie prac nie sprawia mi trudności. Pisałam jedną pracę dziennie, z przyjemnością konstatując, że jest to zadanie dziecinnie proste w porównaniu z tym, co robiłam przez ostatni rok.

Pod koniec drugiego tygodnia oddałam profesorom wszystkie zaległe prace pisemne, kajając się za opóźnienie.

W następnym tygodniu wezwano mnie do dziekanatu, przyjął mnie sam dziekan, informując, że zostałam dopuszczona do sesji egzaminacyjnej. Dodał jeszcze, że moje prace zachwyciły wykładowców i zapytał, jak posuwa się moja wielka praca, o której kiedyś wspominałam.

Odpowiedziałam enigmatycznie, że wszystko jest w porządku, i z uśmiechem podziękowałam za cierpliwość i pomoc, chociaż, prawdę mówiąc, nie bardzo wiedziałam, o jaką pomoc tu chodzi.

Egzaminy też okazały się dziecinną igraszką. Profesorowie rozmawiali ze mną o referatach, które im niedawno oddałam. Były to w zasadzie dyskusje partnerów, a nie egzaminy.

Teraz mogłam już pisać pracę doktorską, postanowiłam wykorzystać fragment moich badań, ich całość mogłaby stanowić materiał do co najmniej dziesięciu takich dysertacji.

Nagle zaczęłam mieć bardzo dużo czasu, postanowiłam więc opracować serię artykułów na kanwie mojego odkrycia. Ich opublikowanie miało wysadzić z posad naukę, czyli dokonać tego, o czym mówił Mark.

Mark też się bardzo zmienił. Wrócił do swojej dawnej postaci, co stało się w sposób naturalny. Oboje zmienialiśmy starą skórę i przyoblekali nową, co prawda już używaną i tylko na jakiś czas odrzuconą.

Wkrótce i Mark uporał się z bezsennością, chociaż zajęło mu to nieco więcej czasu niż mnie. Po raz pierwszy od dawna znowu zasypialiśmy w jednym łóżku. Początkowo nie mogliśmy się do tego przyzwyczaić, czuliśmy się jakoś niezręcznie, więc każde spało pod swoją kołdrą. Mark zarzucił swoje dziecięce lektury, zaczęliśmy często wychodzić z domu do restauracji czy kawiarni. Mark na razie niczym się nie zajmował, zapisał się do jakiegoś klubu, gdzie uczył się grać w squasha, niezbyt się do tego przykładając.

Któregoś dnia zauważyłam, że w naszym mieszkaniu coś się zmieniło – ze ścian poznikały zdjęcia Markowych gąb. Spytałam, dlaczego je wyrzucił.

– Nie wyrzuciłem, tylko pozdejmowałem, bo mi się opatrzyły. Nie są mi już potrzebne – powiedział.

Teraz Mark znowu wstawał ze mną o poranku, piliśmy w kuchni wczesną kawę, wszystko było prawie tak jak dawniej. To „prawie" było nieustannie obecne zarówno w Marku, jak i we mnie. Nie mogłam się pozbyć dyskomfortu psychicznego, cały czas czułam się niezręcznie, obco. Z zewnątrz wszystko rzeczywiście wyglądało jak dawniej, coś jednak odeszło bezpowrotnie, zaufanie, związek dusz, poczucie jedności.

Mark był dla mnie miły, serdeczny, delikatny, ale obcy. Przestał być cząstką mnie. Nie wzruszała mnie jego troska, obojętnie traktowałam jego rady, których zresztą udzielał mi coraz rzadziej. On też zdawał sobie sprawę, że wszystko między nami jest inne, nie był już tak pewny siebie i chyba nie wierzył, że można przywołać tamten czas.

Oboje staraliśmy się odzyskać chociażby drobny fragment przeszłości, świadomi, że do jej pełni nie ma już powrotu. Mężczyzna, z którym spędziłam ponad siedem lat życia, nie może być obcy, tłumaczyłam sobie. Zresztą, jak może być obcy ktoś, kto tak dużo mi pomógł i tyle w moim życiu znaczy. Bardzo się starałam. Wyszłam mu naprzeciw, by spotkać go pośrodku dzielącej nas drogi, coś się między nami ułożyło, coś poprawiło, ale nie do końca.

Nie mogłam się pozbyć skrępowania. Kiedy Mark był przy mnie, blisko, włączał się jakiś wewnętrzny strażnik, obserwował nas czujnie, pilnował, nic z nim nie mogłam zrobić, starałam się czuć naturalnie, swobodnie, lecz nie potrafiłam.

Próbowałam śmiać się, żartować, ale wszystko to było sztuczne, wymuszone, nieszczere, na siłę. Nie śmiałam się dlatego, że coś było do śmiechu, lecz realizując jakiś scenariusz – bo w tym miejscu trzeba się śmiać, łapałam się na tym, że zanim się roześmieję, zaczynam myśleć: „Powinnam się roześmiać”. Obecność takiego wewnętrznego nakazu odbierała śmiechowi jego naturalną żywiołowość.

Któregoś dnia siedząc w bibliotece, zaczęłam się zastanawiać, czy jest sens się tak zmuszać. Może między nami już wszystko się wypaliło? To żałosne przywoływać tak uparcie, na siłę, coś, co bezpowrotnie odeszło. Czy nie powinniśmy się rozstać, póki jeszcze nie jest za późno, przecież za chwilę będzie jeszcze gorzej, więc może warto ocalić chociażby wspomnienia?

Trudno mi było podjąć taką decyzję. Mimo wszystko Mark był mi najbliższym człowiekiem. Na pewno nie kochałam go tak jak dawniej, ale moja miłość nie wygasła do końca. Miłość się zmienia, bo zmienia się życie i my się zmieniamy. A może – miałam jeszcze nadzieję – jest to tylko przejściowy kryzys? Może powróci moje dawne uczucie, może on też do mnie wróci i będzie tak jak dawniej, a jeśli nie, to może połączy nas coś nowego, bardzo silnego, o czym jeszcze żadne z nas nie wie, coś, czego jeszcze nie znamy. Miłość trzeba pielęgnować, ochraniać, nie można jej zostawić na pastwę losu. Tylko że ta praca nie powinna być ciężarem, nie powinna tak wyniszczać.

Którejś nocy, przypadkowo, dotknęłam Marka, jego skóry, i nie znalazłam w nim dawnego ciepła. Zdrętwiałam od tego nagłego odkrycia.

W tym momencie Mark odwrócił się do mnie twarzą, w ciemności zobaczyłam jej zarysy.

– Co, kochanie? – szepnął, całując mnie, potem pogłaskał mnie po głowie, dotknął mojego policzka.

– Nie, jeszcze nie, muszę się do ciebie przyzwyczaić – poprosiłam. Nie nalegał. Chyba nie tylko zrozumiał, ale czuł podobnie jak ja.

Minęło trochę czasu i znowu przyzwyczailiśmy się do siebie. Zaczęliśmy się kochać. Po raz kolejny potwierdziła się moja prawda, że seks jest tylko dopełnieniem miłości.

Było mi dobrze, czasami bardzo dobrze, ale to „dobrze" już nie oszałamiało, nie było takie jak kiedyś, gdy wystarczyło jedno spojrzenie, jedno słowo, żebym poczuła wzbierającą rozkosz i zanurzyła się w tym słodkim przeżyciu, tracąc świadomość. Teraz kochaliśmy się fizycznie, oboje doskonali technicznie, doświadczeni kochankowie. Nie było już tamtego szaleństwa rozpalonych zmysłów, całkowitej utraty kontroli nad sobą, kiedy nasze ciała poddawały się instynktownej wiedzy i czerpały z odwiecznej mądrości natury. Teraz siłą sterującą były nasze umysły, czuwały nad ciałem, kontrolowały każde jego drgnienie, dokonywały nieustannych korekt, coś poprawiały, udoskonalały. Wystraszone ciało czuło się coraz bardziej zmieszane, niepewne i popełniało błąd za błędem.

Było mi źle i fizycznie, i psychicznie. Zaczęłam się wstydzić nagości, pocałunków, dotyku i reakcji na dotyk Marka.

Odzwyczaiłam się od uprawiania miłości, stałam się niezgrabna, moje miłosne odruchy utraciły płynność, wiedziałam, że Mark to czuje.

Kiedy we mnie wchodził, był tylko ból. Nie potrafiłam go przyjąć, zaczęłam się go bać. Przypomniałam sobie dawną gotowość, niecierpliwe oczekiwanie, zgranie naszych ciał, rozkosz tamtych ostrych, atakujących pchnięć. Jak to się mogło stać, jak to się dzieje, że rozkosz może się zmienić w taki dyskomfort, w obcość i nieprzyjemne doznania. Próbowałam zachowywać się jak dawniej, ale odkrywałam w sobie bierność i obojętność.

Tak lubiłam ten nasz taniec bioder, tamten rytm miłości. Lubiłam kochać się z Markiem na jeźdźca i patrzeć mu prosto w oczy, całować jego usta, wbijać twarde, nabrzmiałe pożądaniem sutki w jego klatkę piersiową albo ją nimi pieścić, czuć słodki dreszcz rozkoszy, który rozlewał się po całym moim ciele, docierając aż do moich cebulek włosowych. Potem mocno się napinałam, odpychałam energicznie stopami, pracowałam mięśniami ud, pieściłam i uciskałam wilgotną waginą nabrzmiały, twardy penis, unosiłam się, zatrzymując w sobie tylko żołądź, spowalniałam rytm, bawiąc się nią, igrając. Powoli nabijałam się na tę cudowną męskość i znów się unosiłam, zatrzymywałam na chwilę, i tak w dół, w górę, szybciej, wolniej, bardzo szybko, zamierałam, przyspieszałam, pracowały uda, pośladki, nogi, pochwa, wbijałam go w siebie do samego końca, głęboko, do bólu, do utraty zmysłów, brałam w niewolę. Nagle, gwałtownie, ostro, pożądliwie, w coraz szybszym tempie, tak... tak... coraz szybciej... wybuchaliśmy oboje jednocześnie, obficie... słyszałam głuchy jęk Marka, potem krzyk... jak echo odpowiadał mój jęk, opadałam zmęczona, szczęśliwa... „Nigdy czegoś takiego nie przeżyłam" – szeptałam. – „Ja też" – odpowiadał Mark.

Powtarzaliśmy to wiele razy, znowu unosiłam się powolutku, delikatnie, pieszcząc swoim rozpalonym wnętrzem koniec Markowego penisa...

Tak było. Co się z nami stało? Technicznie byliśmy jak dawniej perfekcyjni, wyrafinowani, doświadczeni, świadomi, czego chcemy. Ale było inaczej, nawet nie odważyliśmy się niczego porównywać, bo nie było czego porównywać. Nie mogłam zrozumieć, o co chodzi, na czym polega nasz problem, aż kiedyś Mark wypowiedział to zdanie:

– Rywalizujemy ze sobą.

Był zdziwiony. Poznałam to po głosie. Widocznie on też się zastanawiał, starał się dociec, dlaczego jest inaczej.

„Mark ma rację – pomyślałam – to rywalizacja". Dawniej nasze ruchy, nasze rytmy stwarzały idealną harmonię, dopełniały się nawzajem, byliśmy jednym rozedrganym ciałem, idealną, naturalnie zharmonizowaną jednością, teraz każde realizowało jakiś swój program i indywidualny cel.

Wiedza psychoanalityka podpowiadała mi, że ta rywalizacja nie jest przypadkowa. Akt seksualny doskonale odzwierciedlał podświadomą walkę, która się między nami toczyła. Teraz również w łóżku.

„Kiedyś, zupełnie nieświadomie, podporządkowywałam się Markowi, ulegałam mu, a właściwie przekazywałam mu inicjatywę – myślałam. – Nie zastanawiałam się wtedy, dlaczego tak było. To rozumiało się samo przez się: był ode mnie dużo starszy, bogatszy w doświadczenia, wszystko wiedział lepiej, widział dalej, był silniejszy".

Teraz byłam inna. Lepiej niż Mark rozumiałam życie, czułam się od niego starsza, bardziej odpowiedzialna, dojrzalsza. Tak, byłam silną, dojrzałą kobietą. Znałam swoją wartość. W każdej dziedzinie przewyższałam go wewnętrzną siłą, samozaparciem, talentem, intuicją, wrażliwością i głębią.

„Mogę się podporządkować – myślałam – jeżeli tylko oboje będziemy chcieli nadal być razem. Co to jest szczęście? Nawet filozofowie wciąż się nad tym głowią. Czy ktoś wymyślił celną definicję szczęścia? Tołstoj nie miał racji, pisząc, że każda para jest szczęśliwa w taki sam sposób. Jakże się mylił. Każdy ma inne szczęście, swoje, niepowtarzalne, ale czy to takie ważne? Przecież chodzi jedynie o to, żeby wszyscy byli szczęśliwi.

Kto ustala zasady tej gry, którą nazywamy wspólnym życiem? Tylko tych dwoje jego uczestników. Więc niech i zasady gry będą zindywidualizowane, byle tylko odpowiadały tym dwojgu, którzy postanowili być razem".

Może i w łóżku będzie nam z czasem lepiej? Może wróci dawna harmonia albo inna harmonia, odmieniona, nowa, harmonie też są różne.

43.

Zbliżał się lipiec. Napisałam pracę i serię artykułów. Lada dzień miałam je oddać do druku i czekać na gromkie echa wybuchu, który przewidywałam. Tymczasem postanowiliśmy z Markiem wyjechać na urlop, marzyło nam się morze. Wszystko zaczęło się powoli układać, kiedy niespodziewanie zadzwonił Jeffrey.

Było to wieczorem. Telefon odebrał Mark, oddał mi słuchawkę. Początkowo nie wiedziałam, z kim rozmawiam, nie rozpoznałam tego głosu, potem serce mi zabiło.

Jeffrey dzwonił w ważnej sprawie. Kilka dni temu Zylber miał zawał. Początkowo wyglądało to groźnie i Jeffrey nie chciał mnie niepokoić, na szczęście stan zdrowia profesora zaczął się poprawiać. Zylber mógł już rozmawiać, a nawet trochę chodzić, prosił, żebym go odwiedziła.

Nie byłam zaskoczona tą prośbą, poczułam się strasznie, kiedy usłyszałam o zawale, miałam poczucie winy, chociaż rozsądek podpowiadał mi, że to nielogiczne – niczemu nie jestem winna. Spytałam, kiedy mogę przyjechać. Czy można jutro z samego rana? Jeffrey przytaknął.

Mark też doznał wstrząsu, kiedy powiedziałam mu o zawale Zylbera. Wzruszył mnie tym, zauważyłam, że ostatnio bardzo się stara być empatyczny, uwrażliwiony na innych. Powiedział, że powinnam pojechać do profesora i że rano sam odwiezie mnie do szpitala.

Kiedy weszłam do sali chorych, Zylber spał. Usiadłam na krzesełku, które stało przy jego łóżku. Leżał podłączony do kroplówek i aparatu tlenowego, wyglądał tak, jakby się nagle bardzo posunął. Wydał mi się starym człowiekiem, dosyć żałosnym i bezradnym w tej plątaninie rurek. Ścisnęło mi się serce. Duży nos profesora jeszcze bardziej się wydłużył, wyostrzył, twarz miał wychudzoną, zamknięte powieki bardzo ją zmieniały.

Po półgodzinie obudził się, otworzył oczy i zobaczył mnie, jego oczy chciały wykonać swój zwykły taniec, ale nie dały rady.

– O, Marina – powiedział. W jego głosie nie było zdziwienia czy radości. Po prostu zarejestrował fakt mojej obecności. – Dziękuję, że pani do mnie przyszła. Jeffrey pani powiedział? – Skinęłam głową.

– Jak się pan czuje?

– Chyba się wykaraskałem. Tamci mówią – wskazał głową korytarz – że wszystko będzie dobrze. – Westchnął jakoś starczo. – No, cóż, pozostaje mi tylko nadzieja.

I głos mu się zmienił. Nie był już tak dobitny, Zylber mówił znacznie spokojniej, tylko obcy akcent nasilił się do tego stopnia, że chwilami musiałam się dobrze wsłuchiwać, by zrozumieć, co mówi. Profesor miał trudności z artykulacją amerykańskich dźwięków i intonacją, chyba było to teraz ponad jego siły, a może nie przywiązywał wagi do poprawności mówienia i było mu obojętne, co ktoś o tym pomyśli. Odgadł, o czym rozmyślałam, na szczęście tylko częściowo odgadł.

– Jest pani zaskoczona moim wyglądem, Marino? Takie jest życie, każdego to może spotkać...

Nie dokończył. Odniosłam wrażenie, że profesor bardziej stara się przekonać siebie niż mnie. Nie wiedziałam, co mam mu na to odpowiedzieć, położyłam dłoń na jego dłoni, wielkiej i żylastej.

– Będzie dobrze, profesorze – powiedziałam, profesor milczał, więc jeszcze raz powtórzyłam: – Będzie dobrze.

– Wie pani – odezwał się po chwili – to dziwne, przypomniałem sobie, że w młodości najdrobniejsze zaburzenie w pracy mojego organizmu przyprawiało mnie o panikę, to był duży stres, a właściwie szok – zamilkł, może wsłuchiwał się w swoje myśli? – Z wiekiem człowiek jednak do wszystkiego się przyzwyczaja, przestaje się tak wsłuchiwać w swoje ciało, pewne dysfunkcje zaczyna traktować jak rzecz normalną, uodparnia się psychicznie. Tak samo postrzega się chorobę: najpierw czujemy strach, ale potem się z nią oswajamy, zżywamy, wraca spokój. Pewnie tak samo jest i ze śmiercią.

Zamyślił się. Zamilkł na długo, ja też nie wiedziałam, co powiedzieć, moja dłoń nadal leżała na jego dłoni. Wydawało mi się, że zasnął i ostrożnie chciałam wycofać rękę, ale profesor natychmiast otworzył oczy.

– Nie śpię – odezwał się. – Wie pani, o czym teraz myślę? Odwrócił głowę i spojrzał na mnie, uśmiechnęłam się leciutko. – Zastanawiam się, dlaczego ludzie boją się śmierci – mówił wolno, jak gdyby w tej chwili chciał znaleźć odpowiedź, a przede wszystkim odpowiedzieć sobie na to pytanie. – Byłem tak blisko śmierci. Przypadkowo wpadł Jeffrey i wezwał pogotowie, inaczej bym... – Chciałam zaprotestować, ale mi nie pozwolił. – Ach, nie o tym chciałem mówić, wciąż się zastanawiam, dlaczego odczuwamy taki lęk przed śmiercią. To nieprawda, że boimy się nieznanego, tego, co nas czeka po śmierci, bzdura. Jeżeli jest to zupełnie nieznane przeżycie, to tym lepiej, jest jak przygoda, ciekawe, więc nie powinno budzić lęku.

– No to dlaczego? – spytałam, żeby coś powiedzieć. Uznałam, że moje milczenie trwa za długo.

– Umieranie jest straszne, Marino – teraz profesor odpowiadał na moje pytanie – z bardzo prostej przyczyny: to straszne nie zobaczyć już nigdy ludzi, których się kocha. Już nigdy nie zobaczyć tych, których się kocha – powtórzył akcentując każde słowo, by sens tego lęku dotarł także i do mnie.

„Tu chodzi nie tyle o rozumienie banalnego stwierdzenia, ile o wczucie się w jego treść, o głębię świadomości" – pomyślałam.

– Wie pani, leżałem tam, w domu, na podłodze, wiedziałem, co się wydarzyło, i nie mogłem się nawet poruszyć. Czułem, że to serce, domyśliłem się, że mam zawał, chociaż nie byłem tego do końca pewny. Przeżyłem długie życie, w sumie dobre życie, nie mam czego żałować, nie bałem się śmierci. A potem pomyślałem, że już nigdy nie zobaczę moich dzieci, nie zobaczę Jeffreya, to mój jedyny wnuk, nie zobaczę pani.

Byłam zdziwiona. Nie wiedziałam, że Zylber jest dziadkiem Jeffreya. Jeffrey nigdy mi tego nie mówił. To dlatego nazywał Zylbera „dziadkiem". Ale dlaczego profesor i mnie zaliczył do grona bliskich osób?

– Tak, pewnie się pani zdziwiła, że pomyślałem o pani, sam nie wiem dlaczego. Ponad rok się nie widzieliśmy, ale została mi pani w sercu. Dlatego poprosiłem Jeffa, żeby do pani zadzwonił, chciałem panią zobaczyć.

Zabrzmiało to prawie jak wyznanie miłosne. Nikt nigdy nie mówił mi takich słów bezinteresownie, nie oczekując nic w zamian, nawet wzajemności uczuć. Coś ścisnęło mnie za gardło, zdusiło oddech, udało mi się powstrzymać łzy.

– Myślę o was, Marino, i o innych, których kocham, gdybym umarł, nikogo z was już nigdy bym nie zobaczył, nie mógłbym z wami rozmawiać, dotknąć was, popatrzeć wam w oczy, nie usłyszałbym waszych głosów. I wtedy się przestraszyłem, Marino, cholernie się bałem tego „n i g d y". Wtedy dopiero sobie uświadomiłem, że właśnie tym śmierć nas zastrasza – odbiera nam miłość do ludzi, których kochamy.

Znów poczułam ten sam silny skurcz w krtani, z trudem przełknęłam ślinę.

– Dlatego tak bardzo chciałem panią zobaczyć, gdyby coś się ze mną stało, chcę jeszcze raz, może ostatni, podarować sobie radość pani widoku, pani obecności przy mnie, żeby potem było mi łatwiej.

Zagryzłam wargi, z wielkim trudem opanowałam łkanie.

– Wszystko będzie dobrze, panie profesorze – powiedziałam raz jeszcze. – Sam mi to pan dziś mówił i lekarze...

– Tak, to prawda. Niech pani poprosi siostrę, chciałbym wstać, trochę się przejść, powinienem chodzić.

Weszła pielęgniarka, z zawodowym uśmiechem na twarzy, fachowo pomogła Zylberowi się podnieść, wsparła go swoim wytrenowanym ciałem, robiła to bardzo profesjonalnie. We trójkę wyszliśmy na korytarz i odbyliśmy małą rundkę.

– Czy możemy na chwilę przysiąść? – spytał Zylber na widok krzeseł, które stały w holu, pielęgniarka z tym samym uśmiechem przytaknęła i pomogła mu ulokować się na którymś z nich.

– Kiedy będą państwo chcieli wrócić do sali, proszę mnie zawołać – zwróciła się do mnie.

Skinęłam głową i usiadłam obok profesora.

– Co tam słychać u pani, Marino? – spytał mnie po chwili, która była mu chyba potrzebna dla uregulowania oddechu, a nie doczekawszy się odpowiedzi, dodał: – Słyszałem, wiem, że wszystko w porządku.

– Wszystko w porządku – powtórzyłam.

– Dalej jest pani z tym mężczyzną?

– Tak – odpowiedziałam. Przeczuwając coś niedobrego, nie bardzo wiedziałam, jak mam się zachować.

– Niech pani uważa – powiedział Zylber, czując, że jestem w tym momencie zupełnie bezbronna. – Po nim można się wszystkiego spodziewać.

To zdanie wydało mi się wstępem do dłuższej opowieści. Chyba profesor sondował moją gotowość do jej wysłuchania. Mogłam się nie zgodzić, ale nagle postanowiłam wszystkiego wysłuchać.

– Panie profesorze – starałam się mówić bardzo uprzejmie – już któryś raz mi pan coś takiego mówi. Dlaczego? Przecież pan go nie zna, nigdy wcześniej go pan nie widział do czasu, kiedy przedstawiłam go panu po tamtej konferencji. Jak pan może na tej podstawie wydawać jakąś opinię?

Zylber upewnił się, że jestem gotowa wysłuchać opowieści o Marku.

– Nie muszę go znać, wystarczająco dużo o nim słyszałem. To była głośna sprawa, jedyna w swoim rodzaju, niepowtarzalna. Zaraz, zaraz, kiedy to było? – próbował sobie przypomnieć. – Z piętnaście lat temu, może więcej, nie pamiętam. O ile wiem, pani ukochany – powiedział to, nie kryjąc ironii – był dobrze zapowiadającym się młodym matematykiem, zresztą dziś też jest młody. – Zylber uśmiechnął się. – Zrobił doktorat, chyba miał wtedy dwadzieścia pięć lat, to była świetna praca, zaproponowano mu etat na uniwersytecie. Nie znam szczegółów. Kiedyś ktoś z kolegów dał mu do przeczytania i recenzji wstępnej swoją pracę, taki jest tryb, chyba się pani orientuje.

Skinęłam głową, na razie nic złego się nie działo. Byłam przygotowana na większe sensacje, na przykład, że Mark kogoś zabił, zgwałcił, popełnił plagiat. „Czym Zylber próbuje mnie zaskoczyć?” – myślałam, ale tajemniczy lęk mnie nie opuszczał.

– Rzeczywiście, był dobry w tym, co robił – mówił dalej Zylber o Marku. – Oprócz rutynowych w takich wypadkach uwag uzupełnił tę pracę, poprawił, nie wiem, jak to nazwać. Na tyle jednak zmienił zasadniczą myśl pracy, jej główną ideę, że właściwie powstała całkiem nowa praca, znacznie lepsza, o, powiedziałbym, niezwykle odkrywcza, wręcz rewolucyjna.

„I co w tym złego – byłam zaskoczona. – Chyba o tym wiedziałam, może Ron mi to opowiadał?”.

– I tu pojawiła się kwestia autorstwa pomysłu czy też odkrycia – kontynuował Zylber. – Oczywiście, Marino, pani przyjaciel – profesor konsekwentnie nie miał ochoty nazywać Marka po imieniu – całkowicie zmienił myśl przewodnią, przesłanie tej pracy, podejście do problemu. Powstała absolutnie nowa praca. Ale przecież obiektem tych działań był doktorat kolegi, gotowy do obrony, ukończony, kolega wiele lat dochodził do swoich wyników, włożył w to dużo trudu i wiedzy własnej. Najlepszym wyjściem w takiej sytuacji byłoby współautorstwo, wydawało się, że takie rozwiązanie i tu nastąpi. Byłoby to rozsądne i sprawiedliwe, nikogo nie interesowałyby niuanse tej sprawy. Ale pani przyjaciel to skomplikowana osobowość – Zylber spojrzał na mnie, jakby szukając potwierdzenia, skinęłam głową, tak, to prawda. „Ale kto z nas nie jest skomplikowany? Pan sam jest na to najlepszym dowodem, profesorze" – powiedziałam na głos.

– I tu wykręcił numer – ciągnął Zylber – nie zgodził się zostać współautorem, przecież tylko zrecenzował pracę, ot, wydało mu się, że takie podejście jest słuszniejsze, powiedział: „ja nie zajmuję się tą dziedziną, badam co innego, nie chcę się do tego mieszać". Niby elegancko, zresztą, mało kto o tym wiedział. Ale nikt nie miał pojęcia, że ten młody matematyk tak naprawdę wywrócił całą pracę do góry nogami, przerobił ją od a do zet. Co w tym złego?

– Proszę wybaczyć, panie profesorze, ale ja również nie widzę w tym nic złego – wtrąciłam. No bo gdzie tu ta skomplikowana osobowość? Oddał swój pomysł, bezinteresownie, nie dla zysku, chyba trzeba się było bardzo wysilić, żeby uznać to za coś złego.

Dyskretnie próbowałam uzyskać odpowiedź na nurtujące mnie pytania. Zylber chyba się tego nie domyślał, ale uśmiechnął się do mnie. Lubił opowiadać. Odżywał wtedy, młodniał, teraz jego blada, schorowana twarz też się z lekka zarumieniła. Pomyślałam, że jeżeli nawet nie dowiem się nic nowego, wysłucham go do końca, dla jego dobra, dla jego zdrowia, jak lekarz.

– Zgadzam się, na pierwszy rzut oka nic złego. – Już wiedziałam, że Zylber zaraz obali ten punkt widzenia. – Ale czy wie pani, co z tego wyszło? Na tym świecie rzadko się zdarza, żeby ktoś komuś podarował swoją pracę, swój niezwykle oryginalny pomysł, rewelacyjny, unikatowy. Zaczęto o tym mówić jak o wydarzeniu. To była sensacja. Rozszerzał się krąg zainteresowanych tą sprawą. Mnożyły się plotki, powtarzano je z ust do ust, plotka odbyła długą drogę, by ostatecznie stworzyć taką oto wersję zdarzeń: „Słyszeliście, Mark oddał Allanowi swoją ideę, tę z jego nowej pracy?" albo: „Czytaliście pracę Allana? Tę rewolucyjną ideę podarował mu Mark". Tak to było, Marino, nic ująć, nic dodać.

„A jednak w końcu wymówił imię Marka – pomyślałam. – Spuścił z tonu, czy może tak łatwiej było mu opowiadać?".

– Ostatecznie wyszło na to, że wspaniałomyślny Mark ofiarował genialną ideę koledze, rezygnując z zaszczytów i sławy. Wszyscy teraz mówili, że autorem pracy Allana faktycznie jest Mark. Po drugie, praca jest genialna, bo Mark jest geniuszem. Inaczej mówiąc, Mark zabrał koledze nie część pracy, której autorem rzeczywiście był, lecz pozbawił go całej jego pracy.

Pomyślałam, że pewnie taka interpretacja też była zasadna. Tylko dlaczego posądza się Marka o złe zamiary? Przecież zrezygnował z firmowania tekstu własnym nazwiskiem, to nie jego wina, że dalej sprawy potoczyły się niekorzystnie dla Allana. Nie odezwałam się, zaintrygowana, co mi Zylber jeszcze opowie.

– Allan dostał nagrodę za najlepszą pracę naukową roku czy coś takiego, nie pamiętam, i otrzymał stanowisko kierownika katedry w jednym z liczących się uniwersytetów na południu Stanów, wyjechał i zrobił tam karierę. Ale gdyby zapytać o niego kogokolwiek w naszym środowisku, to każdy odpowie, że ten sukces Allan zawdzięcza jedynie Markowi.

– A czy tak nie było? – nie wytrzymałam.

– Może i tak było – zgodził się Zylber – ale nie o to chodzi. Mark zyskał opinię geniusza, twórcy, generatora idei.

„Ron też tak mówił" – pomyślałam.

– Kiedy Allan uświadomił sobie, jak wielką zrobił karierę, też poczuł wdzięczność do Marka. Kiedy potem objął stanowisko w innym ośrodku i otrzymał jeszcze wyższa gażę, jakieś nagrody, to wie pani, co zrobił? – Uniosłam brwi, tym razem rzeczywiście byłam zaskoczona. – Zafundował Markowi prezent. Nie byle jaki prezent, ale bardzo drogi. Jak pani sądzi, jaki? – Popatrzył na mnie. – Podarował mu samochód.

– Porsche? – nie wytrzymałam. Oczy Zylbera wbiły się we mnie, pożałowałam, że jestem tak nieopanowana.

– Nie wiem, jakiej marki, ale jakiś luksusowy i bardzo drogi. Sprawa stała się znana w środowisku. Wie pani, u nas takie wieści rozchodzą się lotem błyskawicy?

Już chciałam odpowiedzieć, że wiem i że teraz wiem jeszcze więcej, jakie to rozplotkowane środowisko, ale dałam sobie spokój, w końcu Zylber był tylko ciężko chorym, starym człowiekiem.

– O pani przyjacielu zrobiło się głośno, a dalej zdarzyło się coś, czego nikt nie był w stanie zrozumieć. – Zylber tajemniczo zawiesił głos, jakby opowiadał historię z wątkiem kryminalnym. Zresztą pewnie tak sprawę Marka traktował. – Nikt niczego nie zauważył, po prostu najpierw zwrócono uwagę, że pani przyjaciel przerwał swoje prace badawcze nad tematem, którym się akurat zajmował, i zajął się czymś zupełnie innym. Wie pani, naukowiec ma dużo swobody, ale bez przesady, pewne reguły obowiązują. Po jakimś czasie okazało się, że znowu zmienił sferę zainteresowań badawczych, przerzucił się na inną dziedzinę, zajął się chyba jakimś problemem z zakresu fizyki. Potem się okazało, że wielu naukowców zaczęło publikować artykuły na tematy, które brał na warsztat pani przyjaciel, to były rewelacyjne artykuły. Przełomowe. Wybuchowe! Pojawiła się cała ich seria. Było to bardzo dziwne. – Zylber znowu zrobił przerwę. – „Wybuchowe", hmm, czy jest takie słowo? Mniejsza o to. Mocne artykuły, mimo że ich autorzy nie należeli do wybitnych naukowców, ot, przeciętniacy, nic ciekawego, i nic takiego nigdy by nie wymyślili. Po jakimś czasie sytuacja się powtórzyła. Zauważono, że Mark zajął się biologią. I znowu ktoś opublikował pracę dokładnie z tej dziedziny, znakomitą pracę. W środowisku zawrzało, byli tacy, którzy wnikliwie przestudiowali te wszystkie rewelacyjne prace i odkryli w nich pewien charakterystyczny styl. Wie pani, włamywacz też ma swój styl, swoją charakterystyczną metodę pracy. – Zylber uśmiechnął się, zadowolony z takiego porównania. – Tu było podobnie, wszędzie czuło się rękę pani przyjaciela. Zaczęto przebąkiwać, że pani przyjaciel bierze za to pieniądze. Nikt nie znał szczegółów, ale mówiono, że zawiera umowę z zamawiającym usługę, który ma mu wypłacać jakiś ekwiwalent przez całe życie, dziesięć czy piętnaście procent rocznego dochodu. Powtórzę gwoli sprawiedliwości, że nikt tego na pewno nie wiedział, tak szeptano. Osoby, które wykorzystały idee Marka, rzeczywiście bardzo prędko zdobywały sławę, poprawiały swój status, także finansowy. Jeżeli prawdą jest, że Mark otrzymywał te swoje dziesięć czy piętnaście procent, musiały to być wcale niezłe sumki. Miał coraz więcej klientów.

Byłam oszołomiona. Wiedziałam, że Mark dostawał jakieś pieniądze. Przypomniało mi się, jak nie chciał mi nigdy odpowiedzieć na pytanie, z czego żyje, nie pracując. Czasami odpowiadał enigmatycznie, niejasno, że kiedyś dobrze zainwestował swój kapitał. Teraz wszystko stało się jasne: kapitałem Marka były idee, które wymyślał.

Nie wiedziałam, co o tym sądzić i co odpowiedzieć Zylberowi. A przede wszystkim zastanawiałam się, jaki związek ma to wszystko ze mną, z moją pracą naukową. Miałam w głowie kompletną pustkę.

– Już kończę – powiedział Zylber. Widać pomyślał, że długa opowieść znużyła mnie, a może sam się zmęczył? – Sprawa przybrała niedobry obrót. Powołano specjalną komisję do jej wyjaśnienia, ale niczego nie udało się udowodnić. Nawet gdyby ustalono, o co w tym wszystkim chodziło, to i tak nic by to nie dało, nikt przecież nie popełnił przestępstwa, nikt nikomu niczego nie ukradł, czyż nie wolno podarować komuś własnego pomysłu, a nawet go sprzedać? – Zylber wzruszył ramionami. – Nie wiadomo było, co z taką bezprecedensową sprawą zrobić.

Profesor skończył. Widać było, że się męczył. Pozwoliłam mu chwilę odpocząć.

– I co było dalej?

– W zasadzie nic. Mark musiał odejść z uniwersytetu, zarzucono mu, że jego badania własne nie posunęły się ani o krok do przodu. Nie protestował. Podobno sam chciał odejść, uniwersytet przeszkadzał mu w jego biznesie.

– Czy nadal sprzedawał swoje idee? – spytałam nieśmiało, gdyż jakiś głos wewnętrzny podpowiadał mi, że jest to niezwykle ważna kwestia.

– Tego nie wiem, ale pewnie tak. Miał wielu chętnych. Proszę sobie wyobrazić, skoro w jednej chwili można zyskać sławę, pozycję, kilka razy wyższą pensję, kiedy kariera stoi otworem... i to tylko za jedyne dziesięć czy piętnaście procent rocznych dochodów? Dlaczego nie! Pani przyjaciel właściwie wszystkich wystrychnął na dudka: to on ma teraz więcej niż ktorykolwiek z jego klientów. Przy czym jest to dożywotni zarobek, niezależnie od tego, czy nadal pracuje za pieniądze, czy już tylko dla przyjemności. Ponadto w świecie nauki nie ma człowieka bardziej wpływowego niż ten pani Mark. – Oczy Zylbera wykonały swój taniec. – Ci wszyscy, którym Mark oddał za darmo czy też sprzedał swoje pomysły, zajmują dziś ważne stanowiska, za co są mu bardzo zobowiązani. Myślę, że takich osób jest sporo, każda z nich z kolei też ma jakieś układy i znajomości. – Zylber popatrzył mi głęboko w oczy. Nie mogłam się poruszyć, siedziałam jak zaklęta. – Nieźle, co? – spytał.

– Tak – odpowiedziałam.

Zylber wciąż nie spuszczał ze mnie wzroku. To ja pierwsza nie wytrzymałam jego spojrzenia i odwróciłam oczy.

– Dlatego, Marino, zdziwiłem się, kiedy pani przedstawiła nam Marka. – Profesor w dalszym ciągu się we mnie wpatrywał. – Wiem, że ingeruję w pani sprawy prywatne, nie powinienem...

Zdziwiłam się, mimo że z trudem kojarzyłam, co się stało, byłam we wstrząsie: czy profesor naprawdę jest tego świadomy?

– Ale chciałem panią ostrzec. – Mówił teraz wolniej, wyraźnie oddzielał słowa, jakby chciał mi dać czas na wchłonięcie tych trudnych treści. – Nie wiem, co was łączy, czego on od pani chce, wiem tylko... – uśmiechnął się. – Jestem już stary, niejedno w życiu widziałem, zresztą także mój zawód polega na wsłuchiwaniu się w ludzi, na zrozumieniu ich. Dlatego wiem, że pani przyjaciel wcale nie jest taki bezinteresowny, na pewno ma ukryty jakiś cel. Z całą pewnością zamierza panią w jakiś sposób wykorzystać, jeżeli jeszcze tego nie uczynił.

Mówił bardzo powoli.

– Taki osobnik wszystko precyzyjnie kalkuluje. Ma inny stosunek do ludzi niż pani czy ja, inaczej patrzy na świat, początkowo trudno jest się w tym zorientować, dlatego wszystko bierzemy za dobrą monetę...

– Dlaczego trudno jest się zorientować? – spytałam.

– Bo jest zupełnie inny, ma inne cele. My nie stawiamy sobie podobnych celów, nie kalkulujemy tak jak on. To unikatowy sposób na życie.

– Dlaczego?

– Dlatego, że on nie jest taki jak my.

Zylber znów się zamyślił. „Wprawdzie w nietypowy sposób, jednak profesor uznał unikatowość Marka – pomyślałam. – Czy się z tego cieszę? – pytałam siebie w duchu. – Nie, ani trochę”.

Milczenie profesora przedłużało się, myślałam, że już na dobre skończył opowiadanie o Marku, gdy znowu przemówił:

– Najbardziej przerażające, Marino, jest to, że nie tylko on, ale i jego stosunek do życia jest inny, różni się od naszego. Najbardziej mnie przeraża...

Boże, niech już to wydusi z siebie, co go najbardziej w Marku przeraża!

– Ma inne zasady moralne, inną etykę. Dlatego czułem się w obowiązku to wszystko pani opowiedzieć.

– Dziękuję, profesorze.

Wierzyłam, że to, co Zylber zrobił, wynikało z troski o mnie i życzliwości, nie posądzałam profesora o skłonność do plotkowania. Od dawna próbował mnie ostrzegać, odkąd przedstawiłam mu Marka. Wiem, że robił to z potrzeby serca.

Długo siedzieliśmy w milczeniu. Nie mogłam zebrać myśli. Potrzebowałam na to czasu.

– Pani Marino, proszę zawołać siostrę, jestem zmęczony, chciałbym się już położyć. – Z głosu Zylbera rzeczywiście przebijało zmęczenie.

Siostra sprawnie ułożyła profesora. Zobaczyłam, że jest blady, od razu zapadł w drzemkę.

Tylko dla mnie tak się zmobilizował, wykrzesał z siebie resztki sił. Chciał mnie ostrzec. Bał się, że może nie zdążyć.

Ta myśl zmroziła mnie. Pochyliłam się i pocałowałam Zylbera w policzek. Powoli otworzył oczy.

– To miło z pani strony, Marino – powiedział cichutko. – Przepraszam, proszę już iść, chciałbym teraz trochę pospać, dziękuję, że mnie pani odwiedziła.

– Naprawdę?

Nie miał siły odpowiedzieć, skinął tylko głową.

– Przyjdę do pana jutro – zapewniłam go, jeszcze raz kiwnął głową, ale już z zamkniętymi oczami.

44.

Szłam szpitalnym korytarzem i nie wiedziałam, co dalej, jak się powinnam zachować, co robić, jeszcze nie przetrawiłam opowiadania Zylbera, tego, jakie odniesienia miało ono do mnie, czy w ogóle mam z tym wszystkim coś wspólnego. Ostrzeżenie Zylbera odniosło skutek, ale składałam to na karb emocji. Przecież Zylber nie znał Marka, tylko o nim słyszał, to prawda, jest wytrawnym psychologiem, ale przecież to tylko wrażenia.

Jeśli chodzi o fakty – starałam się myśleć racjonalnie – to nie opowiedział mi właściwie nic nowego, no może jedną rzecz, że Mark brał za swoje pomysły pieniądze. To bardzo dwuznaczna sprawa. Ale w końcu klienci Marka zdobywali prestiż i dzięki temu osiągali coraz wyższe dochody. Dlaczego Mark miałby nie otrzymywać za to honorarium? Po odejściu z uniwersytetu mógł pełnić rolę konsultanta, miał pełne prawo wystawiać za to rachunki. Każdy ma prawo czerpać zyski z wykorzystywania własnych talentów i zdolności, i to w taki sposób, jaki najbardziej mu odpowiada.

Korytarz skończył się. Nie wiedziałam, dokąd iść, by zyskać na czasie, zatrzymałam się przy oknie. Oczywiście, z moralnego punktu widzenia sprawa nie była czysta. Po pierwsze, był to specyficzny świat nauki, a nie sfera biznesu, po drugie, klienci Marka przedstawiali pomysły Marka jako swoje własne, to nie jest w porządku, naukowiec nie może tak postępować, to jest nieetyczne.

Znalazłam jednak usprawiedliwienie. To nie Mark posługiwał się pomysłami innych, lecz odwrotnie, przecież każdy odpowiada za siebie, Mark jest tu niewinny. Ale wątpliwości zostały. Chyba jednak on też odpowiada za taką sytuację.

Zdecydowałam się na kompromis: w tej historii nie ma nic przerażającego, to tylko bardzo subtelny problem etyczny... Jaki to ma związek z moją osobą?

Nie, ta sprawa zupełnie mnie nie dotyczy. To nurtowało mnie najbardziej. Zylber twierdził, że Mark jest interesowny, wyrachowany, nic nie robi za darmo, ale może osiąga jakiś specyficzny zysk, który według powszechnych pojęć wcale nie jest konkretnym, materialnym zyskiem. Dlatego nie możemy wiedzieć, czym tak naprawdę się kierował, przecież musiał wszystko szczegółowo rozważać...

Jakie zyski mógł mieć ze mnie, oprócz tego, że może jest mu ze mną po prostu dobrze, ale trudno to nazwać czerpaniem korzyści. Swoją pracę napisałam sama, to prawda, pomagał mi przez te wszystkie lata, wyprowadził mnie na wysoki poziom, ale niczego mi nie podarował ani nie sprzedał. Raczej był moim nauczycielem, wskazywał mi drogę, sukces jest mój, w ostatnim etapie badań nie korzystałam z jego pomocy, to była tylko moja własna praca, w pełni samodzielna. Zrezygnował ze współautorstwa, nie otrzyma ode mnie jakiejkolwiek rekompensaty. Gdzie tu jest zysk?

A jednak coś nie dawało mi spokoju, dlatego rozumiałam Zylbera. Gdyby Zylber znał szczegóły naszego wspólnego życia, na pewno miałby jeszcze większe obawy i wątpliwości. Nasz ostatni rok był zaskakujący, nienormalny, Mark bardzo źle mnie traktował. Ale nie zmieniało to faktu, że tam gdzie pojawiał się Mark, pojawiały się i odkrycia. Jego poprzednie idee również, jak zrozumiałam, dokonały przewrotu w nauce.

A jednak wątpliwości mnie nie opuszczały, mimo że każdą mogłam w dowolny, rzeczowy sposób usprawiedliwić. Chyba jednak nie zrozumiałam niuansów tej opowieści. To mnie najbardziej męczyło.

Doszłam do wniosku, że jeszcze raz powinnam porozmawiać z Ronem. Właściwie oszukał mnie, mówiąc, że Mark wspaniałomyślnie rozdawał idee. Zaczęłam powoli schodzić szpitalnymi schodami. Muszę koniecznie porozmawiać z Ronem. Niech mi jeszcze raz wszystko opowie, może wówczas uchwycę te tajemnicze subtelności. Byłam pewna, że znajdę Rona na wydziale, tylko jak zacząć tę rozmowę? O co najpierw powinnam go zapytać? Tu intuicja na nic by się zdała. Tym razem to ja powinnam pokierować tą rozmową.

Ron był dosyć zaskoczony, ale ucieszył się na mój widok.

– Ron, musimy pogadać.

– Czy coś się stało? – spytał, w jego głosie usłyszałam nutkę niepewności i to mi pomogło. Nie mogę dać mu ani chwili na przygotowanie się do rozmowy, na skontaktowanie z Markiem, nie mogę go teraz wypuścić z rąk! Zrobiłam smutną minę i skinęłam potakująco głową.

– Coś ważnego? – spytał Ron. – Czy możemy porozmawiać za godzinę? Za dwadzieścia minut będę musiał wykonać ważny telefon.

– Ron, to bardzo pilna sprawa, nie zabiorę ci dużo czasu. – Widocznie mówiłam to tak zdecydowanie, że Ron skapitulował.

– No to chodźmy do kawiarni, przy okazji coś zjem – zaproponował.

Usiedliśmy przy stoliku, na którym Ron tradycyjnie postawił górę kanapek.

– Ron, dlaczego nie powiedziałeś mi wtedy prawdy? – patrzyłam mu prosto w oczy.

Postanowiłam zacząć z marszu, nie mieliśmy dużo czasu, po co to rozwlekać. Ron wytrzeszczył oczy ze zdumienia. Szczęki mu znieruchomiały, przestał żuć kanapkę i stracił mowę.

– Nie powiedziałeś mi, że Mark sprzedawał swoje idee! Mówiłeś, że je rozdawał.

Ron westchnął z ulgą, chyba spodziewał się czegoś gorszego. Jego usta rozciągnęły się w szerokim uśmiechu, wrócił mu apetyt, ugryzł kanapkę i zaczął się przygotowywać do odpowiedzi... którą chyba znałam...

Jakaś szybka myśl przemknęła mi przez głowę. Właściwie nie rozpoznałam jej, lecz ją poczułam.

– Ron, czy ty też płacisz Markowi?

Zmienił się na twarzy, popatrzył na mnie w roztargnieniu.

„Bingo!"

Ron myślał, zastanawiał się nad odpowiedzią.

– Nie, ją nie płacę – odezwał się w końcu.

– Czy to tak po starej przyjaźni Mark nic od ciebie nie bierze? – Nie spuszczałam z Rona wzroku, Ron nie patrzył mi w oczy, chyba znowu trafiłam! – Przecież jesteście przyjaciółmi, Ron!

Ron wpatrywał się w sufit, dosłownie popadł w stupor, czułam, że go znokautowałam, nie mógł myśleć.

– Dobrze, Ron, opowiadaj, jak to było. – Jeszcze nie wiedziałam, co chcę usłyszeć, ale nie miałam wątpliwości, że Ron ma mi bardzo dużo do powiedzenia.

– Dobrze. – Ron oderwał oczy od sufitu, ale konsekwentnie unikał mojego wzroku. – Nie wiem wszystkiego...

Postarałam się dodać mu odwagi uśmiechem.

– Z dziesięć lat temu Mark pracował nad pewnym problemem, bardzo skomplikowanym, trudnym. Do łatwych nigdy się nie brał, jak wiesz. On zawsze wydziwia, im sprawa trudniejsza, tym bardziej się nią bawi, cudaczy, błaznuje. Wymyślił sobie, że kiedy koncentruje umysł na jakimś złożonym problemie, musi go jednocześnie czymś rozerwać, żeby nie zwariować od intensywności myślenia.

Uśmiechnął się, chyba pierwszy szok minął i Ron powoli odzyskiwał równowagę.

– Wiem – powiedziałam i też się uśmiechnęłam, naprawdę doskonale to wiedziałam. Nie miałam pojęcia, do czego Ron zmierza, dlaczego zaczął od wariactw Marka.

– Mark zawsze wynajduje jakąś głupotę, która będzie go relaksowała, nie zajmując mu specjalnie głowy, by w dowolnym momencie mógł powrócić do swojej idei i znów się tylko na niej skoncentrować. – Przypomniały mi się książeczki dla dzieci i gęby Marka. – Za każdym razem wymyśla coś innego, jakąś nową zabawę, wtedy upatrzył sobie sport. Nigdy wcześniej nie interesował się sportem, był wychowywany bardzo jednostronnie, już w dzieciństwie było wiadomo, że zostanie wybitnym matematykiem. Mark namiętnie oglądał wtedy na wideo filmy z olimpiad, mistrzostw świata i innych imprez sportowych. Było mu obojętne, jaką dyscyplinę ogląda, interesował go problem współzawodnictwa. Godzinami na przykład mógł oglądać zawody w strzelaniu z łuku. Oglądałaś to kiedyś? – spytał nagle Ron. Nic nie odpowiedziałam. – Piekielna nuda, nie do zniesienia, ale Marka interesowały jakieś dziwne szczegóły, drobiazgi, detale, a to jak zawodnicy prowadzą rękę, jak wyginają ciało, takie rzeczy. Zafascynowało go to do tego stopnia, że kiedy zakończył badania, wziął półroczny urlop i sam zajął się grą w szachy i ping-pongiem.

– Dlaczego akurat szachami i ping-pongiem? – spytałam, bo wybór tych dyscyplin mnie zaskoczył. Jak na razie opowieść Rona nie wniosła nic nowego do mojej wiedzy o Marku.

– Nie wiem. Może dlatego, że są najbardziej dostępne, nie potrafię ci na to odpowiedzieć. Ale zajmował się tym długo, nawet brał udział w jakichś turniejach czy zawodach, chyba nawet coś wygrał. W każdym razie interesował go sport amatorski, oglądał go od wewnątrz, i chyba nawet poczynił cenne obserwacje, powymyślał jakieś teorie, jak zawsze kontrowersyjne, ale Mark taki jest.

– Skąd to wszystko wiesz, i to tak dokładnie? – zaciekawiłam się.

– Często się wtedy spotykaliśmy – odpowiedział, zaskoczony moim pytaniem. – Mark wszystko mi opowiadał, to znaczy, tylko to, co chciał opowiedzieć – sprostował Ron. – Kiedyś powiedział, że dzięki sportowi zrozumiał, że naszym życiem kierują zawodnicy pierwszoligowi.

– To znaczy kto? – nie zrozumiałam.

– Ja też nie rozumiałem, ale Mark mi to wytłumaczył. Czy wiesz, że sport jest uproszczonym modelem życia? – Wzruszyłam ramionami. – Mark doszedł do wniosku, że praktycznie każdego normalnego człowieka można doprowadzić do pierwszej ligi w dowolnej dyscyplinie sportu. Oczywiście, miał na myśli tę umowną pierwszą ligę.

Nie rozumiałam jeszcze, o co tu chodzi, ale zrobiło mi się zimno.

– Mark uważał, że gdybyśmy jakiegoś chłopaka albo dziewczynę zaczęli trenować jeszcze w dzieciństwie, to każde z nich, niezależnie od wrodzonych zdolności, z łatwością doszłoby do poziomu pierwszej ligi. A skoro nie zależy to od zdolności, to i rodzaj dyscypliny nie ma znaczenia. Aby stworzyć mistrza, trzeba tylko znaleźć utalentowanego chłopaka albo dziewczynę i wywindować na jak najwyższy poziom.

Ron nie musiał mi już nic więcej tłumaczyć. Zmroziło mnie. Czułam zawrót głowy, nie mogłam przełknąć śliny. „To niemożliwe!" – chciałam powiedzieć, ale nie mogłam, miałam kompletną pustkę w głowie.

Wbiłam plecy w oparcie krzesła, starając się złapać oddech. Na szczęście Ron nic nie zauważył, dalej opowiadał, czując w tym niepojętą dla mnie przyjemność. Chyba lubił opowiadać o Marku.

– Idea Marka sprowadzała się do tego, że w życiu jest podobnie. Każdego, bez względu na jego predyspozycje i potencjał, można wytrenować i wynieść na poziom intelektualny pierwszej ligi. Wszystko sprowadza się do dobrego trenera i właściwej metodyki. Co więcej, Mark uważał, że wszyscy na uniwersytecie, w różnych dziedzinach nauki, sztuki, w polityce – to w zdecydowanej większości osobnicy doskonale w młodości wytrenowani do poziomu graczy pierwszej ligi. Nie mogłem tego pojąć, ale Mark wyjaśnił mi, że wielkich mistrzów jest niewielu, to jednostki. Ci mają talent, swoje priorytety, cele, nie dążą do kierowania czymkolwiek. Do stanowisk kierowniczych prą zawodnicy pierwszej ligi. W życiu jest podobnie jak w sporcie.

Czekałam, kiedy Ron zacznie opowiadać o mnie, czy się odważy? Może jednak zdobędzie się na odrobinę taktu?

– No więc Mark miał ideę i zaczął szukać odpowiedniej osoby.

„Nie, nie zachował się taktownie" – skonstatowałam resztką sił.

– Długo cię szukał, rok czy dwa lata. A kiedy już cię znalazł, to też nie był pewien, czy jesteś właściwą osobą, czy dokonał dobrego wyboru. Dopiero później zrozumiał, jak bardzo mu się poszczęściło.

Ostatnie słowa widocznie miały być komplementem pod moim adresem.

– Wtedy, kiedy przygotowałaś referat na konferencję, Mark upewnił się ostatecznie, że masz wielki talent i postanowił wykreować cię na mistrza.

Chyba jęknęłam głośno. Czułam tylko ból. Fizyczny ból, który wstrzymywał akcję mojego serca, wbił się w żołądek, rozsadzał głowę. Byłam jednym wielkim bólem! Bałam się, że za chwilę stracę przytomność, zemdleję, wszystko się we mnie zmąciło. Może naprawdę jęczałam głośno, bo Ron popatrzył na mnie mocno zaniepokojony, ale upewnił się, że nic złego mi się nie dzieje, i opowiadał dalej.

– Wiesz, Mark wpadł w kompleksy. Wymyślił sobie, że wszystko, co do tej pory osiągnął, jest poniżej jego możliwości. Stwierdził, że stać go na więcej, na coś wielkiego, niezwykłego, złościło go, że tak bardzo się rozdrabnia. Oprócz tego do tej pory Mark wykonywał tylko pewien fragment pracy, może nawet najważniejszy, ale tylko fragment, dokonywał wyłomu, ale całym procesem przygotowawczym, podejściem do punktu tego zrywu zajmował się ktoś inny. Chyba zwątpił w siebie, że potrafi doprowadzić coś od początku do końca, wykonać taką całościową, bardzo znaczącą pracę. – Ron uśmiechnął się i powiedział filozoficznie: – Wiesz, geniusze są zabawni, zawsze wpadają w jakieś kompleksy, szukają w sobie słabych punktów. Kiedy już się upewnił, że jesteś prawdziwym tytanem pracy, zdał sobie sprawę, że może wcielić w życie od razu dwie swoje idee: zrobić z ciebie mistrza i jednocześnie zrealizować się w życiu. No a jeszcze Mark okropnie nie lubi pisać, myślę, że nie bardzo umie to robić.

Prawie nie słuchałam Rona. Pochyliłam się nad stolikiem i podparłszy rozgorączkowane czoło ręką, wpatrzyłam się w okno. Zobaczyłam błękitne niebo, które w mojej zaburzonej świadomości kojarzyło mi się teraz tylko z pięknem życia i jego wiecznym trwaniem i pomyślałam: „Dlaczego? Dlaczego? Za jakie grzechy? Dlaczego na mnie wypadło? Dlaczego właśnie mnie się to musiało przytrafić?".

Nie bardzo jeszcze mogłam się rozeznać w tym wszystkim, co usłyszałam od Rona. W głowie mi wirowało: zdrada; eksperyment; zimna kalkulacja; słowa przekrzykiwały się, raniły, ale nie było tam takich słów, jak: miłość, uczucie – na próżno na nie czekałam. Tyle lat byłam cynicznie wykorzystywana. Jaki świat jest podły. Tyle straciłam. Coś niezwykle cennego. Już nigdy tego nie odzyskam. Nikt mi tego nie zwróci. Co to było? Co mi odebrano? „Młodość!" – ta myśl poraziła mnie. – „Odebrano mi moją młodość!" – Poczułam się, jakbym dostała obuchem w głowę. Cios był śmiertelny.

Przerażający jest ten Ron, który mówi o tym tak normalnie, beztrosko, jakby opowiadał jakąś zabawną historyjkę. Przeraża mnie Mark. Tak naprawdę byłam dla niego obcą osobą. Tyle wyrachowania, na zimno, co za diabelska osobowość. Poczułam nagłe obrzydzenie na widok tłustego Rona bulimika, na myśl o Marku i swoim własnym wieloletnim zniewoleniu.

Ogarnął mnie męczący, ciężki smutek, w głowie miałam mętlik. I w tym stanie mego umysłu coś jeszcze próbowało się przebić do mojej świadomości. Słowa zadowolonego z siebie Rona niosły nie rozpoznaną jeszcze refleksję, przytłaczającą, okrutną, czułam, że ta refleksja za chwilę wydostanie się na powierzchnię i pozwoli mi wyrwać się z obezwładniającej bezsilności, wybudzi mnie z koszmarnego snu. Na razie nie mogłam jej odczytać, choć bardzo tego chciałam, nawet gdyby była nie wiem jak przerażająca.

– Ostatnim razem wspominałeś o jakiejś idei, o której opowiadał ci Mark – powiedziałam, starając się opanować drżenie głosu.

– Nie bardzo ją zrozumiałem – samokrytycznie przyznał Ron. – Mark coś odkrył i próbował mi to wyjaśnić. Coś tam było rewolucyjnego, przełomowego, nie wiem, naprawdę nic z tego nie zrozumiałem. Mark też nie miał wtedy do końca pewności, czy dobrze myśli. Nie martw się, wpadnie na to, z pewnością i ten problem rozwiąże. Znajdzie i odkryje wszystko, cokolwiek jest do odkrycia.

„Jak bardzo trzeba się uzależnić od drugiego człowieka, żeby tak bezgranicznie, tak ślepo w niego wierzyć" – pomyślałam.

– Nic nie pamiętasz? Ron, przypomnij sobie, proszę cię.

Ron zawstydził się, że nic nie zrozumiał, uśmiechał się przepraszająco.

– Nie orientuję się w tym dobrze, zresztą niezbyt uważnie słuchałem Marka, a i tak nie potrafiłbym ocenić wagi jego idei. Ale postaram się coś sobie przypomnieć, poczekaj. – Widać było, że Ron się ucieszył. – Wiem! Pół roku temu Mark powiedział mi, że pomylił się co do ciebie, to znaczy miał na myśli, że cię nie doceniał, poczekaj, co on mi wtedy powiedział? Zaraz sobie przypomnę... jak on to dokładnie powiedział?

Pamięć nie zawiodła Rona. Widziałam, jaki jest z tego dumny. Chyba wierzył, że opinia Marka, zdanie Marka są dla mnie szczególnie ważne. Jakże się mylił.

– Mark powiedział, że jeszcze nie spotkał nikogo o tak silnej osobowości jak twoja. Nigdy. Jeżeli chodzi o talent, zdolności, charakter.

„Niech mu będzie" – pomyślałam.

– Mówił nawet, że się ciebie boi. – Ron zmarszczył czoło, szukając słów. – Jego zdaniem byłaś aż tak silna. Powiedział, że jesteś najlepsza ze wszystkich, że jeszcze nikogo takiego w życiu nie spotkał, że tak daleko...

Zapragnęłam, by Ron natychmiast zszedł mi z oczu, rozpłynął się, i to już, w tej sekundzie, nie mogłam dłużej znieść jego widoku, przerwałam mu, zniecierpliwiona:

– Czy swoją sportową teorię Mark w końcu udowodnił?

– No pewnie. Nie miałem wątpliwości, że tak się stanie, skoro jego założenie było prawidłowe.

– Czy to wszystko, co masz mi do powiedzenia o Marku? – Miałam go dosyć.

– Chyba wszystko. – Ron próbował coś jeszcze sobie przypomnieć.

– Dziękuję, Ron. – Dałam mu do zrozumienia, że już nie chcę z nim rozmawiać.

Ron pożegnał się. Zapomniał o kanapkach, a może nie wypadało mu teraz myśleć o jedzeniu? Zostałam sama. Czułam się jak rozdeptany owad.

„Boże – pomyślałam – nigdy w życiu nie było mi tak koszmarnie ciężko".

Całe moje życie, wszystkie te długie lata, które tak często uważałam za szczęśliwe, udane, nagle okazały się pozbawione sensu, niepotrzebne, bez znaczenia.

Miłość, praca, sukcesy, marzenia o przyszłości, wszystko się rozpadło, okazało się czczą fantazją, złudzeniem, fikcją. Oprócz miłości i pracy nic więcej nie miałam, poświęciłam temu wszystko bez reszty. Moje dwa najważniejsze punkty oparcia nagle się rozsypały. Moje życie się skończyło.

Uśmiechnęłam się sama do siebie. To, co teraz wbijam sobie do głowy, jest przecież opisane w podręcznikach psychologii klinicznej, zwłaszcza w rozdziałach poświęconych patologiom. A zatem muszę wiedzieć, jak powinnam się zachować. Niestety, w moim przypadku nie wiedziałam. Nawet nie bardzo byłam świadoma, co robię, wstałam od stolika, nogi miałam jak z waty, ale dobrnęłam do telefonu. Oby tylko był w domu!

– Dzięki Bogu, że jesteś – odezwałam się, kiedy podniósł słuchawkę. Dopiero po chwili odpowiedział:

– Tak, jestem w domu. Rano byłem u dziadka, już lepiej się czuje. Powiedział, że...

– Jeffrey, czy mógłbyś po mnie przyjechać?

– Czy coś się stało?

– Nie, nic. Powiedz, możesz przyjechać?

– Oczywiście. Gdzie jesteś?

– Na uniwersytecie. W kawiarni. – Czułam, że natychmiast muszę usiąść.

– Zaraz tam będę.

Odwiesiłam słuchawkę i wróciłam do stolika. „Dobre sobie – pomyślałam – to ja, stara baba, musiałam dożyć trzydziestki, żeby zrozumieć, że byłam igraszką w czyichś rękach. W czyich? Kto się mną bawił? Mężczyzna, którego ubóstwiałam, który był moim ideałem, moim życiem. Po prostu podle wykorzystał mnie w swoich chorych schizofrenicznych pomysłach. Byłam królikiem doświadczalnym w rękach schizofrenika".

Widać dawka masochizmu nie była wystarczająco duża, bo katowałam się dalej: „Byłaś obiektem doświadczenia, eksperymentu, czy to do ciebie dotarło?! – pytałam samą siebie. Zostałaś zahipnotyzowana, zaprogramowana, odjęto ci wolę i rozum, wykonywałaś polecenia, jak automat, a eksperymentator skrzętnie notował każdy szczegół twojego zachowania. Żebyś była całkowicie podatna na jego rozkazy, zniewolona do końca, zaaplikowano ci odpowiedni lek, narkotyk, wyniszczający narkotyk miłości, w największej dawce, najsilniejszy. – Ależ to banalne – oceniłam własne myśli. – Kochałaś eksperymentalnie, żeby doświadczenie zakończyło się powodzeniem". – Boże, jak ja się podle czuję! – Zaczęłam mówić na głos. – Nikt mnie nigdy tak nie upodlił. Boże, jak mi jest strasznie!

45.

Zobaczyłam Jeffreya. Wszedł do kawiarni i rozglądał się po sali. Podniosłam się z krzesła.

– Dobrze się czujesz? – spytał. – Odniosłem wrażenie, że coś ci się stało.

Skinęłam głową, chyba na tyle rozpaczliwie, że Jeffrey domyślił się, że nie należy mnie o nic pytać, najlepiej zostawić mnie w spokoju.

W milczeniu wsiedliśmy do samochodu. Wiedziałam, że powinnam mu powiedzieć, dokąd ma mnie zawieźć, ale sama nie miałam pojęcia, dokąd chcę teraz jechać, ani nawet po co go tu ściągnęłam. Jeffrey dostrzegł moje zakłopotanie, zajrzał mi w oczy.

– Jeżeli chcesz, możemy pojechać do mnie – zaproponował. – Musisz się uspokoić.

Zgodziłam się. Było mi wszystko jedno, dokąd pojadę, może rzeczywiście najlepiej do niego?

Jeffrey prowadził auto w milczeniu, za co byłam mu wdzięczna. Były godziny szczytu, na jezdniach tworzyły się korki, długo staliśmy na wszystkich światłach. Ślimacze tempo jazdy drażniło mnie. Powoli wychodziłam z szoku, ustępował paraliżujący chłód, dochodziłam do siebie, ale koszmarne myśli jeszcze tłukły mi się w głowie.

Z Markiem wszystko skończone. Nigdy mu nie wybaczę. Myśl o rozstaniu znowu odebrała mi siły. Z trudem powstrzymywałam płacz.

Bóg z nim, poradzę sobie, przecież potrafię żyć bez niego.

I tylko na jedno pytanie wciąż nie miałam odpowiedzi: czy Mark znał rozwiązanie naszego zadania wcześniej, nim ja na nie wpadłam. Tysiące domysłów i nic, wciąż nie poznałam prawdy. Czy prowadził mnie za rękę do celu, który sam znał wcześniej? Czy doszliśmy do niego razem? Na ile Markowi pomogła moja intuicja, mój talent?

Jeżeli Ron mówił prawdę, to Mark znał rozwiązanie. Ale Ron nie miał pojęcia, czym się zajmowaliśmy. On w ogóle nie ma pojęcia o psychologii. Mark pewnie nic mu nie mówił o naszym odkryciu, w przeciwnym razie Ron potraktowałby mnie zupełnie inaczej. To prawda, Mark coś mu tam tłumaczył. No i co z tego? Idee mogą być różne. Prawdopodobieństwo, że chodziło akurat o naszą, jest niewielkie.

Zresztą Ron nie jest dla mnie wyrocznią. Poza tym jest on tak zaślepiony geniuszem Marka, że nie może inaczej myśleć. Kto może mi to wyjaśnić? Niestety, tylko Mark.

Zatrzymaliśmy się pod domem Jeffreya, zdążyłam już zapomnieć, dokąd mnie wiózł. Weszliśmy do środka dwupiętrowego drewnianego domku.

– Wynająłem tutaj cały parter – powiedział Jeffrey. – Pierwsze piętro zajmują właściciele.

– Miło tu u ciebie – zauważyłam, przekraczając próg.

– Czego się napijesz? – Zastanawiałam się, chętnie napiłabym się teraz jakiegoś alkoholu.

– Może masz coś mocniejszego?

– Zrobię ci drinka – odpowiedział już z kuchni. Po chwili przyniósł mi szklankę z różowym płynem. Wypiłam łyk.

– Jak się czuje profesor? Nigdy mi nie mówiłeś, że jesteś jego wnukiem.

Jeffrey uśmiechnął się.

– Jakoś mi nie wypadało. Myślałem, że się domyślasz, bo jestem do niego podobny.

„To prawda, są podobni – pomyślałam – chociaż bardzo się od siebie różnią".

– Widzisz, tak niefortunnie wyszło z tym zawałem. Tyle mógł jeszcze zrobić, ten zawał go podciął. – Jeffrey pokręcił głową. – Za tydzień powinienem wyjechać, ale pewnie będę musiał jeszcze z miesiąc tu zostać. Może dłużej, aż dziadek odzyska siły.

„Wyjechać" – usłyszałam tylko to jedno słowo.

– Dokąd chcesz wyjechać? – Nie wiem dlaczego się zdenerwowałam.

– Dostałem etat w Chicago, na uniwersytecie i w klinice. Trzy miesiące temu skończyłem tu staż – wyjaśnił, jakby się usprawiedliwiając.

– A więc jedziesz do Chicago? – spytałam, by się upewnić. Nagle zdałam sobie sprawę, że nie chcę, żeby Jeffrey stąd wyjeżdżał. Był mi potrzebny. – Przyjąłeś tę propozycję, mam na myśli Chicago? – Miałam świadomość, że pytanie zabrzmiało idiotycznie.

– Tak, dlaczego to cię tak dziwi? – Przyjrzał mi się uważnie. Pokręciłam tylko głową. Milczeliśmy. Milczenie przeciągało się, było bardzo trudne.

– A jak twoje wiersze? – przypomniałam sobie.

– Wiersze? – Początkowo nie zrozumiał, o co go pytam. – A, wiersze! Piszę. – Roześmiał się. – Są coraz lepsze, chociaż dużo muszę się jeszcze nauczyć.

– Przeczytaj mi.

– Chętnie. Wiesz, napisałem wiersz o tobie, chcesz posłuchać?

– Bardzo chcę.

Jeffrey wstał.

– Nie umiem na siedząco – wyjaśnił. – Napisałem go w Austrii. Latem spędziłem cały miesiąc w Wiedniu. – Wpatrywał się we mnie. Potem zaczął recytować wiersz z pamięci.

Cóż słowa? Są tylko słowami,
Spłowiałe, puste, bez wyrazu...
I nawet przejmujący krzyk
Nigdy aż tyle nie wyrazi,
Co tamten dotyk rąk,

Milczenie warg.
I oczy.
Twoje oczy.

Pojąłem to z oddali dni minionych.
Bezsennych i odartych z sensu nocy,
Poranków niepotrzebnych i nieważnych słów,
Do kogoś kierowanych, po co?
Znajomi. Powitania. Uściski obcych dłoni, te słowa i uśmiechy...
A świat był wokół pusty...
I tylko ta pieszczota
Twoich rąk,
Milczenie warg,
I tamte oczy...
Te twoje oczy.

Kiedy w oddali błyszczy rzeka
I słońce tańczy w drzew koronach,
Maleńka wioska,
Jej na mapie świata nie ma...
I pasmo szosy, dokąd?
Już chętna stopa na hamulcu...
I dokąd jadę? Czy ktoś woła?
Może rozpłynę się w tym pięknie,
Albo zachłysnę nim na wieki?

Utonąć chciałbym w twoich oczach,
I cząstką stać się twego wzroku.
A jeśli kiedyś coś się zdarzy,
Coś niedobrego, smutek jakiś,
Nie wiń mnie za to,
Że pogubiłem dotyk rąk
I ciszę warg,
I oczy,
Te oczy twe, Jedyna...

Recytował bardzo cicho, w wielkim skupieniu, jakby zapomniał o mojej obecności. Podeszłam bliżej, ściągnęłam na siebie jego nieobecne spojrzenie, a kiedy skończył, wspięłam się na palce i pocałowałam go. Poruszył wargami, rozchylił je lekko, ale to mi wystarczyło, by wsunąć pomiędzy nie język, objęłam go i przyciągnęłam jego głowę – był dużo ode mnie wyższy. Pochylił się ku mnie.

Chyba także mnie objął, przytulił, bo poczułam siłę jego rąk, nie mogłam się poruszyć. „Tak dawno nie całowałam się z innym mężczyzną. Zapomniałam, że z każdym jest inaczej. Tak dobrze" – przemknęło mi przez głowę.

Uwolniłam jego wargi i odsunęłam się nieco, by zajrzeć mu w oczy. Był zaskoczony i nawet nie próbował tego ukryć. Zrozumiałam, że pierwszy nie odważy się wykonać żadnego gestu w moją stronę, że wszystko zależy ode mnie. Nie wiedziałam, czy tego pragnę.

„Tyle czasu o tym marzyłaś, żyłaś wyobrażeniem, fantazją, pragnęłaś go, nie udawaj, bądź wobec siebie uczciwa".

Zrobiłam krok do przodu, wzięłam jego rękę w swoje dłonie, uniosłam na wysokość mej twarzy, przytuliłam do policzka. Cała twarz dosłownie zginęła mi pomiędzy jego długimi palcami. Policzki zaczęły mnie piec, a ciało przeniknął dreszcz.

„Jak mi dobrze" – myślałam. Przesunęłam tę wielką rękę w kierunku moich piersi. Jeffrey zamarł. Czułam gniotący ciężar jego dłoni, sutki mi nabrzmiały. Drugą ręką przycisnęłam tę dłoń jeszcze mocniej do piersi, pragnęłam poczuć ten słodki ból, od dawna pragnęłam.

Oddech Jeffreya przyspieszył się, traciłam rozsądek, chwyciłam go za nadgarstki i zaczęłam pieścić jego obiema silnymi dłońmi moje spragnione piersi, przesuwając po nich palce Jeffa.

Obrzuciłam Jeffreya wzrokiem pełnym pożądania, spróbowałam wyobrazić go sobie nagiego, każdy szczegół jego ciała. Mój wzrok powędrował od jego szyi do ramion, potem ku splotowi słonecznemu, spoczął na biodrach i zamarł tam, spłoszony i przerażony. „A jeżeli t a m jest tyle samo siły, ile w rękach...?" – pomyślałam. Zaschło mi w ustach.

Nie miałam siły dłużej czekać. Moje ciało pragnęło mężczyzny. Nie wypuszczając nadgarstków Jeffreya, przesunęłam ręce tam, gdzie zawisł mój wzrok. Moja dłoń natrafiła na coś bardzo twardego i dużego, przeszył mnie dreszcz. Jeffrey przyciągnął mnie do siebie, wbiłam się z całą siłą w jego napięte ciało.

– Na pewno tego chcesz? – szepnął. – Wiesz, że niedługo stąd wyjadę.

– Tak, chcę.

Wsunęłam dłonie pod jego koszulę, czułam kształt ciała, innego, nie znanego mi, wyszarpywałam mu koszulę ze spodni.

Nagie ciało Jeffreya dotknęło mojej twarzy i w tej samej sekundzie poczułam silny ból w plecach, nie rozumiałam, co się stało, aż nagle poczułam, że zbiera mi się na wymioty. W ostatniej chwili odskoczyłam od Jeffa.

– Przepraszam, jest mi niedobrze. – Odsunęłam się od niego na bezpieczną odległość.

Jeffrey nie pojmował, co się ze mną dzieje. Patrzył na mnie zdziwiony.

– Naprawdę jest mi niedobrze. Źle się czuję.

Opadłam na krzesło. Nie wiem, czy nagle zbladłam, czy Jeff po prostu mi uwierzył.

– Rozumiem. Źle wyglądasz – wykrztusił z siebie.

– Jeff, wybacz, chcę już iść. Wiem, że głupio wyszło, ale chcę już iść.

Czułam, że muszę natychmiast stamtąd wyjść, mdłości narastały, bałam się, że nie zdołam ich opanować.

– Chodź, to cię odwiozę – zaproponował Jeffrey. Nie, nie zniosłabym dłużej jego obecności. Już sama myśl o tym była udręką, to chyba od niej robiło mi się niedobrze.

– Dziękuję, pojadę autobusem. Chcę być sama – odpowiedziałam, z trudem wstając. – Wybacz mi. To nie z twojego powodu, sama nie wiem, co się ze mną dzieje, chyba miałam ciężki dzień, wybacz mi, proszę.

Stał, bezradny, nie wiedząc, co ma począć.

– Wszystko w porządku, rozumiem.

Wyszłam na ulicę.

Od razu poczułam się lepiej. Może tak podziałało na mnie świeże powietrze, a może spokój letniego dnia i słońce. Może powinnam być teraz tylko sama z sobą? Dotarłam do przystanku i usiadłam na ławce.

Co się ze mną dzieje? Czy to dzisiejszy dzień tak mnie wytrącił z równowagi? Pewno uchodzą ze mnie emocje, przeżycia, nerwy, chyba coś się we mnie przelało.

Innego wytłumaczenia nie znajdowałam. Nagle obudziło się niedawne, najświeższe wspomnienie. Jak gdyby wiatr przywiał tu nagle cząstkę domu, z którego przed chwilą wyszłam, jego słoneczne odbicie, grę cieni, ale przede wszystkim z a p a c h.

„To zapach! Wszystko z powodu zapachu" – dotarło do mnie. Nagle wróciła pamięć tamtego zapachu, tak pachniało ciało Jeffreya, znowu poczułam mdłości, na szczęście nie tak silne, jak w mieszkaniu Jeffa.

Dziwne, przecież zapach był przyjemny, dobra woda kolońska czy mydło, nie wiem. Gdyby nie skojarzył mi się z ciałem, nawet by mi się podobał, ale dlaczego w tym skojarzeniu był taki mdlący? I nagle zrozumiałam: był to obcy zapach, odpychająco obcy, zapach innego mężczyzny.

Przypomniało mi się, że w dawnych dobrych czasach rozmawialiśmy z Markiem o zapachach. Śmieliśmy się, że podniecający zapach kochanej osoby, jej ciała, ten i tylko ten zapach, nic więcej, czyni to ciało najbliższym, ukochanym nad życie. Żartowałam wtedy, że gdyby mi nawet zawiązano oczy i postawiono przed kolumną mężczyzn, bezbłędnie wyłowiłabym w tym tłumie Marka, poznałabym go właśnie po zapachu, który tak pokochałam.

Mark też się śmiał, rozwodząc się nad tym, jak ludzie nie doceniają zmysłu powonienia. Mówił, że wszystkie zwierzęta, owady i inne stworzenia posługują się przede wszystkim węchem. Tylko człowiek jeszcze nie pojął znaczenia zapachu w codziennym życiu. Potem Mark żartował, że następną pracę poświęci znaczeniu zapachów i roli chemii, szczególnie jej wpływowi na życie seksualne ssaków dwunożnych. Było nam wesoło, radośnie rozwijając ten temat, śmieliśmy się, śmieli...

Mark! Moje myśli zwróciły się ku przewodniemu tematowi mojego życia. O mało go przed chwilą nie zdradziłam. Niewiele brakowało. Ta myśl poraziła mnie. Nie miałam takiego zamiaru, kiedy dzwoniłam do Jeffreya, kiedy do niego jechałam ani też kiedy wtulałam się w niego.

Przecież zdecydowałam się rozstać z Markiem. Tak, ale jeszcze tego nie zrobiłam, jeszcze od niego nie odeszłam. To byłaby zdrada. A to znaczy, że jestem zdolna do zdrady. Czy miałabym wyrzuty sumienia, gdyby tam, w mieszkaniu Jeffreya, do tego doszło? Zastanawiałam się. Nie, nie miałabym. Ale dlaczego? Zaskoczyła mnie własna szczerość. To kolejna zdrada.

Nadjechał autobus. Usiadłam przy oknie. Już wiem, dlaczego mój kodeks moralny dopuszczał zdradę. Kultura zachodnia, a przede wszystkim moja, rosyjska, nie wprowadziła takiego zakazu. Moralny system wartości przyzwalał na zdradę.

W dziesięciorgu przykazań, które Bóg dał Mojżeszowi na górze Synaj, oprócz przykazania „nie zabijaj" i „nie kradnij" jest także „nie cudzołóż". Nie mogłabym nikogo zabić ani komuś czegoś ukraść, mam zapisane w genach, we krwi, że jest to grzech. Ale zdradzić mogłabym, zdrada nie jest dla mnie grzechem, tysiącletnia kultura zachodnia nie wdrukowała we mnie przekonania o niemoralności cudzołóstwa.

Dlaczego przez tyle lat nie zdradziłam Marka? Bo nie chciałam, bo go kochałam! Bo już sama myśl o innym mężczyźnie była nie do zniesienia, tak jak ten obcy zapach mężczyzny.

Z tego wynika, że zdrada nie jest sprawą moralności bądź jej braku, lecz przede wszystkim sprawą komfortu, fizycznej i psychicznej niechęci do zdradzania ukochanego mężczyzny. To sprawa miłości. Jak to było? „Wszystko żyje miłością – i Homer, i morze”*. Kiedy miłość odchodzi, zakazy również przestają obowiązywać. Pewnie to mi się mogło dzisiaj przydarzyć, tak niewiele brakowało.

---

* Z wiersza Osipa Mandelsztama, *Znowu bezsenność. Homer...*, cytat z tomu: *Poezje*, Warszawa 1971, s. 29, przeł. Seweryn Pollack (przyp. tłum.).

46.

Pobiegłam myślami gdzie indziej, ale moja świadomość pracowała sobie znanymi metodami, prawdopodobnie potrafiła rozwiązywać kilka spraw naraz i doskonale sobie z tym radziła, bo w końcu dochodziła do jakiegoś wyniku. Kiedy dojeżdżałam do domu, wiedziałam już, co mam zrobić i co powiem Markowi.

Nie chciałam żadnych scen ani wielkiej awantury. Emocje opadły, miałam nadzieję, że na dobre. Chciałam tylko, żeby Mark zdawał sobie sprawę, jak głęboko mnie zranił, ile między nami przekreślił, co zniszczył. Potem chciałam ostatecznie wyjaśnić tę nurtującą mnie nieustannie kwestię: czy znał rozwiązanie naszego zadania, zanim ja je odkryłam?

– Mark – powiedziałam, gdy tylko przekroczyłam próg naszego mieszkania. Chciałam mieć już tę sprawę za sobą. Nie było sensu zwlekać. Już podjęłam decyzję. Nie było od niej odwołania. – Wiem o wszystkim, wszystkiego się dzisiaj dowiedziałam.

Zrozumiał, co mam na myśli, wyczytałam to z jego oczu, a jednak zapytał:

– Co wiesz?

– Wiem o tym, że sprzedawałeś swoje pomysły, i o tym, dlaczego chciałeś mnie poznać, dlaczego tak to wszystko między nami wymyśliłeś... – Nie wiedziałam, jakiego użyć słowa, przecież chodziło o moje życie, o nasze życie.

Nie zdziwił się ku mojemu zaskoczeniu. Najwyraźniej spodziewał się takiej rozmowy, był na nią przygotowany. Pewnie Ron zdążył już do niego zadzwonić.

– Myślałem, że wiedziałaś o pieniądzach. Że też nikt ci przez tyle czasu o tym nie doniósł?

– Próbowali, ale nie miałam ochoty słuchać, dopiero dzisiaj się na to zdecydowałam.

– Zylber?

– A jaka to różnica, kto?

– Masz rację, to już nie ma znaczenia. I co w związku z tym postanowiłaś? – spytał.

Wpatrywałam się w niego bez słowa. Musiał wiedzieć, że cierpię. Ale czy wiedział też, że czuję do niego obrzydzenie?

– Po pierwsze, Mark, to co zrobiłeś jest podłe.

Nie zaprotestował. W ogóle się nie odezwał. Wpatrywał się we mnie swoimi stalowymi oczami, odtąd już więcej nie zobaczyłam w nich błękitu.

– Sam dobrze wiesz, że to jest podłość!

A jednak dopadły mnie emocje. Nie chciałam, żeby tak lekko i łatwo potraktował tę sprawę. Najbardziej bałam się obojętności i lekceważenia. Niech się broni, tłumaczy, tylko niech nie stoi tak obojętnie, nie pokazuje, że jest mu wszystko jedno, co powiem.

– To zależy, jaki przyjmiemy punkt widzenia – odezwał się w końcu, ale jego głos nie wyrażał jakichkolwiek emocji. – Rozumiem, o czym mówisz.

– Mark – poczułam ulgę, że w ogóle cokolwiek powiedział – posłużyłeś się mną, żeby udowodnić jakąś swoją idiotyczną teorię, wykorzystałeś mnie! Tak, Mark, idiotyczną, chorą teorię. Złożyłeś w ofierze naszą miłość. Moją miłość, Mark. Tyle lat życia – mojego i swojego. Naszą przyszłość. Zniszczyłeś naszą przyszłość. Wszystko przekreśliłeś.

Mówiłam krótkimi zdaniami, miały większy ciężar gatunkowy. Niemal do każdego zdania dodawałam jego imię. Wydawało mi się, że to jeszcze bardziej podkreśli wagę sprawy.

– Trudno mi wprost uwierzyć, że dla jakiegoś eksperymentu byłeś zdolny aż tyle poświęcić. To głupota! Przecież nie jesteś idiotą, Mark. Nie chce mi się wierzyć.

Z coraz większym trudem panowałam nad sobą. Dusiła mnie wściekłość, czułam się do głębi dotknięta, urażona, nie wyobrażałam sobie życia bez niego, bałam się rozstania, utraty Marka, ale przede wszystkim czułam się straszliwie bezradna i upokorzona.

– Oczywiście, że nie. – Głos Marka zabrzmiał głucho, był ponury.

– No to dlaczego?! – niemal krzyczałam.

Wzruszył ramionami.

– Powiem ci, dlaczego! Chciałeś dokonać czegoś wielkiego, czegoś, czego jeszcze nigdy nie dokonałeś. Czego nikt nigdy nie dokonał! Ale to też jest głupie! Po co ja ci byłam potrzebna? Byłam prawie dzieckiem. Sam doszedłbyś do tych wyników znacznie szybciej, w rok, dwa. Nie musiałbyś czekać siedem lat, zresztą wtedy jeszcze nie wiedziałeś, czy będę umiała ci pomóc! – Krótkie zdania już mi się nie udawały.

– Masz rację – odezwał się Mark. – Oczywiście, że mogłem to zrobić sam. – W tym momencie pojął, co powiedział, i dodał. – Ale nie wiem, dokąd bym bez ciebie doszedł, jak daleko.

– Więc odpowiedz mi, dlaczego to zrobiłeś? – Opadłam na krzesło.

– Naprawdę się nie domyślasz? – sprawiał wrażenie szczerze zdziwionego.

„Co jeszcze? Czego jeszcze ode mnie chce?” – zastanawiałam się.

– Myślałem, że rozumiesz – powiedział, a mnie zrobiło się wstyd, że nie potrafię rozpoznać jego kolejnej podłości.

Uśmiechnęłam się.

– Wybacz – nie skrywałam zjadliwej ironii – nie dorosłam do tak wyrafinowanych żartów. Jeszcze musisz mnie nieco poduczyć...

Zreflektowałam się, że jestem coraz bliżej prymitywnej kłótni, i to takiej ze stekiem wyzwisk, ale nie potrafiłam już nad sobą zapanować.

I nagle ta myśl! Dawne wspomnienie, wydawałoby się, że na zawsze zapomniane. Ta myśl była ową trzecią najważniejszą przyczyną. Przypomniałam sobie, że już kiedyś go o to podejrzewałam, ale wtedy jeszcze nie bardzo wiedziałam, o co mi chodzi. Jeszcze nie była to jasna, do końca sprecyzowana myśl, ledwie jej cień, zarys, wrażenie. To było kilka lat temu... Mark powiedział wtedy, że rodzice mogą przeżyć od nowa wraz z dzieckiem dzieciństwo i młodość i w ten sposób się odmłodzić.

– Wiem, o co ci chodziło. Chciałeś przeżyć moje życie, znów mieć dwadzieścia lat, jeszcze raz przeżyć młodość, najpiękniejsze lata, wziąć sobie to, co jest już niedostępne osobom w twoim wieku. Dlatego mnie szukałeś. Dlatego wybrałeś właśnie mnie! Mark, ukradłeś mi moją młodość!

Bezsilna złość pomieszała mi zmysły. Zobaczyłam siebie tamtą, o siedem lat młodszą, młodą dziewczynę, wpatrującą się w niego z uwielbieniem, z miłością, z nadzieją, dziewczynę, która go ubóstwiała, nie widziała poza nim świata. A on w tym czasie myślał: Czy ta będzie dobra? Czy się nada? To prawda, Mark wydarł mi młodość, a wraz z nią lekkość i beztroskę młodego życia, przywłaszczył je sobie, ukradł.

Spojrzałam mu w twarz, próbując wypatrzyć coś nowego, czego wcześniej nie dostrzegałam, byłam pewna, że dobrze się domyśliłam. Mark rzeczywiście był teraz bardziej beztroski niż siedem lat temu, radośniejszy, młodszy. „To obrzydliwie podłe" – pomyślałam, ale nie powiedziałam tego głośno. Nie miałam siły zaczynać nowej kłótni.

– Głupstwa opowiadasz – odpowiedział, ale z nagle zmienionego tonu odgadłam, że się nie myliłam. – Niczego ci nie zniszczyłem, pięknie przeżyłaś swoją młodość, lepiej niż przeżyłabyś ją beze mnie. Tak, przyznaję, miałem taki pomysł, i co w tym złego? Zawsze tak jest, kiedy dwoje ludzi jest razem, żyją życiem tej drugiej osoby, biorą coś jedno od drugiego, potem to oddają...

– Mark, skończ z tą demagogią. Wiesz dobrze, że w twoim przypadku wszystko było przemyślane, ukartowane, inni robią to spontanicznie, naturalnie, a to jest zasadnicza różnica. Wyrachowanie wszystko zmienia.

Wzruszył tylko ramionami, wiedział, że nie było sensu zaprzeczać.

– Istniała jeszcze jedna przyczyna – powiedział.

– Jaka?

– Kochałem cię. Wciąż cię kocham.

– Wierzę. – Poczułam ukłucie w sercu, ale wytrzymałam ten ból. – Widzisz, i to ci nie przeszkodziło na mnie eksperymentować. Wręcz przeciwnie, doprowadziłeś swoje doświadczenia na mnie do końca.

– Robiłem to dla ciebie – próbował się usprawiedliwiać.

– To nieprawda, Mark.

– OK! Nie tylko dla ciebie, zgoda, ale i dla ciebie też.

Na pewno był o tym głęboko przekonany. Może tak było, ale czy teraz to coś zmieni? Nie, tylko potęguje żal.

Czułam, że pora skończyć tę rozmowę. Do niczego nas ona nie doprowadzi.

– Skoro wszystko robiłeś dla mojego dobra, to dlaczego zimą pozwoliłeś, żebym się niemal śmiertelnie wyniszczyła, dlaczego katowałeś mnie psychicznie? – Było to jedno z pytań, na które pragnęłam uzyskać jasną odpowiedź.

– Inaczej nie znalazłabyś właściwego rozwiązania.

Chciałam, by moja twarz w tym momencie wyrażała zdziwienie, ale ona nic już nie była w stanie wyrazić.

– Wiesz – usiłował coś mi wyjaśnić – kiedyś przeczytałem książkę o rosyjskich malarzach ikon. Zanim przystąpili do nanoszenia na deskę oblicza Chrystusa, głodzili się, katowali brakiem snu, doprowadzali do skrajnego wycieńczenia – w ten sposób rozwijali w sobie duchowość, uważali, że tylko tak dotrą do Boga i będą w stanie go namalować.

Zrobił krótką pauzę, zawsze tak robił, kiedy mi coś opowiadał, to był jego ulubiony chwyt artystyczny.

– Na temat Boga niewiele wiem, ale na pewno taki stan doprowadza człowieka do źródła, do istoty rzeczy. – Zmarszczył twarz. – Nie tyle do istoty, ile do przeżycia wielkiej iluminacji. Nie wiem, dlaczego asceza tak wyostrza zmysły, ale wyostrza, rozwija intuicję. Tobie potrzebne było olśnienie. Tak wielkie odkrycia udają się tylko w stanie olśnienia. To objawienie. Boskie objawienie. Od dawna posługuję się tą metodą, dlatego tak dużo osiągnąłem. Udało mi się stworzyć to, co najlepsze. Dla ciebie też pragnąłem jak najlepiej.

Ostatnie zdanie zabrzmiało teatralnie i nieszczerze.

– Dobrze, Mark, dajmy temu spokój. – Czułam wielkie zmęczenie. Zostało mi jeszcze najważniejsze pytanie. – Powiedz mi, czy znałeś rozwiązanie, zanim ja do niego doszłam? – Twarz Marka była nieprzenikniona.

– Wiedziałem, że mnie o to zapytasz – odpowiedział, ale tym razem już się nie uśmiechnął. – Czy to ma jakiekolwiek znaczenie? Do wszystkiego doszłaś sama, tylko ty, nikt inny. To twój sukces, tylko twój, ja tu się nie liczę.

– Nie odpowiadasz mi na pytanie, Mark. Pytałam, czy znałeś rozwiązanie wcześniej niż ja. Czy to ma znaczenie, czy nie ma, to już moja sprawa. I pozwól, że ja o tym zdecyduję.

– Czy to aż tak dla ciebie ważne?

– Bardzo ważne. – Nie darowałam sobie złośliwości. – Chciałabym wiedzieć, czy mam ci wypłacać procent.

Nie od razu odpowiedział, ale twarz miał bardzo napiętą, prawie wyrażała wahanie.

– Wszystko zrobiłaś sama. Nie znałem wyniku – powtórzył. W jego głosie nagle dało się słyszeć zmęczenie. Wydało mi się, że nie powiedział prawdy.

– Próbujesz mnie oszukać. – Miałam nadzieję, że go sprowokuję.

– Myśl sobie, co chcesz – powiedział prawie ostatkiem sił.

Wiedziałam, że Mark już nic więcej nie powie.

Postanowiłam nie nocować w domu, zresztą mieszkanie Marka przestało być moim domem. Nocą trudno jest się oprzeć próbom pogodzenia się, ciało i wola słabną, a ja nie miałam ochoty na godzenie się z Markiem. To był koniec. Zaskakujący, ale bardzo naturalny koniec. Nie mogłam już z nim być. Nawet gdybym spędziła z nim tę noc, rano i tak bym od niego odeszła. Po co to przedłużać? Może zresztą do niczego by mnie nie namawiał, ale moja obecność w tym domu straciła sens.

Zadzwoniłam do Katki z pytaniem, czy mogę u niej nocować. Zgodziła się. Przyjechał po mnie Matwiej. Nie chciałam, żeby odwoził mnie Mark. Zapakowałam najpotrzebniejsze rzeczy, pożegnałam się i wyszłam.

Katka o nic mnie nie pytała. Bo i o co miałaby pytać? Wszystko było jasne, wiedziałam, że się domyśla.

Mieszkałam u niej prawie tydzień, na pewno było to dla całej rodziny Katki uciążliwe. Starałam się im pomagać, w czym tylko mogłam – Katka była w ostatnim miesiącu ciąży – przede wszystkim wyprowadzałam psa, dużego, wesołego kundla, którego Matwiej przyniósł do domu cztery miesiące temu. Piesek był wtedy słabiutkim, chorym szczeniaczkiem, ale Matwiej wyleczył go, kupował mu specjalne psie lekarstwa. Nie sądziłam, że może być w nim tyle współczucia dla chorego zwierzęcia, tyle serca i troski, bardzo mnie tym ujął.

Pod koniec tygodnia udało mi się wreszcie wynająć mieszkanie, trochę pieniędzy pożyczyłam od Katki. Przeprowadzkę zaplanowałam na niedzielę. Od nowa musiałam się urządzać, gromadzić niezbędne rzeczy. W sobotę zadzwonił Mark. Katka poprosiła mnie do telefonu, a wręczając mi słuchawkę, zrobiła wielkie oczy, więc od razu się domyśliłam, kto dzwoni. Serce mi zabiło.

– Słucham – powiedziałam, słysząc spokojny głos Marka.

– Witaj, co u ciebie?

– W porządku – odpowiedziałam, starając się nie stracić czujności. Czekałam na ten telefon. Myślałam, że Mark wcześniej zadzwoni. Przygotowywałam się nawet do rozmowy. Ale kiedy usłyszałam jego głos, zawiodły wszystkie scenariusze.

– Postanowiłem, że stąd wyjadę.

– Dokąd?

– Na razie do Europy, potem może gdzieś dalej, w świat. Nigdy tak naprawdę nie podróżowałem, nie było kiedy.

Czułam, że Mark się uśmiecha.

– Na długo?

Nie mogłam rozmawiać pełnymi zdaniami, nie chciałam, żeby Mark usłyszał, jak bardzo drży mi głos.

– Jeszcze nie wiem. Pewnie na kilka lat. Może na cztery. Zobaczymy.

– To długo.

– Może i długo... Ale ty i tak za cztery lata będziesz młodsza niż ja, kiedy cię poznałem...

Zamilkł, myślałam, że skończył rozmowę, powiedziałam bardziej do siebie:

– To dziwne.

– I bardziej sławna. – Nie zrozumiałam. Dopiero później zdałam sobie sprawę, że to dalsza część poprzedniego zdania.

– Co mówisz?

– Za cztery lata będziesz młodsza niż ja, kiedy cię poznałem, i bardziej sławna – powtórzył już pełnym zdaniem.

Dopiero teraz zrozumiałam.

– Kto to wie?

To nie skromność przeze mnie przemawiała, naprawdę tego nie wiedziałam. A do tego teraz było mi i tak wszystko jedno.

– Obiecuję ci, spróbuj mi uwierzyć.

Powiedział to wesoło, z uśmiechem. Wiedział równie dobrze jak ja, że owo „spróbuj mi uwierzyć" brzmi w tej sytuacji dosyć obłudnie.

– Wierzę – nie chciało mi się podejmować z nim dyskusji.

– Słuchaj – zrozumiałam, że ten temat jest już zamknięty i teraz przechodzimy do istoty sprawy – przecież mogłabyś zamieszkać w naszym mieszkaniu.

Zauważyłam, że powiedział „w naszym", a nie „w moim".

– Ja i tak wyjeżdżam. Po co ma stać puste?

– Dziękuję, Mark, ale już coś wynajęłam. Nie byłoby mi tam najlepiej.

– Tak? – W jego głosie usłyszałam niepokój.

– Zbyt wiele by mi przypominało. Ciebie, to co minęło. Byłoby mi ciężko, a tego nie chcę.

Milczał.

– Może potrzebujesz pieniędzy?

– Nie, dziękuję.

To miło, że o tym pomyślał.

– No dobrze. – Zrozumiałam, że się żegnamy. – Obiecaj mi, że będziemy mogli się spotkać po moim powrocie, niezależnie od okoliczności. Dobrze?

– Obiecuję, Mark. Niezależnie od okoliczności. Za cztery lata?

Zdecydowałam się, że jeszcze raz, już ostatni, zadam mu to najważniejsze pytanie.

– Mark, powiedz mi, proszę, czy znałeś wynik wcześniej? To bardzo dla mnie ważne.

– Już ci odpowiedziałem.

Jego głos brzmiał obojętnie. Dalsze drążenie tej sprawy nie miało sensu.

– Dobrze, jak chcesz, ale obiecaj mi, że wrócimy do tego pytania po twoim powrocie do Stanów.

– Wrócimy. – Zgodził się i chyba lekko uśmiechnął. Chyba mu ulżyło. No cóż, przez cztery lata będzie miał ode mnie spokój.

– Dobrze. – Nie chciałam przeciągać tej rozmowy. Przeciąganie pożegnań zawsze jest dosyć dwuznaczne. – Wszystkiego dobrego, postaraj się nie tęsknić.

– Nie będę. – Chyba znowu się uśmiechnął. – Przecież wiesz, że jestem samowystarczalny. – Zrobił dłuższą pauzę. – Czasem nawet nad wyraz samowystarczalny.

Teraz z kolei ja się uśmiechnęłam. Dowcipnie to określił, i co ważniejsze, bardzo trafnie.

– Napisz czasem.

Nie chciałam jeszcze odkładać słuchawki.

– Nie obiecuję – powiedział. – Może mi się uda. Nie lubię pisać. Aha, jest tu list do ciebie.

– Od kogo? – Nie spodziewałam się żadnego listu.

– Nie wiem.

– Otwórz kopertę. – Nie chciało mi się specjalnie jechać po jakiś list, spotykać się z Markiem, i tak zbyt długo się żegnamy.

– Czy to znaczy, że mi ufasz? – Chyba otwierał kopertę. Dziwny list. To jakiś wiersz.

Umilkł. Chyba czytał.

– Mam wrażenie, że jest to wiersz dedykowany tobie. Nie będę go dalej czytał.

Pomyślałam, że to ładnie z jego strony i byłam mu za to wdzięczna.

– Jeżeli chcesz, mogę go wysłać na adres Katki.

– Dobrze, przyślij – odpowiedziałam obojętnie. Naprawdę było mi wszystko jedno.

– To wspaniale, że ktoś pisze dla ciebie wiersze – zauważył Mark.

Usłyszałam w jego głosie jakieś łobuzerskie intonacje, ale nie zrozumiałam, o co chodzi.

– To wszystko – powiedział po chwili – bądź dzielną dziewczynką, maleńka.

Po czym dodał jeszcze:

– Będę za tobą tęsknił.

– Ja też – wyznałam uczciwie. – Życzę ci szczęścia, do zobaczenia.

Odłożyłam słuchawkę.

Było mi bardzo smutno. Tęskniłam. Tęskniło moje serce. To w sercu skupił się cały ten smutek, żal, tęsknota, ból i jeszcze wiele innych uczuć związanych z Markiem. Trudno je teraz wyrazić słowami.

„To wszystko" – pomyślałam.

47.

Minęło kilka miesięcy. Mark, jak zwykle, nie pomylił się.

Po opublikowaniu moich artykułów wydarzenia potoczyły się lawinowo. Zaskakujące i przyjemne wydarzenia. To trochę nudno wyliczać swoje osiągnięcia i sukcesy, ale gwoli prawdy muszę to zrobić. A więc najpierw wezwano mnie do rektora, gdzie otrzymałam propozycję pracy w katedrze psychologii. Dodatkowo miałam odbywać praktykę w jednej z najwybitniejszych klinik w Bostonie i zarazem w całych Stanach. Pracę naukową musiałam teraz połączyć z praktyką. Tak naprawdę moje stanowisko było skromne, ale specjalnie dla mnie stworzono zespół badawczy, zdawałam sobie sprawę, że czeka mnie mnóstwo ciężkiej pracy. Przygotowanie teoretyczne miałam znakomite, przyszła zatem kolej na działania praktyczne, musiałam wypracować własną metodę leczenia i zająć się pacjentami. Nie było to łatwe.

Odnosiłam coraz więcej sukcesów. Zdobywałam nagrody i dyplomy – amerykańskie i międzynarodowe. Początkowo tylko w dziedzinie psychologii, później rozszerzyłam swoje zainteresowania badawcze. Każda nagroda łączyła się z jakimś ekwiwalentem pieniężnym, często całkiem pokaźnym. Poważne sukcesy materialne przyszły po dwóch i pół roku, kiedy dopracowałam się własnej metody leczenia i rozpoczęłam prywatną praktykę.

Uniwersytety i kliniki na całym świecie zapraszały mnie na wykłady i konferencje naukowe. Dostałam awans na uniwersytecie i w klinice, honorowo przewodniczyłam wielu towarzystwom naukowym.

Otworzyłam własny gabinet. Na razie mogłam w nim przyjmować tylko dwa dni w tygodniu po parę godzin, ale kolejka pacjentów rozciągnęła się na osiem miesięcy. Problem braku pieniędzy zniknął z mojego życia. Towarzystwa ubezpieczeniowe proponowały mi najkorzystniejsze warunki ubezpieczenia zawodowego, ponosząc za mnie część kosztów.

Jedną z moich pierwszych pacjentek została Marianne. Jej choroba z biegiem czasu bardzo się zaostrzyła. Leczenie trwało długo, wymagało wielkiej cierpliwości, ale poskutkowało. I choć nie wyzdrowiała całkowicie, jej stan pozwalał na normalne funkcjonowanie.

Nieoczekiwanie znalazłam się w polu widzenia mediów, zainteresowała się mną prasa i stacje telewizyjne. Wszystko zaczęło się w dniu, kiedy wręczono mi jedną z prestiżowych nagród. Młoda kobieta, pewna siebie, energiczna, z charakterystycznym, zwracającym uwagę obcym akcentem od razu rzucała się w oczy w uczonym gronie wiekowych, zmęczonych, kostycznych specjalistów, na ogół płci męskiej. Pewna stacja telewizyjna zrobiła o mnie reportaż. Uważano mnie za podwójny wzorzec: kobiety sukcesu, która potrafiła się znakomicie wykreować – dziennikarzom pasowało to do modnego, coraz silniejszego ruchu feministycznego w Stanach. Drugi wzorzec zaspokajał zapotrzebowanie na mit o „amerykańskim śnie". Byłam klasycznym przykładem baśniowego Kopciuszka. Oto młodziutka emigrantka, nieznająca języka, bez grosza przy duszy, sama w obcym kraju, bez rodziny i znajomych, własną pracą, nieprzeciętnym samozaparciem i wielkim talentem zdobyła Stany Zjednoczone. Dziś jest bogata i sławna.

Po emisji tego reportażu nie mogłam się opędzić od dziennikarzy z radia i telewizji. Zapraszano mnie do udziału w popularnych audycjach, poszukiwały mnie gwiazdy telewizyjnych talk-show.

Odpowiadał im mój żywy, spontaniczny, niekonwencjonalny sposób bycia, moja prostolinijność, wesoły śmiech, niemałe poczucie humoru, skłonność do żartu. Wszyscy śmieli się razem ze mną, kiedy opowiadałam coś zabawnego albo dawałam znak własnym uśmiechem, że też powinni się w tym miejscu śmiać.

Jakiś kolorowy magazyn kobiecy zamieścił na okładce moje zdjęcie. Publikowano różne moje zdjęcia – w kostiumie bikini i jako poważnego psychologa klinicznego.

Byłam gwiazdą, idolem młodzieży, uosobieniem prostej życiowej maksymy: „Jeżeli jej się udało, to i mnie się może udać". Jakże często chciało mi się pokazać wszystkim figę, ale nie wypadało. Zapraszały mnie uniwersytety i inne uczelnie. Oprócz wykładów na tematy naukowe i zawodowe zajmowałam się też doradztwem, mówiłam młodym ludziom, jak powinni żyć i co muszą zrobić, by powtórzyć mój sukces.

Byłam bardzo popularną osobą, uczestniczyłam w najbardziej prestiżowych imprezach publicznych.

Wszystko to jednak marność nad marnościami. Początkowo to barwne życie bawiło mnie, ale z czasem byłam tym wszystkim znużona. Okazało się, że pieniądze, których najpierw miałam wystarczającą ilość, potem sporo, a jeszcze później bardzo dużo, nie wybawiły mnie od trosk i kłopotów, nie przyniosły spodziewanej radości. Najpierw, nareszcie wolna od konieczności oszczędzania każdego grosza, zachowałam się jak typowy dorobkiewicz i po prostu nieprzyzwoicie się obkupiłam. Sprawiłam sobie modne auto, elegancką odzież, specjalistyczna aparaturę do gabinetu, no i oczywiście kupiłam mieszkanie. Wkrótce gorączka zakupów mi przeszła, a luksusowe sklepy przestały mnie bawić.

Samochód stał w garażu, a ja wolałam poruszać się tramwajami i autobusami, bo mogłam w nich czytać. Modne ubrania również przestały mnie fascynować, miałam znakomitą figurę, nie musiałam uciekać się do różnych trików, maskujących niedostatki, a jak wiadomo takie kreacje są najdroższe. Bez entuzjazmu przeglądałam wyciągi bankowe, widziałam rosnące z miesiąca na miesiąc konto i nie miałam pojęcia, co z tym zrobić. Chociaż z drugiej strony, dobrze jest coś mieć, podobno od przybytku głowa nie boli.

Myśląc o Marku – często o nim myślałam – przypominałam sobie, jak kiedyś powiedział mi, że pieniądze same w sobie nie mają wartości, to tylko papierki, pieniądze na ogół są wymierne. Ktoś przelicza je na domy, kto inny na samochody albo eleganckie ubrania, jeszcze inni na biżuterię albo „ciekawe życie". Kiedy zapytałam Marka, na co on przelicza pieniądze, po krótkim zastanowieniu odpowiedział, że na „wolność ducha". Uśmiechnęłam się – w tamtym czasie już zaczynaliśmy się kłócić – dopiero teraz mogłam go zrozumieć. Wolność ducha można różnie mierzyć, ale sądzę, że nie potrzebuje ona takiej obfitości środków finansowych.

Zainteresowanie prasy szybko mnie zmęczyło, prelekcje dla szerokiej publiczności i inne mało poważne zajęcia także, wszystko wróciło na swoje miejsca – praca, nauka, pacjenci. Ale sława i popularność w dalszym ciągu mi towarzyszą, i nie bardzo staram się z tym walczyć. Pomagają mi w codziennym życiu, nie muszę tracić czasu na zajęcia domowe i dzięki temu mam go więcej na sprawy ważne.

Często też spotykam się z profesorem Zylberem. Doszedł do siebie po zawale, a kiedy wyjechał Jeffrey, zaczęłam do niego zaglądać. Z czasem jedna albo dwie wizyty w tygodniu, wieczorem, stały się naszą tradycją. Zawsze przynoszę torcik lub konfitury, profesor parzy herbatę i rozmawiamy, jak za dawnych dobrych czasów, o nauce i innych sprawach.

Przez te lata Zylber bardzo się posunął, jakby nieco zmalał, ale nadal był mężczyzną reprezentacyjnym. Stał się bardziej przystępny, łatwiejszy w kontakcie, dobrze i sympatycznie się z nim gawędziło. Kiedy rozmawiał przez telefon, odnajdowałam w jego głosie dawne stanowcze nutki. Po zawale nie zrezygnował z pracy, prowadził wykłady, miał wiele innych zajęć. Wkładał w to jednak coraz więcej wysiłku, przeszedł na pół etatu, później na ćwierć, a jeszcze później udało mi się go przekonać, że może zająć się znacznie bardziej pożyteczną pracą i nie jeździć codziennie na uczelnię.

Namówiłam go, by zaczął pisać wspomnienia o sobie, o czasach, w których przyszło mu żyć, o ludziach, których spotkał na swojej drodze, o tych, których niesłusznie zapomniano lub których przydałoby się trochę odbrązowić.

Profesor kupił pomysł i przez ostatnie lata tylko tym się zajmowaliśmy. Zylber układał plan rozdziału, potem go omawialiśmy, następnie nagrywał na dyktafon swoje przemyślenia i wspominki. Oddawałam taśmę jednej z moich studentek, która przenosiła to do komputera, drukowała tekst, byśmy mogli go razem redagować – coś dodać albo usunąć, przestawić kolejność wątków, ciąć, sklejać.

Robię to nie dla rozrywki ani żeby zająć czymś pożytecznym starego Zylbera, chociaż nie da się ukryć, że pisanie wspomnień nadaje sens jego życiu. To będzie bardzo piękna i mądra książka. Odkąd profesor zrezygnował ze swojej zarozumiałej, wyniosłej postawy wobec innych, emanował głębią mądrości, refleksją, wielkim taktem, zaczął dostrzegać to, co niewiele osób w życiu dostrzega. Pisanie książki powoli dobiega końca. Powstało wielkie dzieło, pełne filozoficznej zadumy nad życiem i człowiekiem, nad otaczającym nas światem, pisane z perspektywy długiego, ciekawego, wypełnionego pracą życia dostojnego autora.

Kiedyś Zylber zwrócił mi uwagę, że intelekt czy mówiąc zwyczajnie, rozum, podobnie jak pamięć, wcale nie pogarsza się wraz z upływem lat, jak przyjęło się sądzić, lecz po prostu się zmienia.

– Podobnie jak prawo zachowania energii – tłumaczył mi. – Sprawność myślowa nie ginie, tylko się zmienia. To prawda, z wiekiem coś tam pamiętamy gorzej, na coś innego wolniej reagujemy, ale to znaczy tylko tyle, że pamięć i rozum przesunęły się do innej części naszej świadomości. Nagle zaczynamy sobie przypominać sprawy dawno zapomniane, osiągamy głębię rozumienia życia.

Spytałam go o medyczny punkt widzenia, o to, dlaczego lekarze twierdzą, że wraz z wiekiem sprawność myślenia się pogarsza. Zylber wyjaśnił mi, że oficjalna medycyna na wszystko patrzy z pozycji obowiązującej normy i odstępstwa od niej. Wiadomo, że osoba starsza nie będzie odpowiadała normie w takim stopniu jak bardzo młoda. Zmiany związane z wiekiem lekarz potraktuje jako niespecyficzne, czyli jako patologię. Nie bez powodu stare kultury Dalekiego i Bliskiego Wschodu, i nie tylko, bo w Rosji też jest to w zwyczaju, dodał profesor, spoglądając na mnie, posługują się w odniesieniu do starości pojęciem „mędrzec" i „mądrość". Przecież Abrahama i Mojżesza Bóg dopuścił do wielkich tajemnic dopiero wtedy, kiedy byli już wiekowymi starcami.

Popatrzyłam uważnie na Zylbera. „Ma rację, w jego wypadku to się potwierdza".

– To prawda, panie profesorze – zgodziłam się.

Ponieważ nieczęsto się z nim zgadzałam i tropiłam najdrobniejsze nieścisłości w jego książce, Zylber docenił tę zbieżność stanowisk. Był rad, że z łatwością i bez zbędnych targów zaakceptowałam jego poglądy.

Tylko raz profesor wspomniał Jeffreya. Było mu przykro, że nic między nami nie ułożyło się po jego myśli, bo oboje nas bardzo kocha. Zmilczałam to i niczego mu nie wyjaśniałam, zresztą może wcale na to nie liczył. No cóż, stwierdził, nie wyszło, to nie wyszło, trudno. I więcej już nie mówił przy mnie o wnuku.

Czasami, o wieczornej porze, kiedy kolejny rozdział książki Zylbera nie był jeszcze przeniesiony do komputera, przed naszą tradycyjną wieczorną herbatą, chodziliśmy na spacery po Bostonie. Orzeźwiający wiatr, ciemne, opustoszałe uliczki ze starymi, drewnianymi willami, senne latarnie na drewnianych słupach – jak w dzieciństwie – rzucające rozedrgane cienie, a obok mnie ten mądry stary człowiek – tak bardzo mi bliski, ktoś, kto obdarzył mnie wielką, bezinteresowną ojcowską miłością, jaka prawie nigdy się nie zdarza, człowiek, dla którego wszystkie moje sukcesy i klęski stały się czymś osobistym – ze wzruszeniem myślę, że zarówno ten mój najukochańszy na świecie staruszek, jak i piękne wieczory, i moje miasto, mój ukochany Boston, nadały mojemu życiu wielkiego sensu, to dzięki nim czuję się szczęśliwa, spokojna i potrzebna.

Często dzwonię do Katki albo wpadam do niej z potrzeby serca, bez uprzedzenia. Katka roztyła się, ale jest jeszcze bardziej dorodna, majestatyczna, daje solidne poczucie bezpieczeństwa.

Ma dwóch synów, takich samych rudzielców jak ona. Niestety, nie odziedziczyli po niej spokoju, jakby na przekór mamie są zwariowani i nieposkromieni. Wywracają dom do góry nogami, kłócą się, szaleją, hałasują, wszędzie ich pełno, prawdziwe żywe srebra.

Matwiej nie zmienił się, nawet ojcostwo nie miało na niego wpływu, wciąż jest zażartym dyskutantem, bezskutecznie próbuje i mnie wciągać w jakąś wymianę zdań, ale ma z tym duży kłopot, bo ja się tak łatwo nie daję.

Oprócz psa w ich domu jest jeszcze kot, papuga i rybki w ogromnym akwarium. Wszystko to jakimś cudem udaje się zmieścić w malutkim mieszkanku, gdzie każdy ma swój kącik, tylko czasami chłopcy, kot i pies tarzają się razem po podłodze w radosnych, pełnych śmiechu i krzyku zabawach, tworząc przedziwne kłębowisko, z którego co i rusz wystają rude główki albo psi nos czy koci ogon. Nad tym dziwnym tworem fruwa zdenerwowana papuga i ludzkim głosem wywrzaskuje coś zabawnego. I tylko kiedy Katka mówi do mnie:

„Poczekaj chwilkę”, wychodzi z kuchni i staje bez słowa nad tym kotłującym się kłębowiskiem żywych istot, tak po prostu stoi, odnoszę wrażenie, że jej władczy spokój w jednej chwili udziela się wszystkim – milknie papuga i umyka do otwartej zawsze klatki, kłąb rozpada się, dzieli na części, wszyscy wracają na swoje miejsca i w domu na krótko zapada cisza. Po czym znowu nastają krzyki, hałas, zamieszanie i głośna radość, ale dzięki temu dom żyje, jest przytulny i rodzinnie ciepły.

Siedzę przy kuchennym stole i patrzę na Katkę, na jej spokojne, cierpliwe szczęście, zazdroszczę jej, nie jest to czarna, obrzydliwa zazdrość, ale jasna, przyjemna, napełnia mnie słodkim smutkiem i rozrzewnieniem. Myślę sobie, że też mogłam mieć takie zwykłe, domowe szczęście, ale nie udało się i już się pewnie nigdy nie uda.

Świat jest taki dziwny, myślę, że właściwie mam to wszystko, co określa się modnym teraz słowem sukces, jestem kobietą sukcesu, a jednak coś w życiu przeoczyłam, coś bezpowrotnie utraciłam, zgubiłam po drodze, nie zauważyłam, nie dostrzegłam w porę, pominęłam, nie pomyślałam, przeszłam obok i coś przeszło obok mnie... Nie o to chodzi, że nie będę miała dzieci, to jeszcze nie jest przesądzone, jeszcze mam trochę czasu, pewnie i one się pojawią, obawiam się tylko, że już nie będę umiała dać im tyle troski i domowego ciepła, jak udaje się to Katce. Każda z nas przez te lata rozwijała swój główny talent, ten najważniejszy, najbardziej istotny, a teraz nie mamy czasu, by rozwinąć drugi. Kiedy tak patrzę na moją przyjaciółkę, doprawdy nie wiem, jaki talent jest cenniejszy i który daje więcej zysków i sukcesów. Chyba nie mam odwagi się przyznać, że jednak talent Katki.

Wraca z pracy Matwiej i w tym samym momencie dzieci, zwierzęta i rybki zapominają o mnie i o Kati.

– Zobacz – mówi Katka, nie przejmując się obecnością męża – nie ma go cały dzień w domu, zjawia się pod wieczór i już od progu kto żyw, na wyścigi, pędzi do niego, od razu lgnie, wiesza mu się na szyi. – W głosie Katki nie ma żalu, zazdrości, urazy, jest tylko zdziwienie.

Dzieci uciszają się, siadają przy ojcu, wpatrują się w niego szeroko otwartymi, jasnymi oczami.

– To prawda – potwierdza Matwiej – nawet pies. Ona – tu Matwiej wskazuje na Katkę – cały dzień się nim zajmuje, karmi, wyprowadza na spacer, no i patrz, co się dzieje.

Rzeczywiście. Pies niby jest zajęty jakąś psią sprawą, ale nie spuszcza wzroku z Matwieja. Z każdego miejsca i zakątka domu: z drugiego pokoju, spod stołu, z korytarza, kiedy leży i kiedy siedzi czy stoi – wpatruje się bezustannie wiernym psim wzrokiem w oczy swego pana. Matwiej nie rozmawia z psem, wystarczy, że tylko popatrzy, a pies natychmiast odczytuje polecenie i jest szczęśliwy, że pan docenił wierność i oddanie, i już biegnie wykonać rozkaz – przynosi kapcie czy gazetę albo podchodzi bliżej i się łasi, jeżeli pan ma ochotę pogłaskać go.

– Nie uczyłem go, nie wiem, skąd to wszystko wie – wyjaśnia Matwiej i naprawdę jest zdziwiony.

Mała papużka falista już od dawna siedzi Matwiejowi na ramieniu i szepcze mu do ucha czułe słówka. Matwiej odwraca głowę i patrząc w papuzie oczka, bardzo poważnie odpowiada ptakowi, papuga śmieje się albo zamyśla i znów coś mu szepcze na ucho.

– Nasza papuga jest genialna – mówi Matwiej. – Nie wiedziałem, że ptak może być tak mądry, zupełnie jak człowiek. Jest jak członek rodziny. Tylko zobacz, Marina! – Matwiej zwraca się teraz do papugi: – Kesza, pocałuj pana. – Jestem pod wrażeniem. Papuga głośno całuje Matwieja, dotyka swoim zagiętym dziobem jego policzka, otwiera dziób i cmoka!

– Niesamowite – chwalę papugę. – Dźwięk pocałunku nie zaskoczył mnie, ale skąd ona wie, że trzeba dotknąć dziobem do policzka? To ty ją tego nauczyłeś?

Matwiej kręci głową.

– Słowo daję, niczego jej nie uczyłem, sam się nad tym zastanawiam. Mówiłem ci, że nasza papuga jest g e n i a l n a.

– Marinka, nie masz pojęcia, jak nasze głupiutkie rybki na niego reagują – wtrąca z dumą Katka.

– Tak, to niewiarygodne – potwierdza Matwiej. – Chodź, Marina, sama zobaczysz.

Podchodzę do ogromnego akwarium. Rybki na mój widok czmychają w gęstwę wodorostów, wbijają pyszczki w piasek.

– A teraz patrz – mówi Matwiej i zbliża się do akwarium. – Tylko odejdź krok do tyłu.

Robię krok do tyłu. Ryby jak na komendę ustawiają się przy szybie i gapią się, wytrzeszczając maleńkie oczka, na Matwieja, postukują otwartymi szeroko pyszczkami, jakby chciały mu coś powiedzieć.

– To jasne, przecież je karmisz – mówię.

– Nie, to ona je karmi, ja nigdy – zapewnia mnie Matwiej.

Katka potwierdza słowa męża.

– Tak, ja je karmię, i wiesz, jak ode mnie uciekają?

Patrzę na Matwieja, na wszystkich mieszkańców tego niezwykłego domu – na ludzi i zwierzęta, które zamierają na widok pana i nagle zaczynam rozumieć to, czego tak długo nie mogłam pojąć.

W Matwieju jest jakaś wielka wewnętrzna siła. Nieobciążająca nikogo, niemęcząca, ale lekka, pogodna, przyjazna, coś niewyrażalnego, niezauważalnego, co przyciąga do niego te wszystkie istoty, które uznały w nim swego pana i władcę. Jest dla nich w tym domu kimś najważniejszym. Chyba jakoś niezręcznie staram się to wytłumaczyć, mało precyzyjnie, sama nie potrafię tej siły nazwać. Ale wiem, widzę, rozumiem, że w taki sposób znajduje wyraz, jak mi się kiedyś wydawało, niepospolity talent Matwieja.

Jeszcze raz ogarniam spojrzeniem mieszkańców tego przytulnego domu i czuję spokój, jestem szczęśliwa ich szczęściem i znów trochę im zazdroszczę. Tak bym chciała wziąć chociaż odrobinę tego szczęścia na zapas, na drogę, ale się nie da – to cudze szczęście.

48.

Od Marka przez te cztery lata nie miałam żadnych wiadomości. Nie przyjeżdżał, nie dzwonił, nie pisał.

Półtora roku temu Zylber, który wciąż, z przyzwyczajenia czy może bardziej ze snobizmu, którego nie do końca się wyzbył, prenumeruje sporo czasopism z Europy Zachodniej, bez słowa wręczył mi niedzielne wydanie jakiejś angielskiej gazety i polecił przejrzeć.

Włożyłam gazetę do torby i od razu o niej zapomniałam. Odkryłam ją dopiero w domu, wypakowując inne rzeczy, ciekawa, o czym pisze zagraniczna prasa, zaczęłam wertować szeleszczące płachty. Zamarłam. W rubryce „Sztuka" zobaczyłam duże zdjęcie Marka, a obok – półstronicowy artykuł, zatytułowany „Znany amerykański naukowiec – najpopularniejszym poetą Starego Świata".

Tytuł zaskoczył mnie jeszcze bardziej niż zdjęcie Marka. Siłą oderwałam oczy od artykułu, nie chciałam go czytać szybko, jednym tchem, wolałam smakować słowo po słowie, uprzyjemniając sobie resztę wieczoru. Poskramiając niecierpliwość, zaczęłam studiować fotografię. Niestety, była czarno-biała, na nie najlepszej jakości papierze gazetowym trudno było wypatrzeć szczegóły twarzy. Pomyślałam, że nie bardzo wiem, co tu jest zmarszczką, a co wadą zdjęcia, wynikającą z niedoskonałości reprodukcji. Przeszkadzał mi brak koloru, nie mogłam zobaczyć oczu, domyślałam się, że jest w nich kropla błękitu.

Mark wyglądał tak jak dawniej. Nie postarzał się, chyba się w ogóle nie zmienił, tak przynajmniej wynikało z gazetowego zdjęcia.

Długo patrzyłam na fotografię, potem przeczytałam artykuł. Składał się z dwóch części. Pierwsza opowiadała o Marku, w drugiej był wywiad z nim.

Mark wydał zbiór wierszy. Napisał je w ostatnich dwóch latach. Książka stała się w Anglii wydarzeniem literackim, jest bestsellerem czytelniczym, szczególną popularność zdobyła w środowisku angielskiej inteligencji. Zaskoczyło mnie określenie „angielska inteligencja" i to, że w naszych czasach są jeszcze ludzie, którzy czytają wiersze. Artykuł zawierał sporo słów pochwalnych, napuszonych, górnolotnych i mnóstwo zawiłych zdań, które tak lubią dziennikarze piszący na tematy sztuki. Pewnie wychodzą z założenia, że o sztuce trzeba pisać bardzo zawile i nieprzystępnie, jak gdyby bardziej komunikatywny styl mógł trywializować i upraszczać wysoki temat.

Dowiedziałam się, że niedługo ukaże się amerykańskie wydanie tomiku i że wiersze Marka cechuje nowatorstwo formalne. Nie wmyślałam się w dywagacje autora artykułu, w przeważającej części nie zawierały one treści, a może to mnie nie udało się nic z nich zrozumieć. Rozumiałam słowa, ale zawiłe zdania wydawały mi się pozbawione sensu. Chyba obca była mi taka niebywale pretensjonalna, udziwniona stylistyka. A może całkiem podświadomie uprzedziłam się do autora artykułu, bo imię wskazywało na to, że jest nim kobieta. Brałam też pod uwagę fakt, że trudno mi się skoncentrować na artykule, ponieważ jak najprędzej chciałam przeczytać wywiad, w którym, pomimo rutynowych zabiegów redaktorskich, zachowały się oryginalne myśli i wypowiedzi Marka.

Pytania dziennikarki były głupawe, ale dwa z nich przykuły moją uwagę.

W pierwszym, odwołując się do opinii krytyków, dziennikarka twierdziła, że Mark w wielu swoich utworach stworzył nowy, nietypowy, ale niezwykle urokliwy styl. Dalej, nie wiedząc, jak z własnych przekonań zbudować pytanie do autora, poprosiła Marka, by to skomentował.

Mark, w swej skromności, wyznał, że to nie on powinien oceniać nowatorstwo formalne własnych wierszy, i opowiedział, że wpadł na pomysł nadania swej poezji formy z pogranicza wiersza i prozy, a ściślej wykuwania formy wiersza z formy prozy. Porównał to do wykuwania marmurowej rzeźby. Opowiadał, jak rzeźbiarz bardzo starannie dobiera kawałek marmuru, poszukując w nim już istniejącego, naturalnego kształtu i struktury, aż po najdrobniejszą żyłkę. Później zaczyna ciosać, obrabiać ten kawałek zgodnie z zamysłem, nadając kamieniowi odpowiednią linię, krągłość i tak dalej.

„Podobnie rzecz się ma z wierszem – wyjaśnił. – Jeżeli coś mnie nurtuje, jakiś temat, motyw, długo, uparcie, to wyrażam to w tym kawale marmuru, który też muszę znaleźć, wybrać, a nie jest to proste. Piszę, jakby wypełniając tę formę, moje pisanie bardziej przypomina prozę, nie boję się rezygnować z rytmu wiersza, z rymów, bo chodzi mi tu o coś zupełnie innego, o te żyłki w marmurze. Obraz przyszłej struktury jest dla mnie na tym etapie pracy nad wierszem znacznie ważniejszy niż jej wyraz słowny.

Kiedy bryła jest już dostatecznie ociosana, rozpoczynam pracę nad rzeźbą, to znaczy nad formą wiersza – mozolnie, wytrwale, to żmudna praca. Teraz, kiedy mam już ten jakże istotny podkład i nie muszę się obawiać, że istota, sedno utworu mi umknie, forma zależy już tylko ode mnie, od mojej decyzji – czy gdzieś tam zaokrąglić linię, uwypuklić, wyakcentować jakieś załamanie, odpowiednio do zamysłu, do idei, która mi przyświeca, czy też pozostawić naturalne piękno kamienia. Zawsze odczuwam to inaczej, dlatego za każdym razem powstaje całkowicie inna, odrębna całość, która jest połączeniem tych różnorodnych elementów".

Czytałam wypowiedź Marka i upewniałam się coraz bardziej, że nic się nie zmienił. Mark zawsze będzie sobą. Moje oczy wyprzedzały myśli, spieszyły się, przeskakiwały fragmenty tekstu, wracały do poprzedniego zdania, czytały jeszcze raz, od nowa, w obawie, że mogły przeoczyć coś dla mnie najważniejszego.

Dziennikarka poprosiła, by Mark wyjaśnił, dlaczego on, znany naukowiec, bardzo obiecujący, jak napisała, porzucił naukę i zajął się poezją. Czytałam słowa Marka i uśmiechałam się sama do siebie.

„Wie pani, mam przyjaciela, bardzo bliskiego przyjaciela, kiedyś był moim kolegą – spodobało mi się, że Mark używa czasu teraźniejszego, »mam«, w stosunku do przyjaciela, a przeszłego, »był«, w odniesieniu do kolegi – to bardzo ważna osoba w moim życiu, wiele się od niego nauczyłem, wiele po prostu wziąłem dla siebie: lekkość, prostolinijność, wielowymiarowy, bardzo inny, bardzo szczególny stosunek do życia".

Czyżby Mark mówił o mnie? To niemożliwe! Wzruszyłam się.

„ A więc – czytałam dalej, z coraz większym trudem, bo moje oczy zawilgotniały – p o w i e d z i a ł a mi kiedyś, że na istotę twórczości składa się podwójny talent: umiejętność postrzegania życia i umiejętność wyrażania tego, co się postrzega".

Zapamiętał. Otarłam dłonią łzy. To nawet nie były łzy, moje oczy po prostu wezbrały!

„To bardzo cenna uwaga – czytałam dalej. – Jak pani wie, z talentem można się urodzić, na przykład z talentem atlety, śpiewaka, matematyka, z jakimkolwiek innym talentem, ale można się też urodzić z talentem twórcy, po prostu z talentem twórcy. To taki sam talent jak każdy inny, w niczym nie gorszy, różnica polega tylko na tym, że jest to talent n i e z o r i e n t o w a n y n a k o n k r e t n ą d z i e d z i n ę. Jeżeli jednak zawiera w sobie w równym stopniu zarówno talent postrzegania życia, jak i talent jego wyrażania, to może zostać wykorzystany w dowolnej dziedzinie, a potem, z czasem, można go po prostu przeorientować, i jeszcze raz przeorientować, właściwie nieskończoną liczbę razy. Wszystko zależy od tego, co nas interesuje, co chcemy osiągnąć. Jeśli człowiek ma jakieś dążenia albo przeciwnie, jeśli nie boi się podjąć ryzyka, to dlaczego miałby się nie zmierzyć z różnorodnością tematów i dziedzin. Z tego płynie kolejna refleksja – czym tak naprawdę jest sukces? Może już sam fakt podjęcia jakiejś próby czy kolejnych prób jest sukcesem".

Typowy Mark. Tu też musiał dodać coś własnego.

Następnego dnia pobiegłam do księgarni, ale nie znalazłam tomiku Marka. Nawet nie mieli tytułu w komputerze, jeszcze się w Stanach nie pojawił, musiałam go zamówić, a potem czekać trzy tygodnie, aż przyleci z Wielkiej Brytanii.

Czytałam wiersze, rozszyfrowując w nich nasze rozmowy i dyskusje, a nawet kłótnie, rozpoznając w wierszach siebie. I jak dziecko nie wiedziałam, czy bardziej chce mi się płakać, czy śmiać. Czasem płakałam i śmiałam się jednocześnie.

Moim zdaniem, Mark powiedział w wywiadzie prawdę: nie tylko on zmienił moje życie, lecz może, w drobnej cząstce, minimalnie, ja też wywarłam wpływ na jego życie. Ta myśl uszczęśliwiła mnie.

Niektóre wiersze były po prostu o nas, tak dokładnie opisywały nasze wrażenia, przekazywały nasze myśli, którymi się w tamtym czasie dzieliliśmy, że postanowiłam je dołączyć do tej opowieści o moim życiu.

Poezja, w odróżnieniu od prozy, wywodzi się z muzyki, trudno jest czytać wiersze pierwszy raz, wymagają napięcia, wzmożonej pracy intelektu i emocji, czasem to ciężka i trudna praca. Jednak kiedy już się wniknie w ich istotę, zgłębi je, znowu – jak muzyka – nigdy się nie znudzą, przeciwnie – im więcej ich czytamy, im częściej powtarzamy je w pamięci, tym większego znaczenia nabiera każde słowo, stają się coraz bliższe, czujemy coraz mocniej ich pulsowanie, także to podskórne, ukryte.

Wciąż pochylam głowę nad tomikiem wierszy Marka. Czytam. Już nie muszę śledzić zdań, słów. Podnoszę oczy, wpatruję się w radosny taniec ognia w kominku i myślę, a właściwie czuję sercem, że Mark jest największą porażką mojego życia. Moją klęską. A jednocześnie jestem w pełni świadoma, że nie można być całe życie zwycięzcą.

Cóż może rozumieć i czuć zwycięzca? On słyszy tylko głos fanfar? Co takiego fanfary mogą wnieść do życia? Nic.

Tylko przegrana zmusza człowieka, by się na chwilę zatrzymał, przystanął, zastanowił, zajrzał w głąb siebie. Tylko przegrana wyostrza wrażliwość i pogłębia widzenie, rozwija intuicję.

Czego chce zwycięzca, kiedy zdobędzie miasto, oprócz niszczenia i burzenia oraz cudzych dóbr i kobiet?

Pokonany, którego zmuszono do odwrotu, do wycofania się, ktoś, kto zostawił w zdobytym mieście żonę, dzieci, rodzinny dom, cierpi, pragnie, żyje nadzieją. Dzięki temu otwierają się przed nim nowe światy, otwiera się coś nowego, czego istnienia nawet nie podejrzewał, odkrywa się to, o czym nie wiedział, kiedy został rzucony na kolana.

Dziwna to prawda, lecz tak już jest, że porażki i klęski, kiedy się z nich podniesiemy, wznoszą nas na wyższy poziom niż zwycięstwa. Jedynie dzięki klęsce możemy – co za paradoks! – dojść do wielkich zwycięstw i poznać ich prawdziwy smak.

Mark. Moja klęska. Dzięki niemu poznałam świat, życie, siebie. Ta klęska z biegiem czasu stała się moim największym zwycięstwem. Chronię ją w sercu – jej smak i pamięć o niej – jak największy skarb.

* * *

Zatelefonował Ron. Często do mnie telefonuje, w końcu tyle lat się znamy. To jego zabawna teoria kiedyś, wiele lat temu, zainspirowała mnie do dokonania wyboru. Zresztą nie wiem, czy była to jego teoria, może podpowiedział mu ją

Mark? Nigdy nie próbowałam się tego dowiedzieć, a dziś nie ma to już znaczenia.

Ron powiedział mi, że rozmawiał z Markiem. Dowiedział się, że Mark za kilka miesięcy planuje przylot do Stanów, prosił, żeby mnie pozdrowić, co Ron niniejszym przekazuje. Pamiętam, co mi powiedział Zylber: „Życie niemal zawsze daje nam drugą szansę”.

Inna sprawa, czy zechcemy z niej skorzystać.

Z WIERSZY MARKA

* * *

Ameryka przyciąga tych,
których już nic przyciągnąć nie jest w stanie.

Tak dziwnie się układa, że ja także
od dawna nie wyśpiewuję
żadnego z gromkich hymnów.
Kiedy wędrówka trwa tak długo – nie widać
ani flag, ani insygniów, ani orłów,
którym czas potargał głowy.
Kiedy wędrówka trwa tak długo – lata całe,
wszystko się zaciera, uspokaja...
W obcych miastach,
gdzie królują żeliwne idole na koniach,
człowiek myśli tylko o sobie,
o tym, jak brnie przez podwórza
swoją własną drogą,
tą samą, którą wciąż idzie.

We dwoje

Siedzimy tak razem – ty i ja
w cichej, pogrążonej w półśnie kuchni,
wieczór tchnie jeszcze świeżością niezagasłego dnia,
gada czajnik na gazowym płomieniu
i bije od niego rozpalone ciepło
parującego wrzątku.
A ja
wyraźnie widzę, jak nasza przyszłość wraz z ulotną chmurą pary
ulatuje bezgłośnie ku znieruchomiałemu otworowi okna.

Jeszcze mogę dotknąć twojego ramienia,
ciepłego i miękkiego jak zdmuchnięta przed chwilą świeca,
ale boję się oparzyć.
Od tego dotyku rozgrzewa się
nie tylko ręka, ale i wzrok,
dlatego błądzi
po innych, bardziej bezpiecznych przedmiotach:
kropla wody z kranu pęcznieje i jak kropla deszczu
rozbryzguje się w świetlistym locie.
Podobnie rzecz się ma z przeszłością – jej nie ma.
Przeszłość to tylko niematerialny wytwór wczorajszego snu.

Leciutko poskrzypuje okno,
broniąc się przed podmuchem wiatru,
twoje splecione palce
przypominają mi rybacką sieć,
do której podpłynąłem z nierzeczywistej dali.

Czas – to chwilka, która wbiła się w twoje źrenice.
Czas – to kształt twoich piersi
pod delikatnym jedwabiem szlafroka.
Może mają smak granatu
z obrazów Salvadora Dali?

Czas istnieje tylko w czasie teraźniejszym.
Podobnie jak nasza kuchnia,
jak, wybacz mi ten banał,
twój oddech w godzinie naszej miłości.

* * *

Myśląc o tobie, przywołuję widok antylopy,
którą spotkałem niegdyś w górach, w lesie,
z cętkowanym ciężkim zadem,
który żył odrębnym życiem, niezależnym od jej prężnego ciała,
osobno niosąc swój ciężar.

Choćbyś nie wiem ile razy powtarzała „kocham",
wykrzykując to albo wszeptując mi w ucho,
wciąż będzie mi mało,
ponieważ poznanie organem słuchu
jest dość zawodne,
ale kiedy przymykam oczy,
niemal fizycznie czuję ciepły dotyk twojego ciała,
tak jak napływająca łza czuje podrażnioną na wietrze źrenicę.

Bo to jest tak, że wyznania tworzą klimat intymności,
jak zapach pożółkłych liści,
jak ledwie wyczuwalna woń dalekiego dymu,
która mówi, że gdzieś istnieje ciepło,
tyle że niedostępne dla tych, którzy są teraz ze mną,
niedostępne dla mnie.
Podobnie jest z twoim wyznaniem,
ono, tak niematerialne, natychmiast mi się wymyka,
a świadomość znowu
domaga się nowego potwierdzenia słowem
twoich uczuć
i chociaż nie jestem magistrem sztuki,
mimo wszystko potrafię rozpoznać ich pulsowanie.

Czasami myślę, że jesteś tylko zapachem o jedwabistej skórze,
i wtedy, wijąc się na wypranym z uczuć prześcieradle,
zastanawiam się,

co cię zatrzymało na granicy
jawy i mojej pamięci zagubionej we śnie.
I dopiero później,
w mocnych objęciach snu,
widzę siebie jako mego dziadka
czy może raczej jego ojca,
który zakochał się w twojej prababce,
i wtedy dociera do mnie,
że tajemnicę naszego wspólnego losu
zna tylko nasza pamięć genetyczna.

Ten wiersz napisałem nie w lirycznej stylistyce,
piszę go jak prozę,
bo chcę, by twoje łzy
nie zdążyły wyschnąć przed naszym spotkaniem.
Chcę dotknąć wargami tych gorących łez, nim je pokryje
błonka gojącej się samotności,
chcę w nich odnaleźć proroctwa
starej pijanej Cyganki
z naszego dzieciństwa
i jej przepowiednie, które nie wiadomo skąd czerpała,
że nie możemy uciec od siebie donikąd,
jak twarz nie może uciec od pojawiających się na niej zmarszczek.

* * *

Budzę się w nocy. W ciemnościach
moja świadomość nie rozpoznaje samej siebie,
nie wie, kto jest jej panem,
czyją jest własnością,
do czyjego należy ciała, imienia, kraju,
jest jak Żyd Wieczny Tułacz,
nieporadnie się miota. I z poczuciem winy
w końcu zamiera jak motyl
na dłoni.
Swoim przelotnym dotykiem
nie wywołuje lodowatych dreszczy,
a światło dnia za szybą
od niej nie uwalnia.
Świadomość – ta wieczna paranoiczka
drży z lęku, że zabłądzi
w koszmarze snu,
który miesza zmysły,
bo jest zbyt rzeczywisty.

Znów śniła mi się matka.
Coś mówiła, upajając się swą opowieścią,
to aż niewiarygodne
i takie do niej niepodobne.

To dziwne, bo nie spałem,
chyba że właśnie się ocknąłem,
co pojąłem z rytmu mego pulsu.
– Pojękiwałeś we śnie –
powiedziała.
– Miałem zły sen...
– Czy powinienem jej mówić?
– Śniło mi się, że... umarłaś.

O mało nie oszalałem,
taki był realny.

Cierpiałem,
jakbym miał cię już nigdy...
– Czy już jest dobrze? –
tuli mnie delikatnie,
obejmuje.
I ból odleciał, na duszy mi tak lekko,
myślę, że od dawna tak nie było,
jak gdyby świeży śnieg ukoił krwawą ranę,
i nawet światło dnia,
co wdarło się przez okno,
nie mogło mnie rozpoznać,
choć miało ostry wzrok.
Z niedowierzaniem pytam: – Ty żyjesz?
– Głuptasie, no przecież wiesz, że tak.
– Przecież widziałem...
– Ja tylko spałam.
I ta najbardziej oczywista odpowiedź
była tak prawdziwa,
że aż otworzyłem oczy,
czując, jak pierzcha sen,
co mącił mi zmysły.

Świadomość drgnęła,
nie wiedząc, dokąd zbiec,
skąd mogła wiedzieć,
że najkrótsza droga prowadzi
do rzeczywistości.
Dogonić sen?
Był przecież tak realny.
Pozostać tu?
W scenerii dnia,

który przed chwilą
sam był snem?
Dopiero blask księżyca
okazał się ratunkiem.
Świadomość znów się ze mną zespoliła,
próbując się umościć w komórkach mego mózgu.
Zbyt późno widać zobaczyłem
pobladłą twarz księżyca,
gasnący blask,
co jeszcze chwilę temu
rozświetlał pokój życiem.
Niknący ślad wchłonęła pustka ścian,
cóż z tego, już któryś raz
zostałem sam z poczuciem winy.

* * *

Gdybyśmy byli szczęśliwi,
to budząc się w nocy, czułbym na szyi
twój delikatny oddech,
a moja ręka, zakradając się pod splątane prześcieradło,
pokornie naśladujące kształt
twojego ciała, przesycone jego wilgotnawym zapachem,
który chłonąłbym wszystkimi porami
i który rozpływałby się w sieci moich naczyń krwionośnych,
zastygłych w oczekiwaniu, nie wiedząc,
jak i czym ci się odpłacić
za tę pieszczotę,
moja ręka, dotykając aksamitu twojej chłodnej skóry,
nieomylnie odgadłaby z jej drżenia,
że my,
że jesteśmy szczęśliwi.

Niestety,
nie jesteśmy szczęśliwi,
znów dzieli nas przestrzeń i czas,
i obca mowa krain,
których nie chcieliśmy razem zwiedzać.
Nasz świat – rozłąka.
Jej przyrodzone prawo –
oddalać coraz dalej.
Wiem, że Natura dała nam
tylko jeden kierunek –
od siebie...
Bezsenność, towarzyszka moich marzeń,
jest dziś jedyną naszą łączniczką.
Tak słuch jednoczy rozproszone głosy,
tak łączy je z pojęciem „przyszłość”
moja nadzieja,

dopiero wtedy wiem, że obce kraje, miasta,
wpleceni w nasze losy ludzie –
wcale nie są przeszkodą.
I tylko czas
ma władzę nad porządkiem spraw,
i tylko on jest władny
pozbawić echa to bezlitosne słowo: „los”.

DOM

Na wpół zapadnięty dom poryty zmarszczkami,
Zapadłe oczodoły okien, co ze starości wbiły się w ziemię,
Pasma starej waty między koślawymi ramami,
Przypominające śnieżne zaspy.

Uchylę cichuteńko zmurszałe drzwi, dziur pełne,
Wejdę w ciemność starej sieni,
Wiadro wody spostrzegę w kącie,
Zaczerpnę jej kubek wraz z kawałeczkami lodu.

Przestąpię próg, chłonąc zapomniany zapach kuchni,
Blask ognia w pobielonym piecu,
Lampa naftowa, zmęczona trwaniem nocy,
Wyławia z ciemności grudy węgla.

Zajrzę do izby, tam pod abażurem czerwonym
Zobaczę stół z białym obrusem, na lewo, przy oknie,
Splątane barwne nici na drewnianym cudzie,
Cichym kołowrotku.

Potężny starzec w zniszczonej kufajce
Złożył ciężką głowę na blacie stołu,
Skryta myśl, drżąc, zastygnie na wieki
Pod jego niespiesznym piórem.

Siwa kobieta z pomarszczoną twarzą,
Wysoka, z radością w oczach
Pochyla się nad dwójką chłopców i coś
Im pokazuje w oknie.

A tam, za oknem, czeremcha
Aż tamuje dech, ściana kwiatów
Z miłością stara się ochronić płot
Przed zamętem dnia.

Podjechał samochód, a z niego
Oficer piękny, śmiejąc się, wysiada.
Rozbawiony, beztroski, ma na twarzy radość,
Widać, że życie traktuje lekko.

Wraz z nim kobieta, oboje wchodzą do domu,
A tam nagle wszystko się odmienia,
Rwetes, bieganina, podzwaniają talerze,
A nad tym wszystkim dzieci śmiech
I gadanina kobiet,
Z tematu na temat skaczą,
Ubarwia to miarowy ton
Męskich dyskusji,
Zamarły pionki szachów,
na zmianę przyszła pora,
I najwyraźniej z trudem,
Akcentując nowości, wdarła się w to radiola.

Wpatruję się w tę scenę, chcę coś zrozumieć z niej,
Ale na próżno, za słaba głowa,
Wiem o nich wszystko, wiem, co się jeszcze zdarzy,
Za lat piętnaście, za dwadzieścia pięć.

Lecz mojej wiedzy brak życia i mocy,
Jest w niej tylko smutek i tęsknota,
Zagadki Bytu nie rozwiążę,
Bo nikt jej jeszcze nie rozwiązał.

Stoję więc pod ścianą, tapeta taka miła,
Przyjmuje mnie serdecznie i zapaść mi w serce pragnie,
To wcale niepotrzebne, jej prosty wzór
Z pamięci wciąż odtwarzam w snach.

Na wpół zapadnięty dom, poryty zmarszczkami,
Zapadłe oczodoły okien, co ze starości wbiły się w ziemię...
Znów tu wróciłem i znów wszystko się powtarza,
Ten sam los.

* * *

Wczoraj spotkałem dziewczynę,
Która miała włosy podobne do twoich.
Podszedłem do niej i spytałem: „Co słychać, maleńka?”
Spojrzała na mnie, parskając:
„A idźżeż, ty chamie!”,
Co z pewnością miało znaczyć: „nie dostaniesz”,
Chociaż jeszcze nie złożyłem żadnej propozycji.
Nie zezłościłem się jednak – to nie pierwszy raz.
No cóż, zastała lawina też chciałaby w dół się potoczyć,
Tak jasna odmowa też czasem skutkuje.
Odbiera energię,
Która tak wezbrała,
Że już nie wystarcza samotność w klozecie.

Zapewne dlatego nawiedzasz mnie w snach.
I nieważny już orgazm czy też jego brak,
Czas młodzieńczych polucji mam już poza sobą.
Ot, po prostu, załaskotało coś w policzek, drgnęła żyłka na
Skroni,
Chciałem to strzepnąć, a to był twój włos...
Potem jakiś głos,
Cichy i samotny,
Wzywał mnie.
„Wpadnij, miły – prosiłaś – masz po drodze.
Na godzinkę, może dwie...”
Otworzyłem oczy.
Ciemna noc, tylko
Trzepocze biały woal firanki.
„Panna młoda” –
Przyszło mi na myśl.
Potem cień jakiś, jakby zarys twych piersi,
Kontury ramion i kark,

I to przejście od talii
Do kobiecych krągłych bioder.
Ta linia niezwykła, urwana w półmroku,
Jakby rzeźbiarz jej zaniechał.

No i znowu zasnąłem,
Przecknąłem się świtem, ponury,
Rozedrgany, zbolały i zły,
Żeby przywołać ten sen, trzeba by znowu pójść spać.
Wbiłem wzrok w sufit, wtem myśl przyszła,
Że dziś może lub jutro, pojutrze,
Któregoś popołudnia spotkam dziewczynę,
Co ma włosy podobne do twoich.
Cały ranek majaczyła mi przed oczyma,
Jak twoja obietnica nocnego zwycięstwa.
Może tym razem nie odpędzi,
W końcu zabawny ze mnie typ,
A kobiety lubią to,
Czasem może trafić się ktoś taki jak ja –
Niezbyt ciężki wariat.

Rozłąka

Jak sobie z tym poradzić,
kiedy odległość, wdzierając się w przestrzeń,
boleśnie ją kawałkuje,
niepomna łączącego je pokrewieństwa,
i w zwykłym, powszednim dniu
zdolna jest stworzyć złudzenie stałości?
Przypomina to ruszenie lodów,
kiedy odrywające się kawały kry
łamią lodową pokrywę,
obie mają tę samą lodową naturę,
trudno oprzeć się refleksji,
że dynamiczne ciała zanurzone w wodzie
albo w jakiejkolwiek innej cieczy
zorientowane są na jeden jedyny cel – zniszczenie.

Podobnie i ja, i dzielący nas dystans
mamy coś wspólnego z rozszalałym tsunami,
który runął na wyspę pośród oceanu
z samotnie sterczącą latarnią morską,
zniszczył je obie, pozbawił ich racji bytu,
okradł statki, pozbawił je światła migającego...
A później,
świętując oszałamiające zwycięstwo,
ruszył przed siebie,
nawet nie skrywając swojej przewrotności...
Podobnie i ja,
i ta odległość między nami – naruszamy przestrzeń.

Jak sobie z tym poradzić,
kiedy wyciągnięte ręce
czują jedynie niepochwytne powietrze?

Dłoń, czując bezsiłę i ból tęskny
pustki bezkształtnej,
z którą od dawna jesteś na „ty”,
twoją coraz bliższą towarzyszką,
nie chce wyzbyć się do końca czucia w palcach.
To czucie odtąd zaspokaja się prostackim zajęciem.
To czucie nie umie już poczuć delikatnych kształtów twojego ciała.
Wie, że z czasem zamrze,
podobnie jak wymarli Neandertalczycy.

Jak sobie z tym poradzić, kiedy wzrok wyławia
tylko bardzo konkretne formy konkretnych przedmiotów
i nie potrafi już pochwycić twego
równie zamglonego wzroku,
i tylko słowa jakieś w pamięci zostały:
„Nie, nie, za mocno, tak nie”.
I brak granic realnych,
to sprzyja skrajnym fantazjom – obce ciała i twarze,
namiętność, rozkosz, usta, piersi i... krzyk.
Teraz nic nie ma,
mój wzrok karmi się nogą u stołu,
niestarannie pomalowanym parapetem
i czuję się jak umarlak czy może ulatująca z ciała dusza,
bez szans, by raz jeszcze ożywić to ciało.
Ja i mój wzrok już nie umiemy ciebie połączyć
z tym, co nazywamy naszym wspólnym losem.

Można jeszcze wytrzymać,
gdy rozłąka bezbrzeżna
już nie rodzi nocnych pragnień.
I dźwięki nocy
tak łatwo wyrywają świadomość
z potrzeby snu.

Kiedy „znów" nakłada się na jeszcze jedno „znów",
i tak bez końca,
a usta zapomniały już owalu twej twarzy
i chyba nigdy już sobie go nie przypomną.
Samotność tak wryła się już w ciebie,
że staje się namiętnością...

Wtedy pamięć próbuje wskrzesić
nie tylko smak oddalenia, ale i radość spotkania,
a w głowie kołacze się słowo „w drogę",
a w głowie kołacze się „ocal".

* * *

Kiedyś też się zestarzeję,
kiedyś, za jakiś czas...
Będę porządnym staruszkiem,
co krząta się po domu we flanelowej piżamie,
będę jadł na śniadanie domowe twarożki,
będę się wdrapywał piętro wyżej,
opowiadając, że mam tam damę serca,
zaniosę kwaśne mleko sąsiadce staruszce.

Będę się budził o świcie,
to taki starczy nawyk.
Nikłe światło brzasku wystarczy do życia.
Każdy ma swój ulubiony temat,
mój – to gazety.
Ich prognozy
i codzienne wiadomości
odróżniają styczeń od stycznia.

A później, gdy wyjdę na spacerek,
w garniturze, z piękną muszką, z laseczką,
jak gdybym w gości szedł
albo załatwiać mnóstwo spraw,
wejdę do pustawego tramwaju,
otworzę nową książkę
i nie obrażę się, chociaż obrazę
niełatwo skryć.
Dyskretnie
zerkam na ulicę,
gdzie życie rozpędzone goni,

w tym bezustannym tempie jest posmak szczęścia,
którego nie upilnowałem...

Może miał rację Hemingway,
rozwiązując po swojemu problem starości?

* * *

Ręce, pieszczące kiedyś twoje piersi,
dotarły i wniknęły do każdej komórki twojego ciała,
a chociaż wierzyłaś, że zapomniałaś o nich,
nie chciałaś więcej
o nich pamiętać,
lecz one co i rusz
pojawiały się w twej świadomości,
zaciskałaś powieki, brnąc w przeszłość,
pokonując jej dystans.

W komórkach twojego ciała są też moje usta,
które kiedyś
całowały twoją skórę,
drżała żyłka na twojej szyi, zamierała bez słowa,
może dreszcz ją nagły przeszył, może lęk,
najpewniej zaś
przeczucie naszej klęski,
ciała porzuconego na pastwę losu,
zmiażdżonego, wbitego w pajęczyny żyłek.
Jego fragmenty przemieszały się
z wilgotnym zapachem piersi,
z czyimś,
może jego, może twoim,
głosem, co szeptał wciąż: „Poczekaj, poczekaj".

Jednak czas
powoli zacierał nasze ruchy,
zamieniając taśmy wspomnień w wyblakłe fotografie
dwóch czy trzech przypadkowo utrwalonych scen,
w pewnej chwili postanowiłaś,
że przeszłość ma już tylko czas przeszły,
że już odeszła,

byś mogła zająć się nawałem teraźniejszych spraw.
Na przykład, nakarmić dziecko,
które, sama nie wiesz,
kiedy i jak przyszło na świat,
zdążyło już wyrosnąć, ma teraz osiem lat,
i mówi do ciebie: „Puść
moją rękę, to boli".
Rozprostowałaś odrętwiałe palce
i próbując nimi poruszyć, pomyślałaś,
że pewnie w kościach wapnia brak.
Spojrzawszy na swego męża, co był całkiem z przypadku,
wyobraziłaś sobie z nim kolejną noc
i postanowiłaś się wykręcić, więc oznajmiłaś mu,
że boli cię głowa i masz katar,
może uda ci się od razu zasnąć,
obarczając małżeńskie łoże
ciężkimi snami,
czując, że mąż twój pragnie ciebie,
mruknęłaś tylko niewyraźnie: „Jutro, nie teraz" –
i odwróciłaś się plecami.

Rano wstałaś rozbita,
marząc, by jak najprędzej znaleźć się już w pracy,
by nikt o tobie nie pamiętał.
Błagając Boga,
by twa pamięć,
zryta i zbolała myślami o rozstaniu,
stała się tylko tamtą pamięcią komórkową
moich pocałunków na twej piersi, szyi, udach,
na małym palcu nawet,
by znów ożywiła te jedyne dłonie,
którym dajesz prawo dotykania,
by mogły potem ci się śnić.

* * *

Spójrz, za oknem sypie śnieg,
a tu tak ciepło, woń geranium,
senne kocisko drzemie w kątku
i buty w swym pudełku.
Gdybym nie musiał wstawać świtem,
przyssałbym się do półlitrówki
czerwonego wina
i wlał je, pijany ze szczęścia, tam,
gdzie już przelewa się go cztery litry...
Uwierz, najmilsza, to nie moja wina,
że, powiem poetycko, spełzła paleta barw
z przeszłego życia.
To nie z tęsknoty za ojczyzną,
już prędzej ta rzeczywistość podła.
A przecież w tej przeszłości, prawda?, była radość.
Chociaż wtedy,
gdy dłoń stęskniona ciebie dotykała,
gdy spotykały się spojrzenia,
gdy twoje rozchylone usta
składały się do szeptu,
by wymówić te słowa – nagrodę...

Popatrz, księżyc rozprasza mroki nocy,
a światło lampy mu pomaga,
nie śpieszę się z odpowiedzią,
bo nasz sen dopiero się rozpoczął
i pachnie latem, jak twe usta.

* * *

Mieszkałem tyle czasu sam w pustym domu,
prałem w miednicy,
marzyłem o kefirze,
gdy ranek miałem ciężki...
Czasami chcę stąd wyjechać,
rzucić to wszystko,
mieć dom prawdziwy, żonę,
spać z nią w objęciach,
jadać ciepłe kolacje:
pieczone mięso, drób, cielęcinę,
zmieniać bieliznę co dzień,
a potem...

urodzić syna, chłopaczka, dać
mu pocieszne imię Eliot, niech jego płacz
zakłóci spokój dnia i nocy,
bębniąc w szyby jak deszcz, co zakłóca ciszę domu.
Budziłbym się każdego ranka, obmyślał,
jak zmóc troski i pilne sprawy.
Oboje z naszym potomkiem
dzielnie byśmy im stawiali czoło, podgrzewając mleko,
a wiatr tłukłby się w okno,
rozwiewając noc.
Wpatrywalibyśmy się uważnie,
jak mrok szarzeje,
jak ściany domów rozjaśnia światła blask.
Eliot przytuliłby się do taty,
ssąc mleko,
oczy by mu zbłękitniały
jak moje.
I jego twarz,
tak, te same rysy...

To jakiś sen,
myślałem, zaskoczony,
bo nie wiem już, gdzie ja, gdzie on,
czas jakby zatoczył koło
i znowu stoję u wezgłowia.

* * *

Tu gdzie dziś jestem,
noc dawno się zmęczyła, by zgasić brzask.
Słony wiatr zmaga się z okiennicą,
próbuje, czy rama wytrzyma jego napór,
szarpie napięte nerwy,
które od tak dawna
są boleśnie zatrute
smutkiem nocnego powietrza,
są niczym rana,
bezsenność ich na pewno nie uleczy.
Jesteś daleko,
piszę do ciebie teraz list,
kiedy przeczytasz, pomyślisz – to pewno wiersz,
a to ból tylko,
słowa odmierzają czas.
Przez te lata
wszystko chyba utraciliśmy,
przemierzając je samotnie.
Ja zaś, niestety,
tracę ciebie,
jak ciało skazane na zesłanie,
odziane już w pasiak zesłańca,
tam nie ma już nadziei,
tylko niestanne deszcze.
Trochę w nich łez.

* * *

Długo żyłem,
lata całe,
dłużej niż chciałaś,
w twojej wyobraźni,
ale umarłem!
Nie smucę się,
grzechem byłoby
roztaczać smutek.
Rozwibrowany
jak huczący ul,
nienasycony...
Zamienię go na wdzięczność.
Powędruję nocną ulicą,
samotny –
gra cieni
w blasku latarni.
Wiem, że tam jesteś, za wielkimi morzami,
za chmurami, za granicami dni,
za horyzontem, gdzie poszło spać słońce,
za strefą wiatrów,
może mój sen, zaplątany w zmięte prześcieradła,
zaprowadzi mnie nocą do twojego snu.
Tyle nadziei musi wystarczyć.
Przecież z nami
wciąż żyją te senne fantazje,
jak cienie dnia, który się nie spełnił.

* * *

Zmywając z siebie lotnisk kurz,
kurz tranzytowych miast,
kurz rozmów przez telefon
i kurz przewodów, co je łączą,
zmywając kurz mych przeżyć,
co są już ponad siły,
kurz pragnień niespełnionych
i oczekiwań...
A oprócz tego
i kurz straconych strat.

Zmywając z siebie kurz, stoję w wannie,
i piję wodę żywą,
jak Hindus w swej nirwanie,
z fallusem mym jestem na ty!

I świecę jasnym blaskiem,
kiedym tak czysty jest!